Tiziano Terzani
Pelle di leopardo
seguito da
Giai Phong!
La liberazione di Saigon

Opere di Tiziano Terzani
pubblicate in questa collana:

Buonanotte, signor Lenin

In Asia

Un indovino mi disse

Lettere contro la guerra

Pelle di leopardo
(*insieme con* Giai Phong! La liberazione di Saigon)

La porta proibita

TEA - Tascabili degli Editori Associati S.p.A., Milano
www.tealibri.it

«Pelle di leopardo»: prima pubblicazione
presso Giangiacomo Feltrinelli, Milano, 1973
«Giai Phong! La liberazione di Saigon»: prima pubblicazione
presso Giangiacomo Feltrinelli, Milano, 1976

Prima edizione TEADUE giugno 2002
Prima edizione Saggistica TEA marzo 2004
Tredicesima edizione Saggistica TEA novembre 2007

Premessa – Venticinque anni dopo

NEL 1975 mi capitò d'essere uno dei pochissimi testimoni occidentali d'un avvenimento storico che segnò la vita della mia generazione: la fine della guerra in Vietnam. Su quella esperienza, a caldo, con le emozioni ancora a fior di pelle, scrissi un libro che uscì col titolo *Giai Phong! La liberazione di Saigon*.

Il volume che il lettore ha ora fra le mani è la ristampa di quel libro preceduto dal mio diario di corrispondente al fronte pubblicato per la prima volta col titolo *Pelle di Leopardo* nel novembre 1973.

È passato più d'un quarto di secolo da quando quei due volumi videro la luce ed il tempo ha fatto uno dei suoi soliti, strani scherzi: ha cambiato me, ma non i libri. Come una immagine fotografica, congelata nell'immobilità dell'istantanea, *Giai Phong!* in particolare riflette ancora l'entusiasmo di quei giorni, è pieno delle speranze che la rivoluzione aveva suscitato. Io invece, avendo vissuto il resto di quella ed altre storie, sono diventato, com'è naturale e giusto, un'altra persona: scettica di tutte le promesse politiche e sospettosa di ogni tipo di rivoluzione. « Allora ti eri sbagliato? » mi si chiede spesso. Al fondo di questa domanda c'è una provocazione che merita una risposta, e la risposta è sostanzialmente: « No ».

I fatti di poi non possono mutare i fatti di prima e quel che è successo in Vietnam dopo la fine della guerra non può cambiare il giudizio sul significato del conflitto in sé. Per la mia generazione fu soprattutto una questione di moralità. Da una parte c'erano i vietnamiti che combattevano una guerra di indipendenza, la stessa che avevano combattuto da quando, un secolo prima, i francesi erano sbarcati sulle loro coste ed avevano fatto dell'Indocina una colonia; dall'altra c'erano gli americani che avevano rimpiazzato i francesi nel loro tentativo neocolonialista, che non avevano alcuna ragione di immischiarsi negli affari di un paese così lontano dal loro e che non avevano perciò alcun diritto « di distruggerlo per poterlo salvare ».

VI

Ogni generazione cerca degli eroi con cui identificarsi, degli eroi a cui ispirarsi. Per la mia furono i vietcong. Fra gli americani con la loro sofisticata, tecnologicissima macchina da guerra ed i contadini-guerriglieri, la scelta era fin troppo facile. I principi nei quali credevamo erano semplici: ogni popolo doveva scegliere il proprio destino, ogni società doveva essere soprattutto umana e giusta. La rivoluzione vietnamita prometteva esattamente questo. Tutte le rivoluzioni lo fanno: perché le rivoluzioni sono sul futuro, ed il futuro, dal momento che può essere riempito di sogni, ha l'aria regolarmente più attraente del presente, di solito così afflitto da miserie ed ingiustizie.

Il Vietnam era esattamente così: da un lato c'era un reale, presentissimo, visibile, oppressivo regime appoggiato dalla potenza militare americana; dall'altro c'era una dura, spartana e moralissima rivoluzione che prometteva pace ed una vita migliore per tutti. Per questo lo slogan «Uno, dieci, mille Vietnam» fu per anni sulla bocca di milioni e milioni di giovani che in tutto il mondo manifestavano contro ogni fase della «sporca guerra» americana. La rivoluzione non faceva paura. Anzi.

Per giunta, quando arrivò a Saigon e finalmente mise fine alla guerra, la rivoluzione si presentò esattamente con la faccia che molti avevano sognato: era gentile, comprensiva, compassionevole. Alcuni avevano temuto che i guerriglieri, una volta presa Saigon, avrebbero scatenato un bagno di sangue, avrebbero allineato i loro nemici davanti ai plotoni di esecuzione. Non avvenne niente del genere. Invece di chiedere vendetta i nuovi detentori del potere parlarono di fratellanza e di riconciliazione nazionale.

I primi rivoluzionari che entrarono a Saigon avevano l'aria di onesti, sinceri combattenti di una causa che improvvisamente sembrò giusta persino ad alcuni dei loro più accaniti avversari. Nei tre mesi in cui mi fu permesso di restare in Vietnam l'esperienza quotidiana della rivoluzione fu incoraggiante, a volte persino esaltante. Avevo l'impressione di qualcosa di nuovo ed affascinante che veniva alla luce, qualcosa di magico come la vita di un neonato. C'era nella rivoluzione un aspetto catartico, purificante, che non poteva lasciare indifferente un osservatore. C'era una senso di «giustizia è fatta» nel vedere una società marcia e corrotta messa sotto sopra, nel vedere i prepotenti di ieri esautorati e la parola data alle vittime. *Giai Phong!* è il resoconto di quel periodo. Riflette l'atmosfera, lo spirito di quel tempo.

Una volta pubblicato, il libro ebbe una vita propria. Venne tradotto in varie lingue e piratato in altre. Negli Stati Uniti, dove per qualche anno restò la sola testimonianza oculare di quel che era successo dopo la affrettata ed ingloriosa partenza degli americani, *Giai Phong!* fu recensito favorevolmente dalla grande stampa e divenne la scelta del Book of the Month Club. Questo successo fece sì che il libro fosse automaticamente ristampato a Taiwan, allora irrispettosa degli accordi internazionali sul copyright, e dovettero passare alcuni mesi prima che il censore anticomunista dell'isola si accorgesse della natura « sovversiva » del libro e lo mettesse al bando facendone scomparire tutte le copie.

Un anno dopo la edizione originale, in Italia il libro venne ristampato in una versione abbreviata da adottare nelle scuole. In Vietnam *Giai Phong!* venne prima pubblicato a puntate da un quotidiano e poi distribuito come libro fra i quadri del partito comunista e dell'esercito.

Una volta, nelle Filippine, telefonai alla famiglia di Ninoy Aquino che era ancora in prigione. Cercavo di presentarmi quando venni interrotto: « La conosciamo. Ninoy non fa che citare il suo libro ». Lui stesso, prima di essere assassinato, mi scrisse una nota per dirmi quanto *Giai Phong!* l'aveva aiutato nel fargli credere nella possibilità di una rivoluzione dal volto umano. Anni dopo, alcuni amici thailandesi mi han raccontato che molti degli studenti di Bangkok andati a raggiungere la guerriglia comunista avevano il mio libro fra le poche cose che si eran portati nella giungla.

Dinanzi alla realtà di ciò che è successo in Vietnam dopo il 1975, mi sono sentito spesso un gran peso sulla coscienza all'idea che *Giai Phong!* venisse utilizzato per propagare un mito che s'era sgonfiato e che continuasse ad alimentare speranze che s'erano rivelate penose illusioni. La sola cosa che potevo fare era continuare a scrivere: scrivere su ciò che succedeva in Vietnam, scrivere su come i rivoluzionari si comportano quando sono al potere. L'ho fatto ogni volta che mi si è presentata l'occasione: in Vietnam e altrove.

Dal momento che non sono mai stato membro di nessun partito, di nessuna chiesa, di nessun gruppo, di nessuna setta che mi imponesse i suoi valori, che mi guidasse nel giudizio, che mi offrisse le sue già confezionate interpretazioni dei fatti umani, dal momento che non ho mai avuto una fede a cui attaccarmi, ho dovuto ogni volta farmi una mia idea di quel che mi stava davanti, di quel che vedevo.

VIII

È così che l'essere stato l'autore di *Giai Phong!* non mi impedì di descrivere come la gente, che avevo pensato avesse una sorta di superiorità morale, l'aveva perduta e come i «liberatori» si erano trasformati in oppressori.

Nel 1976 le autorità comuniste di Hanoi mi permisero di tornare in Vietnam in occasione del primo anniversario della loro vittoria. Per due settimane viaggiai in macchina da nord a sud attraverso un paese dove la gente, nonostante la propaganda sulla riunificazione, era ancora profondamente divisa, dove non c'era stata alcuna riconciliazione nazionale, e dove i «perdenti» venivano trattati come paria, mentre i «vincitori» avevano assunto i privilegi, l'arroganza e tutti gli altri difetti di quelli che avevano spodestato. Le così dette «nuove zone economiche» altro non erano che campi di concentramento, mentre la tanto vantata rieducazione s'era rivelata una trappola in cui centinaia di migliaia di potenziali oppositori politici erano stati abilmente attirati.

Quando, in visita ufficiale in una prigione, fui messo dinanzi ad una orchestrina composta da violinisti ex ufficiali dell'esercito di Thieu che per dimostrare la loro gioia di essere rieducati avrebbero suonato per me un quartetto di Mozart, mi rifiutai di prender parte a quella farsa e nel libro dei visitatori scrissi che dovunque ci fossero delle sbarre la mia simpatia andava sempre a quelli che ci stavano dietro.

Tornai in Vietnam ancora due volte ed ogni volta trovai il paese in condizioni peggiori. Andando a far visita agli amici ed ai conoscenti di un tempo – con tutti che si guardavano costantemente alle spalle per vedere se venivamo pedinati e spiati – mi fu facile rendermi conto di tutto quello che non era stato fatto, di tutto quel che era stato sprecato, di tutto quello che era andato storto. I rivoluzionari non avevano portato alcuna giustizia, a meno che questa significasse semplicemente mettere in basso ciò che era in alto e rimpiazzare una dittatura con un'altra. La qualità della vita sembrava peggiorare di volta in volta: povertà, corruzione, inefficienza dilagavano. Su ogni argomento che cercavo di affrontare, dalla Cambogia al numero della gente che arbitrariamente era ancora detenuta, le autorità mentivano con una spudoratezza che rasentava il ridicolo.

Il mio migliore amico, Cao Giao, venne arrestato e tenuto per mesi in isolamento in una cella senza luce dove ogni giorno gli veniva data una ciotola di riso piena di formiche che lui si accorgeva di mangiare solo quando nel buio le sentiva corrergli sulla faccia. Il Pen Club internazionale condusse una campagna per la sua liberazione, ma le autorità comuniste lo rilasciarono solo quando era chiaro che stava morendo di cancro ed aveva ormai pochissimo da vivere. Cao Giao era uno di quelli che la rivoluzione aveva fatto sognare; ma per lui come per tantissimi altri vietnamiti la polizia rivoluzionaria con le sue tattiche di terrore era diventata un incubo come la polizia del vecchio regime.

La rivoluzione non aveva mantenuto nessuna delle sue promesse e governava la gente con una crudeltà che divenne spaventosamente apparente quando migliaia e migliaia di vietnamiti si buttarono, o vennero buttati, in balia del mare su barche pericolanti in cerca di un rifugio.

Scrissi di tutto questo e presto, come era già avvenuto ai tempi di Thieu, venni dichiarato persona non grata e messo sulla lista di quelli a cui venne impedito di entrare nel paese. Non me ne dispiacque. In Cina, per aver scritto cose simili sul regime comunista, nel 1984 venni arrestato, rieducato per un mese ed alla fine espulso. Anche lì la rivoluzione aveva avuto un diverso inizio e giornalisti come l'americano Edgar Snow avevano scritto con grande simpatia di Mao e della presa di potere da parte dei comunisti.

Eppure in Cina – come in Vietnam ed in verità come ovunque – la rivoluzione era presto andata a male, s'era rivoltata contro la gente, ed il bambino che sul nascere era apparso così bello ed attraente s'era presto rivelato un mostro dal cuore di pietra.

Che libro scriverei oggi se mi capitasse di assistere a quello che vidi nel 1975? Certo non lo stesso libro, visto che oggi non sono più la stessa persona di allora, non sono più quel giovane ottimista, sorridente e speranzoso raffigurato coi sandali di gomma dei vietcong nella foto sul retro della copertina. E come potrei essere lo stesso dopo essere passato – e solo da testimone, fortunatamente – attraverso tutte le disgrazie, i massacri, i tradimenti degli ultimi venticinque anni di storia asiatica, dai *killing fields* di Pol Pot ai giovani cinesi assassinati inermi sulla piazza del Tienanmen, alla delusione della *people's power revolution* di Cory Aquino nelle Filippine, allo strangolamento della democrazia in Birmania ed ora all'ondata di materialismo che spazza via quello che non era ancora stato distrutto dalle bombe e dagli iconoclasti?

Io non sono lo stesso uomo di venticinque anni fa, così come il mondo non è lo stesso di allora. La vita di oggi non è più dominata dai conflitti ideologici, non ci sono più contrastanti visioni del futuro e non più diverse interpretazioni della storia. La sola voce che oggi si sente rintronare è quella autoincensantesi dei vincitori della Guerra Fredda. Nessuno marcia più per nulla e niente sembra più rivoltare la coscienza della gente.

In questo senso mi fa piacere che *Giai Phong!* e *Pelle di Leopardo*, da tempo esauriti ed introvabili, tornino a vedere la luce grazie al mio editore Mario Spagnol, che poco prima di morire decise di ristamparli. Essi restano un documento di un particolare momento nella storia di una rivoluzione, il momento in cui gli eroi non sono ancora stati rimpiazzati dai burocrati del terrore, in cui gli idealisti non sono ancora stati cacciati dagli ideologi e i soldati-partigiani non ancora soppiantati dai funzionari dei servizi segreti. *Giai Phong!* in particolare è il resoconto di quel che la rivoluzione avrebbe potuto essere.

I due libri che ora vengono ripresentati in ordine cronologico sono esattamente come erano quando uscirono un quarto di secolo fa. Non ho cambiato un nome, non un aggettivo, non ci ho tolto un punto esclamativo, né aggiunto uno di domanda. Solo il titolo del primo, *Pelle di Leopardo* – un riferimento alla carta del Vietnam a chiazze, a seconda che un'area fosse occupata dalla guerriglia o dalle forze governative –, è stato dato alla raccolta dei due per renderli meno estranei ad una nuova generazione di lettori.

Questa ristampa è infatti per loro. Ora che il mondo cerca un suo nuovo ordine, ora che il pianeta sembra sempre più ridotto ad un villaggio globale dominato da un singolo pacchetto di idee «politicamente corrette», sta diventando sempre più difficile capire che cosa potesse significare una rivoluzione, capire perché ad un certo momento questa apparisse così attraente, perché così tanta gente potesse crederci e fosse pronta a sacrificare la propria vita in suo nome.

Mi piace sperare che, come una vecchia foto, le pagine che seguono comunichino il fascino di ciò che non è più ed aiutino un po' a capire il passato.

t.t.

Orsigna, settembre 2000

PELLE DI LEOPARDO

DIARIO VIETNAMITA
DI UN CORRISPONDENTE DI GUERRA
1972-1973

La guerra è una cosa triste, ma ancora più triste è il fatto che ci si fa l'abitudine.

Il primo morto, quando l'ho visto, stamani, rovesciato sull'argine di un campo con le braccia aperte, le mani magrissime piene di fango e la faccia gialla, di cera, con gli occhi vuoti a guardare il cielo, mi ha paralizzato. Gli altri, dopo, li ho semplicemente contati, come cose di cui bisogna, per mestiere, registrare la quantità.

Non si può parlare, scrivere di questa o di un'altra guerra, se non la si va a vedere, se non si è disposti a condividerne i rischi. Me lo dicevo andando al fronte, dopo due giorni passati a Saigon con gli addetti militari delle ambasciate, i portavoce dei comandi, con gli «esperti», a discutere di una guerra che rimaneva, per me, campata in aria, astratta, come non fosse fatta da uomini.

Mi pareva che andare alla guerra fosse necessario per capirla, fosse anche una forma di lealtà nei confronti di chi la combatte. Non ho cambiato idea, ma ora che ci sono ho paura e ciò che mi fa più paura è accorgermi che questa guerra non la si può vivere che da una parte del fronte, diventando in un certo modo combattenti.

I soldati dietro i quali si va diventano presto «noi», e quelli che ci sparano addosso, gli altri, diventano i nemici, i *bad guys*, i «cattivi», come gli americani hanno qui insegnato a chiamarli.

Imparando a distinguere fra i colpi di artiglieria in partenza, regolari, e quelli in arrivo, sporadici, irregolari, che possono cadere qui vicino, s'impara automaticamente a dire «i nostri», «i loro».

Con la faccia affondata nella terra d'una fossa che si riempiva d'acqua, sotto una pioggia scrosciante, mi sono sorpreso a sperare che venissero gli elicotteri americani, che venissero i Cobra a ripulire il boschetto dal quale un paio di cecchini ci prendevano di mira.

«Se non riceviamo rinforzi entro stasera o domani, siamo spacciati», diceva il maggiore Minh, capo distretto di Chon Than. «I vietcong aumentano di ora in ora. Sono ormai tutti qui attorno...» E col braccio teso aveva fatto il giro dell'orizzonte. «Laggiù», e indicava una fila di alberi, «laggiù li abbiamo visti ad occhio nudo. Sono dei regolari di Hanoi. Hanno tutti l'uniforme blu e il casco coloniale.» Eravamo appena fuori del reticolato del posto di comando e il maggiore Minh voleva farmi vedere come funziona il sistema di allarme, se di notte i vietcong tentano di tagliare il filo spinato.

È stato in quel momento che ci hanno sparato. Io stavo in piedi e vicinissimo, all'altezza dell'orecchio destro, m'è passato qualcosa con un sibilo. Secco. Breve. Lo so, l'ho sentito dire tante volte che la pallottola che senti non è quella che ti colpisce, ma è una magra consolazione quando ne senti altre passarti sopra la testa e sai che, a pochi metri da lì, uno che neppure conosci aspetta che tu ti muova per tirarti addosso, e magari pensa anche che tu sia un consigliere americano.

Chon Than è una cittadina di diecimila abitanti a settanta chilometri da Saigon, sulla importante strada numero 13 che dal confine cambogiano conduce nella capitale sudvietnamita. La città è deserta, o almeno pare tale. Molta gente è scappata, altra sta rintanata in casa, aspettando un momento di tregua per mettersi in cammino con qualcosa da salvare: un figlio, un maiale, un materasso, un ventilatore, delle pentole, un sacco di riso.

Arrivando, avevamo incontrato una donna la cui casa ieri notte era stata visitata dai partigiani. «Volevano solo da mangiare. A noi civili non hanno fatto nulla. Cercavano però i soldati. Hanno detto che sono venuti a liberarci, che presto la guerra finirà.»

Alla fine dell'abitato la strada è chiusa da una fila di bidoni di benzina riempiti di cemento. Ieri il fronte era qui e un plotone di soldati aveva piazzato dei mortai. Oggi non ci sono più; si sono ritirati quando hanno sentito dire che la capitale provinciale, An Loc, a ventisei chilometri da qui, è stata oltrepassata da duemila soldati nordvietnamiti.

An Loc non è caduta, come invece è successo con Loc Ninh, ancora più a nord, ma la guarnigione sudista è isolata e può essere rifornita solo per via aerea, se il tempo lo permette.

I nordvietnamiti e le forze partigiane stanno scendendo lungo la boscaglia che fiancheggia la strada numero 13. Il grosso è ora attorno a Chon Than, ma le avanguardie si sono già infiltrate molto più a sud, fino a trentotto chilometri da Saigon, dove ieri hanno fatto saltare un tratto di strada, subito riparato. Un guerrigliero era stato scoperto da una pattuglia e un colpo nella schiena l'aveva fermato. L'avevano spogliato e lasciato lì a marcire sull'argine d'un campo con addosso solo un paio di calzoncini azzurri.

Stamani, per arrivare a Chon Than, assieme a un collega inglese abbiamo percorso una ventina di chilometri di strada completamente deserta, controllata dagli uomini del Fronte di Liberazione Nazionale.

« Se volete passare, provateci. Non credo che Charlie sprecherà un razzo per la vostra macchina », ci aveva detto uno dei due consiglieri americani che stavano con le truppe della 1ª brigata paracadutisti, un reparto solitamente assegnato alla difesa di Saigon e ora mandato dal presidente del Sud-Vietnam, Nguyen Van Thieu, a riaprire la strada per il Nord. Erano questi i rinforzi attesi dal maggiore Minh, ma erano loro stessi bloccati.

Una ventina di carri armati ronfava coi motori accesi sui fianchi della strada, coi cannoni puntati verso il bosco. Da ieri, la 1ª brigata ha fatto poco più di dieci chilometri. Un carro era stato centrato da un razzo B-40 di fabbricazione cinese e giaceva, coi cingoli all'aria, in mezzo all'erba bruciata. Un membro dell'equipaggio era morto.

Per evitare di venire imbottigliati, o presi alle spalle, i paracadutisti dovevano assicurare i lati della strada e sloggiare per tre-quattrocento metri sulle due parti eventuali pattuglie nemiche o anche un singolo franco tiratore. Metro per metro, albero dopo albero.

I carri non sarebbero certo arrivati prima di sera a Chon Than.

Col maggiore Minh siamo rimasti più d'un'ora distesi nella fossa. Pioveva a dirotto e il cielo era bassissimo e grigio. Gli elicotteri della base di Lai Khe non potevano muoversi. Poi, di colpo, c'è stata una schiarita e si sono sentiti, e visti, due elicotteri volare rasente agli alberi. Due piccoli Cobra col muso appuntito che sparavano razzi. Rimaneva nell'aria una scia di fumo rosa mentre da terra si alzavano delle colonne nere. Gli uomini di Minh sono usciti dal posto di comando, si sono aperti a ventaglio e si sono mossi carponi verso la fila di alberi da cui ci avevano sparato.

Siamo balzati fuori dalla buca e siamo scappati.

Tornando indietro, abbiamo ritrovato la 1ª brigata al chilometro 55. Avevano ucciso cinque vietcong che avevano messo in fila lungo la strada, ma ce n'erano altri che tiravano sui carri dalla boscaglia e la colonna non si muoveva. Un elicottero che era venuto in appoggio era stato abbattuto. «Volavo a quasi ottocento metri d'altezza», ci ha raccontato poi il pilota che era stato salvato e portato alla base di Lai Khe, «ma quelli hanno ormai delle armi sofisticatissime ed è diventato molto pericoloso volarci sopra.» Con lui c'era anche un ufficiale americano che per ultimo è riuscito, tre giorni fa, ad abbassarsi sulla città di Loc Ninh al confine cambogiano, caduta in mano alle forze del Fronte.

Coi governativi rimasti intrappolati a Loc Ninh c'erano anche sette consiglieri americani. «Sono riuscito a portarne via tre, ma è stato il finimondo. I sudvietnamiti tentavano in ogni modo di salire sull'elicottero. Ce n'erano da tutte le parti. Alcuni s'erano attaccati agli sci e non riuscivo ad alzarmi. Li ho dovuti buttare a terra, pigiarli giù. Alla fine ho tirato fuori la pistola per farli allontanare. Era terribile. Non potevo farci nulla.»

Sulla via di Saigon abbiamo imboccato l'autostrada di Bien Hoa e ci siamo fermati al grande cimitero nazionale Cong Hoa, «la Repubblica». L'avevo visto, arrivando in Vietnam, dall'aereo: un immenso esagono segnato da filari concentrici, come una di quelle sculture nel paesaggio che si fanno nei deserti americani. Dall'alto è una figura geometrica che si riesce a cogliere nell'insieme, i lati bianchi sembrano tracciati col gesso; da terra, invece, le croci, una dietro l'altra, sembrano estendersi a perdita d'occhio. Ogni punto bianco una croce, un cippo, un morto. All'ingresso c'è la statua d'un soldato seduto che si appoggia al fucile. Dicono che a volte l'hanno visto piangere e ogni tanto viene qualcuno che mette dei bastoncini d'incenso ai suoi grandi piedi di cemento. In un'enorme stanza dotata di aria condizionata, un centinaio di casse aperte aspettano che i parenti vengano a riconoscere i loro caduti.

Fra i tanti gruppi di persone che hanno qui un figlio da rimpiangere, c'era un vecchio che andava di bara in bara, scuotendo la testa. Un telegramma del comando di Tay Ninh gli aveva annunciato che il figlio era morto il primo giorno dell'offensiva, ma lui qui il figlio suo non l'aveva ancora trovato. Andava anche a vedere i cadaveri spezzettati e «ignoti» che alcuni soldati avevano appena scaricato da un camion, ma non lo vedeva: «Lo riconoscerei anche in questo stato perché io sono suo padre e lui è mio figlio». Sul retro dello stanzone, fra le celle frigorifere «donate dal popolo degli Stati Uniti d'America», c'era un ragazzino di dieci anni, in camicia bianca e calzoni azzurri, che saldava con lo zinco le casse che dovevano essere spedite in altre parti del paese. Diceva di fare questo mestiere per pagarsi la scuola.

Quando sono chiuse, i soldati mettono sulle bare una bandiera sudvietnamita e una striscia di carta dorata con scritto: *To Quoc tri on* («La patria non dimenticherà il tuo sacrificio»). I parenti aggiungono oggetti che aiutino il morto nel suo viaggio all'aldilà: un pacchetto di sigarette, una bottiglia di aranciata, dei soldi, una ciotola di riso, un uovo sodo.

L'aria era irrespirabile, il puzzo spaventoso, dapprima, poi anche a questo si faceva l'abitudine. Da una settimana, il numero delle donne di un villaggio vicino, incaricate di scavare le fosse, è stato raddoppiato.

L'offensiva partigiana e di Hanoi è cominciata il 30 marzo e da allora le perdite sono state numerose. I fronti sono attualmente quattro. In ordine di importanza innanzitutto il fronte Nord, al di sotto del 17° parallelo. Da trentamila a cinquantamila nordvietnamiti e vietcong operano attualmente nella regione di Quang Tri e premono sulla capitale provinciale omonima e su Hué che, già durante l'offensiva del Tet, fu occupata dalle forze comuniste per ventidue giorni. La dimensione dell'attacco e la qualità dell'armamento a disposizione delle truppe comuniste sono oggi enormemente superiori a quelle di quattro anni fa.

«Altro che guerriglia», ha commentato l'addetto militare di un'ambasciata europea, «i nordvietnamiti stanno conducendo una guerra nel senso classico. Impiegano prima l'artiglieria, specie i cannoni russi da 130 mm capaci di sette colpi al minuto e con una gittata di ventisette chilometri, poi avanzano con carri T-54 e T-55, sempre sovietici, e dietro mandano la fanteria.» La rapidità con cui sono riusciti a sfondare le difese lungo la zona smilitarizzata è stata sorprendente.

«La grande arma dei comunisti non sono stati i cannoni o i carri, ma il panico che sono riusciti a creare tra i sudvietnamiti», ha detto un consigliere militare americano. Se il loro obiettivo iniziale fosse stato semplicemente la città di Quang Tri, importante strategicamente, ma difficilmente trasformabile nel simbolo di un Vietnam «liberato», ora potrebbero pensare di prendere Hué, la vecchia città imperiale, capitale della provincia di Thua Thien.

Secondo alcuni osservatori, uno degli obiettivi dell'offensiva sarebbe proprio quello di dare una capitale al GPR, il Governo Provvisorio Rivoluzionario. «Hué, certo sarebbe l'ideale, ma qualsiasi altra città potrebbe andare bene: An Loc, Kontum, Plei-

8

ku...» dice un alto funzionario dell'ambasciata americana a Saigon. «Se ci riuscissero sarebbe un grosso successo psicologico per il Nord. A quel punto, Hanoi potrebbe chiedere il cessate il fuoco da una posizione di aumentata forza.»

«Hué sembra una città che conta i propri giorni», racconta un uomo d'affari francese. «Molte famiglie che non erano scappate al tempo del Tet stanno facendo le valigie perché temono la battaglia che avrà luogo per la città.»

Il secondo fronte è quello a nord di Saigon. Caduta Loc Ninh, a cento chilometri dalla capitale, le truppe comuniste, entrate dalla Cambogia, puntano ora verso sud, muovendosi sotto la copertura delle vastissime piantagioni di gomma della regione. Molti osservatori ritengono improbabile che Saigon sia l'obiettivo di questa avanzata, ma, come qualcun altro fa notare, «se non fanno qualcosa contro Saigon stessa, tutta questa faccenda non ha molto senso, dal momento che uno degli obiettivi politici dell'offensiva è chiaramente quello di indebolire o addirittura eliminare il regime di Thieu». I nordvietnamiti e i partigiani del Fronte di Liberazione Nazionale non hanno ancora impegnato tutte le loro forze in questo settore e grossi concentramenti di truppe sono segnalati in territorio cambogiano, pronti a varcare il confine.

Un terzo fronte è stato aperto nella regione degli altipiani e la pressione è diretta contro le città di Pleiku e Kontum. I vietcong e i soldati di Hanoi hanno qui meno problemi di rifornimenti che altrove, dal momento che, proprio in questa area, sboccano le varie diramazioni finali del cosiddetto «sentiero di Ho Chi Minh».

Il delta del Mekong a sud-ovest di Saigon costituisce il quarto fronte. In questa regione, che è sempre sfuggita al completo controllo dei governativi e degli americani, così come era sfuggita prima a quello dei francesi, i vietcong hanno ottenuto notevoli successi, interrompendo in vari punti l'unica via di comunicazione con il sud. Anche la città di My Tho è stata attaccata a colpi di mortaio.

Al di là di queste quattro regioni, i vietcong hanno attaccato separatamente un po' in tutto il paese, costringendo così il governo di Saigon a spezzettare la sua reazione e a dividere le sue forze che oggi, comprese polizia e varie milizie di autodifesa, superano il milione e duecentomila uomini. Ciò che colpisce dell'attuale offensiva comunista sono principalmente due aspetti: il ritorno a uno schema quasi convenzionale di guerra e la scelta dei tempi.

Secondo molti osservatori questo abbandono della guerriglia e l'impiego massiccio di mezzi, che è costato ad Hanoi un incredibile sforzo di preparazione e certo pone notevoli problemi di rifornimento, è dovuto ad un'analisi che i nordvietnamiti hanno compiuto sugli effetti della offensiva del Tet.

Con gli attacchi simultanei a quasi ogni città, paese e base militare in tutto il territorio del Sud-Vietnam, nel corso del febbraio 1968, i vietcong diedero un grosso colpo alla presenza americana in questo paese. Fondamentalmente ne dimostrarono l'enorme vulnerabilità, anche se alla fine i risultati che ottennero furono più politici che militari: non mantennero il controllo di nessuna parte del territorio che avevano preso, ma precipitarono la decisione americana di sganciarsi dall'Indocina. Per far questo, persero circa sessantamila uomini. Un'intera generazione di guerriglieri venne così sacrificata nel Tet, e truppe regolari nordvietnamite sempre più numerose dovettero essere mandate a sud per prendere il posto dei vietcong.

Dal Tet ad oggi l'esercito sudvietnamita (ARVN) è stato esattamente raddoppiato, mentre è proceduto a tappe forzate il programma di eliminazione dei quadri politici nelle campagne: l'operazione fu definita dalla CIA con un nome involontariamente appropriato, Phoenix, nel senso che, nonostante i successi (oltre sessantamila « eliminazioni »), l'infrastruttura del Fronte è sempre rinata dalle ceneri.

Con queste premesse, il Nord non poteva più aspettare, non poteva aspettare cioè che il Fronte si indebolisse ulteriormente nel Sud, che il programma di « vietnamizzazione » dell'ARVN fosse completato, che si creasse in Vietnam una situazione *de facto* analoga a quella coreana. L'offensiva del Tet, che non produsse alcuno dei risultati stimolati e sperati dal Fronte sul piano di una sollevazione popolare contro il regime, aveva dimostrato come sarebbe stato sempre più irrilevante fiaccare un esercito in crescita con operazioni di guerriglia ai suoi fianchi. Bisognava attaccarlo frontalmente, distruggendo i due pilastri su cui il piano di ritiro americano poggiava: la vietnamizzazione e la pacificazione.

Questi sono i veri obiettivi dell'attuale offensiva al di là delle semplici conquiste territoriali o della presa di possesso di presunte capitali. Vietnamizzazione significa la capacità dell'ARVN di mantenere il controllo del paese senza l'appoggio americano. Pacificazione significa sradicare la infrastruttura politica comunista nelle campagne e garanzia di protezione data dal governo di Saigon alle popolazioni rurali.

Già nella prima settimana dell'offensiva questi due obiettivi si sono dimostrati irraggiungibili. Se non fosse stato per l'intervento massiccio dell'aviazione americana, l'esercito di Saigon probabilmente non esisterebbe già più e milioni di vietnamiti sanno di nuovo, se mai l'avessero dimenticato, che la struttura amministrativa e di potere di Saigon non è l'unica con cui dover fare i conti in Vietnam.

Gli Stati Uniti hanno oggi nel paese 103.000 soldati che saranno presto ridotti a 69.000 coi ritiri in programma alla fine del mese. Di questi solo settemila sono truppe da combattimento. «Speriamo che almeno questi rimangano a difendere Saigon», diceva un residente occidentale in questi giorni, commentando la notizia che Thieu aveva inviato una divisione della riserva strategica verso il confine cambogiano e persino parte della sua guardia di palazzo a tentare di rompere l'assedio di An Loc.

Al momento, esclusi i consiglieri, non ci sono unità americane che partecipano ai combattimenti, ma la presenza americana è ancora enorme: un'intera flotta americana cannoneggia il Vietnam al largo della costa, cinque portaerei incrociano nel golfo del Tonchino e tutti gli aerei a disposizione nello scacchiere, da Guam alla Thailandia, vengono impegnati sul Sud e Nord-Vietnam; sono circa seicento fra caccia e bombardieri, di cui almeno centocinquanta B-52. Altre squadriglie stanno arrivando dal Giappone e dagli Stati Uniti.

Solo un mese fa, vantando i successi della «vietnamizzazione», fonti governative assicuravano che il 95 per cento della guerra aerea, tranne le operazioni sul sentiero di Ho Chi Minh, erano state rilevate dall'aviazione di Saigon. In questi giorni gli americani conducono invece oltre il 60 per cento delle missioni. Una considerazione, questa, che pone grossi interrogativi sui piani di ritiro americani. Molti si chiedono se Nixon potrà continuare a far partire dal Vietnam le truppe che sono ancora qui o se, al limite, non sarà costretto a farne intervenire di nuove.

«Perché», si chiedono molti a Saigon, «i comunisti hanno attaccato proprio ora e non hanno aspettato che gli americani se ne fossero andati?» Parte della risposta sta nel fatto che Hanoi probabilmente non poteva aspettare ancora del tempo (e qui col problema delle stagioni, le difficoltà di rifornimenti, eccetera, aspettare avrebbe significato aspettare il prossimo anno); un'altra parte sta nel fatto che, probabilmente, Hanoi non vuole che gli americani se ne vadano così semplicemente senza che questi, dopo aver così profondamente determinato il corso della guerra, ne garantiscano ora una sorta di conclusione, anche temporanea. Se questa offensiva si concluderà con un qualche accordo sul futuro politico del Sud-Vietnam, quell'accordo dovrà avere anche la firma degli Stati Uniti.

A Saigon, per il momento, l'offensiva non ha provocato alcun mutamento. Anzi se uno dei risultati sperati da Hanoi era un indebolimento di Thieu, questo per ora non c'è stato: è vero piuttosto il contrario. Dopo due discorsi alla nazione in cui ha fatto appello all'unità «perché questa è una prova decisiva», il presidente sudista ha praticamente ottenuto l'appoggio di tutto lo schieramento politico di Saigon, se non altro perché l'opposizione, ora più che mai, tiene la bocca chiusa per non essere accusata di tradimento e di disfattismo.

Con le notizie dal fronte censurate e i giornali che parlano appena della guerra, la capitale sudvietnamita appare tranquilla. Durante il giorno le strade sono affollatissime e rumorosamente appestate dalle fiumane di motorette. I marciapiedi sono punteggiati di mendicanti e mutilati. Ad ogni passo c'è un banco con una donna, un bambino appollaiati su uno sgabello. Vendono gomma da masticare, sigarette, giornali, cioccolato, preservativi, dentifricio, lucido da scarpe, lamette, whiskey, cognac, benzina. Ma basta chiedere e ti procurano un giradischi, una macchina fotografica, un'amaca, un mitra, una pistola o, volendo, la radio che sta nella macchina di qualcuno, parcheggiata qui di fronte.

Centinaia di prostitute, ormai quasi disoccupate dopo i massicci ritiri americani, sono sempre più petulanti davanti alle porte socchiuse dei bar. Nei quattro o cinque ristoranti «per bene», tenuti da vecchi legionari francesi o corsi, si entra soltanto bussando alla griglia di ferro che protegge la vetrina. S'apre uno spioncino, mostri la tua faccia bianca e tutto è a posto: «*Bonsoir, monsieur*... ci scusi, ma sa... per sicurezza...»

Mi dicono che è la Saigon di sempre, solo con più sentinelle, più soldati armati davanti ai palazzi pubblici e alla sede dell'Assemblea Nazionale che era, al tempo dei francesi, il teatro dell'opera («La sostanza non è cambiata!» dice un vecchio residente). Dappertutto ci sono cavalli di frisia.

Una città apparentemente tranquilla, ma coi nervi tesi. Basta un cartoccio di giornali abbandonato in una piazza a creare un fuggi fuggi. Il ricordo del Tet quando i vietcong riuscirono a rifornire i gruppi in città con ogni stratagemma, compresi falsi funerali, è ancora presente. Dalle undici di sera fino alle sei del mattino è in vigore il coprifuoco.

Le strade si svuotano. Si vedono, di tanto in tanto, grossi ratti che escono dalle fogne e corrono lungo i marciapiedi. Si sente allora solo lo stridio dei pipistrelli e, lontano, il tonfo dei cannoni. «Colpiscono le vie di infiltrazione usate in passato dai vietcong. Ma chi sa se questa volta verranno da quella parte», dice qualcuno.

Saigon aspetta.

Chon Than, 12 aprile

«Qui nella mia zona tutto è sotto controllo e se ci ordinano di andare ad An Loc, domani la riconquistiamo.» Il maggiore McDonough, ufficialmente «consigliere» americano, ma, come molti suoi colleghi di questi tempi comandante delle truppe sudvietnamite, mi guarda per capire fino a che punto lo prendo sul serio. È il terzo giorno consecutivo che, con vari espedienti, riesco a fare sulla strada numero 13 i settanta chilometri che separano Saigon da Chon Than. Ogni volta trovo McDonough e le sue truppe un po' più indietro dopo aver raggiunto coi rinforzi il maggiore Minh. Ieri erano ancora tre chilometri a nord di Chon Than, oggi, per sottrarsi all'artiglieria del «nemico», sono ad appena un chilometro dall'abitato.

Il fronte è sempre più mobile. Chon Than ora è semplicemente un avamposto accerchiato che potrebbe cadere da un momento all'altro. Ventisei chilometri a nord c'è An Loc su una parte della quale sventola la bandiera vietcong; trenta chilometri a sud c'è Lai Khe, sede del comando della 5ᵃ divisione sudvietnamita e base di tutte le operazioni di elicotteri in questa regione. Oramai anche la strada fra Lai Khe e Chon Than è praticamente chiusa. Le forze del Fronte di Liberazione Nazionale e di Hanoi controllano le piantagioni di gomma tutto attorno. Di notte scavano buche profonde sotto il manto d'asfalto e piantano mine lungo il percorso. Oggi all'alba una colonna di Saigon ha tentato di passare, ma è caduta in un'imboscata.

Assieme a un interprete vietnamita sono riuscito ad arrivare a Chon Than a bordo di una Vespa furgoncino il cui proprietario andava a prendere un po' di masserizie nella sua casa abbandonata dopo aver portato in salvo la famiglia.

L'autista del taxi che ci aveva portato fino a Lai Khe si era rifiutato di proseguire. In questi ultimi giorni i prezzi delle auto a noleggio, con cui ogni mattina i giornalisti vanno al fronte, sono saliti assieme ai rischi della corsa, ma da quando un razzo vietcong ne ha colpita una, ferendo quattro colleghi, gli autisti si sono messi d'accordo e per nessun prezzo vanno oltre la base di Lai Khe.

Il furgoncino correva a più non posso, sobbalzando paurosamente sul dosso centrale della strada. Nessuno parlava. Tutto attorno, quella che era una delle più belle piantagioni di gomma del Vietnam del Sud, è ora ridotta a una distesa di terra bruciata, punteggiata dai monconi neri degli alberi. All'ingresso di Chon Than il cadavere d'un guerrigliero spiaccicato in mezzo alla strada. Da tre giorni è lì e nessuno lo rimuove.

Nel piccolo ospedale del paese non ci sono più brande per i feriti e una dozzina di persone giacciono raggomitolate sulla ghiaia dell'ingresso. Un soldato mi punta il fucile nella pancia quando tiro fuori la mia macchina fotografica per riprendere un ferito con una gamba maciullata che viene portato a braccia dai suoi compagni. È la vittima di due autoblinde in ritirata che hanno travolto un gruppo di fanti sudvietnamiti facendo un macello. «Se vinciamo fotografateci pure, ma ora no, ora non è il momento», ripeteva il soldato.

Sulla piazza del mercato centinaia di profughi danno l'assalto a quello che potrebbe essere, se riesce a partire, l'ultimo autobus verso il sud. Più che il rumore delle cannonate, che ormai cadono vicinissime, sento il singhiozzare dei bambini che alcune donne disperate cercano di affidare, passandoli attraverso i finestrini, a chi ha avuto la fortuna di trovare già un posto. È gente arrivata qui dal villaggio di Minh Tanh, vicino ad An Loc.

«Sono venuti i vietcong e l'artiglieria, le bombe hanno distrutto il nostro paese», racconta una donna con un bambino paonazzo sul petto.

«Quando è nato?»

«Una settimana fa», dice la donna e gli aggiusta la testa in un cencio con cui lo porta a tracolla.

La strada per An Loc è bloccata poco dopo l'avamposto del maggiore McDonough. Una colonna di carri armati, dietro i quali avanzavano i soldati della 21ª divisione mandata in soccorso qui dal Delta, ha tentato di rompere il blocco, ma due carri sono stati centrati dai razzi vietcong e ora ostruiscono il passaggio a quelli che seguono. «Si sono come liquefatti», racconta un soldato che torna indietro correndo.

L'unico mezzo per raggiungere An Loc, da più d'una settimana, sono gli elicotteri. I B-52 e i Phantom americani hanno scaricato tonnellate e tonnellate di bombe sulle posizioni comuniste nella città e sui dintorni, ma le batterie contraeree comuniste sembrano intatte e il numero degli elicotteri abbattuti cresce ogni giorno.

I vietcong, sostengono gli americani, vogliono fare di An Loc la capitale del Vietnam «liberato» e il 20 aprile sarebbe la data prevista per l'insediamento del Governo Provvisorio Rivoluzionario.

«Bella capitale», ha commentato un tenente americano, pilota di un Cobra che ha compiuto numerose missioni su An Loc. «Al massimo riusciranno a issare la bandiera su un mucchio di macerie.»

Le truppe comuniste si sono ben trincerate nella parte della città che controllano. «Da come si sono piazzati sembra proprio che vogliano rimanerci. Hanno ancora molti carri armati che non siamo riusciti a distruggere», aggiunge il pilota americano.

Un particolare che i sudvietnamiti sono restii ad ammettere è che molti dei carri usati dalle truppe del Nord e del Fronte in questa regione sono carri di Saigon catturati nei mesi scorsi in Cambogia.

Nelle regioni oltre il confine, a pochi chilometri da An Loc, proprio dove i sudisti hanno in passato condotto l'operazione «vittoria totale» contro i «santuari» comunisti, ci sarebbero altri mezzi corazzati e altre truppe pronte ad intervenire nella battaglia di An Loc, se fosse necessario. «Noi abbiamo in città ancora diecimila uomini», mi dice un ufficiale sudvietnamita, «elementi della quinta e della 21ª divisione, più un gruppo mobile di commandos. Il generale Le Van Hung è con le truppe. La situazione è critica, ma possiamo tenere. Molto dipende dall'aviazione.»

Questo discorso si sente ripetere su tutti i fronti del Vietnam. L'aviazione è tutto e in certi casi le truppe si rifiutano di muoversi se non vedono gli elicotteri americani in aria. È questo un problema che la «vietnamizzazione» non ha risolto: i fanti di Saigon si sono abituati a fare la guerra coi lussi degli americani. In tutto il paese le principali vie di comunicazione, come la strada numero 1 fra Dong Ha, Quang Tri e Hué, sono state tagliate dalle forze comuniste e l'aviazione, impegnatissima a rifornire le guarnigioni isolate, spesso non risponde agli appelli delle unità che, come qui a Chon Than, tentano dei contrattacchi. Il vento porta verso le nostre posizioni dei volantini che un monomotore americano ha sganciato sulle truppe comuniste più a nord.

«Guerra psicologica», mi spiega un capitano di Saigon. Sui foglietti che sfarfallano verso terra c'è, da una parte, la foto della stretta di mano fra Nixon e Mao, dall'altra un appello alla resa. Per un momento anche i soldati sudvietnamiti ridono.

Il morale delle truppe è bassissimo.

Si dice che molti dei governativi lungo la strada numero 13 abbiano in tasca dei fazzoletti azzurri con cui segnalare ai nordvietnamiti che intendono passare nelle loro file se la battaglia si metterà male.

A più di due settimane dall'inizio dell'offensiva non è affatto chiaro quali siano gli obiettivi, almeno militari, che le forze di Hanoi e del Fronte vogliono raggiungere.

Dovunque si vada di questi tempi nel Vietnam del Sud, a Kontum a Hué o a Tay Ninh, si sente ripetere dagli ufficiali sudvietnamiti, come da quelli americani, che la loro città è quella su cui il «nemico» punta e che il loro è il fronte numero uno, mentre gli altri sono solo parte d'una manovra diversiva.

In questo senso i comunisti hanno già ottenuto un risultato importante: quello di dividere le forze di Saigon e diffondere nel paese la sensazione di poter colpire dove vogliono.

Benché finora abbiano prevalso gli aspetti militari dell'offensiva, non bisogna dimenticare che gli obiettivi del Fronte e di Hanoi sono sostanzialmente politici e uno dei più significativi è stato raggiunto: l'offensiva comunista ha in un sol colpo distrutto il faticoso lavoro di «pacificazione» condotto in questi ultimi anni dagli americani.

Le migliaia di profughi che ora si accalcano per le strade di questo paese scappando in una direzione o in un'altra, sradicati dalle loro case più dalla paura delle bombe americane che dall'avanzata comunista possono essere difficilmente di nuovo convinti che il governo di Saigon le protegge, e che per questo debbono appoggiarlo.

«Io non conosco nessun governo, conosco solo la guerra. Sono nata che c'era la guerra, mi sono sposata, ho avuto cinque figli e c'è sempre la guerra», dice una donna che ha rinunciato a cercare di aggrapparsi all'autobus ormai stracarico sulla piazza del mercato.

«Quando finirà? La guerra», chiede a me un'altra donna.

«Bisogna chiederlo a Nixon», risponde la prima.

L'autobus parte ed io con l'interprete trovo, poco dopo, un imbarco su una camionetta con due militari che debbono andare a Lai Khe.

Per qualche chilometro la strada è deserta, poi si vede venire nella nostra direzione un camion carico di munizioni. Incrociandolo, l'autobus dei profughi si sposta sull'orlo dell'asfalto. La ruota destra tocca una mina. L'esplosione è spaventosa, ci assorda. La jeep sbanda, supera l'autobus, procede. Voltandomi, ho visto un groviglio di corpi, dei fagotti, e in mezzo al fumo la ruota d'una bicicletta che girava per aria.

Dong Ha, 14 aprile

Un cane strappa brandelli di carne dalla gamba di un soldato nordvietnamita gettato davanti a quella che era una farmacia. La carogna rigonfia d'un bufalo d'acqua a gambe all'aria quasi blocca la strada centrale di questa cittadina fino a una settimana fa abitata da diecimila persone. Ora non ci sono che cani e cadaveri.

Dong Ha è sulla riva destra del fiume Cua Viet, dodici chilometri a sud della zona smilitarizzata. Un ponte legava le due sponde. Ora è tutto in macerie. Da una parte stanno i cecchini di Saigon, dall'altra quelli di Hanoi. Il crepitio dei fucili e delle armi automatiche è interrotto dal botto dei mortai. Stamani un razzo si è portato via tre soldati sudvietnamiti. La popolazione di Dong Ha è ormai entrata nelle fila di quell'esercito penoso di profughi che si accalca sulle strade verso il Sud e si accampa nei centri di raccolta fra Quang Tri e Hué. Da Dong Ha la gente ha cominciato ad andarsene il primo giorno dell'offensiva, più costretta dalla propaganda di Saigon che impaurita dai pochi proiettili comunisti caduti su alcune case.

«Se fossero rimasti», ammette un ufficiale sudvietnamita, «non avremmo potuto far intervenire l'aviazione.»

Nei villaggi a nord del fiume non tutti sono scappati.

«Quando i nordvietnamiti sono arrivati», racconta un profugo di Cam Lo, «ci hanno riunito nella piazza e, dopo averci fatto un breve discorso, ci hanno divisi in tre gruppi: quelli che volevano andare a sud, quelli che volevano restare nelle loro case, e quelli che volevano arruolarsi nell'esercito comunista. A venir via siamo stati in pochi.»

Dong Ha è rimasta più o meno intatta. La gente, partendo, ha avuto il tempo di chiudere porte e saracinesche; ma stamani, quando alcuni sono tornati a prendere qualcosa di tutto quello che si erano lasciati dietro, i *marines* di Saigon li hanno bloccati all'entrata del paese. Nelle case non c'è ormai più nulla: ad una ad una sono state sventrate e saccheggiate dai soldati governativi che hanno rimpiazzato gli elementi della 3ª divisione squagliatasi nella prima ondata dell'offensiva.

Quello di cui i soldati non hanno saputo che farsene rotola ora per le strade deserte. Folate di vento, cariche del puzzo dolciastro dei morti, spingono stracci sporchi, cartacce, e sbattono porte dietro le quali si vedono armadi rovesciati, cassetti svuotati, materasse squarciate a colpi di baionetta alla ricerca di inesistenti risparmi. I soldati del governo che hanno fatto lo scempio qui attorno vengono da villaggi come questi, da povere case come quelle che hanno saccheggiato. Il visitatore straniero che a volte si chiede perché la popolazione sostenga i vietcong e non i governativi trova in un episodio come questo una parte della risposta. «Han fatto saltare il lucchetto con un colpo di fucile e si sono portati via ogni cosa», diceva un uomo che, dopo aver messo in salvo la famiglia a Quang Tri, tredici chilometri a sud, era tornato con un piccolo barroccino a prendersi le coperte e i vestiti che si era lasciato dietro. È ripartito a vuoto. Dall'altra parte del Cua Viet i comunisti si stanno preparando a un nuovo assalto. Ogni notte dei gruppetti di commandos passano il fiume e si infiltrano nella campagna preparando il terreno, raccogliendo informazioni per il grosso delle truppe. Ieri alcuni sono stati intercettati. «Io ne ho uccisi cinque», dice un *marine* di Saigon, mostrando orgoglioso un AK-47 di fabbricazione cinese con il quale ora risponde al fuoco dell'altra parte.

Altri soldati si fanno avanti coi loro trofei: razioni nordvietnamite, fotografie di famiglia, carte, documenti, una lettera. È datata 1º aprile ed è assieme a una fotografia d'un soldato in uniforme indirizzata a una moglie, a Hanoi: «Finalmente sono riuscito a mettere piede nel Sud del nostro paese». Tutto è in vendita. Un soldato offre anche dell'eroina per 500 piastre.

Nella casa che era del capo distretto, un gruppo di soldati ha allineato sulla tavola del salotto tutte le bottiglie della cantina e si sta ubriacando. Uno si è vestito con un'uniforme da cerimonia trovata in qualche cassone. Nel giardino, un cadavere si putrefà al sole. Nella bocca piena di mosche gli gorgogliano delle bolle d'aria come se respirasse. Il puzzo è quasi da svenire, ma i soldati sembrano diventati immuni. Alcuni chilometri ad ovest di Dong Ha, verso il confine col Laos, si vedono delle colonne bianche di fumo. Quattro giorni fa i nordvietnamiti sono riusciti a passare e c'è stata una grande battaglia di carri armati.

Il comando militare di Saigon ha parlato di una «grande vittoria» e ha detto di aver distrutto oltre 40 T-54 di fabbricazione sovietica.

In quel settore si combatte ancora.

Dietro due alberi isolati, in mezzo alle sabbie biancastre che circondano Dong Ha, stanno al riparo due mezzi corazzati. Assieme ai sudvietnamiti c'è un sergente americano.

Alla cifra 40 sbotta a ridere. «Io c'ero, al massimo ne abbiamo fatti fuori cinque.»

Lungo la strada e la ferrovia parallela, che un tempo collegavano Saigon con Hanoi, volano a bassissima quota gli elicotteri americani con le portiere aperte e due mitragliatrici pesanti puntate contro la terra.

La giornata è chiarissima e non ci sono nuvole, ma non si vede in cielo un solo cacciabombardiere.

«I comunisti sono riusciti a spostare in questo settore tre batterie di SAM, i missili terra-aria, ed è diventato rischiosissimo per gli aerei volare da queste parti», spiega un secondo consigliere.

Un gruppo di profughi, stipato su un vecchio autobus diretto a Quang Tri, viene fatto scendere a un posto di blocco; ognuno viene perquisito, ogni fagotto frugato.

Dicono che fra i profughi ci sono molti vietcong che così si infiltrano verso sud.

Molti profughi si fermano a Quang Tri, altri proseguono verso Hué.

«Sono già ottomila», ha detto il prefetto della vecchia capitale imperiale Tong Tat Khien, «ma per ora non abbiamo problemi di cibo o di igiene.» Nonostante queste rassicurazioni corre voce che ci sono stati casi di peste e di colera, e ieri un delegato della Croce Rossa internazionale che ho incontrato sull'aereo proveniente da Saigon mi diceva che in tutta Hué non c'erano che duemila vaccini.

Hué è in mezzo a una pianura di acquitrini e di sabbia.

Vista dall'alto sembrava in un grande campo di neve pieno di crateri rotondi, perfetti. Non sono quelli delle bombe. Sono le migliaia di tombe in cui la gente dell'Annam ha sepolto attraverso i secoli i propri avi.

Hué deve essere stata, ai suoi tempi, una città splendida e oggi la sua bellezza lisa ha un fascino stregato che lo straniero riesce difficilmente a descrivere al di là dell'immagine con cui la tradizione buddista ha definito Hué: un fiore di loto cresciuto in mezzo al fango.

Capitale per la prima volta alla fine del Seicento e poi di nuovo nel secolo scorso, Hué ha addosso tutti i segni del suo splendore e le cicatrici della sua decadenza: i templi, le pagode, le tombe, i palazzi costruiti dalla dinastia Nguyen, le piccole case dai tetti di terracotta colorata dei mandarini, i viali aperti dai francesi, le rovine fatte dalle cannonate del 1883 e quelle ben più disastrose del 1968. Durante l'offensiva del Tet, tre quarti delle case furono danneggiate nella battaglia per la riconquista della città; oltre quattromila persone furono uccise. Gli stessi americani oggi riconoscono che fu la loro aviazione a fare i danni maggiori.

Oggi la città ha un aspetto desolante: vecchi templi di legno, in rovina, sono diventati il bivacco delle truppe di Saigon, antichi ruderi sono circondati di immondizie, i laghetti della cittadella e i fossi attorno che avrebbero dovuto proteggerla sono colmi di rifiuti.

Resta il fascino della gente: al mattino sulle strade lungo il fiume, lo sfilare delle ragazze in bianchissimi, lunghi, svolazzanti ao-dai e le trecce nere sotto il cappello conico di paglia, come uno stormo di gabbiani; la sera il gong di qualche pagoda e la cantilena dei monaci nelle tuniche grigie che pregano dinanzi a imponenti Budda dorati. Sul Fiume dei Profumi stanno una accanto all'altra centinaia di barche dentro le quali si accendono al tramonto le luci tremolanti delle lampade ad olio.

Davanti a un chiostro infiorettato di pinnacoli, il governo ha fatto mettere in mostra due carri armati sovietici catturati a Dong Ha.

Una folla compatta sta dalla mattina alla sera davanti a questi due colossi di ferro, ma a distanza, come con rispetto o paura.

«A mio parere è stato un grosso errore psicologico», ha detto un prete francese che abita qui da quindici anni e riferisce d'aver sentito i vietnamiti che si dicevano: «Guarda qui: gli americani non ci hanno mai dato delle armi così moderne come i russi danno ad Hanoi». All'aeroporto di Hué, c'è una base militare americana.

20

La compagnia Charlie della 190ª brigata è stata mandata qui da Da Nang per difendere le apparecchiature elettroniche che servono per guidare, a distanza, le operazioni aeree sul Nord.

Quando sono arrivato nel pomeriggio di ieri, erano appena scesi da un C-130 da trasporto una cinquantina di *marines*. Avevano messo i sacchi, i fucili, le bandoliere per terra e si rifiutavano di andare a perlustrare la boscaglia lungo il perimetro della base.

«Questo non è più il nostro compito. L'ha detto anche Nixon. Io non voglio farmi ammazzare proprio ora», diceva un ragazzo biondo di 24 anni con moglie e un figlio nell'Ohio e ancora quattro mesi da fare in Vietnam. Un colonnello americano è arrivato su una jeep e ha cominciato a urlare contro me e un paio di colleghi che c'eravamo fermati a guardare. Diceva che se non fosse stato per la stampa, questa guerra l'avrebbero già vinta e che se non era per la presenza di bastardi come noi i suoi soldati non avrebbero tanto rizzato la cresta. Poi ha parlato con loro ed è riuscito a convincerli ad andare a discutere «in privato» della faccenda. Mentre li portavano via con due camion, molti si sono voltati a farci il segno «V», che qui ormai vuol dire pace.

Saigon, 28 aprile

Anche gli ottimisti di professione cominciano ad avere dei dubbi. Nelle stanze ad aria condizionata delle ambasciate occidentali, dove la guerra è ridotta a grafici appesi alle pareti, le frecce rosse che indicano le posizioni «nemiche» si moltiplicano, si allungano. Nasce la sensazione precisa che l'ombrello aereo americano non basti più a garantire quelle isole di sicurezza che finora erano state le principali città del paese.

«Abbiamo ancora settanta probabilità su cento che l'esercito sudvietnamita regga», mi ha detto un alto funzionario nella ben protetta fortezza della diplomazia americana a Saigon. Solo due settimane fa la stessa persona diceva che le forze di Hanoi avevano subito perdite gravissime nella prima ondata dell'offensiva, che gran parte dei loro rifornimenti era stata distrutta dall'aviazione e che l'esercito del Sud aveva dato buona prova della sua capacità di combattere, bloccando l'avanzata comunista sui vari fronti.

I nuovi attacchi dei nordvietnamiti e del Fronte a Quang Tri e a Kontum hanno dissolto queste illusioni. Colonne di carri armati hanno passato il fiume Cua Viet, occupato Dong Ha e minacciano direttamente la capitale provinciale Quang Tri. Nessun elicottero è più capace di atterrare sul campo militare. La base di artiglieria «Bastogne», ritenuta un punto chiave nelle difese di Hué, è stata abbandonata dai sudvietnamiti che si sono lasciati dietro intatti sei cannoni da 105 mm.

I bombardieri americani hanno compiuto varie missioni cercando di distruggerli prima che i vietcong li potessero puntare su Hué.

Più a sud, nella regione degli altipiani, Kontum è isolata. Trentamila civili sono intrappolati nella città dove scarseggia il cibo e l'acqua. Il governo di Saigon non ha neppure tentato di evacuarli e solo i familiari dei funzionari sono riusciti a montare su alcuni elicotteri che decollavano verso Pleiku dopo lotte furibonde con decine di militari che, abbandonate le loro unità, cercano ora di scappare dal fronte. Soldati feriti venivano lasciati sulle piste per far posto ad ufficiali che fuggivano con le famiglie portandosi dietro ventilatori, scatoloni pieni di vasellame e persino apparecchi televisivi. Le strade principali del paese sono tagliate e molte delle guarnigioni sudvietnamite debbono essere rifornite per via aerea. An Loc è ormai quasi completamente distrutta nella micidiale sequela di attacchi e contrattacchi che ogni giorno fanno decine di morti dall'una e dall'altra parte. «E diventa una specie di tritacarne», ha detto un ufficiale americano.

A quasi un mese dall'offensiva comunista il bilancio per i sudisti è fallimentare. Le truppe di Saigon non sono riuscite a riconquistare un solo metro di territorio perso e sono dovunque sulla difensiva, mentre alcune delle capitali provinciali del paese stanno solo aspettando un attacco che per ora non è chiaro se comincerà a Kontum, a Quang Tri o in tutte e due.

«Non attaccheranno le città», dice un uomo d'affari di Saigon, «tenteranno solo di dimostrare che sono in grado di farlo, lasciando a Saigon la scelta fra una capitolazione sotto forma di cessate il fuoco o la continuazione della guerra a costo di altissime perdite sia militari che civili.»

Il destino dei centri abitati, investiti dall'avanzata di Giap si deciderà nelle prossime settimane. Il rischio che «vengano distrutti per essere salvati» è altissimo.

Un consigliere americano a Kontum l'ha detto esplicitamente: «Se la prendano pure questa città, siamo sempre a tempo a radergliela al suolo coi B-52». In effetti il governo di Thieu ha una sola speranza e una sola arma: l'aviazione americana; ma deve cinicamente decidere di lasciar distruggere le sue stesse città perché queste non vadano ad aggiungersi al territorio già controllato dai suoi avversari. Ad An Loc è già successo così. I massicci bombardamenti americani non sono riusciti a respingere, a «riarrotolare» il nemico, ma impediranno coi loro attacchi a tappeto che si crei una situazione in cui Saigon debba accettare una resa senza condizioni. Le bombe diventano l'unica moneta di scambio che Nixon ha contro Hanoi. Le missioni dei B-52, ormai solo formalmente sotto la sovranità ed il controllo di Saigon, hanno superato tutti i livelli passati ed hanno colpito obiettivi vicinissimi a Saigon stessa, come ai tempi del Tet '68. Con quanta precisione non è dato sapere, ma si dice che anche gli alleati sudvietnamiti si siano trovati sotto le bombe americane.

L'esercito sudvietnamita, la cui autosufficienza doveva giustificare il ritiro delle truppe di terra americane, si dimostra ogni giorno più fragile. Solo le unità speciali, come i *marines*, i paracadutisti e alcuni *rangers* reggono bene allo scontro. Alcune divisioni hanno subito perdite enormi, sia a causa dei combattimenti che delle diserzioni. Questi vuoti non vengono colmati dalle poche riserve che Thieu ha già spedito sui vari fronti e per questo il governo ha varato d'urgenza un «decreto di clemenza» col quale, «per ragioni umanitarie», oltre 7000 soldati che erano agli arresti per essersi rifiutati di combattere sono stati rilasciati e mandati al fronte.

Specie le forze regionali e della cosiddetta autodifesa hanno dato segni di cedimento; in regioni come il Delta e Binh Dinh ci sono stati molti casi in cui intere unità di villaggio sono passate dall'altra parte della barricata. Giorni fa all'ingresso del villaggio di Lai Thieu, trenta chilometri a nord di Saigon c'erano all'ombra di un bandone tre bambine di quindici anni nel pigiama nero della milizia popolare e con dei moschetti. Ho chiesto se la sera, dopo i turni di guardia, portavano a casa le loro armi. «No, dobbiamo lasciarle in consegna alla caserma.» È chiaro che di notte non si sa bene da quale parte potrebbero sparare anche quei vecchi moschetti. Nel tentativo di frenare questa erosione dell'amministrazione civile e militare nel paese, Thieu ha dato il via a una serie di sostituzioni di funzionari intermedi e capi di distretto. Solo negli altipiani ha dovuto mandare un intero gruppo di nuovi ufficiali perché giorni fa il comandante della 22ª divisione con tutto il suo stato maggiore è stato catturato (o si è fatto catturare) da un commando vietcong, nella base di Tan Canh. Episodi come questo in cui erano stati coinvolti alti ufficiali sono avvenuti anche in altre regioni; uno, abbastanza sintomatico del clima attuale in Vietnam, è quello di un colonnello, comandante di una base di artiglieria, che è «scomparso» a sud della zona smilitarizzata nei primi giorni dell'offensiva. Il governo ne ha fatto un «eroe» dicendo che quando si è visto al perso, dopo aver difeso strenuamente la sua base, si è suicidato con un colpo di pistola. La voce che circola fra la gente è che sono stati i suoi soldati ad ucciderlo quando lui ha rifiutato di arrendersi e di issare la bandiera bianca sul comando come tutti oramai avevano deciso di fare. La verità è che da una settimana quel colonnello parla da Radio Giai Phong (Radio Liberazione) e invita le truppe sudiste a fare come ha fatto lui, «a scegliere la causa del popolo». I partigiani ne hanno fatto un loro eroe dopo che ha consegnato, senza sparare un sol colpo, tutta la sua batteria alle truppe nordiste che avanzavano.

Thieu può cambiare quanti ufficiali superiori vuole, ma non può, per ora, toccare i generali. È stato lui a farli tali e avrebbe grossi problemi a sostituirli anche se alcuni di questi hanno dimostrato chiaramente la loro incapacità. È il caso del generale Lam, che comanda la regione militare numero uno dove si trova Quang Tri. Lam, la notte dell'attacco nordvietnamita attraverso la zona smilitarizzata, aveva perso la testa; stava in fondo a un bunker del suo comando e chiedeva per telefono che l'aviazione americana usasse le bombe atomiche per fermare i comunisti. Lam è quello che pochi giorni fa, durante un incontro con alcuni giornalisti, indicava sulla carta geografica le sue stesse posizioni scambiandole per obiettivi che i B-52 avrebbero dovuto colpire. Solo l'intervento del suo consigliere americano lo tolse d'imbarazzo. Ma Lam è il fratello del senatore capo del partito Dai Viet dell'estrema destra e questo lo rende per ora intoccabile. Le accuse di corruzione nei confronti dei generali sono ricorrenti: si racconta che Lam si vendette tutti i condizionatori d'aria che gli americani gli avevano lasciato per il suo comando; che il generale Ngo Dzu, capo della regione militare in cui si trovavano Kontum e Pleiku, ebbe in mano le fila del commercio dell'oppio in Sud-Vietnam. Ma in un paese in cui la corruzione è diventata sistema, in un esercito in cui di regola le mogli degli ufficiali gestiscono in proprio spacci e mense per i soldati, queste cose non fanno scandalo. All'interno dell'esercito, e specie a livello dei colonnelli, sta crescendo un certo malcontento sul modo in cui la guerra è gestita:

apparentemente senza vie d'uscita. «I giovani ufficiali non debbono niente a Thieu e disprezzano i loro comandanti. Se le cose si mettessero davvero male c'è anche da aspettarsi un colpo di mano da quella parte», mi ha detto un membro dell'opposizione. L'ipotesi non è da scartare anche se è difficile immaginare un qualsiasi rovesciamento del potere senza un avallo degli americani, dai quali dipendono le sorti di questo, e di ogni futuro, regime sudvietnamita.

«Thieu è il presidente voluto dagli americani», mi ha detto il professor Ton That Thien dell'università buddista Van Hanh, «e Thieu rimarrà presidente finché quelli non si accorgeranno che è diventato un peso.»

Ton That Thien fu ministro dell'Informazione e ora è per un ritorno al potere del generale Duong Van Minh, «Minh il grosso», che nel 1963 rovesciò il regime di Diem, condannato a morte da Kennedy. «I vietnamiti», dice, «vogliono la pace e con Thieu la pace non si avrà mai perché è escluso che possa trattare e trovare un accordo coi comunisti. Da questo punto di vista i vietcong sono più logici: sanno che Thieu parla per gli americani e non a nome del popolo vietnamita; per questo, se debbono trattare con Washington, lo fanno direttamente con Kissinger e non per interposta persona. Per trattare coi vietnamiti di questa parte i vietcong chiedono un nuovo governo. Il generale Minh è l'unica persona che può avere l'appoggio della popolazione e dell'esercito per trattare coi comunisti. Ormai bisogna accettarli, fanno parte della vita del paese ed è meglio averne una trentina in Parlamento che centinaia di migliaia che ci sparano addosso nelle campagne.»

Thieu non è personaggio popolare e lo sa. Da quando l'offensiva è cominciata non ha fatto che sporadiche visite al fronte e solo due volte è apparso alla televisione. Giorni fa è passato scortatissimo per la strada principale di Saigon diretto al parco Tao Dan ad una cerimonia in onore del fondatore del Vietnam. La gente s'è appena voltata a vedere quella fila di limousine coi vetri affumicati e le camionette dei suoi «gorilla» a sirena spiegata. Nessuno ha applaudito.

È forte solo perché gli americani lo sostengono e la sua opposizione è divisa. Esclusa la vera opposizione che è ormai col Fronte, quella che è rimasta finora a Saigon ha in un modo o nell'altro collaborato col regime: ha poco prestigio e molti piccoli interessi da difendere. I buddisti si considerano i veri nazionalisti e accusano i cattolici di essere importatori di una ideologia straniera occidentale, come i comunisti. I cattolici, potenzialmente sostenitori di un regime di destra, non vogliono legarsi ai cosiddetti pacifisti. Nessuno è in grado di mediare le varie differenze.

Lo stesso Minh il Grosso non sarebbe ben accetto ai buddisti.

« Abbiamo simpatie per la sua posizione, ma la sua carta l'ha già giocata nel '63 », mi ha detto un bonzo della pagoda di An Quang. Minh dal canto suo non si espone. Dopo una scialba dichiarazione in cui auspicava la fine del conflitto, non ha detto più nulla. La sua più impegnativa attività politica è quella di farsi spesso vedere al Circle sportivo in maglietta da tennis.

Anche Cao Ky ha tentato di uscire dall'ombra ed è andato a trovare alcuni amici al fronte. « Tanto a Saigon non ho niente da fare », ha detto lui stesso. Thieu si è persino rifiutato di riceverlo al suo ritorno. Diceva di avere una sua idea su come difendere Quang Tri.

Sul piano politico non c'è stato nessun movimento, come se l'incredibile terremoto della guerra che sta sconvolgendo tutto il paese non dovesse avere alcuna conseguenza nella capitale.

Solo in certe zone delle campagne mutamenti politici sono derivati dalla nuova situazione militare: per lo più accordi di coesistenza fra vietcong e funzionari governativi.

« Nella provincia di Long Khan », mi dice un europeo che ha vissuto fino a pochi giorni fa da quelle parti, « molti dei villaggi classificati come 'pacificati' dagli americani perché non vi si combatte, sono in verità gestiti in accordo dall'FLN e dai governativi. »

« Certo che è così », ammette Ton That Thien, « tutto il paese potrebbe funzionare in questo modo fino alle elezioni generali che dovrebbero dare un governo genuino al Vietnam. Basterebbe dichiarare il cessate il fuoco e avremmo una sorta di pelle di leopardo; le macchie nere sarebbero le zone controllate dai vietcong, il resto ciò che è sotto il controllo del governo. Prima ci si arriva e meno macchie avremo sulla carta geografica. »

Hué, 3 maggio

Scappare. Scappare. La gente non pensa ad altro. Cento, duecento, forse trecentomila persone cercano un camion a cui aggrapparsi, una macchina su cui montare, una bicicletta.

Scappare. Dove? Fermo un uomo che corre, inebetito, sul ponte che unisce le due parti della città.

« A sud. A sud. Tutti vanno a sud », urla.

Non ha niente con sé, neppure un fagotto di cenci, solo due piedi insanguinati che spera lo portino lontano; lontano da qui, dalle bombe, dai proiettili di artiglieria, i morti, gli urli, i lamenti, la paura.

Quang Tri è caduta, la bandiera del Fronte di Liberazione Nazionale sventola sul palazzo dell'amministrazione provinciale, l'esercito sudvietnamita è in ritirata, da un momento all'altro Hué stessa può essere investita da un attacco.

La strada verso sud, per ora è aperta, ma poco prima di Da Nang i vietcong hanno fatto saltare un ponte ed una colonna di autocarri è stata bloccata. Domani anche i quattordici chilometri che separano Hué dall'aeroporto di Phu Bai possono essere in mano alle forze di Hanoi e dell'FLN. A Hué saremmo allora in trappola e non ci resterebbe che la via verso il mare. E là? Già stamani il Boeing 727 della linea civile non è stato fatto atterrare per timore dei razzi vietcong e solo un vecchio DC-4 ha fatto la spola fra l'antica capitale imperiale e Da Nang con qualche decina di fortunati passeggeri: le famiglie degli alti funzionari, degli ufficiali, di chi ha i soldi per pagare una di quelle carte d'imbarco che ormai non hanno più prezzo. L'aeroporto è una bolgia. Un cordone di soldati con le armi spianate blocca una folla urlante che tenta di correre verso gli aerei e gli elicotteri che atterrano, altri al bancone delle partenze, in una selva di mani protese, sventolano biglietti comprati in anticipo, prenotazioni confermate, ma ciò che conta sono i grossi rotoli di piastre legate con l'elastico che si vedono velocemente passare da una mano che si nasconde alla tasca di un impiegato che ha oggi accumulato una piccola fortuna.

·L'ufficio dell'Air Vietnam in città è chiuso. Ieri è stato preso d'assalto. Barricato al primo piano, il vecchio direttore monsieur Vinh prometteva a Saigon, urlando per telefono, che lui sarebbe rimasto fino alla fine. I suoi dipendenti erano già tutti scappati a bordo dell'autobus che normalmente trasporta i passeggeri fra la città e l'aeroporto.

Tutto a Hué si sta sfaldando. Ogni forma di organizzazione è crollata. Non c'è più alcuna disciplina, ognuno pensa a salvare la propria pelle e nessuno tenta di rimettere ordine in questo terrificante caos. L'ufficio della posta è deserto. C'è rimasto solo un portiere che ha deciso, con la propria famiglia, di essere più al sicuro dietro il massiccio bancone di legno dell'ingresso che lungo la strada che porta a Da Nang. Alla centrale elettrica c'è sempre l'ingegnere francese che la dirige da anni; gli sono rimasti un paio di operai. Gli altri sono tutti partiti portandosi dietro quello che potevano. Il garage della stazione dei pompieri è vuoto. Le due autobotti sono state requisite da un gruppo di soldati che con quelle sono scappati verso sud. Negozi, scuole, ristoranti sono chiusi. Nessun forno ha fatto il pane da due giorni. Nel centro ho visto una sola farmacia aperta: «Mio fratello maggiore è nell'aviazione, un pilota di elicotteri, così possiamo aspettare fino all'ultimo a scappare», mi ha detto la proprietaria, una giovane signora, parente di un senatore ed il cui padre fu fucilato dai vietcong durante l'occupazione di Hué nel febbraio del '68.

La maggior parte dei 120.000 abitanti della città è già fuggita, ma al suo posto è arrivato l'80 per cento della popolazione dell'intera provincia di Quang Tri.

Hué non è più una città, ma un immenso spaventoso accampamento di disperati in preda al panico. Ieri notte, dopo il coprifuoco, bande di soldati si aggiravano per le strade del centro, coperte di rifiuti. Il mercato bruciava e le fiamme, divorando le baracche di legno ed i magazzini, illuminavano sinistramente le mura nere della vecchia cittadella che fu la residenza della corte imperiale nel secolo scorso.

Si sentiva, di tanto in tanto, solo il crepitio delle armi automatiche. Erano gruppi di *marines* che davano la caccia ai *rangers* e ai soldati della 3ª divisione. Dicevano che erano stati loro la causa della caduta di Quang Tri e picchiavano col calcio dei fucili chiunque avesse una divisa pulita perché, secondo loro, era un disertore. La gente diceva che «Con Mang», il piccolo daino, che è il più temuto segno di sfortuna nella tradizione vietnamita, era stato visto aggirarsi per la città e i soldati, ubriachi delle riserve di vino trovate nei due unici alberghi della città, sparavano raffiche di mitra alla sua ombra. Da ieri colonne di militari sbandati, disertori, feriti continuano ad arrivare dalla strada di Quang Tri; molti hanno gettato le uniformi e si mescolano ai profughi. Il governo locale ha fatto montare, in mezzo ad un prato all'ingresso della città, tre pali dinanzi a un muro di sacchetti di sabbia. Dicono che serviranno per fucilarci gli agenti vietcong che si siano infiltrati ed i disertori, ma per ora non sono stati usati.

Ogni strada di Hué è intasata di profughi, di carri agricoli, di camionette, di animali. Sui marciapiedi, nei cortili delle scuole, sulla riva del Fiume dei Profumi sono stati accesi dei piccoli fuochi di legna su cui cuociono pentole di riso. Le persone mangiano, defecano, dormono le une accanto alle altre in mezzo al rumore assordante in cui si mescolano i pianti dei bambini, il muggire dei bufali e quello dei carri armati. Su tutti, una nuvola di polvere rossastra che non si posa mai.

Fra i tanti profughi ne ho incontrati pochissimi che fossero riusciti a scappare con tutta la famiglia. Un uomo con la moglie e sei figli pieni di bolle e di croste, ha fatto a piedi tutta la strada da un villaggio vicino a Quang Tri, nascondendosi di giorno e camminando di notte in mezzo alle risaie sconvolte dalle bombe. Dice d'aver visto sulla strada decine e decine di morti. Un reduce della base «Bastogne», caduta giorni fa dopo un assedio di una settimana, è rimasto tutta la giornata ai bordi della strada a cercare i suoi fra le migliaia di persone che si ammassavano sulla riva del fiume. Non è riuscito a vedere neppure una persona del suo distretto.

Un ragazzo di 25 anni, scappando, ha perso il padre: «Era vecchio», ha detto, «e quando ho cominciato a correre lui non ce l'ha fatta più».

Una bambina di quattro o cinque anni, con tutte e due le gambe rotte e gli occhi per aria, come fosse accecata, appoggiata ad un albero, ripete: «*Di ve, di ve* (A casa, a casa)». Era con la madre su un autocarro di soldati che è passato attraverso un'imboscata. Solo quando sono arrivati ad Hué si sono accorti che la madre era morta e allora l'hanno messa lì sotto l'albero sperando che qualcuno se la prenda.

Con una macchina e uno studente che mi faceva da interprete abbiamo tentato di andare contro la corrente dei profughi e di arrivare fino a diciotto chilometri a nord di Hué, dove il fiume My Chan, più che i reparti vietnamiti della 1ª divisione appostati sulla riva destra, costituisce l'ultima linea di difesa (naturale) della vecchia capitale. A metà strada ci si è parato dinanzi un autobus stracarico di gente bloccato in mezzo all'asfalto. Senza benzina. Un gruppo di soldati ci ha circondato e, coi fucili puntati, ci ha costretto a caricarli anche sul tetto ed a far marcia indietro verso Hué. Ho visto l'autobus in panne che, mentre ancora la gente stava scendendo, veniva spinto e rovesciato sulla scarpata dal resto della colonna che voleva passare. Il governo tenta di far partire più profughi possibile dalla città e l'unico mezzo è non dar loro da mangiare. «Non ce n'è abbastanza neanche per i soldati», mi hanno detto.

Per ora neppure una cannonata è caduta su Hué, ma un attacco potrebbe venire da un momento all'altro.

«Forse dopo domani», ha detto il generale Bowen, consigliere americano della regione. In ciabatte («se credessi che bisogna scappare da Hué mi sarei messo i miei scarponi»), cavalcando una sedia di ferro nella mensa del comando americano, Bowen risponde alle domande di un gruppo di giornalisti cercando delle battute di spirito, ma l'atmosfera è tesa. «Hué rimane il principale obiettivo dei comunisti», dice Bowen. Poi ci ripensa: «Non fatemi fare altre previsioni». Due giorni fa Bowen aveva detto che i nordvietnamiti avrebbero dovuto pagare un altissimo prezzo per prendere Quang Tri; invece a Quang Tri non c'è stata neppure una vera battaglia. Nessuno sa come sia andata, che cosa sia successo, chi abbia dato l'ordine di ritirarsi. Stasera c'è stata solo una roboante lettera del generale Giai, comandante della 3ª divisione, ai suoi soldati, in cui li ringrazia per aver «eliminato più di 10.000 soldati nordvietnamiti assetati di sangue e centinaia dei loro carri armati». La lettera conclude dicendo: «Li abbiamo spazzati via. Abbiamo vinto».

Bowen non è certo di questo parere. Sulla grande carta della regione che è sulla parete indica le posizioni «nemiche»: l'intera provincia di Quang Tri, a sud della zona smilitarizzata, è in mano alle forze nordvietnamite e del Fronte. Grosse unità nemiche sono state segnalate a dieci chilometri ad ovest e venti chilometri a nord di Hué. La città è ormai nel raggio dei cannoni da 130 mm di cui i comunisti dispongono nella regione.

Dopo Bowen parla Wencil, un civile americano che è il consigliere del capo della provincia e con lui responsabile della sicurezza di Hué. Dice che la polizia teme che commandos vietcong si siano infiltrati fra i profughi arrivati nella città e che stiano tentando di organizzare un sollevamento popolare. Ieri 80 persone, fra cui il vice ministro dell'Educazione del Governo Provvisorio Rivoluzionario, Le Van Hao, sono state arrestate durante una falsa cerimonia funebre e vengono ora interrogate (torturate, dice il mio studente-interprete) per tentare di smantellare una rete vietcong che opererebbe in città. Le Van Hao era un professore di liceo che si schierò col Fronte durante il Tet 1968 e lasciò Hué una volta che i *marines* americani, al termine di tre settimane di disastrosi bombardamenti e accaniti combattimenti strada per strada, ebbero riconquistato Hué e la cittadella. Il suo riapparire in città in questi giorni starebbe ad indicare che il Fronte prevede, nei suoi piani, la liberazione della città. In queste ore di confusione e di disorientamento i reparti di polizia e dell'esercito che sono rimasti a Hué vivono nella psicosi del vietcong e la caccia ai sospetti è spietata. Nel pomeriggio un gruppo di studenti liceali è stato arrestato mentre distribuiva a dei profughi un po' di riso raccolto attraverso una loro organizzazione; li accusavano di aver sfruttato l'occasione per fare propaganda antigovernativa.

Un migliaio di uomini sono stati arrestati fra i profughi come agenti del Fronte. Ne ho visto catturare uno che, con una donna e tre bambini messi in due ceste come in una bilancia in bilico sulle spalle, cercava lungo la strada un posto dove accamparsi. Ha cominciato a tirare fuori dai calzoni delle carte di identità sbiadite e rinvoltate in un foglio di plastica. Diceva di essere un soldato della 3ª divisione scappato da Dong Ha. Gli altri non gli credevano e spingendolo contro un albero lo hanno perquisito, gli hanno rovistato nella cesta di vimini che aveva, l'han buttato per terra e gli hanno guardato i piedi: erano callosi. «Come quelli dei vietcong, che portano solo i sandali», ha detto un ufficiale, «se fosse davvero uno dei nostri non li avrebbe così rovinati.» La donna è rimasta sola coi tre bambini. Era buio e non ho visto se piangeva.

Hué, 7 maggio

Da giorni un terribile silenzio pesa sulle case vuote. Le strade sono deserte, le saracinesche abbassate, le porte sprangate. Cani randagi raspano fra mucchi di spazzatura che marciscono al sole. Solo i cadaveri, che la marea disperata di profughi s'era lasciata dietro, ritirandosi verso il Sud, sono stati rimossi. Il corpo d'un vecchio, ravvolto in pezzi di giornale, è rimasto per tre giorni in mezzo al ponte dinanzi alla pagoda Tu Dam. Qualcuno aveva acceso dei bastoncini d'incenso e glieli aveva messi vicino alla testa, infilati in un barattolo pieno di terra.

Hué è ormai una città fantasma. La flotta di sampan e di barconi disseminata lungo il Fiume dei Profumi è scomparsa.

Trenta, quarantamila persone delle duecentocinquemila che abitavano qui sono rimaste, ma in giro non si vede nessuno. Solo alcuni che, lasciata la città nel panico dei giorni immediatamente dopo la caduta di Quang Tri, sono tornati sui loro passi a prendersi qualche pezzo di mobilia, una macchina per cucire, un ventilatore, stanno ora sulla strada che conduce a Da Nang, cento chilometri a sud di qui, ad aspettare un ipotetico camion cui affidare le loro poche speranze. Per giorni a Hué è mancato da mangiare, è scarseggiata l'acqua e dell'amministrazione locale non si è vista nemmeno l'ombra, essendo gli impiegati e i dirigenti di tutti gli uffici pubblici scappati per mettere in salvo la famiglia e se stessi.

Nell'albergo Huong Giang, dove sono accampato assieme a un gruppo di giornalisti, siamo rimasti senza il cuoco, scappato anche lui con le ultime riserve del frigorifero. Da allora si mangiano i pesci che il portiere «pesca» gettando bombe a mano nell'acqua del fiume e i piccioni a cui tira con un M-16. L'albergo che avrebbe dovuto essere una residenza di lusso, affacciato com'è sul fiume e con una splendida vista sulla città, non è mai stato finito e sembra non sia mai stato pulito, spazzato, spolverato. Si dorme in quattro o cinque per camera, ma il meglio è sdraiarsi per terra perché almeno lì c'è da difendersi solo dalle zanzare e non anche dalle pulci di cui sono pieni i letti.

Una settimana fa, quando bande di disertori s'aggiravano per il centro, dando fuoco al mercato, razziando quello che potevano, e migliaia di profughi entravano in città, si aveva l'impressione che, se i nordvietnamiti e i vietcong avessero voluto, avrebbero potuto marciare su Hué senza incontrare alcuna resistenza. La 3ª divisione s'era liquefatta, non esisteva più e, a parte qualche unità dei *marines* e della 1ª divisione di fanteria, il resto delle truppe sembrava solo cercare un mezzo veloce per sparire.

Giovedì, sulla strada numero 1, vicino al fiume My Chan ho visto come un gruppo di soldati ha scelto la via di casa invece di andare alla guerra. Una colonna di dieci autoblindo si faceva faticosamente strada verso il fronte, contro corrente, in mezzo alla fiumana di profughi a piedi, su dei carri, a grappoli aggrappati a vecchi autobus. Ad una strettoia prima di un ponte il traffico si è fermato e l'ultima autoblindo carica di soldati, mandati a rafforzare la prima linea di difesa al fiume, s'è trovata alla pari con un autobus carico fino al tetto di vecchi, donne, bambini. Qualcuno ha teso la mano a un soldato e quello è saltato dall'autoblindo al tetto dell'autobus. Quindi ha buttato il fucile in un campo ed ha aiutato un suo compagno. Poi un altro, un altro ancora. È stata questione d'un attimo. Quando le due colonne si sono rimesse in marcia c'erano sei soldati in meno che andavano al fronte e sei in più che scappavano mescolati ai profughi verso Da Nang.

Se in quei giorni i carri sovietici avessero rullato verso Hué nessuno li avrebbe fermati. «Forse non si immaginavano di prendere Quang Tri così facilmente», dice ora un consigliere americano. «E poi, se anche avessero preso Hué, non erano sicuri di poterla tenere. Prima di muoversi i nordvietnamiti hanno bisogno di portare avanti i loro rifornimenti, di spostare la loro artiglieria, la contraerea. Hanno bisogno di costruire un sistema di tunnel per difendersi dai bombardamenti. Ci vuole tempo. È quello che stanno facendo in questo momento. Questo silenzio non significa altro.»

Quando attaccheranno?

Nessuno osa dirlo e qualcuno suggerisce che un attacco su Hué è troppo prevedibile perché gli altri lo tentino davvero. Ormai non avrebbero più il vantaggio della sorpresa.

La battaglia per questa città, che rappresenta una sorta di anima del Vietnam, sia per la gente del Nord che per quella del Sud, potrebbe essere decisiva. Se Hué davvero cadesse, quella poca coesione che tiene ancora assieme una parte della società sudvietnamita verrebbe meno, l'esercito potrebbe sfasciarsi e il panico potrebbe raggiungere Saigon dove la gente s'illude ancora che la guerra sia una cosa remota e che gli americani, all'ultimo momento, avranno pure un modo per risparmiargliela.

La disfatta di Quang Tri è stata un esempio di quello che potrebbe succedere in altre parti del paese, e ciò che è spaventoso, per il regime di Saigon, è che Quang Tri è caduta senza una battaglia.

Quando lunedì scorso, il 1° maggio, alle due del pomeriggio il generale Vu Van Giai, comandante di Quang Tri, ha dato l'ordine di ritirarsi e una colonna di un migliaio di automezzi s'è messa in marcia verso sud, il grosso delle truppe era già partito. Da venerdì intere unità avevano abbandonato le proprie posizioni difensive nel perimetro della città e s'erano mescolate con la popolazione che fuggiva. Batterie di artiglieria in perfette condizioni, depositi di munizioni, mitragliatrici e persino dei carri armati erano stati abbandonati. Presi dal panico, molti soldati avevano gettato via le uniformi e le armi individuali perché s'era sparsa la voce che i nordvietnamiti lasciavano passare i civili e facevano prigioniero solo chi era armato.

Da giorni era chiaro che l'obiettivo dei nordvietnamiti e dei vietcong era Quang Tri. La cittadina di Dong Ha, sul fiume Cua Viet, era caduta, e le forze comuniste erano già profondamente infiltrate fino nei dintorni di Hué. Quang Tri, praticamente assediata, era rimasta con una sola via d'uscita, la strada numero 1, una dirittura d'asfalto che corre lungo la piana costiera, coperta di dune bianche, di sale e di sabbia, mosse dal vento che soffia incontrastato dal mare della Cina.

I francesi, al tempo della loro occupazione, per tenere aperta questa strada che era ed è l'unica via di comunicazione dell'Annam centrale, persero, senza mai ottenere grandi risultati, centinaia di uomini e da allora la chiamarono *la rue sans joie*, la strada senza gioia. Su questa stessa strada l'esercito sudvietnamita ha avuto ora la sua prima seria disfatta. È qui, non a Quang Tri, che la 3ª divisione è stata decimata e sono morti moltissimi civili.

La provincia di Quang Tri, immediatamente a sud della zona smilitarizzata, è una terra arida di cui i vietnamiti stessi dicono che i maiali non possono mangiarci che i sassi e le galline la rena. Paragonata al Delta, dove il riso cresce due volte all'anno, i campi sono avari e il raccolto si fa una sola volta. Questa è la stagione. La maggior parte dei contadini, terrorizzata dai bombardamenti aerei e navali americani che martellano dall'inizio dell'offensiva ogni zona occupata dalle forze comuniste, si era rifugiata a Quang Tri per non abbandonare completamente i campi e il riso arrivato ora a maturazione. Gli abitanti della città erano triplicati con l'afflusso dei profughi da Dong Ha, Cam Lo, Gio Linh, Con Thien.

La notte del 27 aprile le salve di artiglieria comunista su Quang Tri si sono intensificate, 1200 colpi di cannone da 130 mm in sole dodici ore, squadre di sabotatori hanno provato le difese esterne e decine di carri armati hanno cominciato a manovrare attorno alla città. Il mugghiare dei carri, nel buio, è impressionante. Li sentii un mese fa, la notte che passai nel bunker del comando sul fiume Cua Viet. È agghiacciante. Un tuono che rotola sulla terra, senza che si possa sperare nella fine. Non si vede niente, non si immagina niente, solo si è assediati da questa sferragliante bufera che sembra venire da ogni direzione, ma in verità non si sa dove i carri siano, da dove stiano per arrivare. A Quang Tri è stato il panico. È cominciato l'esodo. I primi gruppi di soldati hanno disertato. Impadronitisi di alcuni camion, si sono buttati sulla strada numero 1 e la popolazione con loro, a piedi, con delle macchine, con ogni mezzo possibile.

Un viaggio allucinante. Sotto il peso dei camion carichi di gente scoppiavano le mine nascoste dai norvietnamiti sotto il manto d'asfalto. Da postazioni nascoste fra le dune, cecchini comunisti sparavano razzi B-40 contro i veicoli militari. La gente si perdeva nella confusione. Famiglie divise, morti, feriti abbandonati al sole.

Per due giorni, il 29 e il 30 aprile, a Hué, dove né il comando americano né quello sudvietnamita volevano dare delle notizie, la storia di quello che stava succedendo a Quang Tri l'hanno raccontata le migliaia di scampati che arrivavano qui terrorizzati e felici credendo di essersi messi definitivamente in salvo. «Ho volato, volato in aria come un uccello», urlava un vecchio coperto di sangue raggrumato che era stato sbalzato da un camion saltato su una mina. A Quang Tri non c'era più cibo. Alcuni dei rifugiati non avevano mangiato da due giorni. La città era impazzita. Soldati, che si erano tolti le mostrine dei loro reparti, saccheggiavano le case abbandonate. Nei sotterranei protetti della vecchia cittadella di Quang Tri, dove era il comando della 3ª divisione, il generale Vu Van Giai, i suoi ufficiali e i consiglieri americani avevano perso il controllo della situazione. Nonostante ininterrotti bombardamenti dei B-52 e delle cannoniere al largo della costa sulle posizioni comuniste intorno alla città, migliaia di proiettili di artiglieria e di mortaio continuavano a cadere sulle difese sudvietnamite. Infermiere e medici erano scappati a bordo di tre ambulanze e nei letti, nei corridoi, nel cortile dell'ospedale di Quang Tri centinaia di feriti militari e civili erano stati abbandonati.

Nella confusione gruppi di commandos nordvietnamiti in uniformi del Sud, che non era più difficile procurarsi, entravano in città, carri armati che battevano bandiera sudista e che erano stati occupati da equipaggi comunisti sparavano a zero contro i governativi che correvano verso di loro per esserne protetti. Le radio degli elicotteri americani che sorvolavano la zona ricevevano continui appelli di soccorso, ma per lo più erano gli operatori nordvietnamiti che, inseritisi sulle loro frequenze e parlando inglese, tentavano di attirarli in trappole.

Per due giorni a Hué la fiumana dei profughi, dei camion, dei feriti, dei disertori è stata quasi continua. Poi il 1º maggio. La strada è rimasta improvvisamente vuota. Per ore e ore sull'asfalto che tremolava in lontananza sotto il sole a picco, dal ponte distrutto di My Chan non si vedevano che le sagome nere dei camion devastati e, qua e là, alcuni elmetti e stracci. Come uno spettro è passato un uomo che aveva legati alla bicicletta i cadaveri di due bambine forse di tre, di cinque anni.

Quang Tri stava cadendo.

Alle due del pomeriggio il generale Giai ha dato l'ordine di ritirarsi e un'ora dopo due enormi elicotteri americani si posavano sul piazzale della cittadella a prendere lui, il suo stato maggiore e i consiglieri americani per portarli in salvo.

I reparti rimasti nella città hanno formato una colonna e si sono messi sulla strada. C'erano dei carri armati, trenta ambulanze, qualche migliaio di civili. Erano le quattro. La strada era già una trappola micidiale: metro dopo metro. « I soldati ci hanno detto di andare avanti », racconta ora uno degli scampati, « e camminavamo in testa alla colonna. Ad un certo punto, dai lati i nordvietnamiti sono usciti dalla terra, dalla terra... erano dappertutto. Ci hanno detto: 'Correte, correte!' Dietro è successo un macello. » Sotto il fuoco incrociato delle forze comuniste, la maggior parte dei veicoli è stata distrutta, centinaia di persone, soldati e civili che non erano col gruppo di testa, sono state uccise.

La strada numero 1, la « strada senza gioia », è ora un cimitero disseminato di carcasse di automezzi, di uomini.

La 3ª divisione non esiste praticamente più. Dei sei battaglioni di *rangers* che erano a Quang Tri, solo uno è ancora in condizioni di combattere assieme ad alcune unità di *marines* che sono riuscite a ritirarsi in buon ordine, accompagnate da una decina di consiglieri americani. Questi hanno preferito rimanere con le loro unità piuttosto che essere portati via dagli elicotteri. L'intera provincia di Quang Tri è in mano ai nordvietnamiti e al Fronte di Liberazione. È così diventata automaticamente una *free fire zone*, vale a dire un territorio che può essere ormai bombardato a tappeto.

E Hué?

Thieu si rende conto di quale sia la posta in gioco con la difesa della vecchia capitale imperiale. È venuto due volte in città e ha rassicurato i soldati, ora riorganizzati, che Hué verrà difesa ad ogni costo. Prendendo una decisione che gli americani suggerivano da tempo, ma che in condizioni normali gli era impossibile, Thieu ha messo a riposo il suo amico generale Lam, comandante della prima regione militare, di cui era parte Quang Tri, e agli arresti il generale Giai.

Il nuovo comandante generale Ngo Quang Truong sta tentando di riportare la calma nella città. Ha ordinato a tutti i soldati che avevano lasciato la loro unità di ripresentarsi immediatamente, pena la fucilazione; ha chiesto a tutti gli impiegati dell'amministrazione civile di tornare ai loro posti, pena il licenziamento. Molti erano già troppo lontani per ricevere l'ordine, ma almeno Hué s'è svuotata degli sbandati.

Truong ha anche ordinato la distribuzione di armi ai civili che vogliono partecipare alla difesa di Hué. La risposta è venuta ieri, sabato, patetica e ridicola: la cosiddetta «divisione di ferro», composta da un migliaio di uomini dai 15 ai 70 anni, è sfilata cenciosamente dinanzi alle mura cadenti della cittadella dove nel 1968 sventolò per tre settimane la bandiera vietcong.

È stata l'unica manifestazione in favore del regime e l'unica ad essere ammessa. Il comando militare continua a lanciare appelli alla cittadinanza perché denunci gli elementi sospetti. Sembra che agenti vietcong si siano mischiati ai soldati che tornano nelle caserme e li incitino alla ribellione. Il setacciamento della città da parte della polizia, a mano a mano rafforzatasi in questi giorni, continua, specie fra i gruppi di studenti rimasti. Questi, anche in passato, pur dichiarandosi lontani dalle posizioni dell'FLN, hanno sempre manifestato la loro opposizione al governo. Persino il rettore dell'università e ora presidente di un cosiddetto «Fronte contro il comunismo», che raccoglie esponenti di vari gruppi fra cui i buddisti di An Quang e i cattolici, mi ha detto: «Siamo e restiamo contro il governo, anche se per ora ci troviamo alleati con Thieu, perché il nostro primo scopo è combattere l'invasione nordista».

Organizzazioni come questa ne sono sorte un po' dovunque in tutto il Vietnam, ma spesso non sono molto più di una sigla dietro la quale si coprono gruppetti di intellettuali frustrati dal non avere un ruolo né da una parte né dall'altra della barricata.

Questo discorso vale anche per la popolazione in generale, che in gran parte, dinanzi a una situazione come quella vietnamita sempre più polarizzata, non ha ancora scelto con chi stare.

Sebbene ancora tanta gente dichiari di non essere disposta a vivere con un regime comunista, ben pochi, come Hué di questi giorni dimostra, sono disposti a battersi per questo regime di Thieu.

Il problema dell'esercito, e al limite della società sudvietnamita, è innanzitutto un problema di motivazioni, un problema di valori. Gli americani sono i primi a non capirlo.

Un consigliere americano che osservava i soldati scalzi e feriti che arrivavano in città il giorno in cui Quang Tri cadeva si chiedeva senza rispondersi: «Ma perché i 'nostri' vietnamiti sono peggio dei 'loro'?» I rapporti fra i soldati di Saigon e gli americani sono diventati tesissimi. Il fatto che i consiglieri vengano regolarmente evacuati dagli elicotteri, quando le cose si mettono male per la fanteria sudvietnamita, ha fatto nascere incredibili risentimenti e dato sfogo alle più assurde fantasie. Fra la truppa di Saigon circolano voci che tra Washington e Hanoi ci sia stato un accordo segreto per cui gli 80 consiglieri nel comando di Quang Tri non sarebbero stati uccisi né presi prigionieri se avessero lasciato cadere la città. A prova di questo i soldati scappati da là citano il fatto che nessun proiettile, durante i giorni dell'assedio e al momento dell'attacco, è caduto sull'accampamento americano, mentre tutto attorno era l'inferno.

«Finiremo per dover combattere contro quelli del Nord e contro gli americani», mi diceva deluso un soldato di Saigon. Il fatto che, dopo i bombardamenti a tappeto sulle postazioni dei comunisti, questi abbiano continuato ad avanzare su Quang Tri fa dire a un altro soldato: «Gli americani ci stanno tradendo. I B-52 sganciano solo bombe di plastica».

Una vecchia insinuazione secondo la quale furono gli americani a far entrare i vietcong a Saigon al tempo dell'offensiva del Tet è stata riesumata in questi giorni, e viene appaiata con una domanda abbastanza legittima che molti si fanno: «Perché gli americani, che hanno sempre detto di avere sistemi elettronici perfezionatissimi lungo la zona smilitarizzata e un tipo di ricognizione aerea a cui sfuggono poche cose, non si accorsero dell'offensiva che i nordvietnamiti stavano preparando con tanto di carri armati e armamento pesante e hanno cominciato a bombardare coi B-52 la regione solo dopo che 50.000 soldati del Nord erano passati nel Sud?»

Per le truppe dell'ARVN, abituate in passato a vedere gli americani combattere al loro fianco e nella maggior parte dei casi svolgere i lavori più impegnativi, come avvenne proprio qui a Hué nel '68 quando furono i *marines* americani a rioccupare metro per metro la città, la vietnamizzazione che le lascia da sole ad affrontare un nemico individualmente ben più preparato e motivato ha avuto effetti negativi sul morale; si sentono abbandonate e incapaci di affrontare un problema che gli americani fanno capire non è più il loro.

«Perché gli americani lasciano che i comunisti invadano il nostro paese?» ripeteva deluso un *ranger* governativo che era riuscito a scappare da Quang Tri a piedi. Sedeva su una panchina lungo il Fiume dei Profumi e dopo giorni di assedio passati in un bunker senza poter uscire un attimo a causa dei continui colpi di mortaio, sognava solo di sedersi in un bar ad ascoltare della musica.

«I nordvietnamiti combattono per la loro patria, io solo per difendere la mia famiglia», diceva, con una ingenuità che rivela in fondo una grossa verità, un altro soldato che aveva abbandonato la base di «Bastogne». «Stavo là sotto le bombe e sapevo che la mia famiglia era qui ad Hué e forse era in pericolo; appena ho potuto sono venuto qui.»

Il morale dell'ARVN, specie ora con la sconfitta di Quang Tri sulle spalle, è zero, e scarsissima è la fiducia che i soldati hanno di poter resistere se il Fronte e Hanoi decidessero un attacco massiccio contro la vecchia capitale imperiale.

Domenica sono venuti qui sia il primo ministro Kiem sia quello degli Esteri Lam e hanno annunciato un piano per una controffensiva che dovrebbe riconquistare l'intera provincia. Alcuni ufficiali parlano persino di uno sbarco a settentrione della zona smilitarizzata in un territorio nordvietnamita. Ma è difficile immaginarsi con quali truppe Saigon potrebbe fare un'operazione del genere e con quale successo.

A difesa di Hué ci sono oggi circa trentamila uomini fra cui molte unità della polizia mandate qui al posto della fanteria che non ha più riserve. I comunisti tengono impegnate le forze di Saigon su tutti i fronti, a cominciare da quello di Pleiku e Kontum, dove un attacco alla capitale provinciale è ancora possibile da un momento all'altro. Le basi di fuoco delle difese esterne sono già state eliminate. Alla base 42 ieri sono stati uccisi oltre cento soldati sudisti assieme al consigliere americano che era con loro. Si è salvato solo il colonnello vietnamita che era in comando perché, avvisato da qualcuno prima dell'attacco, è riuscito a lasciare la base senza che nessuno se ne accorgesse.

Nella provincia costiera di Binh Dinh, tradizionalmente una roccaforte del movimento vietminh e ora dei vietcong, il Fronte controlla la maggior parte della popolazione; la capitale provinciale è minacciata. An Loc è ancora assediata.

Dopo cinque settimane di combattimenti il Fronte di Liberazione Nazionale controlla ora l'intera provincia di Quang Tri con una popolazione che i servizi di informazione americani valutano in circa 75.000 abitanti. Controlla parti considerevoli delle province costiere di Thuan Thien, Quang Nam, Quang Ngai e Binh Dinh. Sono le regioni che la delegazione di Hanoi a Ginevra, nel 1954, considerava a buon diritto già sue quando Van Pham Dong insisteva per la divisione temporanea del paese al quattordicesimo parallelo. Dal momento che il Fronte controlla anche parte degli altipiani al confine col Laos, sembra possibile che uno dei piani di Hanoi sia quello di tagliare il Sud-Vietnam in due, più o meno all'altezza del quattordicesimo parallelo.

Un fatto è certo: il Vietnam del Sud nel maggio 1972 non è più quella entità provvisoria che gli accordi di Ginevra stabilirono e che gli americani pretesero di trasformare in una soluzione permanente. Quel Vietnam del Sud non esiste più. Eppure, nonostante l'impressione insistente che il paese che fa capo a Saigon sia sull'orlo del collasso, quel momento non viene e c'è da chiedersi che cosa gli americani sarebbero ancora disposti a fare per non farlo venire.

«Qui non è come in Occidente dove le crisi hanno i loro segni premonitori e una loro prevedibile conclusione», mi ammonisce lo studente di Hué che mi ha accompagnato in questi giorni. «Qui in Vietnam può durare per settimane, per mesi, per poi risolversi tutto nel giro di una notte.»

Quale notte? mi chiedo guardando dalla terrazza dell'albergo Huong Giang la sagoma nera della cittadella di Hué illuminata dai bengala che cercano i vietcong. Questa notte?

«È il 7 maggio», mi ricorda lo studente-interprete.

Esattamente in queste ore, diciotto anni fa, i francesi uscivano con le mani dietro la nuca, vinti, dalle casematte di Diem Bien Phu.

Saigon, 13 maggio

La guerra non è ancora a Saigon, ma la paura che presto ci arrivi è cominciata fra la popolazione. Per la prima volta, dall'inizio dell'offensiva comunista, si parla di migliaia di razzi che i vietcong avrebbero piazzato nel raggio di dieci chilometri, di commandos che sarebbero già in città, di riunioni clandestine nei quartieri popolari dove quadri del Fronte starebbero organizzando una sollevazione popolare per portare avanti i loro piani. Nella regione attorno a Hué, dove il temuto attacco non si è ancora verificato, così come a Kontum o Pleiku, i nordvietnamiti sono arrivati a spostare interi convogli di munizioni in pieno giorno esponendoli così agli attacchi dell'aviazione. È come se Giap avesse dato l'ordine di accelerare l'offensiva.

Saigon si sente minacciata anche perché un attacco qui sembra alla gente la più ovvia contromisura per i bombardamenti dei centri abitati di Hanoi e Haiphong ordinati da Nixon lunedì scorso, 8 maggio.

Il discorso di Thieu alla nazione per chiedere i pieni poteri, la dichiarazione della legge marziale e l'appello del colonnello-sindaco a tutti i cittadini perché mettano in serbo generi alimentari, scavino trincee, costruiscano rifugi, si preparino ai bombardamenti, hanno scosso la capitale dal suo solito cinismo. Il senso di sollievo che era seguito all'annuncio di Nixon di minare i porti e distruggere le vie di comunicazione del Nord-Vietnam è durato poco: solo i due, tre giorni in cui la stasi sui vari fronti ha fatto credere a molti che la dichiarazione di rinnovato impegno americano, sotto forma di una nuova escalation della guerra, avesse « congelato » l'avversario.

La ripresa dell'iniziativa comunista sui vari fronti aperti nel paese ha fatto cadere ogni illusione. Né sono certo serviti a ristabilire la fiducia gli annunci delle « controffensive » di Saigon alla base « Bastogne » o dietro le linee comuniste nella provincia di Quang Tri.

Frustrazione è lo stato d'animo che predomina nei circoli governativi dove, all'inizio della settimana, la decisione di Nixon era stata accolta con grande entusiasmo. Oggi, nonostante la linea ufficiale non sia cambiata, alcuni privatamente ammettono di avere qualche dubbio sulla sua opportunità, altri non nascondono la propria delusione. « Nixon ci ha venduti », mi ha detto un senatore fedele a Thieu, « le misure che ha adottato contro il Nord sono le meno efficaci che si possano immaginare. Se voleva veramente dimostrare il suo impegno a salvare la Repubblica del Vietnam avrebbe dovuto semplicemente annunciare la cessazione dei ritiri delle truppe americane. Questo avrebbe avuto un significato anche simbolico superiore a quello di minare Haiphong. »

Questa tesi è suggerita anche da alcuni osservatori occidentali secondo i quali il discorso, pur durissimo, di Nixon non sarebbe altro che un tentativo di « salvare la faccia » dal momento che le misure da lui annunciate non avranno un effetto immediato sull'offensiva in corso. Le truppe americane continueranno a lasciare il paese, secondo il programma stabilito, e fra qualche mese non dovrebbero essercene più.

Nixon deve andare a Mosca entro la fine del mese. «Se da parte sovietica non verrà una cancellazione della visita, questa sarà la prova che una sorta di accordo è stato raggiunto fra le grandi potenze per permettere agli Stati Uniti di continuare il loro sganciamento dal Vietnam dietro il paravento di parole minacciose», mi ha detto un diplomatico europeo. L'ipotesi potrà essere anche verosimile, ma per ora i fatti dimostrano che Nixon, per salvare il regime di Saigon ha scelto di nuovo la via sempre più spaventosa dell'escalation ordinando la distruzione sistematica del territorio nordvietnamita, compresa la popolazione. I bombardamenti degli ultimi giorni hanno raggiunto livelli di intensità mai registrati prima in questa guerra. Il tentativo non è solo quello dichiarato da Nixon di «negare a questi fuorilegge internazionali l'accesso alle armi», ma quello di fiaccare la volontà di combattere del popolo vietnamita attaccandolo nelle sue case.

È la stessa logica che condusse gli americani al bombardamento di Hiroshima.

«A che punto si fermerà Nixon? Arriverà a minacciare l'uso delle bombe atomiche sul Nord come fece Eisenhower al tempo della Corea?» si chiedeva un professore dell'università buddista di Saigon che ho incontrato il giorno in cui la sua università, come le altre sei, veniva chiusa per ordine del governo.

«Se Nixon vuole davvero andarsene dal Vietnam non ha che da rovesciare Thieu, come Kennedy fece con Diem e mettere al suo posto qualcuno che chieda agli americani di andarsene; in questo modo salverebbe anche la faccia.»

Su un punto sono a Saigon quasi tutti d'accordo: le nuove misure americane contro il Nord non avranno militarmente alcun effetto a breve scadenza sui fronti meridionali. I rifornimenti, sia quelli via mare che quelli via terra dalla Cina, continueranno a trovare un modo di arrivare, anche se saranno rallentati, e in ogni caso i nordvietnamiti e il Fronte hanno ormai nel Sud rifornimenti «per altri tre o quattro mesi di offensiva», come ammettono gli stessi americani.

Al momento comunque non sembra affatto che le forze di Hanoi e dei guerriglieri abbiano problemi di risparmio con le munizioni: ogni notte migliaia e migliaia di proiettili di artiglieria continuano a cadere sulle postazioni sudvietnamite più minacciate.

Probabilmente quello che i comunisti oggi temono non è tanto un taglio delle loro vie di rifornimento, ma un accordo fra le grandi potenze concluso sulle loro teste. Temono piuttosto che si imponga loro di rinunciare come nel 1954 a quello che hanno guadagnato e che potranno ancora guadagnare sul campo di battaglia. La guerra diplomatica che si sta combattendo in questi giorni tra le cancellerie di Mosca, Washington, Londra e certo anche Pechino, potrebbe essere più determinante per il futuro del Vietnam di quella che Hanoi e il Fronte stanno conducendo contro il regime di Saigon.

Minando i porti e bombardando le vie di comunicazione del Nord-Vietnam, Nixon ha messo sostanzialmente in mora politicamente sovietici e cinesi. Fino a che punto gli alleati di Hanoi sono disposti a sfidare direttamente la potenza americana o a mettere a repentaglio la loro *détente* con Washington per il Vietnam? Il blocco dei porti è superabile, ma bisogna esser decisi a forzarlo. Per il momento la risposta di Mosca alla scalata nixoniana è stata cauta e semplicemente verbale. Altrettanto quella di Pechino. Ciu En Lai ha condannato la grave escalation della guerra, ma non è arrivato a dire quello che disse in una occasione meno pericolosa, a proposito delle operazioni in Laos nel 1971: «È una minaccia contro la Cina».

Hanoi ha intanto lanciato un appello ai paesi socialisti perché continuino i loro aiuti. Ma che risposta arriverà? Si potrebbe benissimo ripetere, per ragioni oggi ben diverse, la stessa situazione del 1954 quando il Vietminh fu costretto, con la promessa di una soluzione politica a breve scadenza, a rinunciare a parti di territorio che già controllava militarmente. Furono allora Ciu En Lai e i sovietici a suggerire questa «moderazione» ai partigiani vietnamiti.

È forse per il timore che si ripeta questo tipo di soluzione che Giap sta accelerando i tempi dell'offensiva e forse rivedendo gli stessi piani iniziali.

Saigon, che probabilmente sarebbe caduta da sola una volta che altri importanti capoluoghi provinciali fossero stati in mano al Fronte, oggi sembra possa diventare l'obiettivo principale della nuova offensiva comunista che si sta delineando. Giap ha forse l'impressione che il tempo ora non giochi più a suo favore e che se vuole rovesciare Thieu deve andare a stanarlo dal suo palazzo presidenziale a Saigon.

È quello che Thieu stesso probabilmente si aspetta e per questo ha scosso la capitale dalla sua indifferenza, ha chiuso le scuole, ha proibito ogni manifestazione, ha abbassato a 16 anni l'età di leva, ha richiamato alle armi tutte le riserve e si prepara anche qui nella capitale a combattere quella che lui stesso ha definito «la battaglia decisiva».

Saigon, 17 luglio

«Non c'è un solo ponte in Nord-Vietnam che sia rimasto in piedi. Non c'è una sola fabbrica, una centrale elettrica, una caserma che non abbiamo colpito. Abbiamo distrutto tutto. I nostri piloti in missione sul Nord sono ormai ridotti a dare la caccia a bersagli di occasione: un camion, una barca, qualcosa che si muove verso sud presumibilmente con dei rifornimenti.»

L'ufficiale americano che mi parla in un ufficio del MACV (Military Assistance Command Vietnam) all'aeroporto di Tan Son Nhut, davanti a carte geografiche e grafici sembra voglia convincermi che gli Stati Uniti hanno vinto la guerra e per questo se ne stanno andando. «Ci vorrà molto tempo perché Hanoi possa rimettere assieme il potenziale bellico che aveva prima di questa ultima offensiva.»

Gli americani stanno effettivamente lasciando il Vietnam e la loro assenza si nota dovunque. Lo stesso MACV, un tempo una vera e propria cittadina americana autosufficiente ai margini di Saigon, appare oggi semideserto. Nel centro della capitale vari uffici americani sono stati ridimensionati, altri chiusi. L'USIS, fino a due mesi fa impegnato nella guerra psicologica, sta ritornando alla sua immagine tradizionale di pace e, in locali modesti, un po' fuori mano, sta mettendo a punto una bibliotechina e una sala di lettura con riviste e giornali americani.

Bien Hoa e Long Binh, che ospitavano il grosso del corpo di spedizione americano nella fascia della capitale, sembrano oggi città fantasma. Le baracche sono state cedute all'ARVN (l'esercito di Saigon), ma solo alcune sono state occupate, le altre sono state semplicemente cannibalizzate dai vari generali e colonnelli sudvietnamiti che si sono venduti condizionatori d'aria, mobili e veneziane.

In tutto ci sono ora in Sud-Vietnam 47.500 soldati americani; i più sono nei servizi; solo due unità da combattimento (con 500 uomini ciascuna) sono rimaste a difendere i depositi di munizioni e ciò che resta dei comandi.

«Per il giorno delle elezioni americane Nixon farà in modo che qui non siano rimasti che pochi consiglieri», prevede qualcuno.

Coi soldati, si ritirano anche le aziende private americane le cui attività erano direttamente legate alla guerra o alla massiccia presenza americana.

All'ingresso di Saigon è stato rimosso un enorme cartellone pubblicitario della Chase Manhattan Bank davanti al quale, per una coincidenza in cui un giovane *gauchiste* avrebbe visto tutta la spiegazione della guerra, stava un cippo di cemento su cui il governo di Saigon aveva fatto scrivere a grandi lettere: «Non dimenticheremo mai i sacrifici che i soldati alleati hanno fatto per difendere la libertà e la democrazia in Vietnam».

Gli americani dunque se ne vanno, ma la guerra non è finita né tanto meno l'hanno vinta.

«Il problema è quello di far vedere che non l'abbiamo persa, almeno fino alla fine dell'anno. Fino alla rielezione di Nixon; poi si vedrà», ha detto qui, privatamente, un alto funzionario americano.

La fine dell'anno sembra il termine che tutti i funzionari sia militari sia civili, americani e sudvietnamiti hanno in testa. L'obiettivo dichiarato da qui ad allora è: «Mantenere la situazione attuale». Nessuno si aspetta sviluppi drammatici dai negoziati di Parigi per i prossimi mesi. All'ambasciata americana di Saigon sostengono che ora Hanoi punta soprattutto ad influenzare le elezioni presidenziali americane e che, specie con la candidatura democratica di McGovern, i nordvietnamiti non saranno disposti a fare alcuna concessione al tavolo della pace.

Con lo stesso ragionamento gli analisti dei servizi di informazione prevedono un periodo di stasi militare fino all'autunno e poi, forse, un ultimo tentativo da parte di Hanoi e del Fronte per impegnare le truppe di Saigon in un nuovo scontro frontale.

Attribuendo all'offensiva del «nemico» obiettivi iniziali che non è affatto detto siano stati quelli veri (il rovesciamento di Thieu, la disfatta dell'ARVN e la conquista di gran parte del territorio nel Sud), questi stessi analisti considerano l'attuale situazione militare un successo delle truppe di Saigon e attribuiscono all'aviazione militare americana la capacità di aver «bloccato» l'avanzata nordvietnamita.

Su questa considerazione è basata l'attuale strategia americana ora completamente orientata a far fare ai soldati americani la parte automatica della guerra, quella cioè che non comporta rischi di uomini.

Dalle basi in Thailandia dove si sono spostati gli squadroni che prima erano a Da Nang e dalle portaerei nel golfo del Tonchino viene quotidianamente condotta la guerra aerea che sta riducendo il Nord-Vietnam e progressivamente certe regioni del Sud a un paesaggio lunare.

«Quello che Nixon sta facendo con l'aviazione», commenta un osservatore occidentale, «è quello che nessun presidente aveva osato fare prima. Con la minaccia al sistema delle dighe nel Nord e col bombardamento estensivo dei territori controllati dai comunisti nel Sud si è ritornati alla teoria della rappresaglia massiccia che sembrava essere stata abbandonata dalla dottrina militare americana dopo Dulles.»

Il numero delle missioni dei bombardieri ha raggiunto livelli record: sul Nord, 340 nel giro di ventiquattr'ore (esclusi i B-52); sul Sud, 350.

L'arsenale a disposizione dell'aviazione si è ulteriormente perfezionato con l'uso ora ampio delle «bombe intelligenti» che con una telecamera incorporata nella testata, una volta inquadrato l'obiettivo da colpire, riescono a raggiungerlo senza possibilità di errore grazie a un sistema di servo controllo e di autoguida. Ogni bomba trasporta una tonnellata di esplosivo. Costo: undicimila dollari americani.

Nel Sud, secondo Radio Hanoi e secondo ammissioni di consiglieri americani sul campo di battaglia, vengono anche impiegate delle cosiddette «bombe al propilene» che, scaricando dei gas tossici, avrebbero un effetto soffocante. Ho chiesto conferma al portavoce militare del MACV: «Non ne so niente», ha risposto, «ma contro delle concentrazioni di truppe riparate in bunker abbiamo sempre usato il napalm. Il napalm, bruciando, consuma enormi quantità di ossigeno e di conseguenza provoca l'asfissia». Un classico schema di bombardamento americano sui bunker prevede anzitutto l'uso del napalm: le truppe allora, per evitare il soffocamento, escono all'aperto e qui vengono colpite con le bombe antiuomo che disseminano una vasta area di migliaia e migliaia di schegge micidiali.

Gli effetti dei bombardamenti e del blocco dei porti nordvietnamiti negli ultimi due mesi non sono certo mancati. Quali esattamente è difficile dire. Anche se è vero che ogni ponte in muratura nel Nord è stato distrutto, è altrettanto possibile, come hanno riferito alcuni giornalisti giapponesi, che su ogni fiume i nord-vietnamiti abbiano costruito ponti di emergenza che vengono affondati durante il giorno e sollevati di notte. Questo significherebbe che i rifornimenti continuano ad affluire nel Sud, anche se più lentamente. Lo stesso vale per il blocco navale che, a quanto pare, viene evitato dal trasbordo fatto su piccole chiatte che eludono i campi minati. Non è detto poi che le forze di Hanoi e del Fronte nel Sud dipendano esclusivamente dal flusso di rifornimenti attraverso la zona smilitarizzata o lungo il sentiero di Ho Chi Minh perché vaste quantità di armi e di munizioni sarebbero ancora disponibili nelle zone sotto il loro controllo. La scoperta da parte delle truppe di Saigon di 200 tonnellate di materiale in una sola settimana nella provincia di Quang Tri sarebbe una indicazione in questo senso.

Ciò su cui è d'accordo la maggioranza degli osservatori e degli esperti militari qui a Saigon è che il Nord-Vietnam non potrà usare nel prossimo futuro, anche se volesse lanciare una nuova offensiva, solo i carri armati. È ormai sicuro che, nonostante le esagerazioni della propaganda sudista, Hanoi ha perso nel Sud, nel corso dell'offensiva di primavera, almeno 500 carri di fabbricazione sovietica e io stesso ne ho contati a decine di catturati o distrutti nella regione fra Hué e Quang Tri. Nonostante l'effetto demoralizzante che gli assalti dei mezzi corazzati ebbero nei primi giorni di aprile tutti sono d'accordo nel concludere che i risultati ottenuti dai carri armati nordvietnamiti non compensano gli enormi problemi di trasporto e rifornimento che i soldati di Hanoi hanno dovuto affrontare per impiegarli nel Sud. Dopo il primo periodo di smarrimento e di panico dinanzi ai carri che avanzavano, l'ARVN ha imparato come si può combatterli e l'uso di nuovi missili teleguidati che gli americani hanno dato in dotazione all'esercito di Saigon ha fatto il resto. Una speciale unità dell'82º battaglione specializzato in paratattiche anticarro è stata portata qui da una base americana in Germania ed è stata impiegata nell'istruzione dei sudvietnamiti durante la battaglia di Kontum.

«Un carro armato è vulnerabilissimo se colpito da distanza ravvicinata», dice un ufficiale americano, «il segreto è non scappare alla sua vista, ma aspettarlo, aspettarlo... quando i vietnamiti l'hanno capito è diventato un gioco farli fuori.» Durante la battaglia sugli altipiani attorno a Kontum e Pleiku, Thieu dette premi in natura – da frigoriferi a motociclette Honda – ai soldati che distruggevano i carri.

Un altro punto su cui gli esperti militari occidentali concordano è che i carristi nordvietnamiti erano stati male addestrati nell'uso dei loro mezzi e che le comunicazioni e il coordinamento fra i carri e la fanteria erano spesso inesistenti. « In molti casi hanno usato i carri semplicemente come dei cannoni mobili», mi ha detto l'addetto militare di un'ambasciata europea, lui stesso carrista.

L'arma che ha impedito all'offensiva comunista di essere decisiva sono stati i B-52 americani.

Le bombe delle superfortezze hanno inflitto grosse perdite alle truppe del Nord (almeno l'80 per cento dei 70.000 uomini che Hanoi avrebbe perso nel Sud da marzo ad oggi sono da attribuire all'aviazione).

Senza i B-52 oggi probabilmente non esisterebbe più un Vietnam di Thieu. I B-52 non hanno sconfitto le truppe di Hanoi e del Fronte, non hanno respinto l'avanzata, l'hanno semplicemente arginata, le hanno impedito di svilupparsi. A quasi quattro mesi dall'inizio dell'offensiva comunista, la situazione militare è di stallo. A causa dei B-52 i comunisti non possono continuare nella spinta verso le città sudiste, ma in compenso hanno mantenuto il territorio che hanno occupato nel corso della prima ondata d'attacco. A parte la regione di Quang Tri dove da tre settimane il governo di Saigon sta tentando una controffensiva, l'iniziativa militare resta nelle mani di Hanoi e del Fronte. Ai B-52 resta il compito di rispondere. In generale la stabilizzazione dei fronti militari ha contribuito a una ripresa di morale da parte dell'ARVN. Nonostante le diserzioni rimangano notevoli e la motivazione di molti giovani bassissima (c'è stato questa settimana l'ottavo caso di suicidio dall'inizio dell'anno nell'accademia militare di Tu Doc), le truppe hanno riacquistato fiducia. La tensione di due mesi fa è in parte scomparsa.

Saigon è di nuovo rilassata, nonostante le tasse siano aumentate, ogni pasto ed ogni Coca-Cola costi il 10 per cento in più, « per aiutare i valorosi combattenti al fronte », nonostante il coprifuoco sia stato esteso e l'età di leva sia stata ampliata, nonostante tutti i bar siano stati chiusi, sia stato assolutamente proibito ogni sorta di ballo e che centinaia di bar-girls siano ora letteralmente per le strade assieme a più mendicanti, più invalidi, più poveri. La gente è calma. Non altrettanto attorno a Thieu. Più che una nuova offensiva comunista, a palazzo temono un nuovo nemico: McGovern.

48

«Se quello diventa presidente degli Stati Uniti il Sud-Vietnam è finito», ha detto Phan Thai, segretario generale del partito conservatore, mentre il quotidiano *Tin Song*, che rispecchia il pensiero di Thieu, accusa il candidato democratico di «mediocrità e codardia» per ciò che viene qui definita la sua disponibilità «a una capitolazione davanti ai comunisti».

La paura non è tanto che McGovern vinca le elezioni presidenziali, quanto che Nixon, per togliere vento dalle vele del suo avversario, faccia, prima di novembre, alcune concessioni nel corso delle trattative segrete con Hanoi. La prima concessione che si può immaginare è un ripensamento nella difesa a oltranza di Thieu e la sua sostituzione con un personaggio più accettabile per i comunisti.

«Se gli americani vogliono, possono farlo domani», diceva preoccupato un alto personaggio dell'entourage del presidente sudvietnamita, «tutto il Sud-Vietnam dipende dagli americani. Combattiamo con le loro armi, i nostri soldati portano persino gli slip 'made in USA'. Eravamo un paese esportatore di riso e ora dobbiamo vivere di quello che ci danno gli americani. Basta che ci taglino i viveri per un giorno e dobbiamo cedere. Il problema però non è far cadere Thieu, ma con chi sostituirlo.»

Nessuno oggi a Saigon, pur con la promessa di non essere citato, vuole esporsi, fare anche solo delle previsioni. Secondo alcuni osservatori occidentali, l'attuale presidente del Senato, Nguyen Van Huyen, potrebbe essere il personaggio di transizione. Anticomunista dichiarato, cattolico, generalmente stimato, ma anche senza troppo peso politico, potrebbe fare da ponte fra un'eventuale fine del regime Thieu e una soluzione di compromesso coi comunisti che garantisca il ritorno alla normalità.

Sono andato a trovarlo.

«L'ipotesi mi lusinga, ma è assolutamente campata in aria. Io non sono un politico, mi trovo in questo posto mio malgrado. Come presidente del Senato il mio compito è quello di difendere la costituzione che personalmente ritengo l'unica base legale e politica del mio paese. Non sono disponibile a compromessi di sorta. Sono aperto, indipendente, ma credo innanzitutto nella difesa delle libertà nel Sud-Vietnam. In questo siamo tutti dietro il presidente Thieu.»

«D'accordo, signor presidente, ma lei quale soluzione propone per la fine della guerra?»

«Gli otto punti del nostro governo.»

«Ma gli altri li rifiutano!»

Mi guarda come se fosse convinto che io non abbia capito nulla: «Senta un po', se questa soluzione non la sanno trovare le grandi potenze che sono impegnate fino al collo in questo conflitto, come vuole che possiamo trovarla noi vietnamiti?»

Sediamo su squallide poltrone di plastica in un grande ufficio malridotto. Il cadente palazzo del Senato, in riva al fiume di Saigon, non dà certo l'impressione, anche fisica, d'un gran centro di potere. È solo Thieu che in questo paese conta. È lui che ha ora anche formalmente i pieni poteri. Glieli ha dati, in ultima analisi, proprio il Senato quando un gruppo di suoi sostenitori, con un colpo di mano, ha riaperto una seduta che Van Huyen aveva già dichiarato chiusa.

«D'accordo che è stato illegale, ma è una questione secondaria», dice ora il presidente del Senato.

Coi pieni poteri Thieu consolida la propria posizione personale in un paese che a volte sembra stare assieme per scommessa. Centinaia di studenti arrestati, crisi economica, costo della vita che aumenta e, con la guerra, sempre più possibilità di incontrare la morte. Nessuno protesta; quelli che potevano farlo non sono più qui.

Quang Tri, 19 luglio

Io non li vedo perché, al primo colpo, mi sono buttato nel retrobottega di quello che doveva, un tempo, essere il negozio di un barbiere, ma la pattuglia di paracadutisti con la quale ho lasciato il bunker del comando sudvietnamita in via Le Huon per fare un giro della Quang Tri «liberata» dice che nella casa di fronte ci sono tre franchi tiratori comunisti. Un soldato è stato ferito e lo portano via su una barella.

«Fino a ieri sera questo era un quartiere sicuro», dice il sergente Thanh, «non c'è nulla da fare. Rispuntano da tutte le parti. Di questo passo ci vorranno dei mesi per riprendere tutta la città.»

La casa sembra deserta come tutte quelle attorno, smozzicate dai colpi di cannone, annerite dagli incendi, svuotate dalle bombe dell'aviazione. Erano due file di costruzioni a un piano, con sotto i negozi ombreggiati da dei ballatoi di cemento e sopra le abitazioni. Quando venni per la prima volta ad aprile, a Quang Tri c'erano circa 75.000 persone. Parevano tutte per strada. Si riusciva a malapena a camminare lungo i marciapiedi, ingombrati dalle ceste dei venditori ambulanti, dalle masserizie dei profughi spinti qui dalla prima ondata dell'offensiva nordvietnamita. Ora non c'è un'anima viva. La strada è piena di buche, di macerie. Brandelli di lamiera cigolano al vento. Qua e là si vedono, sull'asfalto, aggomitolate come dei serpenti, intere bandoliere di cartucce inesplose. È come se, ad ogni metro, ci fosse stata una battaglia.

Il sergente parla via radio con quelli del comando. Sento dopo un po' lo sferragliare di un carro armato che si avvicina. Poi due, tre colpi di cannone. Mi affaccio sulla porta del barbiere. Al posto della casa di fronte c'è ora una grande nuvola di polvere che ribolle. «Magari sono ancora là dentro, rintanati sotto terra», dice il sergente. Nessuno va a vedere.

La pattuglia procede carponi: alcuni dietro il carro armato, altri strisciando lungo i muri sforacchiati delle case; si avanza fino a un incrocio con una strada secondaria. I parà dovrebbero andare a raggiungere un'altra unità che sta preparando un nuovo assalto contro la Cittadella a 800 metri da qui, sulla destra.

Vengono da là profondi boati che sconquassano la terra e da quella parte vedo abbassarsi gli A-37 dell'aviazione di Saigon con le ali cariche di bombe. Rimango indietro con Vo Chan, l'interprete. Improvvisamente, vicinissimi, sentiamo alcuni colpi secchi irregolari. Qualcuno urla qualcosa in vietnamita.

«In arrivo, in arrivo. Razzi», dice Vo. Scappiamo. Rientriamo nella bottega del barbiere. Attorno è il finimondo.

Passa una carretta di legno carica di feriti. Poi un'altra. Usciamo e corriamo verso sud.

Ogni giorno di più le case, le strade, le piazze di questa città perdono la loro fisionomia. Lentamente Quang Tri scompare.

Sono riuscito per la seconda volta in una settimana a raggiungere la capitale provinciale che le truppe di Hanoi e del Fronte hanno occupato il 1° maggio scorso, ma le posizioni dei governativi rimangono quelle di prima: i paracadutisti sono attestati nella periferia meridionale, i *marines* in quella orientale. Con la luce del giorno fanno qualche metro in avanti; di notte regolarmente lo riperdono. La cittadella, una vecchia fortezza, quadrata, costruita cento anni fa nel centro dell'abitato, dove prima dell'offensiva aveva sede il comando americano e ora quello delle forze di Hanoi è ancora in mano al «nemico», nonostante i continui bombardamenti dell'artiglieria e dei jet. Tre «bombe intelligenti» hanno aperto nei giorni scorsi una breccia nella muraglia di mattoni rossi della fortezza, ma per ora non sembra che i sudvietnamiti vogliano passare di lì.

«Al momento stiamo combattendo come se fossimo nella guerra mondiale. Se ci affacciamo a quel buco diventa come la prima guerra mondiale: ci falciano con le mitragliatrici», dice un consigliere americano.

La battaglia per Quang Tri è essenzialmente politica. Il presidente Thieu ha bisogno di vincerla per dimostrare che non solo è in grado di fermare, ma anche di spingere indietro il «nemico». Non può farlo però a un prezzo troppo alto in uomini. Dal 28 giugno ad oggi Quang Tri è già costata ufficialmente ai sudvietnamiti circa 4000 perdite fra morti e feriti. Alcune di queste «perdite» sono qui, nel giardino della villa di via Le Huon dove si trova il comando dei paracadutisti. In un angolo, involtati in teloni verdi d'incerato, anneriti da nugoli di mosche conto una ventina di cadaveri. Un altro arriva legato per i piedi e la testa a un palo che due soldati portano sulle spalle.

Il giardino è coperto di calcinacci, la villa è semidistrutta. Solo il rifugio sotterraneo in cemento armato ha tenuto. Se l'era fatto costruire il ricco commerciante cinese che abitava qui fino al 1° maggio scorso. Nelle ultime due settimane la villa ha cambiato varie volte di mano.

«Li abbiamo dovuti sloggiare all'arma bianca», dice il colonnello Nguyen Van Dinh che comanda il 6° battaglione. «I comunisti hanno avuto l'ordine di tenere la città fino all'ultimo uomo e così dobbiamo combattere casa per casa.»

Non so se questa storia dell'ordine di morire a Quang Tri sia vera o sia frutto della propaganda di Saigon come quella dei soldati nordisti incatenati ai loro carri armati nella battaglia di An Loc. Certo è che la «controffensiva» sudvietnamita lanciata da Saigon stagna e le truppe, dopo aver fatto quasi d'un balzo i trenta chilometri dal fiume My Chang a qui, stanno ora preoccupandosi di quello che succede alle loro spalle.

La paura di essere caduti in una trappola comincia a circolare fra i 20.000 soldati dell'ARVN. Per due giorni consecutivi la strada numero 1, la principale arteria verso il Sud, è stata bloccata; una cinquantina di camion carichi di rifornimenti sono rimasti imbottigliati e gli elicotteri, diventati vulnerabilissimi dopo l'introduzione sul campo di battaglia del missile sovietico «Strella» che, una volta sparato, insegue automaticamente la bocca di scarico del motore, sono rimasti l'unico collegamento con le retrovie. Con Vo, per due giorni non siamo riusciti a fare più di ventotto chilometri fuori da Hué. Da Hué si va al fronte in taxi. Fino a qualche tempo fa erano delle vecchie Citroën ad affrontare i rischi di essere messe fuori uso da una mina o da un razzo. Ora ci vogliono delle jeep perché sui sessanta chilometri fra la vecchia capitale e Quang Tri ogni fiume deve essere attraversato su dei pontoni di barche e anche là, dove la strada corre dritta verso nord, bisogna superare i crateri che le bombe hanno aperto nel manto d'asfalto.

I prezzi della corsa variano di giorno in giorno: la quotazione avviene in base alla situazione militare; in generale tendono al rialzo. Ogni mattina tre o quattro autisti aspettano davanti all'unico albergo dilapidato di Hué dove s'accampano i pochi giornalisti rimasti e dove ogni sera s'ubriaca un gruppo di «berretti verdi» americani mandati qui per una missione speciale che nessuno ha capito bene quale sia. Il nostro autista s'è procurato la jeep nei giorni della grande ritirata sudvietnamita da Quang Tri. L'ha ridipinta di bianco, ci ha scritto sopra *Bao-chi* («stampa») e tiene pronti un paio di elmetti che mi stanno ugualmente piccoli, una giacca antiproiettile che mi soffoca e delle razioni in scatola. Ha la moglie e sei figli a Da Nang. Ha cominciato a fare questo mestiere solo due mesi fa, ma ha già guadagnato quanto avrebbe guadagnato in due anni. Anche Vo Chan, che un collega americano, partendo, mi ha lasciato in eredità, è una vita venduta. Faceva il capitano nell'esercito di Saigon. Durante l'invasione in Cambogia si prese una pallottola in testa e lo congedarono. Parla bene il francese e l'inglese e così continua a campare con la guerra. Giorni fa, quando al comando militare di Hué il colonnello Bo, incaricato delle informazioni, ha presentato ad alcuni corrispondenti stranieri un prigioniero nordvietnamita preso a Quang Tri, Vo stava in disparte. Il colonnello traduceva per noi quello che quel ragazzo diceva: «Sono contento di essere stato catturato. Finalmente per me la guerra è finita. Io non sapevo neppure di trovarmi nel Sud. Molti dei miei ufficiali sono scappati. A noi hanno detto solo di restare dove eravamo fino alla fine. Allora mi sono arreso».

Uscendo dalla conferenza stampa, Vo mi ha dato un pezzo di carta su cui aveva scritto quello che in verità il prigioniero aveva detto: «Siamo venuti qui per combattere gli aggressori americani. Noi non abbiamo invaso. Il Nord e il Sud-Vietnam sono un solo paese. Appena sarò libero tornerò a combattere». Parlando con dei soldati, Vo aveva anche sentito dire che quel ragazzo era stato preso quando, rimasto in una casa solo e senza munizioni, era andato all'attacco dei paracadutisti usando il fucile come una clava. Per cinque giorni di seguito con Vo e l'autista abbiamo puntato verso nord. Uscendo da Hué, dopo una serie di villaggi nuovi costruiti dai profughi con le casse di legno dei proiettili di artiglieria, la strada corre in una pianura verdissima, dove il riso è stato appena trapiantato. A sinistra c'è una catena di montagne che i nordvietnamiti occupano da anni e da dove si alzano i funghi di fumo provocati dai bombardamenti dei B-52, a destra dopo un inseguirsi di dune bianchissime di sabbia e di sale, il mare, il mar della Cina. Al chilometro 8, in una scuola abbandonata c'è un campo di profughi. Un migliaio di persone: sono i «liberati» di Quang Tri.

Le donne e i vecchi pallidissimi, rintontiti. I bambini bianchi come degli spettri. A molti sono caduti i capelli e sono pieni di piaghe. «Io e la mia famiglia siamo rimasti per due mesi interi in un bunker dove i nordvietnamiti ci hanno detto di stare. Uscivo solo per trovare da mangiare», diceva un vecchio. «Continuamente, continuamente cascavano le bombe, dal cielo e dal mare.» La flotta americana al largo spara 24 ore su 24 in appoggio alla fanteria.

Fra il migliaio di persone che sono qui attorno non c'è un solo giovane, un uomo di mezza età. La propaganda di Saigon dice che tutti sono stati forzatamente reclutati nell'esercito comunista e deportati ad Hanoi per l'addestramento. Lo chiediamo ad alcune donne. Nessuna risponde. Continuano a guardarci, ebeti, come se non capissero. Certo sanno già che centinaia di profughi arrivati qui prima di loro sono stati deportati nelle prigioni di Con Son perché sospettati di essere simpatizzanti vietcong.

Al chilometro 28 c'è il blocco. Quattro giorni fa l'artiglieria comunista ha improvvisamente colpito la strada e dei carri armati sono scesi dalle montagne; sono morti qui due giornalisti della televisione americana. Stamani si poteva di nuovo passare.

Dal fiume My Chan in poi è il deserto. Villaggi come La Van, Hai Lam, Phong Dien non sono che macchie nere in mezzo alla terra sventrata. Poi, chilometro dopo chilometro, la strada è cosparsa di carcasse di autobus, di carri armati, di jeep, di ambulanze bruciate. Sono i resti della disfatta di Quang Tri, l'ultimo convoglio sudvietnamita che tentò di scappare e che fu preso dal fuoco incrociato dei nordvietnamiti, nascosti nei bunker lungo la strada. In molti di questi i nordvietnamiti sono ancora nascosti. L'autista corre piegandosi sul volante. Incrociamo ormai solo ambulanze cariche di feriti che vengono da Quang Tri e camion vuoti che hanno portato le munizioni al fronte. A vedere questo sfacelo viene da chiedersi perché le forze di Hanoi e del Fronte non continuarono nei primi giorni di maggio la loro corsa fino ad Hué che allora sembrava ormai persa.

«È colpa della rigidità nella loro linea di comando», dice il capo dei consiglieri americani nella regione che incontriamo a una batteria sudvietnamita due chilometri a sud di Quang Tri. «I comandanti comunisti sul campo hanno pochissima autonomia e non potevano decidere sul posto. Non si aspettavano di prendere Quang Tri così facilmente e si trovarono improvvisamente in anticipo sui loro piani. Certo la richiesta di avanzare sarà stata fatta e sarà stata mandata ad Hanoi, ma probabilmente la risposta arrivò quando era ormai troppo tardi.»

La batteria è a pochi metri dalla strada circondata da vere e proprie colline di bossoli e scatole di proiettili esplosi. Una sentinella sudvietnamita costringe l'autista a fermare la jeep e a scendere. Da qui non possiamo che andare a piedi.

Con Vo Chan camminiamo attraverso i campi chiedendo alle pattuglie che incontriamo quale sia la strada più sicura. È come muoversi in un paesaggio lunare: un cratere dopo l'altro. I B-52 qui non hanno risparmiato un solo metro. Passiamo vicino a una fossa dove i nordvietnamiti hanno sepolto, con poche palate di terra, i loro morti, nelle trincee in cui si erano riparati. Si vedono sotto la polvere le sagome dei corpi e intorno i resti di un accampamento: dei sandali con la suola di copertone, delle maschere antigas, dei caschi coloniali spiaccicati. In un piccolo bunker quattro corpi, come addormentati. Quattro cadaveri senza una sola ferita, semplicemente schiantati dallo spostamento d'aria delle bombe da 250 chili.

A mezzogiorno eravamo nel comando del 6° battaglione paracadutisti in via Le Huen. Col colonnello vietnamita c'erano alcuni consiglieri americani. Parlavano di elezioni, di McGovern. Un capitano diceva: «Qualcuno dovrà pure assassinarlo quel pazzo!»

Alcuni soldati mangiano dolci di riso presi ai nordvietnamiti. Dicono che le razioni degli altri sono molto migliori di quelle, americane, che hanno loro. Sulla radio da campo, continuamente aperta sulle varie frequenze e in contatto coi gruppi più avanzati in città, si inserisce un operatore nordvietnamita. C'è un veloce

scambio di insulti e la reciproca accusa di far distruggere il paese
dagli americani e dai «cinesi».

Chiediamo qual è la situazione in città, ma nessuno vuol dare
informazioni. Se vogliamo saperne di più che si vada pure a vedere da soli. Di questi tempi, i giornalisti non godono il favore
dell'ARVN.

Dieci giorni fa c'era qui Aleksandr Shimkin, corrispondente di
Newsweek. Ha chiesto a un ufficiale di Saigon se una certa strada
era sicura. «Vada, vada pure non c'è nessun pericolo», gli ha risposto. Da allora non si è più visto. Forse per questo, quando verso le tre del pomeriggio sono ricomparso con Vo sulla strada dove ci aspettava, l'autista ci è venuto incontro correndo e abbrac-
ciandoci. Aveva temuto di aver fatto il viaggio a vuoto e di aver
perso le sue quindicimila piastre.

Hué, 20 luglio

Il colonnello Bo, nel suo comunicato quotidiano, ha detto che i
morti di stamani erano stati dieci; tutti civili.

Per una volta sono voluto andare a vedere, ed erano solo sette.
Ma sette morti, poveri, contadini, visti mentre li mettono ancora
vestiti di stracci e pieni di terra in bare da nulla, involtandoli prima in un lenzuolo bianco e poi in una carta rossa, con un bonzo
che batte quietamente un bastone contro una piccola campana di
coccio, sette morti così sono tanti, tantissimi; sono più di dieci, di
cento di cui solo si legge in un comunicato ufficiale.

Ogni mattina Hué si sveglia, puntuale, alle sei coi botti dei
razzi vietcong che arrivano in città dalle montagne vicine. Sono
diretti alla Cittadella dove ha sede il comando militare sudvietnamita e risiedono anche il colonnello Bo e una cinquantina di consiglieri americani, ma a volte il tiro è corto e cascano prima. Come quello di stamani che ha preso in pieno la capanna dove da
quindici giorni era ritornata a stare la famiglia Duan.

Dormivano. Il razzo, di quelli da 122 millimetri che due soldati bastano a trasportare, ha sfondato il tetto di lamiera ed è
esploso sul pavimento di terra battuta. Della casa dei Duan non
sono rimasti che i quattro pali di ferro che reggevano le pareti
di legno. Una piccola folla di vicini guarda dentro come senza
emozioni. Arriva un soldato che fa delle fotografie. «Ora il governo userà questi morti per la sua propaganda», dice Vo Chan,

«ma non mi convincono che questa è un'azione di terrorismo. I vietcong sparano così presto al mattino proprio perché sanno che col coprifuoco la popolazione civile non è ancora nelle strade e i rischi di fare delle vittime sono ridotti. D'altro canto se questa gente è qui è perché il governo l'ha incoraggiata a tornare.»

A maggio, dopo che a nord Quang Tri era caduta nelle mani delle forze nordvietnamite e del Fronte e sembrava che anche Hué sarebbe stata presa, decine di migliaia di persone lasciarono la città verso sud cercando di sfuggire alla guerra. Per qualche settimana Hué fu una città morta. Per Saigon era come averla già mezza persa.

Autorità civili e militari governative hanno fatto da allora di tutto per spingere indietro la gente nella propria casa. Nei campi profughi hanno detto che presto non avrebbero distribuito più riso e la parola d'ordine è diventata: «Hué è sicura». La gente torna. L'aereo dell'Air Vietnam, venendo da Saigon ogni giorno senza un posto vuoto, riporta intere famiglie che, benestanti, erano riuscite a scappare lontano dal fronte; gli autobus dei poveri, facendo la spola da Da Nang, riportano quelli che, a piedi, avevano fatto scappando solo qualche decina di chilometri.

La vecchia capitale imperiale ha ora un aspetto quasi normale; i negozi sono riaperti, il mercato è affollato, centinaia di barche sono sul Fiume del Profumi. «L'80 per cento della popolazione è rientrato», mi dice il capo provincia. «E i razzi?» gli chiedo.

«Abbiamo organizzato un programma per la difesa civile. Ogni casa ha un suo rifugio. L'esercito fornisce i materiali e collabora alla costruzione.»

Girando per la città, si vedono camion che distribuiscono sacchi di tela verde e dei ragazzini che li riempiono di terra. Alcuni scavano delle buche nei giardini. Anche la famiglia Duan ne aveva una davanti alla sua capanna coperta con un bandone ricurvo. Non è servita a molto. Nelle ultime tre settimane sono morte così per i razzi vietcong una settantina di persone.

Hué sarà anche sicura, ma qui si ha continuamente la sensazione che la guerra sia vicinissima. Anche oggi la strada numero 1 è stata di nuovo interrotta al chilometro 27.

Ogni notte i B-52 americani bombardano nei dintorni; i bagliori rossi delle esplosioni illuminano il cielo e i boati scuotono paurosamente le case. Per dormire bisogna abituarsi ai continui spari che vengono dalla riva del fiume dove le pattuglie della difesa civile tirano contro qualsiasi cosa si muova nell'acqua. Temono che dei sabotatori facciano saltare il ponte che lega le due parti della città con delle mine galleggianti. Un collega arrivato da Saigon racconta che per le strade della capitale l'ente del turismo sudvietnamita ha fatto attaccare dei coloratissimi manifesti con su scritto: «Visitate Hué, perla del Vietnam». C'è rappresentato il tetto di uno dei bellissimi templi a pochi chilometri da qui. Peccato che non sia più così. Giorni fa una bomba l'ha polverizzato.

Saigon, 23 agosto

«Certo, chi si aspettava che Kissinger ripartisse portandosi dietro la testa di Thieu, capisco sia rimasto deluso», ha detto un diplomatico americano a un gruppo di giornalisti che gli chiedevano a che cosa era servita la visita del consigliere speciale di Nixon e quali erano state le conclusioni dei lunghi colloqui col presidente vietnamita dalla cui rimozione, secondo alcuni, dipenderebbe, più che da ogni altra cosa, un accordo coi comunisti che metta fine alla guerra.

Con l'arrivo di Kissinger si era diffuso a Saigon, non solo nei circoli politici, ma anche fra la popolazione, un certo senso di ottimismo.

«Deve essere qualcosa di eccezionale quello che Kissinger ha da dire a Thieu», aveva commentato un diplomatico occidentale. «Un personaggio del suo livello non fa il giro del mondo per una questione di ordinaria amministrazione. Per questo basta l'ambasciatore Bunker.»

«Kissinger viene a dare il benservito a *mot ga mai*», diceva uno studente, chiamando Thieu col soprannome con cui i molti vietnamiti si riferiscono al loro presidente e che letteralmente significa «faccia di gallina».

Su quello che è stato detto nelle sei ore di colloqui segreti al «Palazzo dell'Indipendenza», tutte le ipotesi sono valide perché finora non è stato possibile accertare nulla. Di quelli che c'erano nessuno parla, quelli che parlano non c'erano e non sanno. Solo da Givral, il caffè all'angolo fra le vie Le Loi e Tu Do dove covano e s'ingigantiscono tutti i pettegolezzi politici della capitale, circolano le versioni più assurde su quello che è successo e le ipotesi più fantastiche su quello che succederà. «Kissinger ha portato a Thieu una lista di nomi per un futuro governo di coalizione», si dice.

«Gli assistenti di Kissinger hanno incontrato segretamente il generale Minh il Grosso, che sarà il nuovo presidente.» «Presto ci sarà un cessate il fuoco e Kissinger ha fatto vedere a Thieu una bozza di accordo coi comunisti.»

Niente è confermabile.

Il fatto certo è che Kissinger è ripartito e che Thieu, ancora con la testa ben salda sulle spalle, si trova nella sua residenza, protetta da grandi rotoli di filo spinato, isolata da un vasto giardino in cui è accampata una intera compagnia di paracadutisti. Ogni venti metri c'è un nido di mitragliatrici con le canne spianate sul traffico dei viali circostanti. Due elicotteri sono parcheggiati davanti al palazzo, pronti a portare Thieu in un rifugio sicuro in caso di emergenza; probabilmente non a My Tho, nella villa che si è fatto costruire coi materiali americani destinati ai profughi, perché ormai attorno a My Tho non ci sono che vietcong.

Non è comunque dei vietcong che, al momento, Thieu ha da preoccuparsi quanto degli americani che potrebbero davvero aver deciso di abbandonarlo per raggiungere un compromesso con Hanoi e il Fronte.

«Nixon ha bisogno di dimostrare ai suoi elettori che ha mantenuto la promessa di riportare la pace in Vietnam e in questo non si farà ostacolare da Thieu», osserva un diplomatico europeo.

Si tratta di vedere se Thieu, ammesso che Kissinger gli abbia davvero chiesto di dimettersi, magari fra un mese, sia disposto a farlo e non finisca invece per usare, proprio contro gli americani, quel potere che loro stessi hanno contribuito a mettergli nelle mani. «Quando qualcuno lo vuol convincere a far qualcosa», mi ha detto un sudvietnamita che lo conosce bene, «Thieu si irrigidisce, si ritira, lascia passare del tempo, non fa nulla. È la sua più grande forza.»

Diversamente da altri personaggi della scena politica vietnamita, tipo il maresciallo Cao Ky o il generale Minh, estroversi, avvicinabili e in qualche misura anche capaci di una certa popolarità, Thieu è un uomo ritirato, chiuso, scialbo. Nonostante la foto di questo omino (un metro e sessantacinque) sempre vestito di scuro, da quando ha abbandonato la divisa di generale, sia distribuita in ogni negozio, in ogni casa del Sud-Vietnam, la gente non lo conosce, non sa nulla di lui.

«Se lo rovesciano», mi diceva giorni fa un garagista fuori Saigon, «qui non lo piange nessuno. Io tirerò giù la foto, come feci con quella di Diem e aspetterò che mi portino quella del prossimo.»

Chiuso per la maggior parte del tempo nel suo palazzo, non ha mai fatto uno sforzo per entrare in contatto con la gente, costruirsi una base politica.

Una volta, al solito funzionario dell'ambasciata americana che gli suggeriva di andare un po' in giro nel paese a baciare i bambini e stringere mani ai contadini, Thieu rispose: «Per governare il Vietnam non c'è bisogno dell'appoggio popolare, basta quello dell'esercito e della burocrazia». Su questa regola ha fondato il suo potere. Ancora quando era nell'ombra dei generali Nguyen Khanh e Duong Minh, di cui Thieu aspettò pazientemente l'eclisse per emergere, il suo era un lavoro dietro le quinte, inteso unicamente a stabilire amicizie e relazioni che gli sarebbero state utili in seguito come quando nel 1967, scavalcando Cao Ky, si fece scegliere candidato alla presidenza.

Da allora non ha fatto che circondarsi di gente che gli deve la carriera, ma a cui lui non deve niente; ha lentamente rimosso in tutta la struttura amministrativa e militare del paese la gente che c'era per rimpiazzarla coi suoi accoliti e, là dove è stato possibile, coi suoi parenti. Due fratelli sono ambasciatori, un cugino è ministro, uno zio capo dell'ispettorato di governo, un nipote suo segretario personale e consigliere per gli Affari Esteri.

Tutti i comandi militari sono andati a suoi ex colleghi promossi da lui così come tutti i 44 posti di governatore provinciale, uno dei quali di nuovo affidato a un cugino.

Thieu ha fatto tutto questo lentamente, con cautela, senza crearsi pericolosi avversari, così come con cautela nel 1963 prese parte al colpo di Stato contro il presidente Diem. Secondo gli accordi con gli altri generali, Thieu avrebbe dovuto intervenire con la sua unità contro la caserma delle guardie di palazzo alle sette del mattino. Si fece vivo solo nel pomeriggio quando era ormai chiaro che non c'erano più rischi e che il colpo era già riuscito.

Buddista convertito al cattolicesimo solo perché così gli fu più facile frequentare il liceo di Hué e sposare l'attuale moglie, Thieu, pur educato militarmente, sia in Francia che negli Stati Uniti dopo l'accademia di Dalat, si è rivelato sempre più un «mandarino», come lo definiscono qui, che un efficiente burocrate come lo avrebbero preferito gli americani, per poter rivendere più facilmente la sua immagine sul mercato dell'opinione pubblica americana.

Thieu, pur rendendosi conto che Washington, nel sostenerlo, aveva i suoi problemi con l'opinione pubblica, non si è mai sfor-

60

zato di venire incontro ai desideri di cosmesi dell'ambasciata americana di qua. L'esempio furono le elezioni del '71 che Thieu svuotò di ogni significato «democratico» quando finì per essere l'unico candidato, fece la campagna con dei fondi ricavati da un traffico di droga e annunciò, a conclusione di tutto, d'aver ottenuto un inverosimile 94,6 per cento dei voti che, se ce ne fosse stato bisogno, era l'ultima riprova degli immensi brogli avvenuti in tutto il paese.

«Arrivarono i soldati, presero le urne in cui avevamo votato, le bruciarono e le sostituirono con altre che avevano portato loro», mi raccontava tempo fa un insegnante di Hué.

Coi pieni poteri che si è fatto dare dal Senato (uno dei senatori è stato direttamente pagato dall'ambasciata americana 3 milioni di piastre per votare a favore) in seguito all'«invasione» comunista, Thieu governa incontrastato il paese per mezzo di decreti. Con uno recente ha messo le basi per eliminare tutti i giornali dell'opposizione, con un altro conta di eliminare la maggior parte dei partiti politici che comunque hanno già una vita soltanto nominale.

Thieu sapeva fin dall'inizio che questo sarebbe stato per lui un anno difficile.

«Quando ci sono le elezioni in America per noi è l'inferno», mi ha detto ieri un funzionario di palazzo, tentando di farmi credere che tutta questa visita di Kissinger e le decisioni, per ora segrete, che sono state prese non sono che manovre dettate dalle esigenze della campagna per la rielezione di Nixon.

Anche il suo astrologo personale mise in guardia Thieu contro il 1972, l'anno del topo, uno dei più sfavorevoli del ciclo e quello in cui il presidente compirà 49 anni, considerato in Vietnam un numero dei più infausti. Nonostante si dica che Thieu rispetti molto i consigli di questo mago di palazzo, tanto che nel 1967 rimandò, su suo suggerimento, di due giorni l'inaugurazione della sua prima presidenza, molti osservatori, specie vietnamiti, sostengono che Thieu, anche se pressato dagli americani a dimettersi, rifiuterà, ricattandoli col fatto che se deve andarsene senza essere d'accordo, tutta quella struttura di potere che dipende da lui cadrà, il paese finirà nel caos e Nixon si troverà con un guaio ancor più grosso da spiegare ai suoi elettori.

«Ma perché dovremmo abbandonare Thieu?» mi diceva un diplomatico molto vicino a Bunker. «Quattro anni fa eravamo accusati di sostenere un governo che non era in grado di controllare il paese, ora ne abbiamo uno che funziona e dovremmo buttarlo a mare tanto per far piacere ad Hanoi?»

Sempre secondo questa fonte Washington vorrebbe cessare i bombardamenti sul Nord e forse anche il blocco dei porti prima delle elezioni; quanto al cessate il fuoco Hanoi lo avrebbe già accettato rinunciando a quella che era una condizione comunista, vale a dire un accordo preliminare sul futuro politico del Sud-Vietnam.

« Se Hanoi e il Fronte accettano il cessate il fuoco significa che sono riusciti in questi quattro mesi dell'offensiva a ricostruire tutta la loro infrastruttura nelle regioni che più contano, specie nel Delta e che sono già pronti a combattere la battaglia politica », dice un amico vietnamita.

Ciò che sta succedendo sui vari campi di battaglia sembra avallare questa ipotesi. Mentre la situazione si è stabilizzata sul fronte Nord e a Quang Tri, diventata un altro « tritacarne » delle migliori unità sudvietnamite, nel resto del paese la situazione deteriora per il governo.

I partigiani e i nordvietnamiti hanno abbandonato la tattica convenzionale con cui avevano iniziato l'offensiva ed ora, con formazioni ristrette, stanno lentamente eliminando le postazioni isolate delle forze ausiliarie governative e riprendendo il controllo di un villaggio dopo l'altro. La lista delle località nelle quali non si possono più spedire lettere o pacchi, perché in mano al « nemico », aumenta ogni giorno: la lista è appesa nello stanzone della posta centrale, testimonianza inconfondibile di ciò che i portavoce militari sono altrimenti restii ad ammettere: solo negli ultimi due mesi sono stati aggiunti 300 nomi di villaggi nella sola regione a sud di Saigon dove, al momento, la situazione è giudicata « critica » dagli stessi comandi sudvietnamiti. « I VC tentano di isolare Saigon », mi ha detto il colonnello Hien del servizio informazioni. « Le riserve di cibo della capitale sono già scarse e il piano comunista è di creare malcontento fra la popolazione. »

Un esempio di quello che potrebbe succedere è stato dato alcuni giorni fa quando simultaneamente i guerriglieri hanno bloccato il traffico sulle strade di Dalat, Vung Tau e Can Tho. Immediatamente la verdura è scarseggiata a Saigon e il prezzo del riso è salito del 30 per cento in seguito alla richiesta della gente che, temendo il peggio, ha cercato di fare delle scorte. « Il problema di un cessate il fuoco in queste condizioni è che noi non siamo pronti alla battaglia politica contro i comunisti », ammette un senatore buddista che appartiene al cosiddetto blocco dell'opposizione. « Se questo dovesse venire dichiarato nei prossimi mesi sarebbe un disastro; solo i comunisti hanno oggi una struttura in grado di organizzare la popolazione e mobilitarla per scioperi, manifestazioni o altro.»

Nonostante l'ipotesi di un cessate il fuoco venga avanzata da più parti, a giudizio di molti osservatori la sua realizzazione sarebbe assai inverosimile.

«In varie zone non durerebbe un'ora», mi ha detto candidamente un diplomatico americano, «sarebbe solo una corsa ad issare la bandiera e le ostilità ricomincerebbero immediatamente. Anche ammesso che potesse funzionare ci vorrebbe una forma di supervisione internazionale efficiente e chi è disposto nel mondo a mandare qui le migliaia di persone che sarebbero necessarie?»

Dopo l'ondata di ottimismo suscitata dalla visita di Kissinger, più i giorni passano più prevale la sensazione che tutto rimarrà come prima. Scriveva stamani un giornale cattolico di Saigon: «I Kissinger vanno e vengono. Siamo noi che rimaniamo qui con la guerra».

My Tho (delta del Mekong), 28 agosto

Se un giorno Saigon dovesse essere attaccata, il peggio verrà da sud, da questa grande regione solcata dalle decine di bracci in cui si divide il Mekong prima di gettarsi in mare: una fertilissima pianura, ora verde di riso quasi maturo, in cui vive il 35 per cento della popolazione del Sud-Vietnam. Dall'inizio dell'offensiva comunista di primavera non c'è stata qui nessuna spettacolare battaglia, niente di paragonabile ad An Loc o a Quang Tri, ma le forze partigiane e nordvietnamite hanno fatto in questa regione più progressi che in ogni altra parte del paese.

Muovendosi a piccoli gruppi, senza l'appoggio di carri armati o di artiglieria pesante, hanno, negli ultimi mesi, lentamente ripreso il controllo della campagna, spazzato via un centinaio di avamposti governativi, lentamente rimesso in piedi quella struttura politica che la «pacificazione» era riuscita, in parte, a distruggere. Ora, con le spalle sicure lungo il confine cambogiano e con la garanzia di buone vie di rifornimento, fanno pressione attorno alle città come Can Tho e My Tho e lungo la strada nazionale numero 4, che dal Delta porta a Saigon la maggior parte del cibo di cui vive la capitale.

«La strada è aperta, può andare dove vuole», mi ha detto stamani qui a My Tho, capoluogo della provincia di Dinh Tuong, il più alto funzionario americano della regione, John Evans, ex colonnello diventato consigliere civile. «Nei giorni scorsi abbiamo avuto dei problemi, ma ora tutto è finito.» I vietcong avevano fatto saltare un ponte e per due giorni il traffico è stato bloccato. C'è stato uno scontro non lontano da qui e 45 «nemici» sono stati uccisi. Il capo provincia li ha fatti mettere uno accanto all'altro sul bordo dell'asfalto. «Perché?» gli ho chiesto.

«Così la gente si rende conto che c'è una guerra in corso», ha risposto senza capire che la sua poteva anche sembrare una battuta di spirito.

Il traffico scorre veloce. Passano camion colmi di verdura, autobus stracarichi di gente. Ogni cinquecento metri una coppia di mezzi cingolati fa la guardia con le mitragliatrici puntate verso le risaie sui due lati della strada.

Quando il Vietnam era ancora un paese quasi esclusivamente agricolo la gente non andava di solito in giro lontano dai campi; ora che la guerra ha creato milioni di profughi, spostato milioni di persone, il Vietnam sembra diventato un paese tutto di viaggiatori. Stivati nei furgoncini, aggrappati ai portabagagli di vecchie diligenze a motore, o accalcati in moderni coloratissimi autobus di fabbricazione giapponese, i vietnamiti si muovono da una parte all'altra del paese affrontando spesso rischi enormi. Fra le destinazioni degli autobus, solitamente scritte in caratteri gotici a tinta bianca sul vetro anteriore, si leggono nomi di città, di villaggi che da tempo non sono più sotto il controllo del governo. Gli autobus tentano comunque di andarci, a volte ce la fanno anche.

Dalla strada nazionale 4, viottoli polverosi piegano qua e là nella campagna verso villaggi di contadini che, secondo Evans, sono saldamente controllati dal governo.

Cai Be, a un centinaio di chilometri da Saigon, è uno di questi. A giudicare dalle bandiere gialle a strisce rosse dipinte di fresco su ogni superficie disponibile, dalle case, alle barche, agli alberi, sembra che Thieu abbia qui i suoi più fedeli sostenitori. Un cartello scritto a mano dice: «Per vivere in pace bisogna uccidere tutti i vietcong»; un altro: «Coalizione coi comunisti significa suicidio». Proprio davanti a un cimitero dove si vedono le tombe fresche di cinque soldati coperti dalla bandiera sudvietnamita uno striscione messo di traverso alla strada dice: «La nazione è in pericolo. Giovani, arruolatevi».

«Non è stata la gente di qua a fare questo», spiega un contadino, « due settimane fa è venuto un gruppo di propaganda da Saigon e hanno messo tutta questa roba. » Cai Be ha l'aria d'un posto tranquillissimo; in un bar incontro un rappresentante di profumi il quale mi convince che il consumo dei suoi prodotti (« tutta roba importata, mi creda ») proprio qui nel Delta è quadruplicato negli ultimi due anni. La piazza del mercato è piena di gente, i negozi sono aperti e colmi di merce. C'è anche una farmacia.

« Qui a Cai Be non ci sono stati scontri », dice il gestore, « ogni tanto vengono di notte i vietcong, fanno dei discorsi politici, raccolgono le tasse e se ne vanno. Io comunque, anche di giorno non mi allontano più di un chilometro dal paese. » Mi osserva prendere degli appunti e si corregge: « Be', c'è chi è più coraggioso di me e va anche fino a due chilometri, ma è pericoloso, pericoloso ».

Al traghetto di My Thuan, dove la strada 4 s'interrompe per riprendere dall'altra parte d'un largo ramo limaccioso del Mekong, incontriamo un consigliere americano che viene da Camau, la città più meridionale del Delta: maggiore Diaz, un cubano ufficiale di Batista, emigrato negli Stati Uniti nel 1959, parla a mala pena l'inglese. « Nella mia zona i sudvietnamiti resistono bene. Teniamo quello che abbiamo. »

« Quanto avete, maggiore? »

Alza le spalle, allarga le braccia, scuote la testa. La situazione sembra essere così un po' in tutto il Delta. Anche lungo la strada 4 tornando verso Saigon, dove al mattino era tranquillo ci sono nel pomeriggio delle scaramucce. Su un pezzo di risaia, a un chilometro dalla strada, si tuffano ripetutamente i caccia bombardieri americani.

« Continuano a infiltrarsi dalla Cambogia, ogni giorno, ogni giorno », dice il generale Nghi che comanda le truppe sudvietnamite nella zona, « nella sola provincia di Dinh Tuong ce ne sono almeno cinquemila. Stanno prendendo posizione, ma per ora non attaccano che sporadicamente la strada. Per le città e i villaggi più grossi aspettano. Forse fino ad ottobre, prima delle elezioni americane. »

Un branco di cani corre sull'argine fra due pozze d'acqua.

« Finché ci sono quelli lì in giro va bene », dice il generale, « quando i contadini simpatizzanti vietcong cominciano a far sparire i cani, perché non abbaino di notte, vuol dire che siamo vicini. »

«... e la guerra?» ci si chiede, seduti sulla veranda *demodée* del-
l'Hotel Continental a guardare, rinfrescati dai grandi ventilatori,
il traffico del pomeriggio sulla via Tu Do, la strada principale di
Saigon che dal porto punta, diritta, verso la Basilica. «La guerra
dov'è?»

Per chi arriva qui cercando una città assediata, in preda al panico, la delusione deve essere grande. Ci sono sì militari dovunque, rotoli di filo spinato attorno ai palazzi pubblici, nidi di mitragliatrici agli angoli delle strade, ma in generale Saigon ha quell'a-
spetto di caotica normalità che è di tante altre città asiatiche.

Se si dovesse giudicare il Vietnam dalla sua capitale del Sud si
dovrebbe concludere, osservando come i soldati sonnecchiano
durante i turni di guardia, col calcio del fucile appoggiato all'anca e come ogni misura di sicurezza e ogni controllo possano essere evasi o superati, che qui la guerra è più un esercizio di inu-
tilità per tenere assieme il paese che una cosa seria.

Dopo tutto, l'esercito con la sua coscrizione di massa è pure
un modo per togliere dalle strade migliaia di disoccupati, e la legge marziale un ottimo sistema per evitare che la gente protesti,
scioperi, si ribelli. «Anche il coprifuoco», dice un amico vietnamita, «serve solo ai poliziotti per rimpinguare i loro stipendi.»

Ogni sera verso le dieci e mezzo la città si svuota. Alle undici
suona la sirena; chi è ancora per le strade viene fermato. La scelta
è semplice: o pagare i poliziotti o andare in galera. Rimangono
soltanto in giro brutti ceffi che offrono agli ultimi clienti che rien-
trano nei tre o quattro alberghi del centro le ragazze esposte sul
sellino di dietro delle proprie motociclette. Sono giovanotti sulla
ventina che finora, forse grazie al loro mestiere, sono riusciti a
evitare la leva, e ogni sera anche il coprifuoco.

Thieu ha detto che dei soldati c'è bisogno al fronte e ha deciso
che tocca ai dipendenti dello Stato fare la guardia ai loro posti di
lavoro. Si vedono di domenica, dietro i muriccioli fatti di sacchetti pieni di terra, alcuni signori di mezza età, con un bracciale
arancione sulla camicia bianca a mezze maniche e un vecchio
moschetto, annoiarsi davanti all'ufficio della posta o a quello
del Comune. Molti si portano dietro le mogli che stanno in disparte a chiacchierare fra di loro, sedute su casse di legno.

I giorni della tensione, quando, a maggio, sembrava che il paese fosse sull'orlo della disfatta e che Saigon stessa sarebbe stata

un campo di battaglia, sono passati e la guerra sembra un problema privato di quelli che la fanno a pochi o tanti chilometri da qui, ma per ora non per le strade di questa città.

Ogni tanto si sente anche qui il tonfo di una misteriosa esplosione e, magari vicino, un colpo di pistola, ma il rumore incessante delle Honda e dei risciò a motore che appestano l'aria con nuvole azzurrognole di gas, soffoca tutto. Nessuno ci bada.

La guerra è qualcosa cui nessuno vuole pensare e da cui ognuno fa di tutto per stare lontano come i soldati che si sparano addosso per essere tolti dal fronte o quelli che per una leggera ferita chiedono di essere amputati per poi tornare a casa. Un ordine venuto direttamente dagli alti comandi ha stabilito che per tagliare una mano, un piede, un braccio ora occorre il parere positivo di tre medici-chirughi. Un ostacolo anche questo che verrà superato con un po' di piastre.

Le strade sono tappezzate di striscioni colorati che inneggiano alle varie «vittorie» dell'esercito sudista; sulle piazze il dipartimento della guerra psicologica ha fatto alzare dei cartelloni coi ritratti degli eroi caduti ad An Loc o a Quang Tri. La gente non guarda; fanno ormai parte del paesaggio, si confondono coi manifesti dei western cinesi che si danno nei cinema vicini; ravvivano l'aspetto, altrimenti deprimente, di quell'ammasso sconclusionato di edifici decrepiti, sporchi, scalcinati che fanno il centro di Saigon.

Anche là dove qualcuno pare voglia rimettere a nuovo, sembra lo faccia perché duri un mese, al massimo un anno. A Saigon tutto sembra provvisorio: dalle baracche di legno che i rifugiati costruiscono lungo i canali di scolo della città, alle bancarelle delle centinaia di venditori ambulanti sempre pronti a ripiegare tutto e scappare al primo segno d'una retata, al palazzo del presidente Thieu circondato da un giardino semincolto in cui stanno appollaiati due grossi elicotteri pronti a portarselo via al primo segno di guai. Solo il lezzo è stabile, dovunque; pare eterno. Un odore dolciastro di marciume, putrescente.

Saigon è una spiaggia su cui la marea ha sbattuto i relitti di un colossale naufragio.

Non si può passeggiare per un'ora senza che uno storpio non ti si attacchi ai pantaloni, una prostituta non ti occhieggi da un androne puzzolente, un ragazzo che apparentemente vende giornali non ti offra una serie di foto pornografiche o ti voglia portare in un posto speciale per massaggi. Non si può andare a mangiare in uno dei ristoranti all'aperto senza che, appena ti scosti dal piatto di zuppa che hai quasi finito, qualcuno non sbuchi da dietro o sotto il tavolo e si prenda il resto, versandolo in una ciotola di alluminio, in un vecchio bussolotto di birra, assieme alle ossa del pollo, due foglie d'insalata, l'ultimo cantuccio di pane.

Ai bambini storpiati dal napalm, agli orfani, ai mendicanti, ai lebbrosi che strisciano su tutti i marciapiedi del centro si sono ora aggiunti i mutilati degli ultimi mesi di guerra. Ragazzi di vent'anni, ancora con le uniformi di parà o di *marines*, stendono i loro berretti militari appoggiati alle grucce fatte di fresco, offrendo alla indifferenza dei passanti un moncherino purulento, una faccia senza occhi, un naso smozzicato. Ce ne sono a decine.

Anche sulla veranda dell'Hotel Continental, dove gli stranieri stanno, come in un acquario, mescolati alle ragazze ben vestite che hanno trovato un protettore e a qualche travestito che ha qui i suoi clienti fissi, fra le piante che separano la terrazza del bar dalla strada si infilano le mani di qualche nuovo mendicante, di una donna che tiene al collo un bambino emaciato.

« *Hey. You give me money?* »

Scalzo, con i calzoni che gli arrivano al ginocchio e una camicia piena di patacche con ricamato sul taschino il suo nome e quello di una scuola a cui non è mai andato. Fa una faccia disperata, triste, affamata. In verità lo è molto di più di quello che riesce ad apparire e ciò che colpisce è la sua aria indifferente, distratta. Tende la mano a me, ma cerca già con gli occhi il prossimo cliente, fra gli avventori seduti nelle poltrone di vimini della veranda.

« *You give me money, you number one. You no give me money, you number ten.* » Parte di quello che ha imparato dalla guerra, dai soldati americani a cui ha lucidato, a migliaia, le scarpe in questi anni di occupazione: il mondo è diviso fra i « numeri uno » e i « numeri dieci ». A me la scelta.

Ha dieci anni. È il figlio maggiore della donna che vende le sigarette davanti all'albergo. Sono cinque in famiglia e un padre non c'è. Alla sera stendono dei fogli di cartone per terra e dormono tutti assieme nel sottoscala del bar.

Per tutto il giorno gruppi di ragazze in minigonna, ciglia finte e a volte parrucche biondissime, siedono ai tavolini, davanti a una Coca-Cola che fanno durare delle ore. L'albergo ha tentato di rispedirle sui marciapiedi, ma un giorno il signor Loi, il direttore, si è visto recapitare un messaggio che più o meno diceva: « Preferite le ragazze o delle bombe?» Così ci godiamo le ragazze. Ce n'è una decina che stanno sempre assieme. Sono sordomute e la più vecchia, una grassa sui cinquant'anni, va di tavolo in tavolo, tentando di combinare affari, a gesti, con grandi, silenziosi sorrisi.

Fra gli avventori c'è sempre un generale pazzo, con la faccia dipinta di rosso che urla in varie lingue le sue maledizioni contro Thieu, contro gli americani, contro la guerra. Alcuni anni fa tentò un colpo di Stato, ma finì nei bagni di Con Son. L'hanno ridotto così le gabbie di tigre. Da alcuni mesi l'hanno rilasciato. Nessuno bada alle sue urla e quando se ne va, pieno di birra, passa qualcuno a pagare il suo conto.

Da una settimana non vedo più Linda. Veniva ogni sera verso l'ora di cena vestita con una sahariana con scritto sul petto «stampa». Faceva la prostituta già al tempo dei francesi ed ora, sfatta dalla tisi, non trovava più un cane che le offrisse da mangiare. Passava fra i tavoli semplicemente ripetendo: «*L'amour. La guerre. Les dollars*». Poi, come forma di raccomandazione, faceva vedere un pacco di biglietti da visita di giornalisti che diceva erano stati suoi amici.

La veranda del Continental è lo specchio di questa città chiamata Saigon.

E la guerra dov'è?

La guerra è tutta qui attorno.

Hué, 5 settembre

L'imperatore Minh Mang, certo, non riposa in pace. Sui boschetti di pini e di frangipane che ombreggiano la sua tomba sibilano i proiettili di artiglieria diretti a delle postazioni nordvietnamite non lontano da qui; mentre dai padiglioni e dai cortili di questo eremo, circondato da un alto muraglione di mattoni, che avrebbe dovuto garantire al suo residente una quiete eterna, si levano le urla dei soldati ubriachi e lo stridore di radioline a transistor che trasmettono musica rock.

Furono gli astrologi di corte a scegliere, nel 1841, questa valle a otto chilometri da Hué per la sua tranquillità. Purtroppo non videro bene nel futuro. Oggi questo posto è stato anche scelto dal comando della 1ª divisione di Saigon per il riposo delle proprie truppe impegnate nella difesa della vecchia capitale imperiale.

Sulle rive degli stagni, coperti di fiori di loto e traversati da eleganti ponticelli di pietra, dove avrebbe dovuto passeggiare l'anima dell'imperatore, bivaccano ora i reduci di Quang Tri. Nel padiglione degli ospiti, dove pernottavano i dignitari venuti a rendere omaggio all'illustre defunto, dormono, malamente appoggiati sugli elmetti usati come cuscini, i soldati venuti qui, per un giorno, a dimenticare la guerra. Li portano la mattina con dei camion e la sera li vengono a riprendere. Un gruppo di donne ha organizzato una specie di mercatino. Alcune vendono bibite e sigarette, altre, più giovani, vendono se stesse nell'erba incolta.

Un vecchio guardiano, tentando di rifare ordine in questo luogo sacro, ripesca continuamente delle lattine di birra e di Coca-Cola che galleggiano sull'acqua. La tomba di Minh Mang si trova sull'arco delle «basi di fuoco» che dovrebbero costituire il perimetro difensivo esterno della città di Hué. Il fronte è a pochi passi da qui e la tomba di Minh Mang, con tutti i suoi soldati, è un bersaglio per gli artiglieri nordvietnamiti. Questo, come altri monumenti attorno e dentro la città di Hué, sembra condannato dal fatto che le difese, ideate dagli architetti del secolo scorso, rimangono valide ancor oggi in un tipo di guerra combattuta con mezzi così diversi.

Costruita nel corso della dinastia Nguyen, il cui fondatore unificò il paese e lo chiamò Vietnam, la cittadella di Hué voleva essere una replica, in piccolo, della città proibita di Pechino, ma un tocco meridionale che, ad esempio, adornò i tetti di pinnacoli colorati, la rese inconfondibile. Un fosso d'acqua, ora stagnante, circonda i quasi nove chilometri di muraglione che le cannonate di questa e altre guerre hanno tutto smozzicato.

Al centro della cittadella si erge una serie di templi e di edifici imperiali dove s'è installato il comando militare sudvietnamita della regione. In quella che era la residenza delle concubine c'è il gruppo d'appoggio di una unità di consiglieri americani. Un sergente dei *marines* passa le sue giornate accanto a una radio da campo sotto un porticato che dà su un giardino dove la vegetazione cresce alla rinfusa. Altri soldati dormono su delle amache stese fra eleganti colonne di legno rosso. Nelle cornici dorate degli specchi, rimasti alle pareti d'una grande sala che era dei ricevimenti, hanno infilato delle donnine nude ritagliate da *Playboy*. Su un grande manifesto hanno dipinto, come fosse il segno della pace, la sagoma di un B-52. La scritta dice: «Pace. Al diavolo. Bombardiamo Hanoi».

Davanti all'ingresso di un tempio, accanto a due mostri mitologici in pietra che avrebbero dovuto tenere lontani gli spiriti maligni, i sudvietnamiti hanno esposto due carri armati sovietici catturati a Quang Tri. Su una sorta di grande altare hanno messo una fila di mitragliatrici e fucili automatici di fabbricazione cinese presi ai vietcong.

Dall'alto di uno dei fortini sulle mura, si vede il Fiume dei Profumi pieno di barche; a ridosso la catena di montagne da cui ogni giorno arrivano i razzi «nemici».

I comunisti hanno su questo terreno vari vantaggi: la valle di A Shau che punta verso Hué dal Laos, dove scorre il sentiero di Ho Chi Minh è un'ottima via di rifornimento che nessuna campagna di defoliazione, né i quotidiani bombardamenti delle superfortezze americane sono riusciti a seccare. Venendo giù da quelle montagne, i nordvietnamiti e i soldati del Fronte potrebbero tagliare la strada numero 1 sia nel tratto nord verso Quang Tri, sia in quello sud verso Da Nang. Hué rimarrebbe isolata.

Se la guerra in Vietnam fosse una guerra come le altre e dovesse risolversi esclusivamente sul piano militare, sarebbe concepibile che la battaglia decisiva avvenisse proprio qui attorno alla vecchia capitale. «I vietnamiti sia del Nord che del Sud soffrono ormai del complesso di Dien Bien Phu», dicono i consiglieri americani, «e nessun luogo si presta meglio di Hué ad essere il simbolo di uno scontro finale.» È questo soprattutto che i comunisti sembrano voler far credere ai loro avversari: minacciare Hué, tenere inchiodate migliaia di soldati alla sua difesa, ma non attaccarla direttamente. A guardare dall'alto della cittadella la quieta distesa di case lungo il fiume, i templi, e lontano nell'aria azzurrognola della sera le tombe di Minh Mang, di Tu Due, è impossibile pensare che qualcuno voglia, anche al prezzo di una vittoria, fare di questi monumenti delle tristi, irreparabili macerie.

26 ottobre

Radio Hanoi annuncia che Kissinger e Le Duc Tho, nel corso degli incontri segreti a Parigi, hanno messo a punto un accordo per il cessate il fuoco in Vietnam. Il testo, di cui Radio Hanoi rende pubblici i punti fondamentali, avrebbe dovuto essere siglato il 24 ottobre e firmato il 31, ma, sempre secondo la dichiarazione nordvietnamita, gli americani si sono tirati indietro.

Hanoi invita Washington a firmare entro la fine di ottobre.

A Washington, nel corso di una conferenza stampa, Kissinger dichiara: «La pace è a portata di mano». Il consigliere speciale di Nixon riconosce che il documento pubblicato da Hanoi corrisponde agli accordi segreti messi a punto a Parigi ad eccezione di alcune questioni tecniche e di dettaglio.

27 ottobre

Thieu, a Saigon, dichiara che qualsiasi accordo fra nordvietnamiti e americani sarà senza valore se non avrà la sua firma.

A Washington il segretario alla Difesa, Laird, annuncia che gli Stati Uniti hanno cessato i bombardamenti a nord del ventesimo parallelo, incluso Hanoi e Haiphong.

31 ottobre

Il termine fissato da Hanoi passa senza che gli accordi vengano firmati.

Saigon, 25 novembre

Immutabile Vietnam. L'uomo della dogana che controlla le valigie mi chiede, come sempre, se non gli ho portato «un regalino», il taxista che fa la spola dall'aeroporto con una vecchia Cadillac, prima di riconoscermi, mi chiede il doppio della tariffa normale.

I soldati, i poliziotti, il puzzo, il filo spinato, le case malridotte, gli sciuscià, le puttane, i mendicanti, la gente che dorme per le strade, le donne che sciacquano sui marciapiedi, in bidoni di brodaglia biancastra, le ciotole della cena: tutto come sempre sembra provvisorio. Eppure niente è cambiato dall'ultima volta che ho lasciato Saigon. Persino il soldato senza gambe che mi saluta militarmente, ebete, cento volte al giorno è lì davanti all'albergo: l'ultimo alla sera a strisciare verso la sua tana quando suona la seconda sirena del coprifuoco.

«Anche tu sei tornato per la pace, eh?» mi chiede il primo amico vietnamita che incontro e ride, ride come se la pace fosse un'altra di quelle tante cose folli che solo noi bianchi, estranei a questo paese, ci inventiamo per crederci.

Thieu, arroccato nel palazzo presidenziale, è tranquillo. L'accordo che gli americani, alla fine di ottobre, avevano dato l'impressione di voler concludere subito e sulla sua testa, è di nuovo lontano e l'ora della verità di questo regime sudvietnamita rimandata di settimane, forse di mesi. L'annuncio da Parigi che le trattative segrete erano state sospese e quello da Washington che Nixon avrebbe ricevuto l'inviato speciale di Thieu, Nguyen Phu Duc, sono visti qui come una significativa vittoria diplomatica di Saigon. «Nixon ha finalmente capito che l'accordo così com'è stato preparato da Kissinger è una svendita del Sud-Vietnam, è una sorta di resa senza condizioni ed ora ascolta le nostre ragioni», mi ha detto un senatore cattolico. «Se gli americani indugiano a firmare è chiaro che sono i sudvietnamiti ad aver preso Nixon per il collo e non viceversa», ha commentato un osservatore occidentale.

La manovra che Thieu sta tentando è quella di aggirare Kissinger, definito dalla radio governativa «un professore ambizioso che ha superato i limiti del suo potere», e di convincere Nixon che un cessate il fuoco, alle condizioni stabilite nella bozza di accordo, significa la capitolazione del Sud-Vietnam e con ciò l'assunzione da parte di Nixon della responsabilità storica di essere stato il primo presidente americano ad aver ceduto al comunismo.

È un ricatto che per ora funziona, anche se all'ambasciata americana di qui non ammettono che le obiezioni di Thieu all'accordo sono determinanti nella trattativa di pace. «Washington e Saigon sono come due ciclisti su un tandem», mi ha detto un diplomatico americano, «il primo pedala e il secondo frena, il primo è al manubrio e decide la direzione.»

Il fatto è che a Parigi, se Le Duc Tho ha battuto i pugni sul tavolo quando Kissinger gli ha presentato la lista delle modifiche all'accordo già fatto in ottobre, è stato perché non si trattava di «questioni tecniche secondarie» come le aveva definite il consigliere di Nixon nella conferenza stampa del 26 ottobre, ma di una vera e propria nuova stesura che modifica la sostanza dell'intesa, come vuole Saigon.

I punti sono essenzialmente due: ritiro di tutte le forze nordvietnamite attualmente nel Sud (Saigon dice che ce ne sono trecentomila, gli americani dicono centocinquantamila); definizione del ruolo non governativo del Consiglio per la concordia e l'armonia nazionale. È chiaro che Hanoi avrà notevoli difficoltà ad accettare queste varianti che non solo vanno al di là dell'accordo che era pronto per essere firmato il 31 ottobre, ma anche delle stesse proposte fatte da Nixon il 25 gennaio scorso quando disse: «I problemi che si pongono fra i paesi dell'Indocina saranno regolati dalle parti indocinesi direttamente in causa. Fra questi problemi figura l'applicazione del principio che tutte le forze armate di ciascun paese dovranno restare all'interno delle proprie frontiere nazionali».

Per Hanoi mettere per iscritto l'impegno al ritiro di tutte le sue forze significherebbe rinunciare ai vantaggi militari acquisiti con la recente offensiva, rinunciare al principio che il Vietnam è un solo paese, significherebbe abbandonare alla mercé di Saigon le forze del Fronte di Liberazione Nazionale che, da sole, non potrebbero tenere testa all'esercito di Saigon. Quanto al secondo punto, è chiaro che il Consiglio per la concordia e l'armonia nazionale, o nasce come un supergoverno in grado di imporre il proprio controllo sia sul governo di Saigon che su quello rivoluzionario (così è nella bozza di accordo) o nasce come organismo morto tutt'altro che in grado di organizzare la vita politica del paese, tanto meno le elezioni (come vuole Thieu). Nel primo caso Hanoi e il Fronte guadagnano in quanto Saigon viene in parte esautorata, nel secondo caso il vantaggio diventa tutto dello status quo, in quanto niente cambia nel potere formale dell'attuale regime.

Se queste modifiche sono diventate la base della nuova posizione americana alle trattative, gli osservatori sono scettici sulla possibilità di un accordo al prossimo incontro di Parigi. Perché Hanoi continua a trattare se è convinta che ora gli americani hanno reso così inaccettabile la loro posizione?

«Perché l'offensiva è costata loro moltissimo, perché i bombardamenti americani hanno davvero distrutto il loro potenziale bellico, perché si sentono pressati da Cina e Unione Sovietica e sanno di non poter reggere a lungo una continuazione della guerra», rispondono alcuni.

Naturalmente questa è anche la teoria dei sudvietnamiti, intenti ora a convincere gli americani che, se un cessate il fuoco ci deve essere, meglio aspettare ancora qualche tempo, finché l'esercito di Saigon abbia riconquistato una parte del territorio perduto come sta tentando di fare con una controffensiva attualmente in corso senza grandi risultati, per riprendere il controllo della regione di Quang Tri.

In questa campagna psicologica – più che militare – condotta da Saigon per convincere gli americani che non è il momento di fare una pace, è forse anche da vedere la stranissima storia fatta arrivare al corrispondente di *Le Monde* a Saigon secondo la quale tre reggimenti nordvietnamiti sotto la direzione politica di elementi estremisti del Fronte di Liberazione che si opporrebbero ai negoziati, si sarebbero ribellati, avrebbero attaccato il quartiere generale del Fronte nella provincia di Tay Ninh e poi sarebbero stati sconfitti.

Nonostante la storia sia circostanziata e piena di dettagli, alcuni discutibili, altri verosimili, la maggioranza degli osservatori a Saigon, non avendo trovato conferma dell'episodio in nessun'altra fonte (ed è strano che un episodio di tale portata non arrivi ai servizi di informazione sudvietnamiti o americani), tende ad escluderne l'autenticità.

Vera o falsa, comunque, la storia serve a certi interessi: in primo luogo a quelli di Thieu, in quanto dimostrerebbe che i suoi avversari comunisti sono divisi ben più profondamente di quanto si potesse supporre; ma forse serve anche a quelli di un'ala moderata del Fronte che, in qualche modo, potrebbero cercare un accordo con le posizioni meno intransigenti di Saigon alla ricerca di una soluzione di compromesso tutta « sudista » contro i comunisti del Nord (la storia è stata probabilmente « piantata » da quest'ala). Le forze che di questi tempi manovrano in Sud-Vietnam sono numerose e mutevoli e niente esclude che alcune di queste componenti politiche lavorino a soluzioni della crisi che per il momento è difficile identificare con chiarezza. Per ora la lotta è a livello di guerra psicologica e Radio Catinat, come viene chiamata qui la rete di voci, rivelazioni, insinuazioni che rimbalzano dai caffè della capitale alle sedi delle ambasciate, alle redazioni dei giornali, trasmette 24 ore su 24.

Quella che non è ancora emersa in queste settimane di incertezze è una terza forza sudvietnamita che prenda posizione contro Thieu e si articoli in una formazione politica alternativa, capace di rappresentare l'ago della bilancia tra il Fronte e l'attuale regime.

« La terza forza c'è, eccola là », mi diceva un vecchio avvocato di Saigon indicando la fiumana di gente a passeggio sul boulevard Le Loi, domenica pomeriggio, « è la gente che vuole la pace. »

È una forza, questa, che però non trova da esprimersi perché la pressione del regime è forte su ognuno e ogni potenziale leadership di questa forza è scomparsa nell'emigrazione o nelle galere del Sud-Vietnam. « È un problema di cui sono responsabili anche gli americani», commentava un osservatore occidentale, «nel corso degli ultimi anni hanno contribuito ad eliminare qualsiasi alternativa a Thieu ed ora che loro stessi avrebbero avuto bisogno di un'altra figura su cui puntare per cambiare politica, non ce l'hanno.»

Thieu è, e rimane, il perno della struttura di potere sudvietnamita. Quest'uomo, che si è rivelato ben più d'un semplice burattino americano, perché invece di abbandonare il campo, andando a farsi dimenticare ricco e senza problemi in Svizzera o in America, ha preferito rischiare più di quanto abbia mai fatto finora, la propria testa a Saigon, ha per ora l'incondizionato appoggio delle forze armate che si è ulteriormente ingraziato nominando, nell'ultima settimana, altri 29 generali. Dopo un breve momento di popolarità, guadagnato col suo fermo «no» agli americani, col mettere in mora Kissinger (non bisogna dimenticare la forte componente nazionalista e antistraniera fra la popolazione vietnamita), Thieu è tornato ad essere isolato e remoto agli occhi della gente. L'uomo della strada a Saigon, come il contadino delle campagne, dove la propaganda vietcong per il cessate il fuoco è continua ed efficace, identifica in Thieu l'ostacolo immediato alla fine della guerra, anche se non può fare niente contro di lui.

Le masse vietnamite, specie quelle nelle città, senza convinzione, ma anche senza resistenza, partecipano alle manifestazioni per il regime, siano esse la «battaglia per le bandiere» di tre settimane fa, o la campagna per lo slogan «Via i nordvietnamiti dal Sud» di domenica scorsa sulla strada 4 nel Delta, che una unità di Saigon aveva riaperto la notte precedente giusto per l'occasione.

Tutto passa senza lasciare traccia. Di bandiere se ne vedono ancora in giro, ma quel che più conta è che qualche moglie di generale, che ha avuto la licenza di costruirne cinque milioni, ha fatto un po' di soldi, così come i vari poliziotti che avevano l'incarico di controllare che ogni famiglia avesse la quantità prescritta da esporre in caso di cessate il fuoco. Quanto alla strada 4, è stata di nuovo tagliata dai vietcong.

La posizione di Thieu gode inoltre ancora credito presso molti paesi vicini: Corea, Formosa e soprattutto Giappone. Una delegazione commerciale di Tokyo ha appena finito una visita a Saigon dove ha promesso nuovi investimenti di capitali e assistenza tecnica. Il regime di Saigon è tutt'altro che alla fine dei suoi giorni ed è certo questa l'ipotesi di lavoro considerata da Washington, che pur vuole scaricarsi di dosso il peso diretto d'una guerra che non può vincere e per questo riconosce sbagliata.

Anche se Hanoi e Washington finiranno, in ultima analisi, per trovare un loro accordo, è difficile che questo si realizzi in Sud-Vietnam, dove manca la buona fede delle due parti. Quanto a Thieu ha già detto, ad esempio, che non libererà i comunisti imprigionati perché per lui quelli sono criminali comuni e non detenuti politici; quanto al programma da attuare in caso di cessate il fuoco, programma che va sotto il codice X-18, esso prevede per ora il dipingere bandiere giallorosse su tutte le case controllate dal governo e l'uccisione di tutti i quadri del Fronte che escano dalla clandestinità. Tanto per avvantaggiarsi la polizia di Thieu ha intensificato gli arresti dei sospetti.

«Prendono fino ai cugini di secondo grado di chi sanno milita fra i vietcong», mi ha detto un contadino nei dintorni di Saigon.

Il cessate il fuoco significherà quanto prima la ripresa della guerra, a livelli diversi e con mezzi diversi, ma sempre guerra.

Thieu si sta preparando; accatasta quanto più materiale bellico gli americani riescono a far affluire a Tan Son Nhut, mentre una non ben specificata ditta americana ha messo, per giorni, annunci sui giornali di lingua inglese della capitale, cercando persone di ogni nazionalità che abbiano esperienza in apparecchiature elettroniche, che siano meccanici o specialisti in armi. Quello che è in formazione è un piccolo esercito di «consiglieri» militari che non batta ufficialmente bandiera americana, ma che fornisca al regime di Saigon un servizio che non è in grado di svolgere da sé.

Qualunque cosa venga decisa a Parigi, a Washington o a Saigon, per quanto riguarda il Vietnam tutto sembra possibile tranne la pace. Per quella ci sarà da aspettare, aspettare. Non si illudono certo i vietnamiti. Per loro è da tempo così. In una vignetta d'un quotidiano della capitale stamani si vede un bambino magro magro che chiede a un vecchio accovacciato dinanzi a una capanna distrutta: «Ehi, nonno, ma che cosa è la pace?» E quello: «E io che ne so...?»

Buong Dia, 28 novembre

Lontano dal Vietnam la pace può anche sembrare possibile, a volte persino vicina, ma per la gente che vive nelle campagne di questo paese niente è più impensabile della pace, perché qui è ancora la guerra la regola quotidiana. «La pace? Io non la vedrò perché sono troppo vecchia», dice una contadina, «il mio problema ora è la pioggia», e mi indica il tetto scoperchiato della sua capanna ridotto a un reticolo di pali anneriti. Fino a due settimane fa c'erano una trentina di case in questo villaggio della provincia di Binh Duong; oggi neppure una è intatta. I campi attorno sono pieni di crateri di bombe e gli alberi sono tutti schiantati ad altezza d'uomo.

Da quando si parla di pace, dalla fine di ottobre, questa provincia, ad appena trenta chilometri a nord di Saigon, è stata quella che ha visto i più violenti combattimenti. L'aviazione americana e sudvietnamita hanno sganciato su questa fetta di terra, in cui vivono 260.000 persone, più bombe in quest'ultimo mese che dall'inizio dell'offensiva. Sono state distrutte cinquemila case, venticinquemila persone sono andate nei campi profughi e oltre un migliaio sono stati i morti e i feriti.

La provincia è importante perché da qui, lungo la strada numero 13, che scende da An Loc e dalle zone controllate dal Fronte di Liberazione, passa una delle vie di infiltrazione verso la capitale e il governo di Saigon non può correre rischi. Quello che più teme è la propaganda vietcong che ora insiste sui temi del cessate il fuoco e della riconciliazione. I vietcong spiegano alla gente che gli americani hanno abbandonato Thieu e che solo lui ormai si oppone alla fine della guerra. Così, appena una unità vietcong viene segnalata in un villaggio, intervengono gli aerei e radono tutto al suolo. I contadini sono avvisati. Dei grandi cartelloni che in questa provincia sono messi anche lungo la strada come fossero la *réclame* di una bibita o di una marca di vestiti dicono: «Dovunque i comunisti arrivano, le vostre case saranno bruciate». Nella provincia di Binh Duong ci sono 137 villaggi. Solo nell'ultimo mese i partigiani sono entrati in 28; in nessuno sono riusciti a restare, ma nemmeno la gente.

A Buong Dia è successo due settimane fa. Di notte una ventina di vietcong sono arrivati nel villaggio, hanno scavato delle trincee a venti, trenta metri dalla strada e, quando all'alba con la fine del coprifuoco i primi veicoli militari sono passati per andare a portare rifornimenti alla base di Lai Khe, alcuni chilometri a nord, hanno distrutto due camion con dei razzi. Il traffico è rimasto bloccato per tutta la giornata.

I governativi sono allora intervenuti con carri armati, con elicotteri Cobra e poi anche con due piccoli bombardieri. I militari dicono che i vietcong erano ancora lì e che ne hanno uccisi 12. I contadini dicono che quando il villaggio è stato raso al suolo i vietcong erano già partiti. Gli unici cadaveri che loro hanno visto erano quelli d'un vecchio e di due suoi nipotini che non avevano lasciato, come gli altri, la capanna in cui stavano, per fuggire di notte nei campi, sentendo i vietcong arrivare.

Ora i contadini sono tornati a Buong Dia e si sono rifatti delle tettoie sotto cui ripararsi. Si vedono per terra le fondamenta delle vecchie abitazioni, quelle nuove occupano solo la metà dello spazio, a volte solo un quarto, perché sono fatte con ciò che sono riusciti a recuperare fra i pali e le assi bruciati dalle esplosioni.

Dal giorno dell'attacco l'aviazione sudista bombarda ora ogni notte nel bosco di eucalipti proprio dietro il villaggio e i contadini si riparano nelle buche che si sono scavati in casa. Alcuni le hanno fatte abbastanza grandi da portarci dentro anche i buoi. Ogni famiglia tiene già pronto il barroccio con sopra le poche cose che ha, coperte da un incerato. Se sentono i colpi cadere vicini, attaccano le bestie e si mettono in cammino.

Sulla parete di ogni baracca, appena rimessa assieme alla meglio, c'è dipinta una bandiera sudvietnamita. Ora il governo ha dato ordine di dipingerne una anche sul tetto cosicché quando, con il cessate il fuoco, entrerà in funzione la commissione di controllo, che certamente dovrà operare con degli elicotteri, sarà facile identificare dall'alto chi controlla che cosa. Alcuni contadini invece di dipingere il tetto ci hanno messo sopra delle assi colorate tenute ferme con dei sassi. Qualcuno pensa che sarà così più semplice rimuoverle e sostituirle con altre di diverso colore, se sarà necessario. Nella capitale della regione Fu Kuong incontro il capo provincia.

«Il cessate il fuoco non ci sarà per molto tempo. Innanzitutto tutti i nordvietnamiti debbono tornare al Nord», dice.

«E i partigiani che sono di qui?»

«Se depongono le armi possono rimanere, altrimenti debbono anche loro andare a nord.»

«Ma col cessate il fuoco ci debbono essere le elezioni e i comunisti avranno il diritto di fare la loro campagna, di votare.»

«No, al momento di un cessate il fuoco nelle province e nei distretti controllati dal governo rimarrà in vigore la nostra costituzione e secondo questa i comunisti sono fuorilegge.»

Come ogni altra persona dell'amministrazione di Saigon, anche il capo provincia di Binh Duong, un militare, ripete punto per punto le condizioni poste da Thieu per la firma di un accordo.

«Se i comunisti non accettano, continueremo a combattere», dice.

«E se gli americani firmano una pace separata con Hanoi?»

«Continueremo da soli!» risponde.

Sembra un discorso assurdo, ma è un discorso che ci si sente fare spesso in questi giorni in Sud-Vietnam e quelli che hanno legato le proprie sorti al regime di Thieu sembrano crederci.

«Ci sono tre livelli di problemi», dice il capo provincia, «uno fra Washington e Hanoi, uno fra Saigon e Hanoi, e uno fra Saigon e i vietcong. Il primo si sta risolvendo con la pace. Per gli altri non c'è che un nuovo periodo di guerra.»

Mentre usciamo dalla palazzina in cui sta l'amministrazione provinciale, dei soldati stanno mettendo in mezzo alla piazza del mercato un grande striscione con una recente frase di Thieu: «Non avremo pace finché non avremo eliminato i comunisti fino all'ultimo». La gente di qui ha ragione a pensare che la pace non verrà con la semplice firma di un trattato.

Hau Thanh (delta del Mekong), 30 novembre 1972

La notte arriva molto presto ad Hau Thanh perché, nonostante anni di guerra americana abbiano portato in questo villaggio mostruosi simboli del progresso come carri armati, elicotteri, napalm, qui manca ancora l'elettricità. Appena il sole è tramontato dietro una fila di alberi di banane e di palme, le 114 famiglie di Hau Thanh si ritirano nelle loro capanne. Per un po' si vede ancora, attraverso le fessure delle porte di legno, il tremolio delle piccole lampade a olio, poi tutto affonda nel silenzio e nel buio. Rimane nell'aria l'odore dei bastoncini di incenso che i contadini mettono, infilati nel fango, davanti a casa per onorare i morti. Grazie alla guerra in ogni famiglia c'è qualcuno scomparso di recente da ricordare.

Il villaggio di Hau Thanh, a soli cinque chilometri dalla strada 4, nella provincia di Dinh Tuong a sud di Saigon, è classificato «B»; vuol dire «in discreto controllo del governo», ma i soldati della 9ª divisione sudvietnamita, che hanno operato durante tutto il giorno attorno al villaggio, non si fidano a rimanerci di notte e preferiscono rientrare al campo. Alle cinque del pomeriggio sono partiti portandosi dietro i due morti del giorno, involtati nell'incerato. Erano saltati su una mina mentre tentavano di riaprire la strada che, attraverso la boscaglia, conduce da Hau Thanh al prossimo villaggio, Hau My, quattro chilometri più a nord, controllato da alcune settimane dal Fronte di Liberazione Nazionale. La Piana dei Giunchi, una vasta distesa acquitrinosa coperta da una foresta acquatica, che fu già ai tempi della occupazione francese una imprendibile area vietminh, è poco lontano da qui e i guerriglieri hanno una facile base da cui muoversi.

Anche il giovane cadetto dell'accademia militare di Tu Doc, uno dei 5700 mandati dal presidente Thieu nelle campagne a spiegare ai contadini la posizione del governo di Saigon sulla proposta di un cessate il fuoco e una eventuale pace, non dorme nel villaggio «per ragioni di sicurezza».

Da due settimane arriva ogni mattina sulla piazza del mercato di Hau Thanh scortato dalla milizia locale e per tutto il giorno rimane accanto a un altoparlante nel quale un funzionario governativo del villaggio legge il testo di una interminabile dichiarazione politica il cui senso è: «Bisogna combattere i comunisti fino alla fine. La pace ora sarebbe solo una pace comunista». Il cadetto, nato e cresciuto a Saigon, per cui ora unico cittadino in mezzo a tanti contadini, sta lì sotto il sole accanto all'altoparlante, «nel caso la gente abbia da chiedere delle spiegazioni», ma in quindici giorni, ammette, nessuno gli ha rivolto la parola.

«E se qualcuno domanda quando ci sarà la pace?» gli chiedo.

Mi guarda perplesso, si leva l'elmetto e dall'interno toglie una decina di fogli stampati con domande e risposte che all'Accademia gli hanno fatto imparare a memoria prima di mandarlo qui.

«Questa domanda non c'è, e se qualcuno me la fa debbo riferirla al mio ufficiale superiore», risponde mostrandomi questo suo prezioso «documento». Non può essere stato che un consigliere americano «esperto» in guerra psicologica a redigerlo perché solo nella fantasia «scientifica» d'un americano, un contadino vietnamita può chiedersi: «Qual è la differenza fra l'accordo di oggi e quello firmato a Ginevra nel 1954?» Così suona la prima domanda nella brochure.

Durante tutto il giorno, solo frotte di bambini stanno, divertiti, attorno al cadetto. La voce dell'altoparlante che si spande sui canali e sulle risaie non sembra interessare nessuno.

Partiti i soldati, anche la milizia locale si è chiusa nei perimetri difensivi dei due fortini all'ingresso del villaggio. Dopo il tramonto, ad Hau Thanh della presenza del governo non rimangono che le bandiere gialle e rosse, flosce sui pali, fatti piantare di fresco davanti a ogni capanna.

Durante la cena, attorno a una lampada a olio nell'abitazione d'un contadino che è il presidente del consiglio locale c'è il capo villaggio, anche lui un contadino, il capitano della forza regionale, il responsabile della milizia rivoluzionaria. Altri contadini mi spiegano che il governo ha recentemente ordinato di classificare ogni famiglia a secondo della lealtà a Saigon: blu per le famiglie sicure, giallo per quelle neutrali, rosso per quelle che hanno parenti coi vietcong.

Ad Hau Thanh la classificazione è: 71 famiglie blu, 24 gialle, 19 rosse.

«Dobbiamo fare quello che il governo ci chiede», continua a ripetere il capo villaggio, «ma quello che vogliamo è la pace.»

Dovunque uno vada nel Delta, di questi tempi, la pace, la pace è il tema ricorrente dei discorsi della gente e ciò che meraviglia è che molti non hanno neppure più paura di dirlo chiaramente. Una vecchia contadina due giorni fa in un altro villaggio mi ha detto: «Non mi importa se sono comunisti o non comunisti; accetto qualsiasi governo purché porti la pace». Sulla porta della sua capanna, come su ogni altra in questa regione, c'era dipinto a lettere rosse uno slogan: «Questa famiglia non accetterà mai di vivere sotto il comunismo».

«Oh! quello?» ha detto la donna, «son venuti i soldati del governo e mi hanno detto di scrivere. Così mi ci son volute 80 piastre per comprare la tinta.» La propaganda del Fronte di Liberazione, che insiste sul tema «pace, riconciliazione, indipendenza e una vita decente per tutti», ha raggiunto la maggior parte dei villaggi del Delta e i contadini sembrano rispondere favorevolmente. «Thieu ci dice che, se i comunisti arrivano qui, noi che abbiamo lavorato per il governo saremo uccisi; ma io non ci credo», dice il capo villaggio di Hau Thanh, durante la cena.

Ogni tanto la porta cigola ed entra qualcuno. Ad un certo punto, attorno alla tavola, ci sono una ventina di persone e non so più chi è chi. Un giovane con un pigiama bianco e un cappello di plastica, che è rimasto in silenzio durante gran parte della conversazione, rassicura il capo villaggio: «Perché i comunisti dovrebbero ucciderci? Siamo tutti vietnamiti, siamo tutti contadini; siamo tutti poveri». Vedo appena la sua faccia nel tremore della lampada a olio che, d'ognuno di noi, fa delle grandi ombre mobili sulle pareti. Mi vien da pensare che il Fronte ha già qui il suo quadro politico pronto a prendere in mano il villaggio al momento del cessate il fuoco.

Si dice che in molti villaggi i vietcong, dopo le visite notturne fatte dalle loro unità di propaganda, lasciano dietro dei loro uomini che hanno carte d'identità rilasciate dal governo di Saigon. Li chiamano i «quadri legali» perché, avendo i documenti in regola, non hanno bisogno di vivere nella clandestinità. I contadini sanno chi sono, ma in genere non li denunciano o perché temono le rappresaglie del Fronte, o perché sono d'accordo, o anche semplicemente perché, così, tengono il piede in due staffe.

Il lavoro di questi «quadri legali» è mantenere i rapporti fra il Fronte e la popolazione e sfruttare la crescente contraddizione fra la propaganda di Saigon e lo spirito prevalente fra la gente, che è quello di conciliazione. «Il capo del distretto mi ha dato ordini precisi», dice il capitano della forza regionale che difende il villaggio e siede vicino al presidente del consiglio locale. «Al momento del cessate il fuoco io debbo coi miei uomini attaccare il villaggio a nord di qui tenuto dai vietcong e riprenderne il controllo.» Il giovane in pigiama bianco ribatte che questo è assurdo, che si può benissimo vivere in pace con gli abitanti di Hau My perché presto a Saigon ci sarà un governo di coalizione in cui le tre forze del paese, Fronte, Thieu e neutralisti, saranno rappresentate. Il capitano insiste: «Non ci possono essere tre capi in un paese. In cielo c'è una sola luna, sulla terra c'è un solo imperatore, perché io dovrei accettarne tre?»

La conversazione va avanti fino a tarda notte e il giovane col pigiama bianco trova l'assenso di molti contadini attorno alla tavola. «Fra noi vietnamiti dobbiamo trovarci d'accordo, non combatterci», dice, ma il capitano insiste che obbedirà all'ordine di attaccare il villaggio vietcong. Forse anche lui dice solo così, perché non vuole scoprirsi. Alla fine dei conti nessuno sa bene con chi sta il suo vicino. La pace che il Fronte aveva preannunciato ai contadini per la metà di ottobre, poi per la fine di ottobre e di nuovo per novembre e dicembre, è ancora lontana e molti non sentono ancora venuto il momento di giocare le proprie carte.

In questo il Fronte deve avere dei grossi problemi perché, se la pace non viene presto, finirà che le sue promesse assomiglieranno a quelle del governo e i contadini preferiranno stare con Saigon, come fanno al momento, se non altro per sopravvivere.

Ad Hau Thanh ognuno porta, per ora, specie di giorno, una

grande bandiera rossa e gialla in tasca, come il governo ha ordinato, pronta ad essere mostrata a ogni controllo della polizia, pronta ad essere sventolata dal mezzo delle risaie ai soldati in operazione.

Questo non vuol dire però che i contadini qui, come in altri villaggi, non abbiano trovato accomodamenti con l'altra parte, non vuol dire che di villaggio in villaggio non esista già una sorta di cessate il fuoco fra le unità dei due eserciti.

Al mattino lungo il canale che unisce Hau Thanh al villaggio vietcong Hau My ho visto una barca carica di gente andare verso nord con una grande bandiera sudvietnamita che sventolava a prua.

« Vanno con quella bandiera fino ad Hau My? » ho chiesto ad un uomo che con un ramaiolo di bambù toglieva l'acqua dal fondo del suo sampan.

« No. Con quella vanno ancora cinquecento metri, poi prendono l'altra », è stata la risposta.

Viaggiando nel Delta, ci si convince che questo tipo di accomodamento sta diventando sempre più frequente. La gente si conosce, nelle unità locali delle due parti, a livello di villaggio, ci sono spesso membri della stessa famiglia. Non è difficile intendersi. Sono i soldati che vengono da fuori, i « regolari », che tentano di rompere questo equilibrio, sono gli aerei che vengono a bombardare a pochi chilometri da Hau Thanh, nella Piana dei Giunchi e vicino al villaggio vietcong.

A vederla da un villaggio come Hau Thanh, a pensarla di notte, mentre l'orizzonte si rischiara di bagliori rossastri e la panca di legno su cui tento di dormire sbatte contro il muro per le bombe dei B-52, la situazione vietnamita sembra almeno risolta in un punto: gli americani debbono andarsene, presto. Non possono continuare a combattere questa guerra che ogni villaggio dimostra non potrà mai essere vinta.

Nel Delta gli americani non ci sono più, se non con pochi consiglieri, gli elicotteri, gli aerei, i B-52. Stanno per aria ma quello che conta è ciò che succede sul terreno. Qui ormai c'è una realtà dei villaggi che un accordo per il cessate il fuoco deve solo riconoscere, sancire. Nel Delta ci sono due amministrazioni sudvietnamite, due eserciti, della gente che ha già scelto, altra che deve ancora scegliere da che parte stare quando l'ultima fase della guerra comincerà. Difficile è oggi valutare la forza delle due parti. Certo che non bisogna lasciarsi ingannare dalle manifestazioni esteriori di appartenenza politica, perché l'orgia di bandiere che uno vede lungo le strade principali del Delta non rappresenta affatto il controllo che Saigon ha sulla popolazione.

Dovunque uno si volti non si vedono che centinaia, migliaia di bandiere, dipinte sui tetti delle capanne, sulla corteccia degli alberi, sui sampan, cucite sulla spalla sinistra dei bambini che vanno a scuola, che sventolano sui piccoli alberelli davanti a ogni casa, a ogni garage, a ogni pollaio. Ma basta abbandonare la strada maestra, lasciare l'asfalto per le piste rosse sterrate che costeggiano le risaie e le bandiere diminuiscono; poi scompaiono. Giorni fa il capo villaggio di Hiep Duc era terribilmente imbarazzato quando, volendo farmi vedere come alcune borgate recentemente riconquistate ai comunisti fossero ora fedeli al governo, si è accorto che nessuna delle famiglie che ci vivevano aveva issato la bandiera. Solo quando i contadini ci hanno visto sbucare dal bosco, preceduti da una scorta armata, ho visto gente saltare dai campi, correre verso le capanne e uscirne con questi pezzi di stoffa gialla con le tre strisce rosse orizzontali e affrettarsi ai pali.

«È stato il vento che l'ha fatta cadere», si è giustificata una donna e un'altra: «Stamani non l'ho messa fuori perché ho paura che il sole stinga troppo i colori».

Dong An, 9 dicembre

I villaggi di contadini, in Vietnam, sono uno simile all'altro: un centinaio di capanne, raccolte lungo una strada sterrata o un canale, degli orti con gli alberi di papaia e di banane, dei bufali e tutto intorno le risaie.

Dong An, a dieci chilometri da Saigon, era un villaggio così. Ora non esiste più e la storia della sua morte è semplice, classica, ormai, in questa guerra che continua.

Martedì notte a Dong An sono arrivati i vietcong; al mattino hanno lanciato da qui i razzi che sono caduti sull'aeroporto di Tan Son Nhut; la gente è scappata e l'aviazione sudvietnamita, per cacciare i vietcong, ha raso al suolo il villaggio, centrandolo per due giorni di seguito.

«Dopo un episodio così, come reagisce la gente?» ci si chiede venendo a Dong An. Delle capanne è rimasta solo l'ombra nera delle strutture incendiate, la strada è piena di buche profonde e dei bufali ci sono solo i resti, qua e là, negli orti sconquassati.

Il lezzo rivoltante dei cadaveri arriva a folate, col vento, e la gente sputa e si tappa il naso con dei fazzoletti.

Gli abitanti sono tornati a Dong An dietro i soldati della 18ª divisione che hanno ripreso il controllo della zona. Famiglia per famiglia, fra i crateri delle bombe, le macerie, gli alberi sradicati, raccolgono i resti della loro miseria; senza lamentarsi, senza piangere come se questa fosse una cosa cui sono abituati da tempo.

Solo un contadino gesticola, in mezzo a un campo, davanti a una scrofa sventrata con cinque maialini a gambe all'aria pieni di schegge e, con le mani in aria per spiegarmi, fa il gesto degli aerei che si buttano in picchiata e si rialzano dopo aver bombardato.

Piatti sbrecciati, utensili da cucina, sacchetti di riso vengono ammucchiati sul ciglio della strada. È quello che riescono a salvare. Una famiglia più fortunata è riuscita a recuperare, intatto, un *kang*, il grande tavolo basso su cui ogni famiglia vietnamita povera si siede, mangia, dorme, lavora, fa figli e muore.

Nessuno parla e la voce di un altoparlante, montato su una lambretta-furgoncino, si spande sulle rovine. «Cittadini. Questo è quello che fanno i comunisti. Hanno distrutto le vostre case, hanno distrutto i vostri campi. I vietcong sono i nostri nemici.»

I «nemici» giacciono al sole, cinque assieme in una buca, altri due sull'orlo di un piccolo bunker, altri in un boschetto di alberi di cocco schiantati, uno, da solo, in mezzo a un campo, a braccia aperte, gli occhi rovesciati, la bocca piena di sangue e di mosche. Ce ne sono 18 di questi cadaveri nel villaggio; alcuni hanno delle uniformi verdi, altri dei pantaloni neri da contadino; solo uno ha dei «sandali di Ho Chi Minh» fatti di copertone e legati con lo spago, come portano i soldati nordvietnamiti. Gli altri sono scalzi.

«Quando sono arrivati? Cosa vi hanno detto? Era gente del Nord? Era la prima volta che venivano?» chiedo. Ognuno risponde con una storia diversa. Tutti hanno paura. Il governo è tornato col suo altoparlante e i suoi funzionari di villaggio, i vietcong hanno forse lasciato qui qualche loro uomo o comunque possono di nuovo tornare.

«Erano tanti. Forse due o trecento», dice una donna, «tutti sconosciuti. Erano certo nordvietnamiti perché erano grassi, come sono quelli del Nord, e poi erano vestiti diversi da noi.»

«Quando li ho sentiti arrivare e ho guardato fuori, ho pensato che erano sudvietnamiti perché avevano le uniformi di qua. Parlavano come noi. Uno mi ha chiesto una pala per scavare una trincea e mio figlio gliel'ha data», dice un vecchio.

«Erano gli stessi che sono venuti qui il 1° dicembre», dice un altro.

«No. Era la prima volta che i vietcong venivano in questo villaggio», ha detto, sicurissima, una contadina.

Se c'è una verità, certo non viene fuori da queste conversazioni. Appena ci si avvicina a parlare con qualcuno, altra gente si mette attorno, in silenzio, ad ascoltare, e il discorso si congela.

Una parte di verità è questa: che, quando i vietcong sono arrivati, nessuno è andato, o è riuscito ad andare, ad avvisare i soldati del governo. Al massimo hanno fatto finta di nulla, come il gruppo della milizia locale che è rimasto chiuso nel suo fortino, a centocinquanta metri dal villaggio. Altrettanto certo è che assieme ai nordvietnamiti, se alcuni erano tali, c'era anche gente del Sud perché una squadra speciale dell'esercito di Saigon è venuta a prendere, con dei tamponi inchiostrati di nero e dei fogli bianchi, le impronte digitali dei morti.

«Cerchiamo uno del villaggio che è da tempo un militante vietcong e non sappiamo se è fra questi o quelli che sono riusciti a scappare», mi ha detto un soldato mentre, con un bastone di bambù, picchiava forte sulle braccia dei cadaveri perché aprissero meglio le mani.

A sera, fra i resti di Dong An, non c'era più nessuno.

I 18 cadaveri bruciavano cosparsi di benzina là dove erano caduti.

Ho chiesto a un gruppo di contadini che lasciavano il villaggio in direzione di Saigon coi resti delle loro case: «Chi ha distrutto Dong An?»

«Sono stati i vietcong... con gli aerei e le bombe», ha risposto un vecchio. Tutti dicevano d'essere d'accordo. Cosa davvero pensavano non lo so.

Saigon, 19 dicembre

Un amico mi sveglia nel mezzo della notte. Radio Hanoi ha annunciato che i B-52 americani hanno ripreso i bombardamenti. Hanoi, Haiphong e le altre città del Nord sono continuamente sotto il fuoco. La radio nordvietnamita può esagerare sui dettagli, il numero delle bombe, il numero degli aerei già abbattuti dalla contraerea, ma certo la notizia è vera: Nixon ha dunque ordinato la ripresa della guerra sul Nord. L'intera situazione vietnamita sembra tornata indietro di mesi.

Cerco di sapere qualcosa di più, ma il numero del portavoce militare americano non risponde, quello sudvietnamita dice di non saperne nulla.

Vado al telex per trasmettere la notizia, ma tutte le linee sono interrotte. Per sette ore da Saigon è impossibile comunicare con l'esterno. Anche il telefono è inutilizzabile. Al centralino dicono che, per «motivi tecnici» tutte le linee sono cadute.

Alle otto di mattina il comando militare americano rilascia, da Honolulu, un comunicato di quattro righe: «Stiamo conducendo delle missioni aeree su tutto il Nord-Vietnam contro obiettivi militari dai quali il Nord continua ad appoggiare l'infiltrazione e gli attacchi contro la Repubblica del Vietnam. Non abbiamo ulteriori commenti da fare su queste operazioni, tuttora in corso». La conferenza stampa del mattino, che tutti chiamano «le follie delle quattro e un quarto», è affollatissima, ma è chiaro che gli americani hanno avuto ordini precisi, direttamente da Washington, di non dire una sola parola in più.

Contrariamente al solito, il foglietto ciclostilato che il comando americano rilascia, non include, oggi, il numero e la località delle missioni dei B-52 in Laos, Cambogia e Sud-Vietnam. Un giornalista chiede: «Dobbiamo dedurre da questo che non ci sono state missioni di B-52 in altre parti d'Indocina e che tutti i bombardieri del comando Sud-Est asiatico sono impegnati esclusivamente sul Nord-Vietnam?»

«Lei può dedurre quello che vuole. È un suo diritto. Io non ho altro da aggiungere.»

Un altro collega: «Voi dite che bombardate il Nord perché continuano le infiltrazioni. Ma nei comunicati sudvietnamiti degli ultimi giorni il numero degli incidenti provocati dal 'nemico' era in diminuzione. Non c'è contraddizione in questo?»

«Non ho visto i comunicati sudvietnamiti.»

«Maggiore, lei può escludere che vengano attaccate concentrazioni di popolazione?»

«Per ragioni di sicurezza non posso fare alcun commento.»

Così avanti per mezz'ora. Il maggiore americano, sudatissimo, sotto i riflettori delle telecamere, ha rispettato la consegna di non parlare: la chiamano «protezione di informazioni».

« Maggiore », è sbottato un giornalista americano, « quali sono le ragioni di sicurezza per cui non ci date dettagli delle operazioni aeree? Diteci almeno quali sono stati gli obiettivi. Hanoi sa già cosa avete colpito. L'unica sicurezza a cui posso pensare è quella nei confronti dell'opinione pubblica perché, se si sapesse quello che state facendo, magari ci sarebbero dimostrazioni e proteste che Nixon non vuole. »

« No comment », è stata l'ennesima risposta del maggiore. La notizia della ripresa dei bombardamenti è circolata a Saigon mentre il generale Haig, assistente di Kissinger, arrivava per incontrare Thieu. « È venuto a portargli le bombe su Hanoi come regalo di Natale », ha detto un deputato dell'opposizione.

Il giornale del governo *Ting Song* scrive in un editoriale che « i bombardamenti sono un avvertimento per Hanoi a smettere nella sua testardaggine d'opporsi a una soluzione pacifica del conflitto », e che i sudvietnamiti « sono grati della buona volontà mostrata dagli americani nel contribuire al raggiungimento di una pace onorevole ».

Thieu è euforico, Saigon preoccuppata, e la pace agli occhi della gente di nuovo terribilmente lontana. Secondo molti osservatori Nixon ha preso questa decisione per far guadagnare del tempo a Thieu, permettergli di organizzarsi in vista di un cessate il fuoco. L'accordo fra Washington e Hanoi c'è – dicono – e queste sono le ultime battute per salvare la faccia. La ripresa dei bombardamenti è una dimostrazione di forza, diretta a rassicurare Thieu e gli altri alleati asiatici alla vigilia del cessate il fuoco.

È un'ipotesi ragionevole, ma altri si chiedono come sarà possibile per Hanoi, a meno di capitolare, riprendere i negoziati dopo questa tempesta di fuoco sulle sue città. Domani è l'anniversario della fondazione del Fronte di Liberazione Nazionale e qualcuno teme che i vietcong rispondano a questa mossa di Nixon con azioni dimostrative contro le città, come due settimane fa coi razzi all'aeroporto di Tan Son Nhut o con l'attacco al deposito di munizioni giovedì scorso. Per undici ore Saigon fu scossa da terribili esplosioni a catena di mille tonnellate di bombe, proiettili d'artiglieria e pallottole mandate in fumo da un attacco di sabotatori in risposta all'interruzione dei negoziati di Parigi.

«Quando gli americani se ne andranno davvero dal Vietnam, la guerra finirà. Fra vietnamiti ci si intende e con quelli del Nord sapremo trovare un accordo», dice il proprietario di un piccolo ristorante sul fiume Mekong che traversa lento, rossastro, limaccioso Can Tho, la più importante città del Delta, la terza del Vietnam del Sud.

Non sono convinto che questa sua ipotesi sia giusta; ma in apparenza sembra giustificata. La guerra infatti che, in questi giorni, più che mai dilaga con spaventosi risultati, è la guerra «americana» sul Nord, la guerra delle bombe e dei B-52; per il resto, nel Sud del paese, dove il conflitto è stato «vietnamizzato» e dove i ventiquattromila americani rimasti non partecipano ai combattimenti, le ostilità sono congelate e si ha l'impressione, specie in alcune regioni, che sia già in vigore una sorta di tacito cessate il fuoco, almeno fra le unità locali.

Nel Delta, ad esempio, la vasta regione a sud di Saigon fatta di risaie che una dietro l'altra si stendono verdissime fino all'orizzonte, la regione dove vive quasi un terzo della popolazione sudvietnamita (circa 7 milioni di persone), nelle ultime tre settimane non c'è stato un solo scontro di rilievo. Nelle zone controllate dal governo l'unica guerra che Saigon conduce è quella psicologica per «vincere il cuore dei contadini e immunizzarli contro la propaganda comunista». Nelle zone contestate nessuna delle due parti attacca l'altra, né tenta di guadagnare terreno, rispettando quelle varie forme di accomodamento che sembra siano state trovate per impedire, almeno per ora, di uccidersi a vicenda.

Nel Delta il governo ha mezzo milione di soldati, ma solo centomila di questi appartengono all'esercito regolare (ARVN) propriamente detto, mentre gli altri sono membri, a volte a mezzo servizio, delle unità locali di autodifesa.

Il Fronte e Hanoi hanno invece, secondo le stime governative, circa quarantamila uomini, oltre altri ventimila, stazionati lungo il confine cambogiano. Dalla metà di ottobre, quando le prospettive di pace parevano più realistiche, queste forze si sono divise in unità di dieci, quindici uomini che operano disperse in mezzo alla popolazione delle campagne.

I soldati regolari dell'ARVN, al contrario, sono concentrati nelle grandi basi militari da cui escono solo per operazioni di «ricerca e distruzione» che sono diventate recentemente meno fre-

quenti e pressoché inutili, data la mobilità dei piccoli gruppi vietcong.

La necessità sorta nei mesi scorsi di portare truppe fresche sui
fronti più impegnativi come quello di Quang Tri, An Loc, Kontum ha fatto scendere la difesa del Delta nella scala delle priorità
governative e due intere divisioni sono state ritirate da qui, lasciando il controllo di paesi e villaggi a formazioni locali compo-
ste di gente dai 16 ai 56 anni che fa il servizio obbligatorio, restando nei luoghi in cui lavora e dove da tempo ha imparato a sopravvivere gomito a gomito con le unità guerrigliere.

Non c'è alcun dubbio che qui, nel Delta, il Fronte abbia, grazie
all'offensiva di primavera, ottenuto uno dei più significativi vantaggi. Mentre battaglie di tipo convenzionale risucchiavano il
meglio delle truppe governative verso il Nord e la regione degli
Altipiani, questa regione veniva abbandonata alla infiltrazione di
quadri vietcong che hanno velocemente ricostruito la rete politica
in parte distrutta dagli sforzi della cosiddetta «pacificazione».

Viaggiando nel Delta, di questi tempi, uno si ricorda a malapena di essere in un paese in guerra. In cielo ci sono pochi elicotteri e gli aerei, specie i jet americani, sono scomparsi, impegnati
come sono nelle operazioni sul Nord. Sulle strade delle province
di An Giang e Chau Doc, a sud-ovest di Saigon, si incontrano rari
carri armati. Nei campi non ci sono che contadini ricurvi che tra-
piantano il riso e frotte di ragazzini che pescano nei canali o raccolgono radici di loto, buonissime da mangiare bollite.

Se si sente un colpo di fucile è probabilmente qualcuno della
milizia che usa il suo M-16 per andare a caccia.

Persino i ponti, che nel perimetro attorno a Saigon hanno posti
di guardia ai due lati e nel centro, qui sono completamente sguar-
niti, almeno di giorno. Il governo sostiene che queste due province sono fra le più «pacificate» della Repubblica. Si dice che, essendo abitate principalmente da Hoa Hao, membri di una setta
buddista che si professa fortemente anticomunista, le due province di An Giang e Chau Doc non sono mai state profondamente
infiltrate dai vietcong e per questo l'esercito di Saigon non è
mai dovuto intervenire per «ripulirle». Uno si chiede però se
non è che, essendo gli Hoa Hao fra i contadini più ricchi del Vietnam, non siano invece riusciti a pagare le tasse alle due parti e ad
evitare così di essere coinvolti nella guerra, «liberati» dai vietcong e «riliberati, ripuliti» dai governativi.

«La pacificazione è solo una facciata; qui il Fronte ha la sua infrastruttura come in ogni altra provincia», mi ha detto un giovane insegnante nella cittadina di Long Xuyen. Il centro urbano è squallido come ogni altro in Vietnam, fatto di cemento e bandone, con le strade piene di rifiuti, le bancarelle dove si mangia la zuppa, piena di mosche, e pungente dappertutto il puzzo di marciume; ma la campagna attorno è di una sorprendente, riposante bellezza, di infinite sfumature di verde i campi, d'un azzurro marino i corsi d'acqua e i canali solcati da solitari sampan. La strada asfaltata corre su un argine fra le risaie e si fanno chilometri e chilometri senza esser fermati ai posti di blocco.

La provincia di Phuong Dinh a sud di quella di An Giang ha visto in passato dei pesanti combattimenti, ma ora anche questa è calma e le autorità militari ritengono un dovere per il giornalista di passaggio visitare il villaggio di Thoi Long, «modello per la propaganda e l'informazione», come annuncia un grande striscione all'ingresso dell'abitato. Ci son dovuto andare domenica mattina. Nella grande capanna di legno che serve da scuola, un capitano dell'ARVN, incaricato della *psywar*, la guerra psicologica, come lui stesso era orgoglioso di definire il suo lavoro, era in procinto di impartire a un centinaio di contadini una lezione di politica. Donne e uomini dai sessanta agli ottanta anni stavano, divisi in due gruppi a seconda del sesso, con gli occhi sbarrati ad ascoltare il discorso del capitano e ripetevano le risposte imparate a memoria del loro catechismo di democrazia.

Ogni risposta un coro di applausi. La mia visita, come sempre presa, prima delle solite spiegazioni, per quella di un qualche ispettore americano, infondeva fervore ai responsabili governativi del villaggio che, come fossero una commissione d'esame, erano alle spalle del capitano a controllare compunti le prestazioni dei loro contadini.

«Cosa pensiamo di un governo a tre componenti?» chiedeva il capitano con una mano sul fianco e l'altra sul calcio di una grossa pistola attaccata alla cintura.

«Abbasso, abbasso!» urlavano i contadini applaudendosi.

«Dove devono andare i soldati comunisti?»

«Fuori, fuori del nostro paese, al Nord, al Nord!»

Un vecchio magrissimo, con un pigiama nero che gli pendeva sulle spalle come fosse solo su una gruccia, s'è alzato di scatto in piedi e ha urlato: «I nordvietnamiti debbono rispettare gli accordi di Ginevra del 1954». Grandi applausi dagli altri contadini. Il capitano, rivolto verso di me, ha sorriso con l'orgoglio di un padre dopo che il figlio ha fatto per gli ospiti il verso dell'asino o della mucca. Altri ufficiali prendevano misteriose note su dei taccuini.

Una donna sdentata, con la bocca ridotta a un grande buco rosso dalla radice di bethel che le contadine qui, come nel resto dell'Indocina, masticano assieme a foglie di tabacco, si è fatta avanti e con una voce stridula, in falsetto, ha gridato istericamente: « Se i comunisti vengono in questo villaggio io li taglio a pezzettini col mio coltello da cucina ». Tutti ridevano e applaudivano. Il capitano proponeva altre domande, ma la vecchia continuava a farsi avanti e a ripetere come un automa: « Se i comunisti vengono in questo villaggio io li taglio a pezzettini col mio coltello da cucina ». In una capanna vicina, un centinaio di bambini, tutti in uniforme nera e la bandiera sudvietnamita cucita sulla manica destra, ripetevano in coro degli slogan anticomunisti battendo ritmicamente le mani agli ordini di un altro ufficiale della « guerra psicologica ».

Altri bambini, fuori, sbirciavano dalle finestre della capanna quelli che stavano dentro. « E tu perché non entri? » abbiamo chiesto a un ragazzino di dieci anni. « Non ho l'uniforme e senza quella non si può entrare. Ci vogliono mille piastre per comprarla. » Anche essere Balilla costa.

Accovacciate nella piazzetta del villaggio, trenta ragazze fra i diciassette e i vent'anni, anche quelle in uniforme nera e bandiera sulla manica, imparavano a caricare e sparare con vecchi moschetti. « Non ho mai visto un vietcong, ma se vengono qui sono pronta a battermi », ha detto una ragazzina giovane giovane con una lunga coda di cavallo nera. Dovunque nel villaggio c'era gente in uniforme, c'erano slogan anticomunisti e tutti sembravano essere fermamente dalla parte del governo. Davvero un « villaggio modello ». Quando abbiamo lasciato Thoi Long, l'interprete, che aveva parlato con alcuni contadini mentre io bevevo con gli ufficiali sudvietnamiti del latte di cocco « offerto dalla guerra psicologica », mi ha spiegato perché la vecchia nella scuola voleva così tanto tagliare a pezzetti i comunisti: « Ha un figlio coi vietcong e pensa che mostrandosi così militante per Thieu i soldati non le diano delle noie e la lascino abitare nel villaggio ».

Sull'altra riva del Mekong, a meno di cinque chilometri dal « villaggio modello », comincia la provincia di Vinh Binh e qui le strade sono interrotte, « insicure », come ci dicono al comando militare, e per andare nel capoluogo del distretto, Cau Ke, non c'è che l'elicottero.

Voliamo altissimi per evitare il fuoco delle armi individuali. L'elicottero è stato, come tutti gli altri in dotazione all'aviazione sudvietnamita, modificato nel tubo di scappamento per evitare micidiali razzi «Strella» che una volta lanciati inseguono automaticamente il calore prodotto dallo scarico del motore. «Con la modifica abbiamo l'80 per cento di possibilità di evitare il razzo», dice, rassicurante, il pilota.

Cau Ke è un vecchio paesetto con una bella pagoda buddista del secolo scorso. La maggioranza della popolazione è di origine cambogiana ed è in questa regione che la CIA ha reclutato i venticinquemila Khmer Krom che costituiscono il nerbo delle forze cambogiane impegnate a sostenere il regime di Lon Nol a Phnom Penh.

All'apparenza Cau Ke è tranquillissimo, ma alla fine dell'abitato delle donne m'hanno fatto segno di fermarmi. In mezzo al sentiero passava una, per me invisibile, frontiera che era consigliabile non superare. In una fossa, con le gambe affondate nel fango, in calzoncini e l'elmetto in testa più per ripararsi dal sole che per altro, il fucile lontano appoggiato ad un albero, un soldato raccoglieva dei tuberi. Di lì in poi è territorio vietcong. «Quel villaggio laggiù è loro», mi ha detto, indicando una fila di alberi di cocco a circa un chilometro.

Nessuno sembrava preoccuparsi di questo fatto, tanto meno il soldato.

A Cau Ke c'è soltanto un'unità della milizia locale e l'ARVN non ha tentato recentemente di riprendere il controllo del villaggio «nemico».

«Perché?» ho chiesto a un funzionario locale.

«Non c'è ragione. I membri del consiglio amministrativo di là vivono ormai in questo paese e quando vogliono andare laggiù una o due volte al mese lo fanno sotto forte scorta. Gli altri si ritirano e poi tornano quando questi se ne vanno. Per ora va bene così. Se ci sarà il cessate il fuoco, si vedrà.» L'impressione è stata che a Cau Ke, come in molte altre zone del Delta, il cessate il fuoco ci fosse già.

Stasera siamo tornati a Can Tho e dormiamo all'albergo Quoc Te (L'Internazionale). Lurido, squallido, tenuto da una famiglia di cinesi, era un bordello per gli americani di una base aerea qua vicino. Loro sono partiti, ma le puttane ci sono ancora.

Ogni camera ne ha in dotazione una. La mia, magra, pallida, col sorriso dolce e i denti marci, l'ho scoperta nel letto, nascosta sotto la zanzariera quando sono uscito dal bugigattolo della doccia. Si puntava l'indice al petto e diceva «*Nga, Nga*»; credo dicesse il suo nome. Non c'è una lingua, una parola con cui possiamo comunicare.

È rimasta per due ore in silenzio a guardarmi mentre scrivevo queste righe. Poi, come se avesse ripescato dal fondo della memoria qualcosa che poteva legarci, con un terribile accento texano è esplosa: «*What's your name? Where's your home? How many children?*»

Nell'albergo ce ne sono altre venti come lei. La *maîtresse* è la moglie del maggiore della polizia di Can Tho.

Quang Tri, 24 dicembre

Scrivo questo nome ma, facendolo, mi accorgo che, in un certo senso, sto commettendo un falso: non sono a Quang Tri perché Quang Tri non esiste più.

È la notte di Natale e sto rintanato in un bunker assieme a una compagnia di *marines* sudvietnamiti, in un pezzo di terra su cui prima c'era una città che si chiamava Quang Tri. Ora non c'è più.

Le parole per descrivere questa situazione non esistono, o io non le trovo. Gli americani dicono: «*Quang Tri has been obliterated*». Cancellata. È un'espressione che più si avvicina al vero perché, come su una lavagna dopo che si è passata una cimosa su una scritta in gesso rimane uno strascico di polvere bianca, così è qui: polvere, polvere, polvere; al massimo dei calcinacci.

Quando siamo scesi su Quang Tri con l'elicottero che ci ha portato dal quartier generale della divisione, non credevo ai miei occhi. Volavamo bassi, sul mare. Il sole tramontava dando una splendida, acquietante patina d'oro all'acqua azzurrissima. Passavamo sulle barche ondeggianti spinte lentamente da un uomo con un lungo remo a prua, sulle palafitte dei pescatori, sulle nitide geometrie delle reti distese e poi, improvvisamente, mi sono ritrovato su questa grande macchia bianchissima, questa immensa ombra alla rovescia, rotta da centinaia, migliaia di crateri.

Di quella che era una città non c'è più non dico una casa, ma un muro, un solo muro che sia un muro. L'unica «costruzione» che abbia un senso è un cumulo di sassi e di cartapesta dai colori mimetici con cui i soldati hanno inteso fare un Presepio, in mezzo alle macerie, divise dal fiume Thach Han. Dal 1° maggio, quando

Quang Tri fu occupata dai nordvietnamiti, i B-52 americani hanno condotto una media di 30 missioni al giorno. Ogni missione impegna tre aerei che sganciano un carico di 324 bombe in quindici secondi. Da quando i bombardieri sono impegnati su Hanoi e Haiphong, Quang Tri ha un po' di pace: cadono sulla città solo circa duemila colpi di artiglieria ogni ventiquattr'ore. Metà sulla parte di città occupata ancora dai comunisti, metà su quella in mano ai governativi.

« In un certo senso mi piace. Mi pare d'essere nel deserto del Gobi », dice un consigliere americano.

Per i soldati sudvietnamiti non è la stessa cosa. Sotto la coltre bianca di rovine non ci sono solo le carcasse di carri armati, di camion distrutti che si vedono spuntare qua e là, ci sono decine di cadaveri che ogni tanto ci assalgono con folate di lezzo. I soldati dicono che questo posto è stregato e sugli spettri di Quang Tri ci sono ormai decine di storie che uno racconta all'altro. Il fantasma di una ragazza vestita di un lungo *ao-dai* bianco, le cui falde sventolavano nella notte, fu visto da vari soldati aggirarsi fra le trincee durante uno dei primi contrattacchi per riprendere la Cittadella. Era una contadina che, inebetita dai bombardamenti, era uscita dal suo rifugio e s'era messa a cercare la sua casa distrutta. Fu uccisa, alcuni giorni dopo, sotto un bombardamento, ma i soldati la vedono ancora e la chiamano « la fata di Quang Tri ».

« I B-52 ridurranno così anche Hanoi? » ho chiesto nel pomeriggio al generale Huong Dien Laan, comandante della divisione di fucilieri di marina che è venuta a sostituire, attorno a Quang Tri, i paracadutisti decimati da questa battaglia di mesi, combattuta metro per metro.

« Non importa », ha risposto Laan, « Hanoi è una città vecchia, fatta di case di mattoni. Se la distruggono non mi importa. Sarà un'occasione per costruire una città tutta nuova. »

« Ma lei non è nato ad Hanoi? Non ha ancora parte della famiglia là? »

« Sì, ci sono nato e vissuto fino a che avevo vent'anni, ma è bene che anche la popolazione del Nord sappia che cosa è la guerra. Prima venti, trenta aerei non facevano granché, ma ora sono cento, forse più. La gente capirà. Quando ho sentito la notizia che Nixon aveva ordinato questi nuovi bombardamenti mi sono sentito meglio. Mi ha fatto bene. »

Il generale Laan mi ha ricevuto nel suo quartiere generale a Huong-Dien, un paesino di pescatori sulla costa del Tonchino, trenta chilometri a sud del fronte. Nel suo ufficio, in una baracca di legno tutta rinforzata fino al tetto da sacchetti di sabbia, aveva appeso la bandiera catturata d'un reggimento nordvietnamita.

Durante tutta la mezz'ora in cui sono stato con lui, sotto gli sguardi prudenti d'una guardia del corpo e d'un giovane tenente che non mi aveva lasciato solo un momento da quando ero sceso dall'elicottero proveniente da Hué, ho avuto l'impressione d'un uomo angustiato, pieno di amarezza, che diceva le cose che sapeva di dover dire, ma non quello che pensava. Quando, dopo le domande e risposte formali, abbiamo cominciato a parlare della sua carriera, della sua esperienza nell'esercito francese, il discorso è tornato sulla sua gioventù ad Hanoi. Ne parlava con nostalgia, come d'un posto suo, certo più suo di Saigon, dove è diventato nel frattempo generale. «Hanoi? C'è ancora mio padre. Spero molto che sia riuscito a mettersi in salvo da qualche parte in campagna», gli è scappato. M'ha chiesto se ero davvero deciso a passare la notte di Natale a Quang Tri e m'ha salutato in fretta con una lunga stretta di mano, dopo aver ordinato al giovane tenente di accompagnarmi al fronte. Dicono di lui che sia uno dei migliori generali di Saigon e i suoi soldati ne hanno rispetto.

Le piazzole di atterraggio, fatte con grosse lamiere di acciaio forate, distese sull'erba, sono quattro attorno al comando di Laan e nessun elicottero ci resta sopra più dei pochi secondi necessari per caricare e scaricare. Quando un elicottero arriva dalla base di Hué, spesso finge di atterrare su una e si porta poi velocemente su un'altra, per evitare che i partigiani, che certo seguono ogni movimento del campo da qualche duna vicina, possano far a tempo a dirigere i loro mortai. Il tenente mi spiegava queste cose camminando verso uno di quei punti di atterraggio. Diceva che rimanere, anche per poche ore, a Quang Tri è pericoloso e che i razzi «Strella» dei comunisti fanno ancora molta paura ai piloti degli elicotteri. Il tenente è figlio di un avvocato di Saigon, amico di Laan, per questo lui è entrato nei fucilieri di marina e ha ottenuto questo posto di attendente al quartier generale. Non ha mai servito con un'unità al fronte. Sentiamo avvicinarsi un elicottero e il tenente si mette a correre. Lo seguiamo. Un grosso H-41 americano ci passa sulla testa a filo degli alberi, fa un giro, si ferma a mezz'aria e cala su una delle piazzole. Non tocca nemmeno terra. Le pale sollevano un gran polverone, il rumore è assordante. Corriamo, corriamo, il tenente urla qualcosa che non capisco, forse di fare più presto. È una questione di secondi, mi sento spinto per le gambe, preso per una spalla e mi trovo sull'elicottero, vedo che anche l'interprete c'è. Il motore aumenta i giri, ci sentiamo sollevare veloci, mi affaccio alla portiera spalancata e vedo giù il tenente che torna correndo verso il comando reggendosi con una mano il berretto, con l'altra la pistola sul fianco destro. È riuscito un'altra volta ad evitare di andare al fronte.

Nel bunker di Quang Tri, dove passiamo la notte, i soldati dividono con noi le razioni americane in scatola e il loro alcol di riso.

«*Number one. Number one*», continuano a ripetere, bevendo da una stagnetta di plastica bianca. Mi spiegano che è ottimo contro la paura, con le cinquanta parole di inglese che hanno imparato dai loro istruttori americani e che si ostinano a parlare, rinunciando all'interprete. Uno dice: «Tu vedere vietcong. Tu bere. Poi sparare. *Very good. No sweat. No problem*». È un continuo chiedermi di dove sono e ho un gran da fare a disegnare col dito per terra carte del globo per spiegare che l'Italia è un'altra cosa dall'America, ma che non sono neppure francese. Parliamo dei bombardamenti di Hanoi. «*American bomb North Vietnam. No good. American number 10*», dice uno. Un altro, il sergente Long (gli leggo il nome sull'uniforme), si spinge avanti fra i compagni. È appena tornato da tre mesi di convalescenza per delle schegge nelle gambe. Si fa rassicurare dall'interprete che non sono americano e dice: «Americani veri nemici. Hanoi amici». Poi, mettendo avanti un braccio e strisciandoci sopra un dito per indicarmi il colore della sua pelle, ripete: «*North Vietnam, South Vietnam same. Same*. Stesso, stesso». Gli altri ridono. Ridono per l'imbarazzo di sentire dire ciò che molti pensano. Per la gente del Sud quelle su Hanoi sono in fondo delle bombe bianche che uccidono gente gialla, come loro. «Perché», chiede Long, «Kissinger disse che la pace era a portata di mano e la pace non è venuta. Perché lo disse?»

Ogni tanto si sentono dei tonfi dell'artiglieria in partenza e di quella in arrivo. I colpi non cadono mai vicini. I soldati dicono che è una notte calma.

Stando qui, in mezzo alle macerie d'una città distrutta, in mezzo a una guerra che non sembra finire mai, viene da pensare, la notte di Natale, alle cose più banali. Ho continuamente immaginato che cosa, in quelle stesse ore, succedeva in altri paesi, in altre città del mondo. La notte di Natale.

A Quang Tri c'erano solo dei soldati con addosso delle uniformi che non si toglievano da giorni, accucciati in fondo a delle trincee e a dei bunker, in mezzo al puzzo di cadaveri, di escrementi, di alcol.

A guardare attraverso le feritoie d'un terrapieno, pareva anche a me di vedere dei fantasmi.

Al mattino presto, quando siamo partiti verso Hué, il sergente Long mi ha rincorso: « Se vedi Kissinger chiediglielo. Perché ha detto che la pace era a portata di mano e non era vero? Chiediglielo ».

Que Son, 26 dicembre

Un grande tavolo di plastica bianco. Un frigorifero. Una cucina a gas in cui sfrigola, dolciastro, un prosciutto steccato con chiodi di garofano e coperto con due fette di ananasso. Le pareti, le porte, gli armadietti a muro; tutto è bianco, in ordine, pulito, dipinto di fresco. Dalle finestre spalancate si vedono delle colline di terra rossa. Entra un'aria calda.

Potremmo essere nella cucina di una villetta di sobborgo in Arizona. Un uomo sui quarant'anni beve della birra da una lattina gelata.

« La mia famiglia è in Arizona. Mia moglie mi scrive quasi ogni giorno. Alla fine di ottobre ho anch'io creduto che fosse finita per noi qua e ho cominciato a spedire parte della mia roba. Ora non so davvero quando partirò, ma in fondo non mi dispiace perché lavoro da fare ce n'è. L'abbiamo cominciato e dobbiamo finirlo. »

Siamo a Que Son. Que Son la nuova, perché la vecchia è stata spazzata via dall'aviazione americana e dall'artiglieria comunista durante la battaglia di ottobre, ma il capo provincia non ha voluto perdere tutta la popolazione che si era messa sulla strada verso Da Nang e, a cinque chilometri dal posto originale, ormai in mano ai vietcong, ha deciso di fondare una nuova città. Su una collina brulla ha fatto un grosso recinto di filo spinato, ha rizzato quattro capanne di bandone ondulato e ha messo un grande cartello giallo con su scritto: Que Son. La gente non c'è venuta a stare lo stesso e gli unici abitanti sono una compagnia di soldati che passa la maggior parte del tempo nei bunker perché i vietcong sparano continuamente con dei mortai.

L'Arizona è lontana, ma non è di quella che Edwin Copeland, capitano di fanteria, consigliere americano della provincia di Quang Nam, ha nostalgia. Ha nostalgia d'una guerra che gli è cambiata sotto gli occhi, che gli è scappata di mano. In fondo d'una guerra che aveva creduto di poter vincere e che invece si accorge di perdere ogni giorno. Una guerra nella quale ormai ha poco da fare. Alla terza lattina di birra non ha problemi ad ammetterlo.

«Non mi piace che facciano tutto i vietnamiti. Voglio anch'io avere la mia parte; invece mi sono ridotto a fare da operatore alla radio quando si tratta di chiamare l'aviazione americana e dirigere i piloti sugli obiettivi nemici nella mia regione. Fare il consigliere», dice patetico Copeland, «ha senso se qualcuno ascolta i tuoi consigli, ma qui si sono messi in testa di fare tutto da soli. Il capitano dell'ARVN, la mia controparte che comanda qui, dice che la guerra è ormai affar suo. Non so come andrà a finire.»

Ogni lattina di birra che finisce la prende nel pugno, la stringe. Si sente il *clac* metallico e la piega in due. Una giovanissima ragazza vietnamita, bella, assente, con una lunga treccia nera che le scende sulla schiena, vestita con un pigiama a fiori, va al frigorifero e porta nuove birre. Si muove in silenzio per questa cucina e segue ogni mossa del suo *master* con fredda tenerezza, con distacco.

Copeland è al suo secondo turno in Vietnam. Il primo l'ha fatto come responsabile del programma Phoenix nella provincia di Quang Nam.

«Se non era per noi, ora le cose andrebbero molto peggio. Abbiamo distrutto l'infrastruttura comunista, abbiamo separato i quadri politici dalla popolazione. Se in Vietnam con l'inizio dell'offensiva non c'è stato un sollevamento popolare nelle città, lo si deve a noi. Ufficialmente ne abbiamo fatti fuori sessantamila in tutto il paese, in verità sono stati molti, molti di più. Ma bisognava continuare, bisognava proseguire con efficacia. Invece ora questo programma è stato vietnamizzato e non funziona più. Non ha solo cambiato nome. Ora ci sono limitazioni politiche, c'è corruzione. Prima, se di una persona avevamo le prove che era un vietcong, non ci poteva fermare nessuno, disponevamo di lui, subito, senza ripensamenti. Ora non è così. Gli agenti speciali governativi si rifiutano di eseguire gli ordini, gli ufficiali proteggono questo o quello, fanno dei baratti, si scambiano dei favori col nemico. E poi gli informatori. Vede, è difficile identificare un vietcong. I vietnamiti sono tutti uguali; bisogna conoscerne i sentimenti, saper ricostruire i loro pensieri. Per questo gli informatori sono importanti; ma debbono essere onesti, debbono essere ben pagati. Ora molti fanno le denunce per motivi personali, per rivalità che non hanno a che vedere con la politica e gli ufficiali si mettono in tasca i soldi delle taglie.»

La ragazza porta altre birre. Entrano due ragazzi sui vent'anni, in calzoncini azzurri e maglietta bianca. Hanno i capelli alti sulla testa, non tagliati a spazzola come i soldati dell'ARVN. Si siedono anche loro alla tavola ai lati di Copeland. Stanno ad ascoltarlo. Sorridono continuamente, ma non credo che capiscano.

«Sono le mie guardie del corpo. Sono Kit Carson scout», dice Copeland presentandomeli. Gli americani li chiamano così. Sono ex vietcong che si sono arresi e hanno accettato di lavorare per gli americani invece che andare nelle gabbie di tigre di Con Son. Guadagnano dodicimila piastre al mese, molto più di un soldato dell'ARVN.

«Erano guerriglieri di questa regione. Conoscono ogni viottolo, ogni capanna, ogni metro di terra. Di loro mi fido completamente, sanno che se gli altri li prendono non hanno scampo e per questo sono disposti a sacrificare la loro vita per me. Per questo mi difendono», dice Copeland.

I due Kit Carson scout sorridono, sorridono rigidamente, enigmaticamente.

«Mangiano con me, vengono dovunque io vada. Li tratto da pari a pari», dice Copeland, e mette le sue mani sulle loro spalle. E loro sorridono.

Le camere dei due scout sono a fianco di quella di Copeland, piene di donne nude appiccicate alle pareti.

«Quando ricevo *Playboy* lo passo a loro», spiega il capitano. Nella sua camera le pareti sono vuote, solo una grande foto della moglie e dei figli, in Arizona, e appeso a un chiodo un pigiama a fiori come quello della ragazza vietnamita. Per terra delle cartucciere e un mitra.

Ogni sera Copeland fa nella cucina il film. Gliene portano sei alla settimana in elicottero, ma nella sua platea è solo coi due scout e la ragazza. Il capitano dell'ARVN che lui continua a invitare non viene mai.

In mezzo a questo deserto, su una collina arida che dovrebbe essere una città con tutto il comfort americano, Copeland mi pare il simbolo di questa guerra che è cominciata per lui e i suoi simili

come un sogno ed è finita in un incubo, in un dormiveglia pieno
di incubi. Copeland ha fatto il suo dovere, ha raggiunto la sua
quota, eliminando il suo numero di vietcong al giorno, alla settimana, al mese, ha fatto coscienziosamente il suo lavoro; ma ha
perso la guerra e lo sa. A suo modo è triste. Quando mi accompagnava alle porte di Que Son seguito dai due Kit Carson scout
che sorridevano, un cane gli saltellava intorno abbaiando.

«Volevano ucciderlo, ma mi faceva pena. Ho detto di no, starà
qui finché ci starò io.»

Saigon, 27 dicembre

Il comando americano si è deciso finalmente a parlare, ma non ha
detto granché. A dieci giorni dalla ripresa massiccia dei bombardamenti sul Nord-Vietnam, sulla cui natura, intensità e obiettivi è
stato mantenuto il più assoluto e assurdo silenzio, stasera alle otto,
nel corso di una conferenza stampa fuori orario, annunciata nel pomeriggio, ma rimandata ben quattro volte, come se l'ultimo okay
fosse dovuto venire da Washington, è stato distribuito un comunicato che secondo le promesse fatte dal portavoce militare americano nei giorni scorsi avrebbe dovuto essere «chiarificatore».

Poco o nulla è stato chiarito dalle nove pagine ciclostilate
scritte nelle solite formule sibilline dei comunicati che non vogliono comunicare e per di più piene di errori di stampa là dove
si tratta di identificare alcune località nordvietnamite.

Il comunicato dice che «nel periodo fra il 18 e il 25 dicembre
aerei dell'aviazione, della marina e dei *marines* americani hanno
compiuto più di mille operazioni tattiche» e che «l'aviazione ha
compiuto 147 missioni di B-52 contro obiettivi militari nel Nord-
Vietnam».

Segue poi una lista di località colpite con una valutazione dei
danni prodotti dai bombardamenti. La lista comprende gli aeroporti di Phu Yen, Kep, Bach Mai, Yen Bai, e Hoa Loc, la centrale
elettrica di Bac Giang, il centro di comunicazioni radar di Hanoi,
la linea ferroviaria di Gia Lam, eccetera. Di ogni obiettivo si de-
scrivono distruzioni, nomi, quantità, dettagli in gran parte inutili
se non inseriti nel contesto di altri dati, altre informazioni che il
comando si è rifiutato di dare. Il periodo delle domande e risposte
non ha portato alcuna novità. Ecco un esempio del tenore di questa sessione di chiarimento: «Maggiore, quante tonnellate di

esplosivo sono state sganciate sul Nord-Vietnam nel periodo di una settimana?»

«No comment.»

«Maggiore, è possibile che la lista degli obiettivi nel comunicato sia incompleta?»

«Sì.»

«Quali altri obiettivi sono stati colpiti?»

«Non ho informazioni esatte in proposito.»

«Lei esclude che siano stati colpiti obiettivi civili?»

«No comment.»

«Il comunicato parla di locomotive distrutte, camion, centrali elettriche, eccetera. Ci può dire approssimativamente quante persone sono state uccise?»

«Non lo so.»

«Maggiore, il comunicato parla di 147 missioni di B-52. In una missione quanti aerei hanno preso parte?»

«No comment.»

«Ma solitamente quanti B-52 vengono usati in una missione?»

«Da uno a più.»

«Maggiore, ci può dare una valutazione di questi bombardamenti? Sono i più massicci di questa guerra, sono i più massicci nella storia della guerra aerea?»

«Non faccio commenti personali.»

Il maggiore americano, il cui nome, per una regola di sicurezza imposta ai giornalisti, non può essere scritto, ma che tutti i telespettatori del mondo possono leggere ricamato sulla tasca destra della sua camicia, maggiore Whiteman, ha tenuto testa a questa commedia dell'assurdo fino a quando, cogliendo un attimo di silenzio, ha detto: «Non ci sono più domande. Grazie».

«Non ci resta che ascoltare Radio Hanoi per sapere cosa succede», ha detto un giornalista americano, uscendo.

Nell'ultimo paragrafo del comunicato leggo che, oggi, sono morti tre americani: due nel Delta in un elicottero abbattuto, uno a Que Son.

A Que Son?

Telefono al maggiore Whiteman.

«Sì, abbiamo perso un uomo a Que Son. Un consigliere.»

«Come si chiamava?»

«Aspetti... Capitano Edwin Copeland.»

«Come è morto?»

« In azione. »

« Come in azione? Era solo? »

« Mi spiace. Non abbiamo altri dettagli. »

Non riesco a togliermi di testa il sorriso inquietante dei due Kit Carson scout. I due ex vietcong. Ex vietcong?

Saigon, 31 dicembre

Thieu sapeva bene che non sarebbe durata a lungo, ma forse non si aspettava nemmeno che finisse così presto.

Dopo giorni di malcelata euforia per la « riamericanizzazione » della guerra, frustrazione e incertezza dominano di nuovo nei circoli governativi sudvietnamiti.

La cessazione dei bombardamenti su Hanoi e Haiphong, ordinata ieri da Nixon senza che sia stato, apparentemente, raggiunto l'obiettivo di piegare il Nord alla resa, hanno rimesso di colpo il regime di Saigon dinanzi a delle scelte inevitabili e riportato in primo piano guelfe differenze politiche fra Saigon e Washington che le bombe dei B-52 avevano fatto temporaneamente dimenticare. « Gli americani conducono oramai una guerra distinta dalla nostra, seguendo una loro logica, delle loro scadenze. Al massimo ci informano, con un po' di anticipo, su quello che hanno deciso di fare e a noi non resta che fare buon viso a cattivo gioco », mi ha detto un funzionario del governo.

Così è stato con l'annuncio della tregua di fine d'anno e la ripresa delle trattative segrete di Parigi per l'8 gennaio.

L'ambasciatore Bunker ha lasciato la fortezza bianca dell'ambasciata americana, scortato, come al solito, anche quando ogni domenica mattina va a messa in una piccola chiesa vicina dove legge il Vangelo, da due jeep cariche di « gorilla » coi mitra spianati; è andato al palazzo presidenziale; ha visto Thieu per dieci minuti; gli ha detto che Nixon aveva dato l'ordine all'aviazione di cessare di lì a poco i bombardamenti sul Nord ed è partito a trascorrere la fine d'anno a Katmandu dove la moglie fa anche l'ambasciatrice.

Thieu è di nuovo in un angolo, con Hanoi che annuncia la sua « grande vittoria » contro i B-52 (ne hanno abbattuti almeno venti) e ripete a Washington, con la fermezza di prima dei bombardamenti, che l'unico accordo di pace da firmare resta quello stilato in ottobre fra Kissinger e Le Duc Tho.

Niente, dunque, di quello che Thieu aveva sperato dai bombardamenti si è verificato.

«Bisogna che Hanoi viva nell'incubo, nel terrore. Questa è la rappresaglia che i comunisti si meritano per il loro atteggiamento pieno di inganni nel corso dei negoziati», aveva scritto il giornale *Ting Song*, che rappresenta la voce ufficiosa del governo, nei giorni in cui centinaia di aerei tuonavano nei cieli del Nord.

«Noi speriamo che le bombe sul Nord-Vietnam abbiano l'effetto della bomba atomica su Hiroshima. I giapponesi allora furono abbastanza intelligenti da alzare la bandiera bianca. Stiamo ora a vedere se Hanoi dimostrerà la stessa saggezza», aveva scritto in un editoriale il quotidiano *Thai Dai*, controllato dal vice presidente della Repubblica.

Invece che piegare Hanoi, i bombardamenti a tappeto sulle zone abitate del Nord hanno avuto l'effetto di ridare ai nordvietnamiti una dimensione umana che la propaganda sudista ha per anni cercato di cancellare, chiamandoli semplicemente «comunisti», «terroristi», «invasori», «VC». Ora anche quelli agli occhi della popolazione del Sud, sono delle vittime.

Non bisogna dimenticare che ci sono nel Sud almeno due milioni di persone nate nel Nord e che nel Nord hanno lasciato parte delle loro famiglie, le loro case, le loro terre, le tombe dei loro antenati.

Il desiderio di pace, ricorrente nei discorsi della gente, si è fatto ancora più esplicito, così come il riferimento agli americani, indicati sempre più apertamente come la causa del fatto che dei vietnamiti, dall'una e dall'altra parte del fronte, continuano ad uccidersi fra di loro.

Durante il viaggio dei giorni scorsi nelle province settentrionali del Sud-Vietnam, parlando con la gente del popolo, non ho incontrato una sola persona che in un modo o nell'altro non esprimesse la sua disapprovazione per i bombardamenti, la sua compassione per le vittime che questi provocavano e, al limite, una sorta di simpatia per il modo in cui gli abitanti del Nord resistevano.

«Io sono e rimango anticomunista», mi ha detto uno studente ad Hué, «ma oggi sono innanzitutto antiamericano.»

«Gli americani dimostrano esattamente la stessa barbarie di cui accusano i comunisti», ha commentato un commerciante a Da Nang. Ed un capitano dell'ARVN: «I bombardamenti non fanno che rafforzare i nordisti. Ora davvero non cederanno. È ingiusto che un paese grande e potente come gli Stati Uniti si scagli così contro un piccolo paese come il Nord-Vietnam».

Solo i funzionari di governo, gli alti ufficiali, commentano secondo le regole, ma non è chiaro quello che pensano davvero; comunque anche fra chi approva i bombardamenti ho incontrato pochissime persone che credevano alla capitolazione del Nord sotto le bombe.

Solo gli americani sembrano crederci o piuttosto sperarci.

«Era tempo che lo facessimo. Ci fossimo decisi dieci anni fa!» ha detto un maggiore originario della Virginia, ora consigliere militare al comando di Hué. «Bombardiamoli finché non esca loro la merda dagli occhi e poi partiamo.» La sua è la risposta standard degli americani rimasti in Vietnam: «*Let's bomb the shit out of them*».

Non ci sono più che pochi militari di leva e anche questi sono ormai rinchiusi e ben protetti nelle stanze ad aria condizionata dei comandi. Gli altri sono ufficiali di carriera che sono già stati una volta in Vietnam e che hanno volontariamente scelto di tornare per un secondo periodo. «Dopotutto, questa è l'unica guerra che abbiamo al momento», mi ha detto un capitano dei *marines* aggregato al comando del generale Laan.

Che l'obiettivo di questi bombardamenti fosse, nella mente di Nixon, una pura e semplice vittoria militare nessuno lo può pensare. Pare assurdo che gli americani, dopo tutta l'esperienza accumulata in questo paese, abbiano sperato di vincere al Nord con un'armata di B-52 la guerra che non sono riusciti, con mezzo milione di loro uomini, a vincere nelle risaie del Sud. Eppure non è da escludere che anche questa possibilità sia stata presa in considerazione, visto che i vari servizi di informazione americani, compresa la CIA, hanno, negli ultimi tempi, mandato a Washington rapporti dettagliati sulla «caduta di morale» nel Nord e sugli effetti «disastrosi» che l'offensiva avrebbe avuto sulle forze di Hanoi e del Fronte. Uno di questi rapporti, di tre settimane fa, arrivava persino a descrivere la situazione del regime nordista come «sull'orlo del disastro» a causa dello sforzo bellico ormai insostenibile e delle difficoltà economiche e alimentari dovute al cattivo raccolto d'autunno.

Queste analisi, avallate da Thieu e dai suoi servizi, hanno certo trovato un qualche credito a Washington, così come l'idea che, essendo la leadership di Hanoi divisa in «colombe» e «falchi», una pressione militare avrebbe aiutato il primo gruppo a prevalere sul secondo e perciò a favorire il terreno per un negoziato meno intransigente con gli Stati Uniti.

Al di là di queste ipotesi, certo, i bombardamenti avevano lo scopo di far guadagnare a Thieu del tempo prezioso per organizzarsi alla lotta politica. Scagliando sul Nord tutta la forza aerea disponibile nel Sud-Est asiatico, Nixon ha dato l'impressione, inoltre, di concedere a Thieu quello che il presidente sudvietnamita chiedeva da tempo: «la distruzione di tutto il potenziale militare ed economico del Nord» (unica condizione – secondo Saigon – per una pace effettiva nel Sud).

Che questo sia stato ottenuto è un altro discorso, ma ora Nixon può dire: «Ho fatto tutto quello che potevo». È ciò che preoccupa Thieu, il quale ha dovuto tacitamente ritirare, in cambio di questi bombardamenti, il suo veto preventivo a qualsiasi accordo che Kissinger e Le Duc Tho potranno ora firmare.

La cessazione dei bombardamenti sul Nord e l'annuncio della ripresa dei negoziati sono il segnale americano a Thieu che il tempo concessogli è scaduto. Si tratta ora di vedere se Thieu muterà la propria posizione di rigetto dell'accordo di ottobre e si allineerà sulla posizione di negoziato americana.

Le differenze fra Saigon e Washington sono ancora numerose, ma certo una è la maggiore: lo status della Repubblica del Vietnam. In altre parole: esiste in prospettiva un solo Vietnam, temporaneamente diviso da una linea di demarcazione militare, fissata lungo il 17° parallelo; o esistono due Vietnam la cui frontiera politica è il 17° parallelo? Il governo di Saigon è stato recentemente chiaro a questo proposito: esistono due Vietnam, uno nel Nord e uno nel Sud. È una posizione, questa, completamente nuova e rappresenta esattamente l'antitesi della posizione difesa dai vari regimi che si sono succeduti a Saigon dal 1954 ad oggi.

Negli anni che seguirono la conferenza di Ginevra, il governo sudista chiamò il 20 luglio 1954, giorno in cui furono firmati gli accordi, «il giorno dell'odio»; nelle celebrazioni si invitava la popolazione a «odiare» quello che era stato deciso a Ginevra. Quel giorno divenne poi, con gli anni, «il giorno della vergogna», perché a Ginevra, si diceva, il popolo vietnamita era stato privato della propria unità. Celebrando questo «giorno della vergogna», il 20 luglio 1964, l'allora presidente del Direttorio che governava il paese, il generale Nguyen Van Thieu, allo stadio Cong Hoa a Cholon, dinanzi alla folla disse: «Gli accordi di Ginevra del 1954 non hanno alcuna validità. Il 17° parallelo non è più una linea di demarcazione che divide il territorio vietnamita».

Ora il governo dello stesso Thieu sostiene: «Vogliamo che gli accordi di Ginevra siano rispettati», e l'ultimo 20 luglio è stato celebrato qui come «il giorno della pace». I due Vietnam, creati a Ginevra, ora stanno bene a Thieu.

«Questo gli aliena ancora di più l'opinione pubblica», dice un intellettuale di Saigon. «Nessun vietnamita vuol sentirsi dire che ci sono due Vietnam. Qualcuno può ancora desiderare e sperare che il Sud liberi il Nord dal comunismo, ma nessuno accetterà mai l'idea di due stati divisi definitivamente.»

La stessa propaganda di Saigon è imbarazzata dinanzi a questo recente voltafaccia e nessuno sa cosa fare di tutte le carte, di tutti i cartelloni sparsi a migliaia in tutto il paese nei quali il Vietnam è descritto come un unico paese. Persino il grosso distintivo cucito sul pigiama nero dei quadri per lo sviluppo rurale e gli incaricati della propaganda ha la sagoma di un unico Vietnam, non dello stato meridionale soltanto.

Il problema va oltre. Quanti governi ci sono nel Sud-Vietnam? Saigon dice solo il nostro. Ma l'accordo di ottobre, steso da Kissinger, riconosceva anche il Governo Provvisorio Rivoluzionario. Qui è l'altra grossa differenza fra Saigon e Washington: Saigon pretende di riportare tutta la situazione, dopo anni e anni di guerra, al 1954; Washington (o meglio Kissinger) sembra disposto ad accettare la nuova realtà che è venuta affermandosi.

Questa realtà è che ci sono ormai due Vietnam del Sud: un Vietnam delle grandi strade e delle città; un Vietnam delle campagne e dei villaggi. Un Vietnam del giorno e uno della notte. Un Vietnam che è del governo di Saigon e uno che è del Governo Provvisorio Rivoluzionario.

Le bombe americane su Hanoi e Haiphong non hanno mutato questa realtà nel Sud. Viaggiando nel paese basta, a un certo punto, lasciare l'asfalto per lo sterrato e si ha presto la sensazione di entrare in una «terra di nessuno». Diminuisce la presenza dei soldati e della gente, poi si arriva, presto, a una invisibile, ma precisa frontiera dove qualcuno ti consiglia di tornare indietro.

M'è successo, giorni fa, a Son Hoa, un piccolo paesino della provincia di Quang Ngai a cinque chilometri dalla strada provinciale numero 1 e cento chilometri a sud di Da Nang. Una donna s'è parata dinanzi alla motocicletta sulla quale viaggiavo e inequivocabilmente m'ha fatto capire che da lì non sarei passato. Dietro di lei, ancora alcuni chilometri, c'era il villaggio di My Lai, dove nel 1968 i soldati americani del tenente Calley sterminarono a freddo un centinaio di donne e bambini. Ora My Lai è irraggiungibile come molti altri villaggi in tutto il paese. My Lai fa parte dell'altro Vietnam. Ho tentato di chiedere, di parlare ai contadini che erano venuti sulla strada. Non c'è stato nulla da fare. Quando ho insistito m'hanno preso a sassate.

Saigon, 18 gennaio

Una persona vicinissima a Thieu esce dal palazzo presidenziale, incontra un giornalista inglese e gli dice: «È fatta. L'accordo sarà firmato a giorni, certamente entro il 31 avremo il cessate il fuoco».

Più o meno nello stesso momento, un influente generale, ora senatore, cugino di Thieu, dice a un corrispondente americano: «Ci vorranno ancora due o tre mesi. Io nei prossimi giorni parto per un giro dell'Africa».

Un collega, anche lui americano, corre alle telescriventi con quello che «una fonte solitamente bene informata» gli ha detto: in linea di massima, il testo dell'accordo, consegnato dal generale Haig al presidente sudvietnamita; un altro studia scettico un abbozzo di testo, completamente diverso, datogli da «un alto funzionario governativo».

Stasera ogni corrispondente straniero a Saigon ha una sua storia da raccontare su quello che è successo e succederà. I circoli di potere sudvietnamiti, rimasti muti e impenetrabili negli ultimi giorni, sono diventati una specie di colabrodo e da ogni parte ci sono «fughe di notizie». Niente però è ufficiale.

Il tutto ha l'aria d'un piano ben congegnato dal palazzo per confondere le acque e nascondere qualcosa che certo non è chiaro, ma forse è semplice: l'accordo di principio fra Hanoi e Washington c'è, Thieu l'ha accettato e la risposta positiva, data ieri nel corso di una insolita riunione notturna, è già stata trasmessa a Nixon. Tutto il resto è messa in scena, come la nuova dichiarazione del ministro degli Esteri di Saigon, Lam, ripresa dalla radio: «La Repubblica del Vietnam non firmerà mai un accordo che porti anche la firma del cosiddetto Governo Provvisorio Rivoluzionario, perché quel governo non esiste, dal momento che non ha una sua popolazione, un suo territorio, una sua capitale».

« Ma chi ha detto che Saigon deve firmare? » osservano alcuni diplomatici occidentali, facendo notare che le discussioni segrete sono, finora, state fra Hanoi e Washington e che potrebbero essere solo loro a firmare il testo dell'accordo, lasciando a Saigon e al Fronte la firma sui protocolli annessi.

Questa dei protocolli e degli allegati rimane la parte non ancora completamente chiarita, neppure nelle discussioni fra Hanoi e Washington, e certamente saranno necessarie ulteriori discussioni, specie a livello tecnico.

Si tratta fra l'altro di stabilire in quali posizioni dovranno bloccarsi i due eserciti opposti al momento del cessate il fuoco, quali corridoi bisognerà garantire per i rifornimenti, eccetera.

È un discorso che si fa sostanzialmente sulle carte geografiche e sembra che i nordvietnamiti e il Fronte siano riluttanti, in questo momento, a indicare le loro posizioni e le loro preferenze perché si esporrebbero così ai bombardamenti a tappeto dei B-52 prima che questi vengano bloccati dal cessate il fuoco.

Thieu, dopo la visita qui del generale Haig, assistente di Kissinger, non ha altra scelta che quella di accettare l'accordo.

La sospensione dei violenti bombardamenti americani sul Nord-Vietnam, non è stata un segno « di buona volontà » verso Hanoi, ma anche un'indicazione a Thieu che il suo tempo per baccagliare è finito. Thieu ha ora perso quel suo diritto di veto che esercitò con tanto successo ad ottobre, quando riuscì a rimandare in alto mare la pace che Kissinger aveva già dichiarato « a portata di mano ».

In questa settimana gli aerei americani hanno compiuto il più alto numero di missioni degli ultimi due mesi (300 missioni tattiche e 30 di B-52 in media al giorno).

L'idea dietro queste operazioni è stata anche quella di lasciare Thieu, al momento del cessate il fuoco, con una situazione militare « sana », vale a dire una situazione nella quale sia impossibile per i suoi avversari lanciare un'offensiva che in base ai soliti « documenti segreti » catturati (o fabbricati?) dalla CIA sarebbe stata nei piani di Hanoi e del Fronte.

Gli americani se ne vanno e dicono a Thieu qualcosa come: « Se ci sarà la pace, tocca a te vincere la battaglia politica. Se ci sarà la guerra, noi ti abbiamo dato tutti i mezzi per farcela ».

Non c'è dubbio che il governo di Saigon, ormai senza scelta, si prepara in fretta a queste due eventualità.

Anche se Thieu considera la sua accettazione di principio dell'accordo di Parigi un rospo da ingoiare, non lo dà certo a vedere. Stasera, con una splendida prova di sicurezza, in un clima tutt'altro che di emergenza, a palazzo sono cominciati i festeggiamenti per il matrimonio dell'unica figlia del presidente col figlio del direttore generale e proprietario della compagnia Air Vietnam. I due fidanzati, fino a ieri residenti in Svizzera, sono arrivati a Saigon. Doc Lap (il «Palazzo dell'Indipendenza») è tutto una luminaria, e grandi limousine ad aria condizionata scivolano sui viali del giardino nella cui penombra rimangono i carri armati, le mitragliatrici e i due elicotteri.

«È come una scena del *Padrino*», ha detto un diplomatico della festa in corso, «tutti sorridono e brindano, ma ognuno tenta di capire quello che Thieu ha in testa o ha deciso sulle varie questioni in ballo.»

Solo Saigon non sembra preoccuparsi di ciò che Thieu ha deciso. Con gli alti e bassi delle notizie che riguardano questo paese, la capitale non ha mutato d'un che la sua apparenza. Durante il giorno, specialmente ora con le masse della gente per le strade a fare le spese per il Tet, la città ha un'aria esuberante. Di notte è desolata, con le strade deserte dopo il coprifuoco e il silenzio, rotto dai soliti tonfi sordi dei cannoni, in lontananza.

Nonostante l'apparenza la gente è però preoccupata. Ognuno, a suo modo, è incerto su quello che gli succederà.

«Gli affari non sono mai andati così male. La gente guarda, ma non compra quest'anno come negli anni passati», ha detto un commerciante di una delle strade principali.

Per le famiglie ricche che vivono nel centro di Saigon e sono riuscite finora a tenersi lontane dalla guerra, il coprifuoco e le implicazioni che possono immaginarsi sono un grosso punto interrogativo. «Se non continuiamo a combattere i comunisti», mi ha detto un ingegnere di mezza età, «i comunisti ci travolgeranno. Ciò che gli accordi di Parigi prevedono è un riavvicinamento delle due parti in cui solo noi dovremo fare delle concessioni.»

Per questo tipo di persone, anche se condividono la generale aspirazione per la pace, la fine della guerra, in una forma come quella che sta per aver luogo, pone molti problemi. «Ho paura della pace che avremo», diceva un medico. «Ieri notte ho avuto un terribile incubo. Sognavo che Nixon annunciava il cessate il fuoco.»

«Se potessi lascerei il paese domani», ha detto un farmacista i cui due figli sono già in Francia a studiare. Un soldato, in un ufficio dove si va a farsi dare un permesso per circolare dopo il coprifuoco, mi ha detto dandomi il suo numero di telefono: «Voi giornalisti siete sempre i primi a sapere tutte le cose. Appena sa quando c'è il cessate il fuoco, mi chiama per favore?» Come se avesse da prendere delle decisioni molto importanti.

Hau Thanh (delta del Mekong), 20 gennaio

Fra qualche ora, al massimo fra qualche giorno, in Vietnam ci sarà il cessate il fuoco. Cosa succederà in quel momento, specie nelle campagne che il governo di Saigon dichiara di controllare quasi completamente ma che si dice siano state profondamente infiltrate dai vietcong? Come reagirà la gente? Da che parte del fronte starà se dovrà scegliere?

Con queste domande in testa sono tornato ad Hau Thanh, il villaggio nel Delta dove sono stato varie volte negli ultimi mesi. Contrariamente al passato, entrando in paese, nessuno mi viene incontro, avendomi visto arrivare lungo la strada sterrata. Oggi attorno mi hanno fatto il vuoto. Non vedo nessuno che conosco, non il capo villaggio, non il presidente del consiglio locale nella cui casa ho dormito più volte, non il capitano della forza regionale. Solo i bambini mi riconoscono e si mettono ad urlare «*I-ta-loi, I-ta-loi* (Italiano, italiano)». Mi pare che ad Hau Thanh non ci siano che bambini. A volte tutto il Vietnam sembra un paese fatto solo di bambini e mi torna in mente la spiegazione di un vecchio buddista ad Hué, secondo il quale la guerra con tutti i suoi morti aveva creato una grande spinta alla reincarnazione e che per questo nascevano tanti, tanti bambini più del solito in Vietnam.

Un poliziotto è seduto sotto un tettuccio di paglia, dove una ragazza serve delle gallette di riso con tocchetti di grasso di maiale ritagliati da una cotenna che penzola da un uncino avvolto da nugoli di mosche.

«Non è un posto per stranieri questo», mi dice, «almeno il 20 per cento delle famiglie qui è procomunista. È gente analfabeta, che si è lasciata convincere dalla propaganda vietcong. Sono pericolosi e bisogna neutralizzarli.»

«Come?» chiedo.

«Gli ordini che ho ricevuto sono un segreto militare. Ma posso dire che il giorno del cessate il fuoco sarà quello in cui avrò più da fare. Sarò impegnato al cento per cento.»

È figlio di contadini e ha seguito recentemente un corso di addestramento alla scuola di polizia a Vung Tau; ripete a memoria i quattro «no» del presidente Thieu a qualsiasi formula di compromesso coi comunisti, crede che il generale Giap sia morto, come ha detto tempo fa Radio Saigon, ed è convinto che, anche se gli americani interromperanno gli aiuti al regime di Saigon, il Sud continuerà a combattere contro i vietcong. «Useremo coltelli e bastoni, ma dobbiamo vincere», continua a ripetere, infilzando nell'aria fantomatici nemici.

Un gruppo di contadini si è piano piano riunito attorno e lo sta a sentire, impassibile. Andandosene, avverte tutti di badare bene a quello che mi diranno. Uno mi invita a bere del tè.

«Se verrà la pace, potrò andare nei campi la mattina presto, alle sei e non alle nove come sono costretto a fare ora, quando il sole è già alto e la terra si lavora male. Muoversi, anche in pieno giorno, è diventato pericolosissimo. Mi hanno già sparato addosso tante volte. I vietcong mi prendono per un nazionalista e i nazionalisti per un vietcong. Siamo noi quelli che hanno più da perdere con questa guerra. Ci sparano da due parti. Almeno i soldati sanno che i colpi vengono da una parte sola.»

Nguyen Van Tau è un contadino di 57 anni, nato e vissuto in questo villaggio, in mezzo alle risaie del Delta, a centocinque chilometri da Saigon. All'interno della sua capanna, fatta di pali di bambù e foglie di cocco, seduti accanto a lui, sulla larga panca di legno che serve da letto, tavolo e banco da lavoro, c'è il padre di 86 anni, un suo figlio e dei suoi nipoti. In un'amaca stesa fra due pali dondola un neonato. Cinque generazioni di contadini vivono assieme in questi dieci metri quadrati di ombra.

In base alla riforma agraria, posseggono la terra che coltivano, ma parte di questa l'hanno appena vista perché è lontana dal villaggio e la zona è «insicura» cioè controllata dai vietcong e, anche se quelli ce li lasciassero andare, sarebbero i soldati del governo a impedirglielo.

Quando sto per salutarlo, Nguyen Van Tau mi prende da parte e mi dice che il capo villaggio mi saluta tantissimo, che tutti sono dispiaciutissimi di non potermi ospitare, ma che, dopo la mia visita dell'ultima volta, furono tutti chiamati dal capo distretto, dovettero raccontare tutto quello che avevo fatto e quello di cui si era discusso e ora, per non avere altre noie, stanno tutti rintanati in casa, imbarazzati perché non mi possono salutare se mi vedono sulla piazza del mercato.

Il villaggio di Hau Thanh non è neppure segnato sulle grandi carte del Vietnam e per arrivarci bisogna, dopo la città di My Tho, lasciare la strada asfaltata e fare quattro chilometri di pista polverosa fra le risaie. All'incrocio di queste due vie, ieri mattina, messo proprio davanti a una scuola, c'era il cadavere d'un giovane vietcong trascinato fin lì con una corda al collo da dove era stato ucciso, un paio di chilometri più lontano. I bambini gli stavano attorno senza meraviglia.

«L'hanno messo lì quelli della guerra psicologica», ci ha detto un soldato, «così la gente impara cosa succede a chi si mette contro il governo.»

All'ingresso di Hau Thanh c'era il solito fortino di fango seccato e filo spinato in mezzo a un campo cosparso di mine. Non c'erano invece i soldati. Erano delle forze regionali e da due settimane li hanno passati nell'esercito regolare. È una storia, questa, che ci si sente ripetere spesso, di questi tempi, in varie province del Vietnam. Le diserzioni, salite oltre il livello ritenuto normale del 20 per cento, e le perdite subite nei recenti combattimenti, hanno reso necessaria la conversione della milizia regionale per tappare i buchi apertisi nell'ARVN.

A difesa del villaggio, composto di poco più di cento capanne con 1042 abitanti, non sono rimasti che i 164 soldati del gruppo popolare di autodifesa. Alcuni li incontro sotto la tettoia del mercato, a bere; altri sono a guardia di un ponticello che divide il paese. Tutti ubriachi, sparacchiano in aria vedendomi uscire dalla capanna di Nguyen Van Tau. «Viva il chum!» gridano e uno mi mostra una stagnetta di plastica piena di alcol di riso. Un altro gruppo è in un altro fortino, un chilometro a nord del villaggio sulla via di Hau My, sempre occupato dai vietcong.

I soldati dell'ARVN sono stati nella regione di Hau Thanh per una operazione di «ricerca e distruzione», un mese fa, ma quello che si sono lasciati dietro è solo risentimento.

«Mi hanno portato via tutto. Hanno disfatto le pareti della mia casa per fare un fuoco e ora debbo dormire da una vicina. Erano della 9ª divisione. Quando sono partiti stavo mangiando una casseruola di riso coi miei figli. Non c'è stato nulla da fare, mi hanno preso anche quella», racconta una contadina.

Il marito è morto un anno fa, mentre vangava. Un colpo di mortaio comunista lo prese in pieno. Ha sette figli. Non un metro di terra. Lavora a opra. Guadagna 350 piastre al giorno. «Mi ci vogliono più di duemila piastre per comprare il legno e rifare la capanna. Forse alla fine della stagione le avrò risparmiate.»

L'esercito sudvietnamita non dà da mangiare ai propri soldati e questi, specie quando sono in operazione, debbono arrangiarsi.

In ogni famiglia ad Hau Thanh hanno una storia da raccontare sulle razzie e sui malanni fatti dalla 9ª divisione.

« Per difendere i loro accampamenti hanno riempito i campi di mine nascoste. Ma quando sono andati via non ne hanno levata neppure una e ora è pericolosissimo muoversi. È su una di quelle che sono saltato », racconta un contadino, mostrando la gamba destra ridotta a un moncherino ancora tutto fasciato.

In ogni famiglia c'è la storia di un morto; c'è un ferito che ha fatto questa guerra. Vedendomi bianco, e perciò credendomi americano, un ragazzo viene a farmi vedere il suo piede di legno: lo ha perso facendo lo scout per gli americani, quando erano in questa regione. Cascò in una buca dove i vietcong avevano infilato dei bambù appuntiti. All'ospedale americano gli tagliarono il piede, gli dettero quello di legno e cinquantamila piastre. Ora vorrebbe la pensione, ma il governo sudvietnamita gli dice di rivolgersi agli americani, questi al governo sudvietnamita.

Hau Thanh è praticamente divisa in due dal ponte. Da una parte le case sono ammassate attorno alla piazza del mercato, dall'altra sono in fila lungo il canale che scorre verso nord, in direzione del secondo fortino. Tutte le abitazioni sono di legno, tranne un paio, fatte di blocchi di cemento, senza intonaco. Passato il ponte, le abitazioni sono distanti una dall'altra. Davanti a una di queste c'è un uomo che sega della legna. È un soldato che ha lasciato il suo posto di guardia per venire a dare una mano alla moglie. La sera tutta la famiglia dorme da dei parenti al mercato.

« Non è sicuro stare qui la notte e a lasciare la famiglia ho paura di rappresaglie. La casa ce la guarda la vicina. » Questa è una vecchia sola con cinque nipotini. Il marito è morto di tifo due anni fa, la nuora su una mina nel pezzo di risaia che stava arando, anche il bufalo è morto con lei, e il figlio si è suicidato. Sta ripulendo il piazzaletto davanti a casa: toglie l'erba e sega degli arbusti.

« La polizia mi ha detto che debbo tagliare anche questi alberi di banane perché, per ragioni di sicurezza, vogliono che tutto sia pulito. Ma come faccio? Le banane non sono nemmeno mature. »

« Se ci sarà il cessate il fuoco che cosa farà? » le chiedo.

« Farò quello che fanno gli altri. Quello che conta è avere la pace. » Una bandiera scolorita penzola da un palo. « Me l'hanno fatta mettere i soldati. Ho dovuto pagare 300 piastre. Ce n'è una dipinta anche sul tetto perché altrimenti mi hanno detto che gli aerei vengono a bombardarmi.»

Al fortino, un chilometro più avanti, ci sono una ventina di soldati; il capoposto ha con sé anche la moglie e un figlio neonato.

«Non ci hanno attaccato da quattro mesi. Al momento del cessate il fuoco i comunisti debbono stare dove sono e noi stiamo qui. Se vedremo arrivare degli sconosciuti, anche se hanno delle carte d'identità in regola, io ho l'ordine di arrestarli e di mandarli per gli interrogatori al comando di distretto. Se qualcuno tenta di fare della propaganda comunista ho l'ordine di sparare.»

Sembra semplice, ma le cose non stanno proprio così. L'ho capito qualche ora dopo, quando ho incontrato il capoposto con due dei suoi, in abiti civili e senza armi, sulla piazzetta del mercato. Qualcuno mi ha spiegato che debbono fare così se vogliono venire a comprarsi da mangiare. L'accordo è questo: loro lasciano uniformi e mitra al fortino e i vietcong, che stanno sull'altra parte del canale, li riconoscono e non sparano.

«Siete stati pazzi ad andare fino al fortino, quel tratto di strada è completamente controllato dai viet», dice il proprietario d'una bettola dove, con l'interprete, mangiamo una zuppa. «Forse qualcuno li aveva avvisati e per questo non vi hanno tirato addosso. Io non posso muovermi da questa piazza. Mi cercano per farmi la pelle e, se ci sarà il cessate il fuoco, ho già tutto organizzato per scappare a Saigon.»

Ha un braccio più corto dell'altro che muove con difficoltà. Era il capo della milizia locale ed è stato ferito nel mese di aprile. «Ne ho ammazzati almeno una dozzina di vietcong. Tutta gente del posto. Le loro famiglie sono ancora qui e non me la perdonano. Appena possono, mi assassinano.»

Dopo le cinque del pomeriggio Hau Thanh rimane completamente isolata. Sulla pista sterrata non passa più nessuno e la gente si ritira nelle capanne. Nessuno ci ha potuto ospitare e così abbiamo passato la notte per terra, in un rifugio sul bordo d'un piccolo stagno che funziona da cloaca per tutto il villaggio. Due strettissime passerelle conducono a due minuscoli gabbiotti di legno in mezzo all'acqua. Tutti gli abitanti di Hau Thanh vengono qui a fare i propri bisogni, che vengono direttamente divorati dalle centinaia di pesci che popolano lo stagno.

«È un ottimo allevamento. Lo stagno appartiene al presidente del consiglio locale che con la vendita dei pesci fa almeno settantamila piastre all'anno», diceva uno degli alimentatori dei pesci, che però non ne traeva alcun vantaggio.

La notte è stata calma. Il silenzio è stato interrotto solo da quattro ondate di B-52 e dagli sbarramenti di artiglieria a nord per «coprire» il villaggio.

Stamani quando siamo partiti un contadino ci ha di nuovo fatto sapere che il capo villaggio si scusava tanto per non averci potuto fare accoglienza e dare ospitalità e ci pregava di tornare dopo.

«Dopo quando?»

«Dopo il cessate il fuoco!»

Lasciando Hau Thanh, abbiamo visto sul fortino deserto sventolare la bandiera gialla e rossa del governo di Saigon. Quale bandiera sventolerà qui «dopo», fra qualche giorno?

Saigon, 22 gennaio

«La pace, per noi, sarà come quei ciliegi. Paiono bellissimi, ma non hanno radici e i fiori sono tutti finti», dice un amico vietnamita, indicando i quattro tronchi d'albero piantati di fresco attorno al monumento ai caduti nel centro della città, coi rami secchi carichi di ritagli di plastica rosa, tenuti assieme col filo di ferro.

Saigon si prepara a festeggiare il Tet e decorazioni di questo tipo sono comparse un po' dappertutto. L'anno nuovo, che comincia il 3 febbraio, è quello del bufalo, considerato dalla tradizione uno dei più propizi nel cielo dei dodici. Col cessate il fuoco, ormai dato da tutti per scontato e imminente, il Tet potrebbe trasformarsi nella celebrazione d'un momento eccezionale nella storia di questo paese: la fine della guerra. Ma sono gli stessi vietnamiti i primi a non crederci.

Nessuno riesce a immaginare come il cessate il fuoco potrà trasformarsi in pace. Innanzitutto i problemi militari: al momento X, pare stabilito, ventiquattr'ore dopo la firma dell'accordo, i due eserciti dovranno cessare le ostilità, rimanendo nelle posizioni che occupano, con la sola possibilità di pattugliare al massimo nel raggio di un chilometro dai perimetri difensivi. Per quanto riguarda le truppe sudvietnamite, è facile prevedere dove saranno dislocate: le forze regolari dell'ARVN (circa mezzo milione) hanno caserme, comandi avanzati, postazioni di artiglieria così come le forze regionali, di autodifesa e di polizia (in tutto altri settecentomila uomini) che teoricamente mantengono una base precisa in ogni villaggio del paese.

Ma dove saranno, al momento del cessate il fuoco, le truppe del Fronte di Liberazione Nazionale e di Hanoi, valutate in almeno trecentomila unità?

Fonti governative dicono che oggi il «nemico» controlla solo il 18 per cento del territorio nazionale e le carte militari segnano in «rosso» parte della regione di Quang Tri a sud della zona smilitarizzata, le aree lungo la frontiera col Laos, quelle lungo la Cambogia a ovest di Pleiku e Kontum, quelle a nord di Saigon attorno ad An Loc, oltre ad alcune zone, in gran parte disabitate, nel Basso Delta.

Questo però non vuol dire affatto che il «nemico» sia solo qui. Dal mese di ottobre i guerriglieri e le forze di Hanoi hanno diviso le proprie truppe in piccole unità e, mentre il nucleo dell'esercito saigonita rimaneva impegnato a tenere le linee difensive lungo i fronti fissi come quello di Quang Tri, si sono infiltrate nelle campagne del paese, facendo di tutto per evitare il contatto. Ci sono interi reggimenti di cui gli stessi servizi di informazione di Saigon ammettono di aver perso le tracce. Al momento dello scoprimento delle carte ci potrebbero essere dunque delle grosse sorprese e se ci saranno, saranno solo in un senso.

Quello che è certo è che il Vietnam del Sud non potrà essere diviso in due; non si potrà tirare una linea e dire: qui c'è l'esercito del governo, qua i guerriglieri.

La carta geografica del Sud sarà piuttosto una specie di pelle di leopardo, con delle macchie nere rappresentanti «il nemico» sparse un po' dovunque, non solo nelle campagne, ma anche vicino alle città, alcune magari a soli dieci, quindici chilometri da Saigon, Hué, Da Nang, My Tho, eccetera. I soldati si chiederanno allora chi circonda chi, ed è probabile che, nelle prime ore del cessate il fuoco, ci saranno dei rovesciamenti di fronte. Mentre è impensabile che truppe comuniste issino la bandiera del governo, non è altrettanto impossibile che guarnigioni, finora di Saigon, si dichiarino contro il governo. Questo potrà avvenire non tanto con le forze regolari, ma con quelle regionali e locali.

In ogni villaggio del Sud-Vietnam c'è una postazione, circondata da filo spinato e da mine, difesa malamente da muretti di fango e sacchetti di sabbia, dentro la quale stanno, spesso con parte della famiglia, venti o trenta uomini.

Sono contadini che hanno scelto queste unità per evitare di entrare nell'esercito regolare e poter rimanere, così, vicino ai loro campi che negli intervalli dei turni di guardia continuano a coltivare.

È gente che spesso conosce uno a uno i suoi avversari, perché i vietcong vengono dagli stessi villaggi, dalle stesse famiglie, ed è con queste unità locali dell'altra parte che ha trovato in numerosi casi un *modus vivendi*, fondato sulla reciproca non interferenza. È qui che la propaganda del Fronte mostrerà i suoi effetti. Sono spesso gli stessi familiari, le madri, le mogli, i fratelli dei miliziani governativi, dopo aver ricevuto visite nei villaggi dai quadri politici del Fronte, ad andare a convincere i soldati nei fortini fuori ad arrendersi.

Non sono queste le uniche situazioni in cui le forze di Saigon hanno più da perdere dei guerriglieri al momento del cessate il fuoco. Il controllo delle grandi arterie di comunicazione pone gli stessi problemi.

Tenere una strada aperta alla circolazione è più difficile che chiuderla. Sulla strada numero 4, che da Saigon porta nel Delta, ad esempio, ci vogliono dopo My Tho giorno e notte dei mezzi blindati ogni cinquecento metri. Ai vietcong basta, quando abbiano bisogno di farlo, un gruppo di guastatori per interrompere il traffico. È certo che, nelle ore immediatamente precedenti il cessate il fuoco, ci sarà da parte di Hanoi e del Fronte un tentativo generale di tagliare tutte le vie principali del paese e mantenerle così fino al congelamento delle operazioni.

Dopo, la enorme flotta di elicotteri a disposizione dei governativi risolverà, sì, il problema dei rifornimenti e dei collegamenti militari, ma non quello della popolazione civile, che potrà rimanere isolata a sacche.

A conti fatti, quello su cui il governo può sicuramente contare è il controllo sulle maggiori città del paese e sulla popolazione che la guerra, nel corso degli anni, ha spinto verso queste, mutando radicalmente il rapporto fra città e campagna: nel 1962, l'85 per cento della gente viveva sui campi, oggi almeno il 60 per cento è nei centri urbani.

Qui cominciano i problemi politici del governo.

Nelle città il Fronte non ha formazioni militari. Con l'offensiva del Tet '68 furono bruciate quasi al completo le sue « squadre d'azione » nel corso di quella serie di attacchi temerari che portarono i vietcong persino all'interno dell'ambasciata americana di Saigon. Rimangono però i quadri politici, rafforzati negli ultimi quattro anni dall'afflusso di nuovi elementi, cattolici, buddisti e democratici, dichiaratamente non comunisti, ma passati nella clandestinità perché in contrasto col regime Thieu. Sarà a questi elementi che il Fronte affiderà il compito, col cessate il fuoco, di venire, piano piano, alla superficie nella città per esservi rappresentato con una campagna che già da tempo punta sui temi «pace e riconciliazione».

Per una opinione pubblica urbana, condizionata dalla propaganda governativa a vedere la guerra come fra Nord e Sud, fra «comunisti» e «nazionalisti», il confronto con una opposizione, manifestamente non comunista, né nordista, potrà avere effetti di ulteriore alienazione nei confronti dell'attuale regime. La gente vuole la pace e il Fronte gliela promette, mentre il governo, sostenendo invece che non ci può essere pace finché ci sono i comunisti, propone, al contrario, la continuazione della guerra.

La posizione del regime, col cessate il fuoco, diventerà man mano più difficile. Thieu ha tentato di evitarla, ma gli americani gli hanno solo concesso del tempo, non dato un'alternativa.

«Con l'accordo di Parigi», mi ha detto un politico filogoverntivo, «si mette in moto un processo di integrazione fra noi e i comunisti. Lo stesso nome Consiglio per la concordia e la riconciliazione nazionale è significativo. Riconciliazione e concordia sono i temi della propaganda comunista. Noi non vogliamo la concordia coi comunisti, ma la loro sconfitta.»

Costretto ad accettare il cessate il fuoco, il governo fa mostra di prepararsi a spostare la lotta dal piano militare a quello politico. A tappe forzate procede la formazione del partito di Thieu, «La democrazia»; si distribuiscono bandiere (stella rossa in campo giallo; il contrario di quella di Hanoi), tessere (centottantamila finora, quattro milioni sperano entro la fine del mese) e uniformi (camicie brune); ma in sostanza lo sforzo è più apparente che reale. La continuazione della guerra rimane l'unica legittimazione e l'unica speranza di questo regime che ha la sua spina dorsale, la sua forza nell'esercito.

«Thieu e i suoi sono e rimangono dei militari. Possono accettare divisioni di territorio, non divisioni di potere come imporrebbe loro la politica», mi ha detto un avvocato neutralista. «Controllo della popolazione per loro significa controllo militare, perimetri difensivi, filo spinato. È quello che tenteranno di fare con le città. Hanno rinunciato da tempo a conquistare i cuori della gente. Bastano loro i corpi e il controllo è ormai affidato ai meccanismi automatici, ai calcolatori elettronici che gli han dato gli americani, alla polizia.»

Se è vero che esiste un Sud-Vietnam del Fronte è altrettanto vero che ne esiste uno che col Fronte non è ancora voluto andare. Il problema di questo Sud-Vietnam è che ora ha da giocare tutte le sue carte o col regime di Thieu, che non lascia spazio a una soluzione intermedia, o contro Thieu e cioè col Fronte.

Il cessate il fuoco si presenta, così, come un momento di compromesso estremamente instabile, non avendo nessuna delle due parti rinunciato al proprio obiettivo principale: Thieu alla sconfitta militare dei vietcong, i vietcong al rovesciamento di Thieu.

Col cessate il fuoco si profilano così, semplificate, due strategie: quella del regime che punta sulla ripresa della guerra, non con la partecipazione americana, ma certo con l'aiuto americano. Le occasioni non mancheranno. E quella del Fronte che punta su un logoramento del regime e possibilmente su un sollevamento popolare. Anche qui le occasioni, specie a medio termine, non mancheranno. Le scintille potrebbero essere i soldati che, una volta smobilitati, scopriranno che non c'è lavoro per loro; i profughi che non potranno tornare ai loro campi perché sono distrutti o perché il governo non li vorrà lasciar andare nelle zone « comuniste ».

Più che della pace, il Vietnam sembra piuttosto alla vigilia di una nuova fase della guerra: una guerra di carattere diverso, meno appariscente e meno pubblicizzata solo perché gli americani non ci saranno più e perché con la loro assenza sarà calato l'interesse dell'opinione pubblica nel mondo.

Per questo la gente non si fa illusioni e tenta d'accontentarsi di quel poco che avrà.

« Sarebbe già bello fare il Tet senza il rumore dei cannoni », ripete l'amico.

Saigon, 24 gennaio

Indifferenza. Paura. Sgomento. Gioia nessuna.

Così ha reagito il Vietnam stamani, quando alle 11.10 Thieu ha annunciato che l'accordo per il cessate il fuoco era fatto e che entrerà in vigore domenica alle otto.

Saigon non s'è commossa, non s'è fermata un momento.

Il traffico che scorreva, come ogni giorno, a fiotti fra i semafori lungo Tu Do rendeva quasi incomprensibile la voce del presidente ritrasmessa da alcuni altoparlanti, installati per l'occasione sulla piazza della cattedrale.

In questa città di radioline a transistor sono stati pochi i capannelli di gente che si sono formati per ascoltare quello che succedeva.

«Ne ho sentito troppo parlare di questa pace, senza mai vederla, ora ne ho abbastanza», ripeteva una donna, e si rifiutava persino di credere che fosse Thieu quello che parlava.

Non ho visto per le strade una sola persona che esultasse, qualcuno che rivolto al vicino manifestasse una qualche emozione. Neppure per un attimo c'è stata a Saigon la commozione della «guerra è finita». È un paese che nell'altalena contraddittoria di notizie degli ultimi mesi ha già bruciato tutte le speranze.

«E poi perché? Quale guerra è finita?» m'ha detto un uomo fermato sulla via Cong Ly. «È finita quella degli americani, che ora riprendono i loro prigionieri e se ne vanno a casa. La nostra guerra continua.»

I soldati americani erano davvero gli unici a essere felici. Sulle panchine davanti all'Assemblea Nazionale ce n'erano due stamani in libera uscita, assieme a due ragazze vietnamite. «Era ora!» ha detto uno dei due. «Fra qualche settimana sarò fuori di qui, magari in Thailandia, ma fuori di qui.» La ragazza che stava con lui ha cominciato a urlare: «Non è vero nulla, sono bugie. Gli americani non possono andare. *GIs no go*».

L'altra ragazza la consolava: «*No sweat. No sweat*. Ne verranno altri. Verranno i giapponesi. I bar ci saranno sempre».

Non era ancora finito il discorso di Thieu che nelle strade del centro sono cominciate a fiorire le bandiere gialle a strisce rosse del governo. I primi sono stati i proprietari dei negozi, montando su alcune seggiole, poi i *boys* dei tre grandi alberghi, su delle scale, poi anche la gente dalle finestre, a montarle. Non era un gesto di esultanza, non c'era commozione. Era giusto un dovere. Thieu aveva detto: «Da mezzogiorno ogni casa nel territorio del nostro paese deve avere la bandiera della Repubblica del Vietnam e ognuno dovrà difendere quella bandiera con le armi in pugno».

Nei quartieri periferici squadre della polizia avevano battuto fino dal mattino casa per casa ordinando alla popolazione di esporre la bandiera.

«Nessuno ci ha spiegato perché», dicevano alcune donne davanti a una catapecchia di Khan Hoi al di là del fiume di Saigon:

il quartiere più squallido della capitale con le baracche fatte di cartone e i bambini che giocano nei canali di scolo; dove nessuno ha l'acqua in casa e metà della popolazione, in gran parte rifugiati, soffre di tubercolosi. In pieno sole questo sventolio giallo e rosso aveva una sua gaiezza.

A chi la bandiera non ce l'aveva gliel'ha data l'esercito. Verso l'una, uscendo da Saigon, si vedevano dei camion militari stracarichi di queste pezze colorate andare verso la campagna sulla strada numero 13. Gruppi di quadri per lo sviluppo rurale in pigiama nero, moschetto e altoparlante andavano di villaggio in villaggio a controllare i risultati di questa mini-guerra delle bandiere.

All'ingresso di Lai Thieu, un paesino a venti chilometri da Saigon, una pattuglia di soldati aveva arrestato un ragazzo sui vent'anni che non aveva documenti d'identità (forse un disertore, forse un vietcong). Un vecchio diceva: « M'avete fatto mettere la bandiera perché c'è la pace. Ma se c'è la pace, perché arrestate la gente? » Nessuno nel paese aveva sentito la radio. La notizia del cessate il fuoco l'avevano portata i soldati.

Per il resto niente è cambiato a Saigon o nei dintorni: sulle strade i soliti posti di blocco, i soliti controlli; ma la gente ha paura.

« Appena ho sentito la notizia, la prima reazione è stata di mandare mia moglie a fare provviste e i figli a fare il pieno di benzina », ha detto un professore di liceo che come molte altre persone è convinto che presto ci sarà un coprifuoco di 24 ore su 24 e che si dovrà rimanere chiusi in casa per alcuni giorni di seguito.

Al mercato i prezzi dei generi alimentari sono saliti, specie il riso e la carne seccata. Al mercato nero il dollaro vale stasera 525 piastre invece di 450.

Molti temono che la guerra, finora organizzata coi suoi fronti e certe sue regole, si trasformi ora in un caos che coinvolga tutti. Alcuni temono le rappresaglie vietcong, altri che i soldati governativi perdano la testa e si diano al saccheggio.

Nonostante Thieu stesso abbia parlato di pace e abbia detto che questo accordo è un primo passo, stasera a Saigon nessuno fra quanti ho incontrato crede che la pace, una qualche sorta di pace, sia vicina.

« Più che altro era il discorso di un generale che incitava i propri soldati alla guerra », dice un amico a proposito del discorso di Thieu.

Thieu ha detto « sì » all'accordo, ma allo stesso tempo ha ripetuto tutti i suoi vecchi «no». In tutto il discorso non c'era un'allusione, un cenno alla eventualità di una riconciliazione. Uno dopo l'altro Thieu ha ripetuto i punti della vecchia posizione di Saigon: non c'è che un solo governo legittimo, non c'è che una costituzione, le leggi sono e restano tutte in vigore, la polizia e l'amministrazione hanno l'ordine di farle rispettare in tutto il territorio nazionale. Derivano da questo le disposizioni date di arrestare tutti i sospetti simpatizzanti del Fronte, di sparare a vista a chiunque faccia propaganda comunista, o spacci moneta stampata nelle zone liberate.

Thieu fa quadrato e avverte la popolazione che non è venuto ancora il momento di festeggiare la fine di una guerra che, per un verso, giusto comincia. Per questo nessuno ha manifestato gioia e si è rallegrato di quella che tuttavia Thieu ha chiamato una «vittoria». Certo, se con questo accordo di cessate il fuoco qualcuno ha vinto, non è il regime di Saigon, che ha parti del suo territorio «occupate» e avversari infiltrati un po' in tutta la sua struttura.

Dal canto loro, invece, il Fronte e Hanoi hanno raggiunto con questo accordo uno dei loro obiettivi storici: cacciare gli americani dal paese. Quanto agli altri, di instaurare un regime diverso nel Sud e unificare il paese, hanno il tempo dalla loro parte. E questo tempo sarà difficilmente di pace per la gente del Vietnam.

Saigon, 25 gennaio

«La pace è fragile. Molto fragile.» L'ha detto Hoanh Duc Nha, nipote e consigliere speciale di Thieu, lo ripetono qui osservatori e politici di ogni tendenza. Lo pensa la gente.

Ora che il testo degli accordi di Parigi è stato reso noto, lo scetticismo, ieri istintivo, dell'uomo della strada all'annuncio del cessate il fuoco, è oggi ragionato e più profondo.

Letti a Saigon e confrontati con la realtà di questo paese, gli accordi di Parigi lasciano poco margine alla speranza che da essi venga una soluzione di pace.

«Il testo è ambiguo, gli impegni vaghi, le scadenze imprecise, impotenti gli organismi di controllo, molteplici le possibili interpretazioni», ha commentato un diplomatico occidentale. «È un vestito che appena uno si mette addosso si scucirà da tutte le parti.»

Esempi di quella che è già la posizione del governo Thieu a proposito degli accordi ne ha dati Nha, stamani, nel corso della prima conferenza stampa come commissario generale per l'informazione. Ha definito il Consiglio per la concordia e la riconciliazione nazionale « niente di più che un organo elettorale ». Delle elezioni ha detto che non potranno aver luogo finché ci sarà un solo soldato nordvietnamita nel Sud e a proposito della Commissione internazionale di controllo che « non c'è da sperare che funzioni. Come volete che ci possa essere accordo con... gente come quegli ungheresi e quei polacchi ».

Dal punto di vista di Saigon l'accordo di oggi è più favorevole di quello che era pronto e non fu firmato in ottobre, perché tutte le modifiche sono frutto di concessioni fatte dal Fronte e da Hanoi (sulle questioni della zona smilitarizzata, il consiglio, il ruolo del Governo Provvisorio Rivoluzionario). Thieu ha con questo accordo una base giuridica con cui difendere la sua legittimità a governare, ma la sostanza dell'accordo non è mutata. Resta da definire come verranno stabilite le zone controllate dalle due parti, resta da definire come verrà costituito e come funzionerà il consiglio, come, quando si terranno le elezioni. Tutto è campato in aria. L'unica cosa sicura è che gli americani se ne vanno. È il loro ritiro che l'accordo di Parigi garantisce in ogni dettaglio, non la pace in Vietnam.

Gli americani stanno davvero facendo le valigie. Diplomatici, militari e anche giornalisti americani non discutono che dei loro prigionieri, sul come verranno rilasciati, come verranno presi, come trattati, eccetera. La guerra è finita. Per loro.

Saigon, 27 gennaio

Stanno attaccando dappertutto, non con grandi unità, ma a piccoli gruppi. Inutile elencare le province, le città, i villaggi, le strade tagliate, i ponti fatti saltare in ogni parte del paese.

Un quartiere periferico di Tay Ninh, la capitale provinciale ottanta chilometri a nord di qui, è stato occupato.

I guerriglieri del Fronte di Liberazione Nazionale e le truppe di Hanoi hanno lanciato quello che il regime di Thieu più temeva: l'offensiva dell'ultima ora.

Come si sveglierà Saigon da questa ultima notte di guerra?

Sarà ancora domani mattina, alle otto, quando entra in vigore il cessate il fuoco, la capitale di un paese sostanzialmente compatto, i cui territori periferici sono «occupati» da una forza avversaria; o sarà uno dei fortilizi urbani di un paese le cui campagne saranno in gran parte «liberate»? Sarà ancora la capitale del Sud-Vietnam o la capitale di una delle due parti in cui il paese si sarà spaccato?

In queste ultime ore di durissimi scontri, in cui si scoprono le carte e si sciolgono alcune delle incognite, non solo quelle militari, ma anche quelle personali di gente che sarà costretta a scegliere da che parte stare, in queste ore in cui ogni sorpresa è ancora possibile, il Sud-Vietnam scaturito dagli accordi di Ginevra del 1954 sta morendo e nasce un paese nuovo di cui, già ora, si sa che sarà deforme e avrà la vita difficile.

Domani mattina il terreno a sud del 17° parallelo che costituisce formalmente la Repubblica del Vietnam sarà sostanzialmente diviso da linee di demarcazione militari che spezzeranno intere province, che potranno tagliare in due città e villaggi.

Quanto rimarrà al regime di Saigon? Quanto agli altri?

Fino a poco tempo fa i funzionari americani a Saigon sostenevano che il Fronte non aveva sotto il suo controllo più del 16 per cento del territorio e l'8 per cento della popolazione. Più recentemente, studi ufficiosi hanno assegnato alla guerriglia un terzo del territorio, un quarto della popolazione. Questi ultimi scontri muteranno i rapporti?

«La carta geografica del Vietnam sarà sì come una pelle di leopardo, ma quello che resta da vedere è se i comunisti, che erano le macchie, non siano nel frattempo diventati la pelle stessa», diceva stasera uno studente.

Oggi pomeriggio, sulle strade che partono da Saigon verso le province era impossibile fare più di trenta, cinquanta chilometri; c'erano combattimenti un po' dovunque.

Nel tentativo di mantenere aperte le grandi arterie sotto il suo controllo, Thieu ha spostato parte delle sue truppe lungo le strade.

«Abbiamo lasciato le regioni interne per venire qui e l'ordine è di difendere questa strada metro per metro, casa per casa», mi ha detto stamani un capitano dell'ARVN sulla nazionale 4 nel Delta.

L'aviazione sudvietnamita ha effettuato oggi il suo maggior numero di missioni, mentre quella americana, che pure ha segnato un suo record, pare si sia rifiutata di intervenire a Tay Ninh.

Oltre che sui soldati, Thieu ha puntato sulla polizia per mantenere il controllo nelle zone governative. Nella notte scorsa sono state numerosissime le operazioni di rastrellamento nei quartieri popolari della capitale e in alcuni villaggi vicini. Altre sono in corso. Cercano bandiere vietcong, volantini, quadri politici.

Domani pomeriggio arriveranno a Saigon un generale vietcong e uno di Hanoi, accompagnati ciascuno da un gruppo di ufficiali che andranno a formare la Commissione militare quadripartita prevista dagli accordi. La delegazione di Hanoi arriverà con l'aereo della vecchia Commissione internazionale di controllo, i vietcong a bordo di alcuni elicotteri americani che, disarmati, andranno a prendere i «nemici» di ieri in una delle loro basi in territorio sudvietnamita. Forse nella foresta di U Minh nel Delta, o nel «triangolo di ferro» presso le piantagioni Michelin, vicino al confine cambogiano, una delle zone su cui, ancora oggi, i B-52 hanno scaricato tonnellate di bombe. Sono gli assurdi di questa, come di altre guerre.

Saigon parla di questa notizia con incredulità e disorientamento, ricamandoci sopra assurde fantasie.

«È come una resa. Vengono ad ascoltare le nostre condizioni e, se non accettano, continuiamo la guerra», mi ha detto nel pomeriggio un commerciante di Bien Hoa, convinto, perché è stato lo stesso Thieu tre giorni fa a dirlo, che il Sud ha ottenuto «una vittoria militare sui comunisti».

La propaganda di Saigon è stata lenta a reagire all'attuale situazione, ma da ieri il tema della «vittoria» viene sbandierato in tutta Saigon su enormi striscioni colorati che gruppi di soldati, di quelli solitamente imboscati negli uffici, sono venuti ad appendere attraverso le strade principali.

L'arrivo, proprio a Saigon, delle delegazioni «nemiche» deve essere in qualche modo coperto da Thieu agli occhi della popolazione. Già il fatto che siano elicotteri americani ad andare a prendere i vietcong ha provocato amari commenti.

«Eccoli gli americani, sempre pronti a rispettare gli avversari e a disprezzare i loro alleati», ha detto un vecchio ufficiale sudista quando le prime voci sulle modalità dell'incontro di domani pomeriggio sono cominciate a circolare.

I rapporti fra americani e sudvietnamiti, con le implicazioni sul morale di questi ultimi che avrà nel prossimo futuro lo sganciamento statunitense, sono estremamente delicati. Da parte di Saigon c'è un grosso risentimento, malcelato ai livelli ufficiali (Thieu nell'annunciare il cessate il fuoco non ha detto una parola di ringraziamento sul contributo americano alla guerra), esplicito nella gente comune, specie fra la truppa.

Da parte di Washington c'è la preoccupazione di non far sembrare questa partenza un abbandono. Per questo Nixon manderà qui immediatamente dopo il cessate il fuoco Agnew.

Girovagando per la periferia di Saigon, oggi non si aveva l'impressione di un paese alla vigilia di un giorno che comunque segnerà una svolta nella sua storia. Non si aveva neppure l'impressione di un paese in stato di allerta, come Thieu lo ha dichiarato.

Sulle strade che escono dalla città c'erano i soliti posti di blocco, ma i soldati fermavano, come al solito, solo gli autobus della povera gente; il traffico delle macchine private, dei camion continuava senza intoppi e senza controlli. Sulle strade secondarie, nei villaggi della campagna, tutto era assolutamente normale, anche nella sua assurdità. Trenta chilometri a nord di Saigon, sulla strada che dalla base aerea di Bien Hoa conduce al villaggio di Tan Trieu, c'erano alle quattro del pomeriggio due giovani della milizia che ritoccavano slogan sbiaditi dipinti su dei grandi cartelloni. Uno diceva: «Per essere indipendenti bisogna produrre di più». È uno dei motti di una campagna economica che Thieu aveva lanciato tre anni fa e c'era da chiedersi che senso avesse, alla vigilia del cessate il fuoco, rinfrescare la tinta di quella frase, che non ha assolutamente niente a che fare con quello che sta succedendo oggi o succederà domani.

«È parte dei miei compiti», diceva il più anziano dei due, e indicava un vecchio libro di istruzioni che gli era stato dato a Saigon durante uno dei corsi di aggiornamento per quadri politici del governo. «Per il cessate il fuoco non abbiamo avuto nessun ordine particolare. Che ci sarà l'abbiamo sentito alla radio. A noi nessuno ha detto niente; così facciamo le cose che abbiamo sempre fatto: ridipingiamo gli slogan che di notte i vietcong vengono spesso a cancellare.»

Vicino alla strada scorre il fiume di Saigon; sull'altra riva nelle ultime settimane si sono concentrate numerose unità vietcong e i villaggi sono da tempo controllati dal Fronte.

«A volte in gruppi di quattro o cinque passano il fiume e vengono nei nostri villaggi», ammette uno dei due miliziani. Nonostante questa situazione, nessuno dei due aveva delle armi e stavano lì, in un posto abbastanza deserto, coi loro pigiami neri e due bussolotti di tinta gialla.

128

«È meglio così; a portare delle armi si corrono più rischi», diceva uno.

«Io non ho niente da temere dai comunisti. Sono i ricchi che hanno paura. Io non possiedo niente», spiegava l'altro.

Tutti e due vivono a Tan Trieu, alla sera hanno l'ordine di andare a dormire nel posto militare, le loro famiglie rimangono dove sono.

«I comunisti sono gente di qui, ci conoscono e non ci faranno del male.»

Completamente diversa l'atmosfera nella provincia di Long Binh, specie nei villaggi attorno alla vecchia base americana, ora ridotta a un immenso deposito di ferri vecchi dove si accatastano carcasse di camion, carri armati, frigoriferi, schedari e dove, in continuazione, si leva in aria una puzzolente colonna di fumo nero da una fossa ardente dove vengono, da mesi, bruciati gli pneumatici che non possono più essere riutilizzati.

Lungo il perimetro della base c'è una fascia di paesini la cui popolazione, per un decennio, ha vissuto alle spalle delle migliaia e migliaia di americani che sono passati di qua. La gente è in stragrande maggioranza cattolica e originaria del Nord-Vietnam. Arrivarono qui nel 1954, per lo più dalla provincia di Bui Chu.

Quanti furono esattamente i cattolici che, alla firma del trattato di Ginevra, «scelsero la libertà e fuggirono dal comunismo» instauratosi al Nord, non è stato mai chiarito. Ogni parroco che arrivò qui dichiarò di essere venuto con tutte le sue «anime» e, sommando quelle liste che nessuno mai controllò, la propaganda sudista e occidentale arrivò a parlare di un milione e anche due di rifugiati. Forse non furono mai più di sei-settecentomila. Ogni parroco, comunque, arrivando, per non perdere la sua posizione e le sue prebende ricostruì la sua chiesa e oggi ce ne sono circa quattrocento che dominano, orribili, di cemento e mattoni, le case su una distesa di pochi chilometri quadrati.

Nel corso degli anni la gente qui grazie alla presenza americana, ha fatto i soldi, è rimasta profondamente reazionaria e visceralmente anticomunista. Molti considerano l'accordo del cessate il fuoco come un «tradimento» degli americani, così come gli accordi del '54 furono il tradimento dei francesi. Altri sostengono che il cessate il fuoco non cambierà nulla e che la guerra continuerà, con l'aiuto dell'Occidente, fino all'eliminazione del comunismo dall'Indocina.

«Nixon vuole semplicemente farsi restituire i suoi prigionieri, poi, allo scadere dei due mesi, riprenderà a bombardare coi B-52», mi ha detto, molto fiducioso, un parroco nel quartiere di Tam Hiep.

Pur nelle varie interpretazioni di questa vigilia, ogni vietnamita sembra intuitivamente convinto che domani, col cessate il fuoco, sarà un giorno come un altro. Fra poche ore si vedrà.

Domenica 28 gennaio

Ore 8.00

Sulla strada numero 1 fra Saigon e Tay Ninh. Chilometro 45. «La strada è nostra e non possiamo permettere che una ventina di vietcong ne occupino qualche metro e blocchino tutto il traffico.» Il colonnello Dan Nhu Tuyet comanda il 50° reggimento della 25ª divisione dell'ARVN e ha ricevuto dal suo quartier generale ordini precisi: «Riaprire la strada».

Una violentissima battaglia è in corso. Un carro armato dei governativi è stato colpito da un razzo ed è lì, accartocciato e annerito dall'esplosione nel mezzo dell'asfalto. Due altri sono stati bloccati dal fuoco incrociato di armi leggere che viene dai due lati della strada. I vietcong sono da ieri pomeriggio in trincee ben protette fra la vegetazione sparsa e i governativi non sono riusciti a sloggiarli durante la notte. Alle 7.55, giusto cinque minuti prima dell'ora in cui avrebbe dovuto entrare in vigore il cessate il fuoco, due Skyraider sudvietnamiti sono venuti a bassissima quota a sganciare le loro bombe. L'intensità del fuoco «nemico» non è diminuita. Una lunga fila di macchine e di autobus aspetta nel villaggio di Trang Bang di poter proseguire per Tay Ninh. All'ombra degli automezzi intere famiglie con bambini, eleganti signore con *ao-dai* e cappellini di paglia osservano la battaglia. Da alcune radio a transistor viene la voce del presidente Thieu che annuncia il cessate il fuoco: «Cittadini! Non credete alle false parole dei comunisti. Saranno loro a violare gli accordi, saranno loro a non rispettare il cessate il fuoco. Tocca a noi finirla, tocca a noi tirare su di loro appena compaiono. I comunisti sono abili in ogni sorta di tradimento e in ogni sorta di crimini. Cittadini! Non commettete l'imprudenza di credere alla riconciliazione e alla concordia... Non ci potranno essere libere elezioni nel nostro paese finché ci sarà un solo soldato nordvietnamita nel Sud... la Commissione internazionale di controllo non riuscirà a controllare niente. Neppure l'ONU può darci delle garanzie. L'unico modo per sopravvivere è prepararsi alla pace, ma anche alla guerra». Alcuni spengono la radio ancor prima che il discorso sia finito. Attorno c'è un gran frastuono di artiglieria, di mitragliatrici, di bombe. Nessuno sembra credere che quest'ora del «cessate il fuoco» è storica. D'altro canto, come fare a crederlo?

Ore 11.30

Villaggio di Phu Hoa sulla strada numero 15, ventisei chilometri a nord-ovest di Saigon.

«Il villaggio è sempre stato sotto il nostro controllo, ma ieri sera, alla vigilia del cessate il fuoco, sono entrati i vietcong. Sono loro che hanno violato gli accordi; per questo ora abbiamo il diritto di riprenderlo», dice un tenente sudvietnamita. Da tre ore e mezzo in tutto il Vietnam il fuoco delle due parti avrebbe dovuto cessare. Invece in questo paesino, come in decine di altri posti, in questo momento, la guerra continua, come sempre.

Sotto la tettoia della fermata d'un autobus che qui, certo, non arriva più, il tenente ha messo in piedi una rudimentale infermeria. Una donna tiene al collo un bambino con un grande taglio nella pancia. Una ragazza di quindici anni si lamenta con un braccio insanguinato che le penzola lungo il fianco. Due soldati correndo portano un loro compagno moribondo, con una pallottola di AK-47 in un occhio.

Il paese è fatto d'una fila di case in muratura, lungo una strada di terra rossa. A metà c'è la piazza del mercato. Fino a lì arrivano, strisciando lungo i muri, i soldati. Fino a lì arriva lo sventolio di bandiere gialle e rosse del governo. Ce n'è una a ogni finestra. Dopo il mercato comincia l'altro Vietnam, o un pezzo di quello «occupato» o «liberato» dai vietcong.

«Lei ha visto le bandiere del Fronte qui?» chiedo al tenente.

«Non lo so. Devo chiederlo al mio ufficiale superiore se le ho viste o no!»

Un bambino mi viene vicino e sorridendo mi mostra una scala a pioli che porta sul tetto di una casa a due piani. Da lassù, a non più di cento metri di distanza, su due grandi alberi, ho visto sventolare i colori rosso e blu con la stella gialla nel mezzo.

«Abbiamo provato ad andare a toglierle, ma non abbiamo abbastanza uomini. E poi chi sa? Magari sono delle trappole e ad avvicinarsi c'è da far scoppiare delle mine», dice poi un sergente dei governativi.

Il villaggio è quasi deserto. La maggior parte delle case ha la porta sprangata. Un paio di famiglie tentano di scappare ora e aspettano fuori dall'abitato, sul bordo della strada, un improbabile imbarco coi loro bilancieri colmi di cianfrusaglie.

«Chi ha potuto è partito ieri, ma io sono povera e ho troppi figli da portare via», dice una contadina.

Dietro la strada principale, verso i campi, ci sono una cinquantina di capanne in legno e paglia. Alcune sono completamente distrutte.

«La mia l'ho dovuta ricostruire due volte. Prima dopo il Tet del '68, poi l'ottobre scorso. Allora vennero i 'signori della liberazione' e ci dissero di scappare. Quando tornammo non c'era più nulla. Questa volta non abbiamo ricevuto istruzioni», continua a spiegare la contadina e da quelle due espressioni «signori della liberazione», invece di dire vietcong, e «istruzioni» capiamo quale sia la sua posizione in questa guerra. Non avrebbe usato queste espressioni con un vietnamita che non conoscesse, ma ad uno straniero, in un giorno come questo, ha voluto segnalare qualcosa. Dice che il marito è morto, ma forse è uno di quelli che ora occupano il villaggio dall'altra parte del mercato.

Mentre parliamo la sparatoria si fa sempre più vicina, ma il gruppo di gente che si raccoglie nella casa della contadina non sembra preoccuparsene eccessivamente. Mi guardo attorno e m'accorgo che sono tutte donne e bambini, non c'è un solo uomo, nemmeno un vecchio.

Una vicina dice: «Ieri sera, per precauzione, non abbiamo messo sul tetto la bandiera del governo come invece volevano i soldati. Abbiamo vegliato tutta la notte aspettando il cessate il fuoco, volevamo vedere l'ora della pace, ma anche questa volta non è arrivata. Eppure mi basterebbero due anni di pace, due anni soli, tanto per tirare il fiato, poi possono anche ricominciare».

I vietcong sono arrivati verso mezzanotte e hanno occupato fino al mercato. Stamani per ricacciarli è arrivato un intero battaglione delle forze regionali. «Non possiamo lasciarli qui, altrimenti stanotte prendono anche l'altra metà del paese», ripete il tenente. «Non possiamo permetterlo. Non possiamo lasciarli stare. Questo è un nostro villaggio. C'è una nostra amministrazione. Perché sono venuti proprio la vigilia del cessate il fuoco?»

132

Ore 17.00

Villaggio di Trang Bom, al chilometro 50 sulla strada Saigon-Dalat. « Thieu è un bugiardo! Stamani ha detto che ci sarebbe stato un cessate il fuoco e guarda, guarda qui! La mia casa è stata bruciata dai soldati del governo. Potrei riconoscerli a uno a uno quelli che l'hanno fatto. »

L'uomo che urla sul bordo della strada davanti a una capanna in cenere è lui stesso un soldato del governo, un *marine* ferito a Quang Tri con due settimane di licenza per venirsi a rimettere. Attorno a lui c'è un'altra ventina di contadini che se la prendono col governo. Nel giro delle ultime ore hanno tutti perso la casa e le provviste di riso.

« Prima, durante la guerra, nascondevamo i sacchi nei campi, ma da quando sentimmo parlare della pace, pensammo che il riso sarebbe stato più sicuro in casa così lo abbiamo portato qui e ora è tutto bruciato. »

La storia è sempre la stessa. I vietcong sono arrivati a Trang Bom nel pomeriggio di ieri e la popolazione è rimasta con loro. I governativi, nel fortino fuori dal villaggio, non si sono mossi.

« Stamani i vietcong sono venuti fuori da dietro quegli alberi e ci hanno detto di non sparare », racconta un soldato del fortino. « Ci siamo incontrati a mezza strada in quel campo e ci siamo stretti la mano. Abbiamo fumato e chiacchierato assieme. Loro dicevano che la guerra è finita, che loro controllavano il villaggio e noi la strada e che dovevamo smettere di spararci addosso perché eravamo tutti vietnamiti. »

Quello che è successo dopo non è chiaro, ma a qualcuno è scappato un colpo e i due gruppi sparandosi a vicenda si sono allontanati. I vietcong hanno allora mandato un messaggio di scuse per l'incidente, ma a quel punto da Saigon avevano già fatto arrivare carri armati e aerei e dal fortino hanno cominciato a sparare coi mortai contro il villaggio. I vietcong si sono ritirati, ma la gente a Trang Bom non ha dove andare a dormire.

« Come faccio ad entrare? » chiedeva sbigottita una contadina, indicando una grossa bomba d'aeroplano inesplosa proprio davanti alla porta dell'unica capanna che non era stata distrutta.

Ore 21.00 Saigon

Il cannone tuona, come ogni notte.

Il primo giorno di pace è stato semplicemente uno dei giorni più sanguinosi della guerra. Al momento del cessate il fuoco, stamani alle otto, non c'è stato neppure il minuto di silenzio che Thieu aveva chiesto di osservare in memoria dei caduti. A Saigon la vita è continuata come ogni altro giorno e là dove si combatteva si è continuato a combattere. Percorrendo per tutta la giornata le strade attorno alla capitale non ho raccolto che immagini di case distrutte, di gente ferita, di morti, di donne e bambini che scappavano urlando fra gli scoppi delle bombe e dell'artiglieria: le immagini di sempre.

Solo gli americani da stamani hanno cessato ogni «operazione offensiva». Per loro la guerra sembra finita davvero. Al momento dell'entrata in vigore dell'accordo di Parigi l'annunciatore della radio delle forze americane in Vietnam ha perso la testa. Ha mandato in onda uno dopo l'altro motivi pacifisti e canzoni di protesta e invece di trasmettere i soliti annunci pubblicitari su come far fruttare i propri risparmi e farsi una educazione nell'esercito ha letto dal libretto rosso alcuni pensieri di Mao.

Quanto a Thieu e al Fronte, l'accordo firmato a Parigi non sembra avere avuto, per il momento, altro effetto se non quello che da stamani ogni battaglia è una «violazione» di cui una parte accusa l'altra.

È difficile stasera avere un quadro esatto di quello che è successo durante la giornata nelle varie parti del paese; e, a parte quanto concerne la regione attorno a Saigon, bisogna affidarsi ai comunicati ufficiali la cui credibilità diventa sempre più scarsa.

Comunque da ciò che sono personalmente riuscito a vedere, e da quello che hanno raccolto altri colleghi, sembra possibile concludere che se il cessate il fuoco non ha funzionato, come previsto, non è solo perché, come molti dicono, «una guerra così lunga e complicata non può finire ad un'ora fissa», ma perché il governo di Saigon non voleva, né poteva volere che finisse alle otto di stamani.

Se pare vero che in certe zone, come a Kontum, sono stati i vietcong ad attaccare le posizioni governative dopo l'ora X, è indiscutibile che nella maggior parte dei casi sono state le truppe di Thieu a violare l'accordo, o attaccando direttamente, o semplicemente non cessando di far fuoco in una battaglia che era in corso all'ora in cui il fuoco avrebbe dovuto cessare. Saigon ha dunque, da un punto di vista puramente formale, «violato» gli accordi, ma da ogni altro punto di vista, specie militare e politico, non poteva fare altrimenti.

Alle otto di stamani, dopo una delle più massicce operazioni di questa guerra (370 attacchi in varie località del paese), le forze del Fronte e di Hanoi avevano interrotto il traffico su tutte le più importanti arterie nazionali, controllavano qua e là tronconi di strade, parti di villaggi e un quartiere periferico della capitale provinciale Tay Ninh. Erano riuscite a ottenere tutto ciò con attacchi minuziosamente congegnati in quelle che avrebbero dovuto essere le ultime ore di guerra. Se Saigon avesse rispettato gli accordi e avesse accettato senza reagire il «congelamento» delle posizioni militari alle otto di stamani, il territorio tradizionalmente in suo controllo sarebbe stato assai ridotto e strutturalmente mutilato in quanto praticamente senza comunicazioni terrestri fra le varie città. Sarebbe stato assurdo che Saigon si lasciasse mettere così con le spalle al muro. Per questo l'ordine era, già alla vigilia, di reagire, di non cedere un centimetro di territorio. Per questo ieri sera, una festa danzante organizzata dai piloti sudvietnamiti nella base aerea di Tan Son Nhut è stata interrotta da una telefonata del generale Minh, comandante della terza regione militare, che li ha spediti diretti nelle carlinghe dei loro caccia bombardieri. L'aviazione è stata impegnatissima nelle prime ore di «pace».

Saigon in ogni sua manifestazione, dai comunicati ufficiali al discorso di Thieu stamani, non mostra alcuna disponibilità al compromesso, non sembra disposta a concedere nulla perché quello che è lo spirito degli accordi di Parigi si realizzi.

Nel pomeriggio, durante la conferenza stampa dopo che il colonnello Hien, portavoce del comando sudvietnamita, aveva fatto l'elenco dettagliato delle decine di «violazioni» provocate dal nemico, un giornalista inglese gli ha chiesto: «Avete avuto notizia di contatti pacifici fra le due parti in campo?» Hien portandosi la mano destra all'orecchio e sporgendo la testa come se non avesse capito ha detto: «Che tipo di contatti?»

Anche l'episodio di Trang Bom viene smentito ufficialmente, ma corre voce che il tenente che è andato a stringere la mano al suo avversario vietcong verrà processato.

Nonostante il cessate il fuoco non ci sia stato, il meccanismo degli accordi si è comunque messo in moto e si tratta ora di vedere in che misura sarà in grado di portare le due parti vietnamite verso «la concordia e la riconciliazione». Nel pomeriggio sono arrivati a Tan Son Nhut i primi contingenti della delegazione indonesiana alla Commissione internazionale di controllo. Più tardi sono atterrati due Tupolev dell'Aeroflot coi militari polacchi e ungheresi.

I vietnamiti di servizio allo scalo si sono rifiutati di spingere la scaletta per farli scendere fino al portellone già aperto degli aerei. Tre militari americani l'hanno allora fatto per loro, ma la scaletta normale era troppo bassa per i Tupolev e c'è voluto un quarto d'ora prima che gli americani ne trovassero una adatta. È parso a tutti un simbolico episodio delle difficoltà che la Commissione incontrerà in Vietnam.

In nottata arrivano i primi canadesi. Da Hanoi è atteso anche il vecchio aereo della Commissione di controllo degli accordi del 1954 coi delegati nordvietnamiti e vietcong.

Saigon, 30 gennaio

L'immagine di duecento soldati nordvietnamiti che alti, abbronzati con le uniformi verde oliva e i cappelli mimetici flosci stavano sull'attenti accanto ai due C-130 che li avevano appena portati da Hanoi in mezzo al piazzale dell'aeroporto di Tan Son Nhut, mentre decine di soldati sudisti con elmetto, giacca antiproiettile e M-16 appoggiato sull'anca montavano la guardia tutt'attorno, era impressionante. Thieu quella immagine non ha voluto che fosse registrata e persino una troupe cinematografica dell'esercito americano s'è vista attaccata dalla polizia e non ha potuto far nulla, mentre metri e metri di film venivano tirati via dalla macchina da presa e dipanati nel pieno sole del mezzogiorno. Per Thieu tutto quello che in questi giorni avviene a Tan Son Nhut – l'arrivo delle varie delegazioni internazionali, dei vietcong, dei soldati di Giap, le riunioni della Commissione internazionale di controllo – non esiste e se esiste è del tutto irrilevante.

«A che ora sono arrivati?» ho chiesto a un colonnello sudvietnamita che stava vicino ai due aerei.

«Chi?»

«Quelli là, i nordvietnamiti», ho detto.

M'ha guardato come se vaneggiassi: «Ma lei è matto», ha risposto, voltandosi dall'altra parte.

Nessuno ufficialmente dice niente, ma la voce circola e la gente è confusa. «Fino a ieri li uccidevamo e ora arrivano con gli aerei americani a Saigon. Non capisco più nulla», diceva, scuotendo la testa, un poliziotto davanti all'aeroporto.

Se gli accordi di Parigi verranno applicati, nei prossimi giorni, questi soldati vietcong e nordvietnamiti andranno, come membri della Commissione militare quadripartita, in 34 località del paese e sarà difficile a Thieu nascondere la loro presenza alla gente, tenerli, come ha fatto in questi primi due giorni, segregati e irraggiungibili nel perimetro militare di Tan Son Nhut diventato, per l'occasione, impenetrabile (o quasi) specie ai giornalisti.

Il «nemico» allora, questo vietcong senza faccia, che combatte nell'ombra, che tende imboscate, che uccide, che tortura, apparirà al pubblico del Sud come uno di loro, un vietnamita, e i risultati d'una campagna psicologica, condotta per anni e intesa a disumanizzare il «nemico», andranno perduti.

Tutto quello che gli accordi di Parigi prevedono gioca a sfavore di Thieu. Il migliore accordo per lui sarebbe stato nessun accordo, ma ora, visto che questo gli è stato imposto, non gli resta che sabotarlo. E lo fa senza tanti misteri.

Innanzitutto sul piano militare. Dall'ora del cessate il fuoco, continua la controffensiva sudvietnamita per riprendere i territori occupati nelle ultime ore dai vietcong e per riaprire le strade tagliate. Ufficiali incontrati in varie località attorno a Saigon in questi tre giorni non fanno che ripetere: «Queste zone sono nostre e da qui dobbiamo cacciarli ad ogni costo». Per Saigon il «cessate il fuoco» sul posto significa che le forze del Fronte e Hanoi dovrebbero restare nei loro santuari, nelle foreste e nelle regioni disabitate del paese, mentre i governativi dovrebbero tenere il resto: le strade, le città, i villaggi. L'ha ripetuto chiaramente Radio Saigon stasera: «Se ci deve essere la pace i comunisti debbono rimanere nelle montagne, nella giungla». Si spiegano così le 480 «violazioni comuniste» di ieri e le 270 di oggi.

Per Thieu e il suo regime, che ora, più che mai, lotta per la propria sopravvivenza il problema è isolare la popolazione dal «nemico», sottrarla alla sua semplice presenza e l'isolamento più efficace è quello del fuoco. Dove arrivano i vietcong si distruggono le case, così la gente si rifugia nelle città e rimane sotto il controllo del governo.

«I vietcong sono arrivati sabato notte e ci dicevano 'rimanete con noi', ma quando è venuta l'aviazione a bombardare il villaggio siamo dovuti scappare», raccontava ieri una donna sulla strada numero 13, a venti chilometri da Saigon. Per Thieu e i suoi generali, il cessate il fuoco non è ancora entrato in vigore e l'ordine del giorno è la continuazione della guerra con tutti i mezzi, nella speranza, ora più di prima, che essendosi il «nemico» scoperto, almeno in parte, sia più facile colpirlo. «Finché la Commissione di controllo non entrerà in funzione dobbiamo difenderci», dicono i portavoce militari e ogni giorno emettono un comunicato in cui elencano ogni sparo come una violazione comunista.

Ma quand'è che la Commissione di controllo potrà entrare in funzione? È su questo piano dell'applicazione degli accordi che Thieu può giocare ancora al sabotaggio.

Gli intoppi sono infiniti. Ritardano i visti alle varie commissioni, chiedono ai delegati vietcong che arrivano a Tan Son Nhut di riempire i formulari di immigrazione come fossero dei cittadini stranieri, pretendono che i nordvietnamiti aprano i loro bagagli alla dogana e quando dopo ore e ore di proteste, di tensione, di «sit in» sugli aeroplani (ventidue ore i vietcong, ventuno i nordvietnamiti) finalmente ha luogo la prima riunione della Commissione militare quadripartita, il colonnello sudvietnamita chiede alla sua controparte di Hanoi: «Mi faccia vedere le sue credenziali», e passano così altre ore di tira e molla.

Il funzionamento della Commissione internazionale di controllo e supervisione (ICCS) dipende dalla Commissione militare quadripartita (CMQ) e i lavori di questa dipendono dalla condiscendenza e dal beneplacito di Saigon che non perde occasione per riaffermare la propria sovranità sul suo territorio, la immutata validità di tutte le sue leggi, il suo non-riconoscimento di un qualsiasi organismo o controllo internazionale.

È stato solo dopo l'intervento dell'ambasciatore americano Bunker che i delegati vietcong e nordvietnamiti hanno lasciato gli aerei in cui si erano barricati rifiutandosi di fare le operazioni di frontiera e dogana sudvietnamite.

L'intero meccanismo di controllo internazionale ha già mostrato la sua vulnerabilità e la delegazione canadese attraverso il suo ambasciatore Gauvin ha già detto chiaro che se ne andrà se si accorge che il suo compito qui è irrealizzabile.

Il Fronte e Hanoi non hanno, col cessate il fuoco, che poi non c'è stato, scoperto le loro carte e l'offensiva dell'ultima notte appare ora, un po' a distanza, una semplice mossa di un piano a lunga scadenza. La battaglia che si è sviluppata in questi ultimi tre giorni era sostanzialmente per il controllo di certi villaggi e non delle strade, come poteva sembrare a prima vista. Mentre piccoli gruppi di guerriglieri tagliavano le strade principali del paese, tenendo così immobilizzato il grosso delle truppe sudvietnamite, il

Fronte di Liberazione Nazionale riaffermava la propria presenza nelle campagne e si consolidava nelle zone fino ad allora contestate. Le città, tranne l'episodio di Tay Ninh, sono state significativamente lasciate fuori da questa ultima offensiva. Contrariamente a quello che molti si aspettavano i vietcong non si sono affatto scoperti nelle città e nella stessa Saigon dove certo avrebbero potuto, volendo, far molto di più che mostrare la bandiera, neppure questo hanno fatto e nessuna stella gialla in campo rosso e blu è stata messa a sventolare sui tetti delle case.

Più che cercare di controllare nuovo territorio, il Fronte ha fatto di tutto per assicurarsi quello che già aveva. Come sempre, anche in questa ultima operazione, il Fronte ha dimostrato che il suo obiettivo più che militare è politico: conquistare l'appoggio della popolazione. Secondo quello che raccontano tutti i contadini, che sono stati visitati dagli uomini del Fronte la vigilia del cessate il fuoco, i temi della propaganda comunista sono costantemente e solo: pace e riconciliazione. Da questo Thieu ha più da temere che da una qualsiasi strada tagliata, da qualsiasi ponte fatto saltare.

La massa della gente vuole la pace e non la pace « giusta » di Thieu, quella « onorevole » di Nixon, quella « che duri » di Kissinger, ma semplicemente la pace. Il Fronte gliela promette mentre Thieu chiede invece di continuare la guerra.

Il confronto dei discorsi ufficiali degli ultimi giorni è indicativo.

Ad Hanoi il generale Giap, brindando alla delegazione in partenza per Saigon diceva: « Portate i nostri saluti ai fratelli del Sud, anche ai militari ».

A Saigon Thieu diceva, a una riunione dei capi della polizia: « Uccidete sul posto ogni comunista che si faccia vedere. Non fidatevi di loro, se usano una donna incinta per tentare di imbrogliarvi cacciatela con delle torce, se vi mandano una donna nuda portatela nelle vostre caserme. È un'occasione che non capita spesso ».

Da un lato il Fronte (con dietro Hanoi) propone una società aperta in nome della riconciliazione, dall'altro Thieu propone una società divisa, repressa, militarizzata.

Assicurandosi il controllo delle campagne e l'appoggio dei contadini che vi sono rimasti, il Fronte conta di stimolare la produzione agricola e a mano a mano riattirare verso le risaie la popolazione che è stata costretta a scappare. Se questo funziona, le città, fisicamente isolate dal resto del paese ed economicamente asfittiche cominceranno a perdere i rifugiati che oggi costituiscono la maggioranza di quel popolo su cui Thieu reclama il proprio controllo e con cui legittima il suo potere. Lo schema classico della guerra di popolo si riafferma: le città assediate, strangolate dalla campagna.

Trang Bom, 2 febbraio

«A mezzanotte verranno i nostri antenati e non troveranno neppure la casa», dice, triste, una vecchia contadina.

Finisce l'anno del topo e comincia quello del bufalo. È il Tet e la festa dura tre giorni.

In ogni capanna del Vietnam i contadini hanno acceso i bastoncini d'incenso e messo ciotole di riso e banane fresche davanti agli altari degli avi i cui spiriti tornano, col volgere dell'anno, sui campi e nelle case in cui hanno abitato da vivi.

Di case, in questo villaggio ai bordi della strada che conduce a Dalat, non ce ne sono più perché sono state distrutte il giorno del cessate il fuoco e i contadini stanno ora in mezzo ad un campo di erba bruciata, attorno ad un grande falò. Per loro questa è una terribile festa.

Nei giorni scorsi erano andati a stare in un villaggio vicino, ma oggi nessuno li vuole. I vietnamiti credono che dalla prima persona che entra nella loro casa, la notte del Tet, dipenda la sorte della loro famiglia per l'anno nuovo e solo se l'ospite è ricco, sano, felice, loro saranno fortunati.

«Noi siamo poveri disgraziati e portiamo sfortuna; per questo ci hanno chiesto di andar via», spiega un uomo. Sulle sue ginocchia dormono due bambini.

«La notte prima del cessate il fuoco siamo stati tutti assieme a guardare l'orologio aspettando le otto di mattina per vedere se davvero ci sarebbe stata la pace, ma anche questa volta siamo stati delusi», dice.

Una vecchia racconta che non le è rimasto, di quello che aveva, neppure un pugno di riso perché, quando è andata a riprendere un sacco che aveva nascosto, si è accorta che i soldati del governo avevano tolto il riso e riempito il sacco di terra. Accanto al falò s'è fermato anche un giovane su una moto; ha un giubbotto impermeabile, un berretto e un paio di occhiali scuri. È questa una specie di uniforme dei poliziotti in borghese in Vietnam ed i contadini tacciono.

La mezzanotte è segnata da botti di mortaio provenienti dal campo militare vicino al villaggio. Sono i soldati che celebrano il Tet, sparando in aria dei bengala che ricadono lenti, appesi a piccoli paracadute e illuminano la pianura.

Il comandante del posto è un maggiore delle forze regionali. Dice di essere un fervente cattolico e di avere due fratelli sacerdoti. Lo trovo completamente ubriaco che, assieme ad altri cinque ufficiali, fa il cenone di Capodanno in una casamatta.

« Io sono il Mosè che deve riportare il proprio popolo alla terra promessa. E questa terra deve essere senza comunisti », urla e poi mi spiega perché, domenica scorsa, ha dato ordine ai suoi uomini di sparare contro le posizioni vietcong qui vicino, nonostante il cessate il fuoco.

« Gesù ha detto che di domenica non bisogna lavorare, ma ha anche detto che questa non è una buona scusa per non andare a salvare qualcuno che, di domenica, è cascato nel pozzo. Domenica è stato così per noi. I vietcong erano entrati nel villaggio e non si poteva restare con le mani in mano; era come se la casa bruciasse, come se qualcuno fosse caduto nel pozzo. »

Tento di lasciare il maggiore ai suoi vaneggiamenti, ma ogni volta che faccio per salutarlo mi punta non troppo scherzosamente la pistola addosso.

« Glielo dica al Papa, quando va a Roma, che qui ci sono io, che a Trang Bom c'è un comandante sudvietnamita che fa di tutto per la pace, che difende il mondo contro il comunismo », continua a ripetere.

Finisco per stare al gioco e mi viene da ridere: da due giorni sto tentando di superare le linee per raggiungere una zona controllata dal Fronte di Liberazione e ora mi ritrovo invece a passare la notte di Capodanno semiprigioniero di un ufficiale governativo ubriaco.

Stamani eravamo nella provincia di Bien Hoa. Si sapeva che il territorio attorno al lebbrosario di Ben San è in mano alle forze comuniste e pensavamo che avremmo potuto entrare in contatto con loro in qualche villaggio vicino, magari a Ten Hoa Khan, ma quando ci siamo arrivati, completamente coperti di polvere, dopo una decina di chilometri di strada deserta e sterrata, siamo rimasti delusi. Su ogni capanna sventolava una bandiera sudvietnamita e all'ingresso c'erano alcuni soldati del governo.

Un contadino ci ha invitati a mangiare e siamo andati nella sua capanna. La gente si preparava al Tet e le varie famiglie, nei loro

pigiami migliori, si scambiavano visite e regali. I bambini gioca-
vano sventolando delle piccole buste rosse con dentro qualche
soldo che gli amici e i parenti regalano loro per il Tet.

Seduti sui talloni con le gambe incrociate attorno a scodelle di
riso bollito, di pesce fritto e di grasso di maiale eravamo alla fine
una decina di uomini; le donne stavano da una parte coi bambini.

Per due ore abbiamo parlato del più e del meno, dei campi, del
raccolto e poi anche della guerra.

Un contadino, che era venuto a far visita, ha detto: «Se non la
perdono i comunisti o non la perde il governo, siamo noi che ci
rimettiamo».

È stato a quel punto che il mio vicino si è rivolto a me e ha
chiesto: «È vero che i rappresentanti delle forze della liberazione
sono già arrivati a Saigon?»

Non ha detto «vietcong», ma «forze della liberazione» e un
contadino, oggi, in Vietnam non usa a caso le parole. Era il segnale che si fidavano di noi.

Il padrone di casa si è alzato e da una specie di madia ha tirato
fuori una lettera del figlio che è prigioniero a Con Son, l'isola
delle gabbie di tigre. È là dal 1968 e ogni tre o quattro mesi arrivano una decina di righe scritte con una biro su un foglio azzurro con un grande timbro della censura della prigione. Dice che sta
bene, che mangia abbastanza e che li pensa tutti. Da altri giovani
del villaggio che furono portati via dai soldati, poco dopo l'offensiva del Tet, le famiglie hanno solo ricevuto due o tre lettere; poi
più nulla.

In tutti questi mesi in Vietnam ho visto poca gente piangere,
ma il vecchio contadino che parlava del figlio con quel pezzo di
carta azzurra in mano, aveva gli occhi lucidi. Ci ha spiegato che
all'ora del cessate il fuoco i quadri del Fronte erano venuti nel
villaggio, ma che i governativi hanno attaccato a colpi di mortaio
e quelli si sono ritirati.

«Ora dobbiamo sopportare i soldati e anche se quelli ci vengono a cacare davanti alla porta non abbiamo altro da fare che
rimuovere la merda e star zitti», diceva.

Nessuno dei presenti ha detto di essere del Fronte e nessuno,
quando abbiamo chiesto se potevano metterci in contatto con le
forze della liberazione, ha risposto. A quel punto di nuovo pareva
che non capissero di cosa stavamo parlando.

Il villaggio di Ten Hoa Khan è una piana sassosa al margine di
una vecchia piantagione di gomma.

In mezzo al bosco c'è il lebbrosario di Ben San, dove quattro suore francesi aiutano un centinaio di malati incurabili ad aspettare la morte. Da lontano si vede, alto sugli alberi, un cassone di cemento che è il deposito d'acqua del lebbrosario e in quella direzione ci mettiamo in cammino sotto il sole del primo pomeriggio sperando di incontrare una pattuglia vietcong. Ma dovunque vediamo soldati della 1ª divisione che, proprio nel recinto del lazzaretto, hanno stabilito un posto di comando.

Le linee comuniste, ci dicono le suore, sono a pochi passi da qui, ma con tutti i soldati governativi in giro non è prudente neppure provare. Torniamo indietro e passiamo a salutare i nostri contadini di Ten Hoa Khan. È lì che un uomo che non avevamo visto prima ci chiama nella sua capanna e disegnando per terra una rudimentale mappa ci dà delle istruzioni. Dobbiamo tornare sulla strada provinciale, da lì fare una decina di chilometri verso ovest, poi prendere una pista sterrata e inoltrarci fino a che non incontreremo qualcuno. L'appuntamento è verso le cinque.

Abbiamo appena un'ora e siamo molto eccitati, ci chiediamo solo strada facendo come hanno fatto ad avvisare « gli altri », come faremo a farci riconoscere o a riconoscere loro. Il posto dove ci stanno mandando è lontano da Ten Hoa Khan e non è possibile che qualcuno sia riuscito ad andare e venire con la nostra richiesta. Come hanno fatto? O hanno inventato tutto per farci partire dal villaggio dove la nostra presenza era stata notata dalla polizia e cominciavamo ad essere imbarazzanti per i contadini?

Alle cinque meno un quarto, dopo aver passato un paese pieno di soldati, un villaggio semidistrutto e abbandonato, imbocchiamo la pista sterrata. Incontriamo dei bambini con un branco di bufali e chiediamo se hanno visto qualcuno nella direzione in cui stiamo andando.

« No, da quella parte non c'è più nessuno. »

Continuiamo per tre, quattro, cinque chilometri, finché la pista è interrotta dal letto di un torrente in secca. La macchina non può andare avanti. Ci fermiamo e cominciamo ad avere paura. Siamo in mezzo a un deserto sassoso. Qua e là spuntano delle rocce bianche e degli arbusti bassi. La terra è secca; non piove da settimane e le pozze di fango si sono indurite e screpolate al sole. Nascondiamo la macchina fra due alberelli e aspettiamo.

A perdita d'occhio non vediamo che sassi e arbusti; sulla destra, lontano, la piantagione di gomma e il serbatoio d'acqua del lebbrosario. Siamo in mezzo a un nulla e ci pare impossibile che

qui qualcuno venga ad incontrarci. L'aria è immobile; non vediamo muoversi niente, neppure in lontananza, e il silenzio è inquietante. Un quarto d'ora ci pare un'eternità.

Poi improvvisamente sentiamo il ronzare d'un elicottero che si
avvicina. Questa è certo una zona di fuoco libero, se i governativi
ci vedono qui non ci penseranno due volte a spararci addosso. Ci
nascondiamo in un anfratto. L'elicottero ci passa sopra, forse vede la macchina, fa due giri, bassissimo, poi scompare. Ci buttia-
mo verso la macchina, la mettiamo in moto; vogliamo scappare,
ma a quel punto da un cespuglio a venti metri da noi esce la figura d'un uomo che lentamente ci viene incontro, sorridendo. Ha
un paio di calzoni corti, una camicia grigia, un cappello di paglia
conico come quello dei contadini e in mano una corda come fosse
un guardiano di bufali, che qui però non ci sono. Certo ci ha visti
arrivare, ci ha osservati per tutto questo tempo. Sorride. Da lontano pareva un vecchio, ma avrà al massimo trent'anni.

«Mi mandano a dirvi che non è possibile incontrarli. Si sono
dovuti ritirare verso l'interno. Vi ringraziamo per il vostro interesse. Tornate fra una settimana, se volete.»

Ci accosciamo per terra, in circolo, e lui mi fa un gesto sui
capelli per togliermi la polvere. Mi pareva che lo facesse come
per rendersi conto che eravamo vivi, che esistevamo. Siamo rimasti così dieci minuti. Il sole tramontava e presto col buio
avremmo avuto problemi a tornare sulla strada provinciale. Abbiamo lasciato quello strano personaggio in mezzo al nulla e siamo partiti delusi di non poter passare la prima notte dell'anno
nuovo dall'altra parte. È così che sono finito a Trang Bom nelle
mani ubriache di un comandante cattolico che non mi lascia dormire: «Glielo dica al Papa che qui ci sono io».

Domani proveremo nel Delta.

In una zona liberata del Delta, 3 febbraio

Non è il diverso colore delle bandiere che sventolano sulle capanne e sugli alberi, non la fattura delle armi che hanno i soldati, ma
la gente, l'atmosfera, la continua sensazione di essere in un universo a sé in cui ognuno ha il suo posto, ogni dettaglio il suo senso, il tutto uno scopo. Questo è ciò che soprattutto colpisce il visitatore che, venendo dal Vietnam del governo di Saigon, entra in
quello del Fronte di Liberazione Nazionale.

Ci si lascia dietro un paese angosciato che ha perso la sua identità, un paese dominato dalla sfiducia, diviso dai sospetti, in cui prevale il provvisorio, il casuale, il privato e si entra in un «altro» mondo cui la gente è orgogliosa di appartenere, in cui prevale il senso della continuità del duraturo, del collettivo.

Per anni questo altro Vietnam è stato inaccessibile, mitizzato dai pochi stranieri che vi erano penetrati, deformato dalla propaganda di chi, identificandolo semplicemente come «comunista» era riuscito a isolarlo, a disumanizzarlo dietro una cortina d'ignoranza da cui trapelavano solo ben manovrate storie di massacri, violenze, atrocità.

Oggi questo «altro Vietnam» viene alla luce, a macchie, dappertutto sulla carta geografica del paese e ciò che più sorprende è che ci si può trovare dall'altra parte passando una fila di alberi, svoltando su un sentiero. E lo stacco è subito netto.

Per me, assieme a Jean-Claude Pononti, collega di *Le Monde*, un fotografo iraniano, Abbas, e un interprete, questo Vietnam è cominciato con un contadino che vedendoci camminare sul bordo di una risaia a poche centinaia di metri della strada nazionale numero 4 nel Delta ci è venuto incontro.

«Ci sono ancora soldati del governo per di là?» gli abbiamo chiesto.

«Chi siete? Che cosa volete qui?»

«*Bao-chi. Bao-chi.* Giornalisti.»

«Venite. Siete già in territorio liberato.»

Da una buca è venuto fuori un soldato del Fronte con un AK-47 in braccio. Un altro ci è venuto incontro sulla dighetta col fucile a tracolla. Poi altri.

Vedo alcuni uomini, senza uniforme, armati di M-16 americani e ho paura. Per un attimo ho pensato che eravamo caduti in una trappola.

Nei giorni scorsi a Saigon circolava la voce che gruppi di agenti speciali del governo erano stati mandati nelle campagne col compito di fingersi vietcong e creare confusione e scompiglio al momento del cessate il fuoco. Che siano di questi?

Certo che un paio di giornalisti europei «trucidati dai vietcong mentre tentavano di entrare nelle zone comuniste» sarebbero un bel colpo pubblicitario per il regime di Thieu e servirebbero magnificamente a tenere lontani altri visitatori, servirebbero benissimo a mantenere nell'isolamento il Vietnam liberato.

È un pensiero spiacevole, ma passa presto e sono dei bambini a rassicurarmi quando li vedo correre verso casa e uscirne con delle piccole bandiere del Fronte che vengono a sventolarci lungo il sentiero.

Ci fermiamo all'ingresso del villaggio sotto un rudimentale arco di trionfo fatto di frasche di cocco, banano e fiori. Questa è come la frontiera. Qui incomincia l'altro Vietnam. Su uno striscione c'è scritto «Pace. Indipendenza. Libertà. Abbondanza. Concordia Nazionale».

È la mattina del Tet, la più grande festa vietnamita, e i bambini hanno i pigiami nuovi. In ogni capanna bruciano le bacchette d'incenso davanti agli altari degli antenati.

Da ogni parte vediamo spuntare delle facce. *Bao-chi* mi pare l'unica parola che si ripete. La gente sorride, ma si tiene discosta fin quando un gruppo di contadini ci viene incontro e in una improvvisata cerimonia ci dà il benvenuto. Rispondo borbottando qualche parola a cui fortunatamente l'interprete dà un senso vietnamita. Alcuni applaudono, tutti ci vengono attorno ed è un gran stringersi di mani. Non vedo che occhi e bandiere. Ognuno a suo modo è commosso. Dietro questa bandiera con la stella gialla in campo rosso e blu ho visto negli ultimi sette anni marciare milioni di dimostranti dall'America all'Europa al Giappone.

Ricordo una ragazza che si riparava dal freddo rinvoltata in questa bandiera vicino a un falò la notte dell'assedio al Pentagono nel 1967. Ho visto questa bandiera usata come decorazione nel salotto di intellettuali *gauchistes* di tutto il mondo. Caricata di vari significati a seconda delle situazioni, questa bandiera, la guerra che essa testimonia, è stata per tutta una generazione di giovani nei vari paesi il simbolo, la riprova d'una moralità che è diventata più che semplicemente politica. Ed ora la vedevo qui questa bandiera, dove appartiene, in mano ai bambini, sulla punta delle baionette, sul tetto delle capanne di paglia, sulle siepi, in vetta agli alberi.

«Chi è il capo villaggio?» chiediamo.

«Qui non c'è un capo, è la popolazione che governa», dice uno del gruppo di contadini che ci ha ricevuto. Loro sono il Comitato popolare rivoluzionario che si rinnova ogni anno con delle elezioni. Il distretto si chiama Chau Thanh e non Sam Giang come è scritto nelle carte di Saigon, la provincia è quella di My Tho come si chiamava già al tempo della resistenza antifrancese, e non Dinh Tuong come la chiama il governo di Saigon. Ci accorgiamo che dobbiamo man mano tarare tutto il nostro linguaggio.

Un vecchio contadino mi chiama davanti alla sua capanna.

«Tutti gli stranieri che ho conosciuto finora erano nemici. Tu sei il primo a venire qui senza armi.»

Ha settant'anni, sua moglie rimase uccisa sotto un bombardamento. Da una vecchia cassa tira fuori due logore bandiere del Fronte con una stella gialla sbiadita su due pezzi irregolari di stoffa rossa e blu. «Le ho tenute nascoste sottoterra per tanto tempo», spiega e me ne regala una. Cerco nel mio sacco qualcosa per contraccambiare e trovo la mia piccola radio a transistor.

«Grazie. Non la voglio, non ne ho bisogno. Se me ne servisse una, il governo rivoluzionario me la darebbe.»

Un giovane quadro gli dice che siamo amici, che può accettare. L'accende e la voce dell'annunciatore che legge un notiziario dice: «La Repubblica del Vietnam e il nostro presidente Thieu...» Scoppiamo tutti a ridere.

Il giovane ci invita allora a bere del tè caldo in una piccola costruzione di blocchi di cemento dove sbucciano il riso.

«Questa macchina appartiene al Fronte», spiega il giovane quadro. Attorno a noi si siedono anche i membri del Comitato popolare, ma è lui, il giovane quadro che guida la discussione e all'inizio, pur rispondendo alle nostre domande, è lui che interroga noi. I nostri nomi, i giornali che rappresentiamo vengono scritti su un foglio di carta e partono non sappiamo per dove nel taschino di un partigiano. Quanto al nostro interprete, il rapporto è di una circospezione e di una delicatezza particolare, e vale un discorso a parte. Per quasi tre ore non ci siamo mossi, o forse non ci hanno fatto muovere, da quella capanna.

La regione controllata dal Fronte va praticamente dalla strada 4 fino al braccio del Mekong su cui c'è la città di My Tho. In tutto ci sono cinque paesi, ognuno dei quali ha almeno sei villaggi come quello in cui siamo. La popolazione che il Fronte dice di avere in questa regione è di 25.000 abitanti. «E i villaggi lungo la strada 4 con tutte le bandiere di Saigon?» chiediamo al giovane quadro.

«Sono col cuore già dalla nostra parte, ma aspettano l'arrivo della Commissione internazionale di controllo per issare la bandiera del Fronte», risponde.

Il nucleo di questa regione è in mano al Fronte da almeno dieci anni, ma molti dei villaggi ai margini sono stati liberati negli ultimi mesi, alcuni la notte stessa prima del cessate il fuoco. A volte nel passato i soldati dell'ARVN e della 9ª divisione americana che era stazionata qua vicino hanno fatto delle operazioni nella regione, ma le radici della guerriglia non sono mai state estirpate. Il giovane quadro, ex studente nel liceo di My Tho, ora ventiseienne con cinque anni di militanza, rimase una volta per mesi e mesi in un tunnel scavato sotto una capanna nel villaggio di Nhi Qui e nessuno dei cinquemila abitanti lo tradì. «Non potevamo abbandonare la nostra gente», dice ora di quel tempo.

La strategia del Fronte, al momento, è l'assoluto rispetto degli accordi di Parigi. C'è scritto sullo striscione nella piazza di questo villaggio ed è ciò che ogni persona attorno al giovane quadro ci ripete assieme al tema della conciliazione.

«In certi villaggi al limite con la zona dei fantocci abbiamo aspettato fino alla firma del cessate il fuoco per fare della propaganda perché prima avremmo provocato dei sospetti nella popolazione. Il giorno stesso del cessate il fuoco abbiamo tenuto qui una grande riunione cui hanno partecipato 3500 persone di cinque villaggi e abbiamo cominciato a spiegare la situazione molto semplicemente con degli esempi. Conciliazione è una parola che non significa nulla altrimenti. Qui molte famiglie hanno figli o parenti nell'esercito fantoccio e quello che volevano sapere è l'atteggiamento del Fronte nei loro confronti. Abbiamo così spiegato che anche chi ha lavorato per il regime di Thieu, se torna pentito e la famiglia garantisce per lui, sarà perdonato.»

Il giovane quadro ci indica gli uomini con l'M-16 che mi avevano preoccupato arrivando. «Erano 36 soldati delle forze di autodifesa dei fantocci. Nello scorso aprile sono passati nel Fronte e ora sono nella Guardia Popolare.» Dal gennaio dell'anno scorso anche le famiglie che hanno collaborato col programma Phoenix, inteso all'eliminazione dei quadri politici della guerriglia, non sono più classificate come «nemiche», ma come «vittime» costrette a tradire il popolo dagli americani che hanno messo vietnamiti contro vietnamiti. «Non sono loro che hanno scelto la loro condizione; sono degli infelici d'un sistema che è stato loro imposto. Lo spieghiamo alla popolazione e chiediamo che vengano perdonati. Anche con quelli che sono davvero dei reazionari il Fronte è paziente e continua ad occuparsi della loro rieducazione. È la popolazione stessa che li controlla. Solo dopo molto tempo, se il loro inserimento è impossibile, verranno prese delle misure più drastiche.»

Questo programma di «perdono» a cui il Fronte sembra dare una enorme importanza fu reso pubblico il 25 gennaio dell'anno scorso, giusto alcune settimane prima che fosse lanciata l'offensiva di primavera.

«Rivoluzione e perdono», spiega il giovane quadro, «non sono in contraddizione. Rivoluzione significa rovesciare il vecchio sistema e instaurarne uno nuovo, ma questo è un processo a tappe; la prima è la liberazione. Fintanto che ci sono gli stranieri nel paese la lotta è contro di loro. La rivoluzione sociale si farà dopo, quando saranno maturate le condizioni. La lotta di classe non finirà mai.»

Nella capanna c'è ormai una folla di gente e di tanto in tanto intervengono nella conversazione anche gli altri. Una donna dice: «Io ho un figlio nell'esercito di Saigon, ma qui non mi hanno mai dato delle noie per questo; sono trattata come tutti gli altri; nelle zone del governo invece, se una famiglia ha qualcuno nel Fronte sono continuamente interrogati dalla polizia e perseguitati». Il giovane quadro aggiunge: «Il governo dei fantocci fa persino pagare alle famiglie che hanno dei figli con noi una 'tassa di stupidità' perché secondo loro bisogna essere delle bestie per lasciare i propri figli combattere con noi».

In una capanna nel centro del villaggio un guerrigliero-pittore organizza una mostra dei suoi quadri.

Da una grande busta di plastica americana, di quelle usate dagli ufficiali per conservare le carte geografiche, tira fuori una serie di disegni ed acquerelli con scene di battaglia, ritratti di contadini, soldati, paesaggi. Di ognuno racconta una storia, un episodio della guerra di liberazione e la gente chiede spiegazioni, commenta. Fa così di villaggio in villaggio, spostandosi da una zona all'altra, attraversando spesso le linee governative. «Bastano duemila piastre per procurarsi una carta d'identità di Saigon», dice.

Una fiumana di gente ci viene dietro. I bambini ci prendono per mano, ci tirano da parte per farci vedere le loro case; gli adulti ci chiedono da dove veniamo, come ci chiamiamo, se abbiamo bambini. Un vecchio incomincia a raccontarci la lunga storia della sua famiglia, ma un amico lo interrompe: «Attento a quello che dici. Non vuoi mica avere dei guai! Il quadro ti sente!» Il giovane quadro sente davvero e ci prende da parte: «Dovete scusarci per questo incidente. La gente qui non è ancora completamente liberata. Hanno vissuto troppo a lungo sotto la repressione e alcuni hanno ancora paura di noi come ne avevano degli agenti di Saigon».

Dovunque andiamo siamo ora seguiti da un gruppo di giornalisti del Fronte che ci fotografano, ci filmano e ci chiedono di posare con loro per decine di foto ricordo. Nella regione esistono cinque giornali, il più importante è *Ap Bac*, dal nome di un villaggio dove il Fronte inflisse la prima sconfitta agli americani nel 1962. Tira cinquemila copie due volte al mese; ha disegni in tricromia. Viene stampato a mano. Dopo la riunione col giovane quadro è il direttore di *Ap Bac* che ci prende in consegna.

In una serie di cunicoli sotterranei che funzionavano anche quando il terreno era percorso dai soldati sudisti e americani, ci sono due laboratori fotografici e uno anche per lo sviluppo e montaggio di film.

Il sistema scolastico funziona regolarmente nelle regioni dell'interno; in forma più embrionale nelle zone periferiche dove le forze governative fanno ogni tanto delle puntate di disturbo e dove i villaggi sono ancora sotto il tiro irregolare dei mortai. Le classi elementari, con venti alunni ciascuna, vengono tenute di giorno in alcune capanne, quelle degli adulti di sera. Per gli studi superiori gli allievi dei villaggi marginali vengono mandati all'interno.

Nella capitale del distretto c'è un'infermeria con un medico, ma non avendo mezzi veloci per trasportare i malati più gravi, il sistema sanitario civile è fondato su dei gruppi mobili che si spostano là dove c'è bisogno.

Tutto è gratuito. La moneta usata in questa zona liberata è ancora quella del governo di Saigon, ma la maggior parte delle transazioni avviene per scambio e i biglietti della zecca sudista servono per lo più per quello che viene comprato nelle zone governative. «Come questo ghiaccio!» dice il direttore di *Ap Bac* quando durante il pranzo ci servono della birra. «Lo andiamo a comprare di là quando ne abbiamo bisogno.» La gente non ha bisogno di alcuna carta d'identità per circolare nelle zone controllate dal Fronte, ma quando vuole o deve passare le linee, come per la «missione ghiaccio» le autorità di qui rilasciano uno speciale permesso senza il quale nessuno può lasciare le zone del Fronte.

I campi non sono stati collettivizzati. Non ci sono grandi latifondi. Solitamente le risaie appartengono a piccoli proprietari che debbono lasciare l'80 per cento di ciò che viene prodotto a chi coltiva la terra. Questa regola, imposta dal Fronte, venne rispettata anche quando in questa regione per un certo tempo ci furono i soldati di Saigon.

I soldati sono divisi in due categorie: combattenti al fronte che ricevono 800 grammi di riso al giorno più 20 piastre (circa 30 lire) e guerriglieri locali che ricevono 650 grammi di riso e 17 piastre.

«Questa è la regola, poi ci sono concessioni speciali a seconda dei bisogni», mi spiega il figlio di un contadino nella cui capanna in riva a un canale passiamo la prima notte. «Chi fuma ad esempio riceve sigarette, ma è chiaro che uno tenta di togliersi questa abitudine per non pesare sulla popolazione. La differenza fra noi e i soldati fantoccio è che noi viviamo col popolo e dipendiamo da quello; per questo ne condividiamo le privazioni.

«Quando uno di noi muore è il popolo che pensa alla famiglia.»

Nei villaggi che abbiamo visitato c'erano delle tombe fresche con dei semplici cippi con sopra la bandiera del Fronte o una stella rossa. Li chiamano «gli orti dei sacrificati» e ci seppelliscono tutti quelli caduti in battaglia. «Abbiamo ordini precisi di recuperare tutti i compagni morti e di riportarli ai loro villaggi», racconta sempre il giovane soldato, «è rarissimo che perdiamo dei compagni. Spesso quelli che i fantocci vi fanno vedere come 'vietcong' sono i loro morti a cui mettono uniformi simili alle nostre per terrorizzare la popolazione.»

«Avete molti prigionieri di guerra?» abbiamo chiesto.

«Tanti. Quelli vietnamiti sono nei campi di rieducazione, quelli americani ricevono un trattamento diverso e da qualche tempo li abbiamo già tutti portati in zone più sicure.»

La conversazione va avanti nella notte. Guardo l'orologio.

«Le due e mezzo», dico.

«Quella è l'ora di Saigon. È l'unico punto in cui Thieu è avanti. Per noi è la una e mezzo, come ad Hanoi, come nel resto dell'Indocina», dice un contadino anziano che è con noi.

La capanna è ampia, ma non c'è molto spazio. Un tavolo rotondo, due grandi letti di bambù intrecciato, un posto per fare il fuoco, e un rifugio rinforzato di assi in cui ripararsi dalle bombe e dai proiettili di mortaio prendono quasi tutta l'area di terra battuta coperta di frasche secche di palma. Le mura sono fino ad altezza d'uomo fatte di zolle di fango, poi di canne non fitte che permettono l'areazione. Come in ogni casa vietnamita c'è un altare degli antenati e qui anche un vecchio ritratto di Ho Chi Minh con sotto una frase di un suo discorso: «Trentun milioni di vietnamiti nelle due parti del Vietnam, grandi e piccoli, debbono essere trentun milioni di combattenti contro l'imperialismo americano. Vietnamiti, dobbiamo vivere in pace e felici fra di noi».

Il contadino anziano mi osserva mentre in piedi trascrivo sul mio quaderno di appunti la frase del vecchio presidente. «Peccato che non sia vissuto fino alla pace. Chi sa come sarebbe stato contento lo zio Ho di venire fin qui, nel Sud liberato», dice.

Arrivano dei colpi di cannone che mi paiono cadere vicinissimi alla nostra capanna. Mi abbasso automaticamente. Tutti ridono e alcuni bambini ancora svegli per non perdersi lo spettacolo insolito di questo curioso straniero mi fanno il verso.

«È Thieu che si diverte. Non saranno certo gli ultimi colpi», dice qualcuno.

In una zona liberata del Delta, 4 febbraio

«Sono nato nella Rivoluzione, sono cresciuto nella Rivoluzione, ci ho vissuto, mi ci sono nutrito. La Rivoluzione è la mia vita, la mia educazione, la mia esperienza. Non ho studiato né ad Hanoi né a Pechino. Tutto quello che so l'ho imparato dal popolo.»

Sta seduto, solo, da un lato del tavolo in una piccola capanna di fango nel mezzo delle risaie del delta del Mekong. Dietro di lui, l'altare degli antenati. Vedo la sua faccia magrissima, verdognola, con piccoli, mobilissimi occhi neri, incorniciata da bastoncini di incenso che bruciano lentamente in due bossoli vuoti di cannone. Risponde per ore e ore alle nostre domande, rimanendo col busto eretto, le braccia incrociate, senza muoversi un attimo. Raramente accenna a un sorriso. È duro, calmo, in un certo modo timido.

Non sappiamo esattamente chi sia.

«Voi stranieri ci chiamate con un termine dispregiativo vietcong, comunisti vietnamiti, ma noi siamo rivoluzionari, combattenti della libertà. Siamo dappertutto in questo paese, nelle campagne come nelle città, nell'esercito di Thieu e nella polizia. La nostra ideologia è il popolo vietnamita. Il popolo vuole la pace, l'indipendenza, la democrazia, la libertà, il benessere e non una ideologia determinata. Ognuno nella Rivoluzione ha un dovere da compiere e lo fa dalla posizione che occupa, anche se questa è a volte nei ranghi di Thieu.»

La sua uniforme è come quella di molti quadri politici e militari del Fronte di Liberazione che abbiamo incontrato nei tre giorni di permanenza in questa zona del Sud-Vietnam amministrata dal Governo Provvisorio Rivoluzionario: camicia azzurra e pantaloni neri, come quelli dei contadini.

Non ha gradi né distintivi.

«Questo non è il tempo di rispondere a domande personali. Un giorno ne avremo l'occasione, forse», ci dice.

È comunque il più alto funzionario del Fronte in questa regione. Forse qualcosa di più.

L'incontro con lui è stato organizzato dopo varie conversazioni con quadri politici di grado inferiore ed è lui che risponde a tutte le domande più impegnative sulla posizione del Fronte oggi.

«Gli accordi di Parigi», dice, «costituiscono una grande vittoria del popolo vietnamita sull'imperialismo americano, ma gli americani non hanno affatto rinunciato a dominare il Sud del Vietnam sotto una forma neocoloniale. Le forze di Saigon continuano a violare gli accordi montando continuamente delle operazioni militari. Ma la violazione maggiore degli accordi da parte di Saigon non è militare, è politica: è l'assenza generale di libertà e di democrazia. Solo il popolo del Sud e il suo Fronte di Liberazione Nazionale possono forzare Saigon a rispettare gli accordi. Bisogna dunque essere vigilanti.»

Il quadro politico continua: «Tutta la storia vietnamita vi dimostra che abbiamo sempre combattuto e vinto le dominazioni straniere. È stato così anche questa volta. Il popolo vietnamita ora vuole innanzitutto la pace. Noi riteniamo che questa possa essere assicurata dal ritiro delle truppe americane, dallo smantellamento di tutte le basi, dall'effettivo rispetto del cessate il fuoco, dalla convocazione della conferenza internazionale, dal funzionamento delle varie commissioni di controllo previste dagli accordi di Parigi. Ma queste non sono che garanzie teoriche. La vera garanzia per la pace viene dalla esistenza del Governo Provvisorio Rivoluzionario e dal suo esercito. Per assicurare la pace questi due sono i veri strumenti di un popolo la cui volontà e maturità politica sono invincibili. Ora tocca al popolo del Sud-Vietnam, attraverso la sua organizzazione politica, prepararsi all'ultima battaglia politica per la pace. La popolazione è contro Thieu. Thieu ha ancora il suo esercito e la sua polizia, ma quando matureranno certe condizioni il popolo farà conoscere la sua volontà».

«E la riunificazione del paese?» chiediamo.

«Rimane il nostro più caro desiderio, ma è un problema del futuro. Il Vietnam e il popolo vietnamita sono una sola cosa, se siamo ancora divisi è perché gli americani e Thieu non rispettano gli accordi di Ginevra. Ancora una volta gli americani faranno di tutto per non rispettare quelli di Parigi. Sono loro che hanno cominciato questa guerra, non noi, e tocca dunque a loro ristabilire la pace, non a noi. Sono stati sconfitti. Hanno firmato. Sono perciò responsabili degli accordi. Gli Stati Uniti sono stati presenti in tutte le guerre. Questa è la prima volta che subiscono una tale sconfitta e debbono naturalmente tirare delle conclusioni da questo fatto. Ci debbono pensare bene.»

«E le elezioni?» chiedo.

«Il popolo le vuole, e presto, per manifestare la propria ostilità a Thieu, ma la data dipende dal Consiglio a tre per la riconciliazione e la concordia nazionale. Certo che il popolo non vorrà lasciar sopravvivere il regime fascista di Saigon. Una volta avvenute le elezioni i limiti territoriali oggi esistenti di fatto fra i due eserciti dovranno scomparire. Quello che non accetteremo mai, mai, è l'idea delle zone di raggruppamento, di aree del paese in cui rimarranno Thieu e i suoi soldati, e altre in nostro controllo. C'è e ci deve essere un solo Vietnam.»

«Quale percentuale del paese considerate sotto il vostro controllo?» chiediamo.

«Dovunque cadono le bombe e i proiettili degli americani e delle truppe fantoccio là c'è un pezzo di Vietnam liberato. Là dove ci sono ancora le truppe fantoccio di Thieu, quelle sono per noi zone temporaneamente occupate. A Saigon stessa, che viene considerata di Thieu, c'è un potere rivoluzionario che lavora perché il popolo possa esprimere il proprio parere, c'è un'organizzazione che riceve ordini dal GPR.»

Parlando di Thieu il quadro politico perde un po' della sua calma e le sue pallide mani con le lunghe dita affilate stringono forte il bordo del tavolo come per scaricare la tensione.

«Thieu è un traditore del popolo vietnamita. Ora ha paura che gli americani lo abbandonino, perché sa che senza di loro non può sopravvivere. È un uomo senza scelte se non quella di ricorrere sempre di più alla sua polizia e al suo esercito, portare sempre di più il paese sulla via del fascismo, della repressione. Thieu si sente alla fine e ha perso la testa. E questo non è nella natura d'un vietnamita. Non è da vietnamita quello che dice e fa.»

Sulla sinistra del tavolo c'è un vecchio contadino che è il pro-

154

prietario della capanna in cui si svolge l'incontro e che continuamente versa del tè verde in piccole tazzine di coccio. Dietro di lui, su un altarino, la foto di una ragazza, sua figlia, uccisa poco tempo fa dai B-52 venuti a bombardare il villaggio. Il suo lungo pizzo bianco si muove, in segno di assenso, alle parole del dirigente politico. Accanto a lui, due giovani giornalisti del Fronte prendono, in stenografia, note della conversazione su dei quaderni che hanno tirato fuori dai loro sacchi impermeabili «made in USA». Alcuni guerriglieri stanno seduti sul letto fatto di canna, in un angolo della capanna, coi loro mitra cinesi AK-47 fra le gambe. Altri ci guardano attraverso le fessure delle pareti fatte di foglie di palma seccate. Dovunque si vedono coppie di occhi neri, sorridenti, timidi, curiosi.

Due volte, durante la conversazione, durata quattro ore, un ragazzo entra, saluta militarmente e consegna al quadro politico una piccola busta gialla. Il quadro legge le poche righe scritte a biro su una velina bianca e le brucia con l'accendino. Una terza volta mette il foglio bianco nel taschino della camicia e dice al soldato di aspettarlo.

«Ora devo andare. Devo tornare al mio lavoro.»

Parla ancora per un po', ci ringrazia: «Quando tornerete di là dite la verità. Dite quello che avete visto. Dite ad altri come voi di venire. Ci sono altri popoli nel mondo che non hanno il coraggio di fare la rivoluzione perché sostanzialmente sopravvalutano la forza dei loro nemici. Se voi direte la verità su di noi indicherete anche agli altri popoli la via per lottare contro gli imperialisti americani. La nostra vittoria darà coraggio agli altri».

Scosta la sedia dal tavolo, si alza, ci stringe la mano e se ne va dopo aver salutato il vecchio contadino con una sorta di devozione filiale.

In piedi, in mezzo al sampan, con la sua pistola cinese al fianco destro, fra due soldati coi cappelli flosci di tela verde in testa e gli AK-47 appoggiati ai due estremi della barca, lo vediamo scomparire scivolando su un canale ai bordi del quale s'è riunita una piccola folla di contadini e bambini che lo saluta.

Ho l'impressione d'aver incontrato un uomo d'altri tempi, un esemplare d'una razza estinta, una sorta di Saint-Just redivivo. In passato ho conosciuto altri uomini che si definivano, e a volte erano anche, «rivoluzionari», negri americani come Rap Brown e Eldridge Cleaver, guerriglieri senza nome in Sudafrica, ma non avevo mai visto in un personaggio così conciso ed essenziale tanta purezza e determinazione, dolcezza e crudeltà sulla cui autenticità non veniva da dubitare.

Bandiere del Fronte sventolano sulle capanne e alte sulle cime dei platani. Il verde, di giorno brillante, delle risaie scurisce man mano che il sole tramonta e la linea degli alberi diventa un arabesco nero nel cielo senza luna, ma sorprendentemente chiaro e pieno di stelle.

Contadini, soldati, quadri politici, sampan sono solo delle ombre che si muovono sicure in un mondo che nessuno può negare sia il loro.

In una zona liberata del Delta, 5 febbraio

A cena, mentre noi stavamo seduti a un tavolo e decine di contadini in piedi attorno ci guardavano, un giovane quadro politico è venuto a dirci che avevano deciso di farci una «sorpresa».

«Non possiamo garantire al cento per cento la vostra sicurezza, ma se volete vi portiamo.»

Su un sampan, spinto da una piccola elica in cima a una lunga asta che funziona anche da timone, abbiamo viaggiato per quasi un'ora nella notte, in un labirinto di canali.

Nel buio si distinguevano appena le sponde coperte di palme e di banani. Veloci accenni di luce di lampadine tascabili, in mezzo alle risaie o alla macchia, davano al nostro guerrigliero-timoniere il segnale di «via libera».

Il cammino lo conosceva bene.

Ad un certo punto, all'incrocio di due grandi canali, ci siamo fermati. A motore spento, in silenzio, nel buio pesto, sotto le stelle, ondeggiavamo sull'acqua nerissima, tiepida del tanto sole del giorno. «Aspetto istruzioni», ha detto e ci siamo messi tutti a ridere. Da dove? Da chi? Forse non erano rane quelle che abbiamo dopo un po' sentito gracidare vicine. Il timoniere ha tirato la corda del motore; siamo ripartiti. Altri sampan si sono accodati al nostro uscendo non so da dove, solcando il buio verso un villaggio sul bordo estremo della zona liberata, vicinissimo alla città governativa di My Tho, i cui bagliori diventavano man mano più chiari davanti a noi. I passeggeri dei diversi sampan si parlavano l'un l'altro; delle donne ridevano. C'era improvvisamente aria di festa. Nel mezzo del delta del Mekong in una regione controllata dal Governo Provvisorio Rivoluzionario, in una zona vietcong, stavamo tutti andando a teatro.

Il palcoscenico è il piccolo spiazzo di fango seccato in mezzo al villaggio, le quinte dei paracadute americani colorati, stesi fra le capanne e continuamente svolazzanti nel vento tiepido della notte. Nel centro del palcoscenico un microfono, infilato in un ciocco di albero di banane. Sullo sfondo una grande bandiera del Fronte con la stella gialla, sopra un tavolo coperto di gigli bianchi e rossi. Su un grande striscione, a mano c'è scritto: «Evviva il trattato del cessate il fuoco».

La platea è rumorosa e due guerriglieri-poliziotti hanno un bel daffare a tenere calmi i bambini seduti per terra e i grandi, in piedi, in semicerchio, divisi per villaggio di provenienza.

Dalle risaie la gente continua ad arrivare e si vedono processioni di piccole lampade tremolanti come tante lucciole, in fila indiana lungo le dighette che dividono i campi coperti con un palmo d'acqua.

Alla fine ci sono circa 400 persone.

«Di solito, negli altri posti, ne abbiamo fino a cinquemila, ma stasera proprio perché è il Tet, siamo voluti venire in questo villaggio che è il più piccolo della regione e il più vicino alle linee dei fantocci. È anche possibile che ci tirino dei colpi di cannone», dice il direttore del «Teatro popolare d'assalto».

Sono quattro i gruppi come questo, che ogni sera nelle province liberate del Delta danno una rappresentazione e tutti gli abitanti sono invitati. «Spesso andiamo anche nelle zone contestate dopo che i soldati di Thieu, al tramonto, si sono ritirati nei loro fortini.»

Ogni gruppo ha una quindicina di attori.

In una capanna ragazzi e ragazze, al lume di piccole lampade a olio, si stanno dipingendo la faccia nella maniera tradizionale: cipria bianca, gessetto rosso e nero. Ognuno ha la sua scatola del trucco nel sacco di plastica che ogni soldato si porta sulla schiena viaggiando. È il sacco in cui tengono le razioni di riso involtate in foglie di palma, i caricatori del mitra, un'amaca, le carte, alcune medicine, un cambio dell'uniforme. Quel sacco può stare sott'acqua per giorni, essere nascosto sottoterra e niente si rovina. «Tutta la mia vita è qui dentro», dice una ragazza attrice di sedici anni che fa delle smorfie in un piccolo specchio retto da una compagna, dipingendosi le sopracciglia.

Il direttore, in un angolo, disteso su una stuoia di paglia, prepara il discorso di presentazione di un atto unico scritto, come tutto il resto, dal suo gruppo. Stasera è la prima di *Un bicchiere di vino per salutare la primavera*, la storia di una famiglia di contadini che perdona al marito della figlia minore di aver collaborato con la polizia di Saigon e aver tradito i suoi migliori amici.

«Non è così grave, è stato costretto a farlo. È lui stesso una vittima», dice alla fine, abbracciandolo, il protagonista che è il figlio maggiore della famiglia e membro dell'esercito di Liberazione.

Il tema della riconciliazione, del perdono, ricorre in ogni discorso fatto dai quadri politici. Il rappresentante del Consiglio Rivoluzionario del villaggio, aprendo la serata dice: «Thieu ha messo in prigione molti dei nostri compagni e ora che è obbligato a rilasciarli in base agli accordi di Parigi, li fa uccidere dalla polizia mentre sono sulla via di casa. Dobbiamo per questo essere vigilanti, ma anche essere pronti a perdonare quelli che si sono sbagliati».

Finito il discorso, tutti si alzano in piedi e ognuno nel più assoluto silenzio fissa la bandiera sul fondo del palcoscenico. L'orchestra, che comprende un violino, un clarinetto, una chitarra e un mandolino intona l'inno nazionale del Fronte. È un momento carico di commozione. Anche per noi.

Poi comincia lo spettacolo con canzoni, balletti, e brevi scenette di recitato. Ogni episodio è presentato da una giovanissima ragazza che viene verso il microfono a piccoli passi di danza e spiega in rima baciata con una voce acutissima il contenuto di ciò che stiamo per vedere. Ogni episodio è un messaggio politico ed è riferito alla vita che i contadini conoscono.

Una notte sulla strada 4 è la storia di un gruppo di ragazze scoperte dai soldati di Saigon a trapiantare il riso lungo la strada che scorre poco lontano da qui. Le ragazze riescono a respingere la corte dei soldati e con l'aiuto di un gruppo di guerriglieri che balzano in scena con delle torce e dei veri mitra AK-47 a distruggere i carri armati del governo.

Uno sketch è su Thieu che in ginocchio, piangente, implora Nixon di non abbandonarlo. La platea scoppia in grandi risate quando Nixon impersonato da un ragazzo, alto, con la faccia tutta bianca, effeminato, respinge il piccolissimo, goffo Thieu dicendogli: «La vietnamizzazione è la vietnamizzazione. Sbrigatela tu coi vietnamiti», e un gruppo di attori-contadini piomba sulla scena e afferra Thieu portandoselo via. Una canzone, *La figlia del villaggio*, è l'omaggio a una ragazza di questa regione che, alcuni mesi fa, da sola abbatté un elicottero prima di essere uccisa e che i contadini trovarono nelle risaie con ancora il mitra rivolto verso il cielo.

Ogni tanto, nel mezzo di una scena, gli attori si bloccano. Un soldato di quelli di guardia posa allora il suo fucile, viene nel palcoscenico a prendere l'unica lampada a kerosene che illumina tutto il teatro e appoggiatala a terra pompa, pompa fino a che la luce torna chiara e forte. Tutto ricomincia. Un atto unico è la storia di un ufficiale americano (anche questo impersonato dal giovane magro effeminato) che, rincorso dai guerriglieri, si rifugia in una capanna dove sola, c'è una ragazza. Quella gli dice: «Ho sempre creduto che voi americani foste forti, ma vedo che forti sono solo le vostre gambe per scappare». Con l'aiuto del fidanzato, da lei stessa infine convinto che gli americani non sono invincibili, la ragazza fa prigioniero l'ufficiale mentre lui, ridicolo, cerca allora di scappare e perde i pantaloni.

I contadini ridono di cuore; e noi con loro. Un fotografo del Fronte balza dalle quinte per riprendere «i fratelli della stampa internazionale» che si divertono al loro teatro, ma il flash gli fa cilecca e i contadini ancora di più a ridere e applaudire.

È mezzanotte passata e lo spettacolo continua. Penso a Saigon a poco più di cento chilometri da qui col coprifuoco, con le strade vuote mentre qui in mezzo a una risaia un gruppo di contadini spettatori canta assieme agli attori guerriglieri una canzone in onore di Ho Chi Minh: *Il tuo nome vive in noi*, e poi: *Siam felici, il nostro villaggio è liberato*.

La rappresentazione alla fine è durata tre ore, ma cinque minuti bastano a farci credere che abbiamo sognato tutto.

Abbiamo appena il tempo di scambiare poche parole con la gente attorno che tutto, le scene, il tavolo, la bandiera, il sipario, tutto è scomparso, impacchettato. I contadini riprendono i loro sampan nascosti fra l'erba alta, vedo che alcuni hanno dipinta a prua la bandiera gialla e rossa del governo. «Sono compagni che vivono nei villaggi ancora occupati e sono venuti qui per la rappresentazione», ci spiegano. Una vecchia contadina mi viene vicino, vuole toccarmi, raccontarmi la sua storia. Un giorno una pattuglia americana la prese fuori dal villaggio: «Vietcong, VC, VC», dicevano e la spogliarono nuda per vedere se nascondeva delle armi. Prima di lasciarla andare le dettero tre colpi col calcio del fucile sulla schiena. «Peccato che non sei americano», mi dice, «perché ti ridarei quei tre colpi», e per far vedere come farebbe me li dà comunque nella schiena e poi mi abbraccia. Ha un figlio di vent'anni nell'esercito di Saigon.

In un attimo tutti scompaiono. Le ragazze-attrici, con le facce lavate, mettono i sacchi in spalla e tornate guerrigliere coi loro AK-47 si muovono nel buio verso la prossima destinazione.

Il villaggio è improvvisamente deserto e il silenzio sulle risaie irreale.

Saigon, 8 febbraio

«Siamo stati nel vero Vietnam», ha detto l'interprete, stringendomi forte la mano quando siamo usciti dalla zona vietcong e abbiamo deciso di rientrare a Saigon separati, per meglio evitare di essere presi dalla polizia.

I guerriglieri ci avevano accompagnato per alcuni chilometri lungo i canali a bordo di due sampan.

«Va bene di qua?» chiedevano.

«Tutto tranquillo», rispondevano le donne che lavavano i panni fuori dalle capanne e i contadini che lavoravano nelle risaie.

Poi ci hanno affidato a un vecchio con un pigiama bianco che ci ha guidato attraverso un villaggio; da lì una bambina di dieci anni ci ha riportato attraverso le linee dei governativi. Camminavamo dietro a lei in fila, su una dighetta, e l'accordo era che se ci fosse stato un pericolo si sarebbe grattata la testa. L'ha fatto due volte, quando ha visto vicino dei soldati di Saigon, e noi ci siamo nascosti; poi ci ha indicato avanti la strada 4 ed è tornata indietro.

Siamo rimasti una decina di minuti a guardarla scomparire fra i banani e le palme. Eravamo come indecisi, ancora in bilico fra due mondi, quello che avevamo appena assaporato e che ci lasciavamo alle spalle, e quello conosciuto, deprimente, angosciante che avevamo davanti.

Sulla strada passavano colonne militari con munizioni e rifornimenti per le guarnigioni del Delta, autobus carichi di gente, lambrette.

I guerriglieri avevano voluto che restassimo un altro giorno. Quando avevo chiesto che cosa fosse successo al mio villaggio di Hau Thanh, avevano risposto: «Ufficialmente batte ancora la bandiera del governo, ma la gente è con noi. Se volete, stasera vi portiamo a una riunione che avremo coi contadini di là».

La tentazione di rivedere il capo villaggio che mi aveva ospitato una volta e ignorato la seconda era grande, così come la curiosità di sapere se davvero il proprietario del bar che aveva ucciso tanti vietcong fosse riuscito a scappare, se quelli del fortino erano ancora lì. Ma alla fine avevamo deciso di rientrare a Saigon. L'interprete sarebbe andato avanti per primo fino alla fermata d'un autobus, noi con le nostre facce bianche di europei ci saremmo ritrovati al garage di My Tho dove avevamo lasciato la macchina con la scusa di farla riparare per non destare sospetti.

Così è stato. Siamo tutti e quattro arrivati a Saigon senza problemi, ma l'interprete H. B. non l'ho più rivisto. La polizia lo sta cercando, ma so che si è messo al sicuro.

H. B. ha più di cinquant'anni. Viene da una grande famiglia di mandarini dell'Annam, nel Vietnam centrale. È stato ai suoi tempi ufficiale nell'esercito francese e poi funzionario dell'amministrazione repubblicana creata dopo gli accordi del 1954. Da alcuni anni s'è ritirato e vive facendo traduzioni e preparando un libro sulla storia recente del Vietnam.

Negli ultimi quattro mesi ho viaggiato con lui e a lui debbo gran parte di quello che ho visto e capito di questo paese. Più che tradurre, mi ha interpretato quello che dice la gente, mi ha insegnato a comportarmi coi contadini e farmi accettare nei villaggi, a intuire quello che c'è dietro certi riti, certe forme della vita vietnamita. Pur finendo per conoscerci, H. B. durante tutti i viaggi, dopo le varie interviste che abbiamo fatto assieme, non ha mai espresso un giudizio, non si è mai lasciato scappare una opinione personale su quello che succede in questo paese e su cui è impossibile non avere ormai un'opinione. Solo uscendo dal territorio del Fronte, mentre stava per avviarsi verso la strada 4, ha detto che quello da cui venivamo era il « vero Vietnam ».

Questi tre giorni avevano sciolto in H. B. una qualche riserva. La seconda sera che eravamo coi guerriglieri lo vidi che rimase a parlare a lungo con un quadro anziano fuori dalla capanna in cui ci avevano messi a dormire. Ci ha poi detto che gli avevano dato un lasciapassare nel caso volesse tornare da loro, ma di più non ci ha raccontato. Sono sicuro che H. B. non era e non è uno di loro, ma forse quello che assieme abbiamo visto gli ha fatto riconsiderare molte cose e l'esperienza nell'altro Vietnam gli ha dato una nuova fiducia.

Non è stato il solo a reagire così. Da quando sono tornato ho raccontato ad alcuni amici vietnamiti quello che ho visto dai vietcong, l'impressione che mi hanno fatto, e le reazioni sono state sorprendenti.

« È consolante sapere che esiste ancora qualcosa come quel mondo », mi ha detto un vecchio ingegnere nato a Saigon, educato in Francia e un tempo sostenitore della dittatura cattolica di Diem.

C'è molta gente nel Vietnam del Sud che coi comunisti non ha niente a che fare e che anzi ha in buona fede, per anni, pensato di lavorare per una società vietnamita che si ponesse come una vera alternativa a quella comunista che veniva costruita nel Nord. Non tutti sono stati degli opportunisti che hanno navigato prima col vento francese e poi con quello americano; molti si sono sinceramente illusi di trovare nel regime del Sud la realizzazione del loro sogno nazionalista.

È questa la gente che lentamente, col volgere dei vari regimi, si è convinta che questa alternativa non è reale, che questo paese del Sud in sostanza non esiste, che non ha un'anima.

L'uscita ora dall'ombra del Vietnam dei vietcong pone loro dei problemi di identità e nei comunisti che si presentano innanzitutto come nazionalisti riconoscono, più che in ogni altro, gli interpreti del sogno vietnamita. L'altro Vietnam si presenta con una sua moralità, con una sua purezza, una sua forza; al contrario di quello di Saigon, il Vietnam del Fronte punta sul futuro, propone alla gente un ideale, una meta che non sia quella della semplice sopravvivenza.

« Una vita senza sogno equivale alla morte », mi ha detto ieri sera un vecchio intellettuale saigonita. « Smettere di sognare è suicidarsi. Io non sono comunista, ma perdono tutto ai comunisti perché mi fanno sognare. Thieu? » e allargava le braccia sconsolato, « Thieu non mi farà sognare mai. »

Il problema non si pone soltanto per la gente del Sud che ha un sospetto centenario per ciò che viene dal Nord, come in fondo il comunismo del Fronte, ma si pone in termini ancora più drammatici per quelli originari del Nord che in varie epoche vennero nella Repubblica del Sud sperando di costruirvi una società che fosse più giusta di quella che Ho Chi Minh e i suoi impostavano a nord del 17° parallelo.

« Mi guardo attorno in questa società e non mi riconosco, non trovo niente di quello che vorrei, di quello in cui avevo sperato », m'ha detto in un momento di sincerità uno dei più influenti senatori di Saigon, vecchio amico di Giap, col quale organizzò le prime manifestazioni antifrancesi ad Hanoi, venuto a sud alla fine degli anni '40.

« A volte penso davvero che ho buttato via la mia vita. »

In questo confronto che ormai la gente comincia a fare, e farà sempre di più fra ciò che il regime di Saigon rappresenta e quello che invece rappresenta il Governo Provvisorio Rivoluzionario e al limite il regime di Hanoi, i comunisti hanno tutti i vantaggi.

Un esempio è dato dalle motivazioni con cui combattono i soldati e la popolazione delle due parti.

Ricordo un ragazzo nordista di una ventina d'anni catturato sulla strada numero 13 nei primi giorni dell'offensiva. Era venuto a piedi lungo il sentiero di Ho Chi Minh. Per tre settimane aveva camminato nella giungla sotto le bombe dei B-52. Arrivato al suo obiettivo era stato lasciato solo con alcuni colpi anticarro. Aveva tenuto in scacco per ore e ore un'intera colonna di carri armati, poi si era arreso. Diceva di essere venuto a combattere per liberare i fratelli del Sud dall'occupazione americana. Pareva sinceramente convinto.

Convinta era anche la gente che ho visto nelle zone vietcong. E come poteva non esserlo? Per i quadri politici era facile spiegare chi erano i nemici e perché bisognava combattere. Americani erano stati per anni i soldati che avevano terrorizzato i villaggi, americani erano gli aerei che continuavano a sorvolare la loro terra, americane erano le bombe che cadevano, americane le uniformi, le armi, le pallottole dei soldati di Saigon che venivano a sparare sulle famiglie. Non credo di avere incontrato in tutti questi mesi di Vietnam un solo soldato semplice sudista che fosse in pace con se stesso come ho visto esserlo alcuni guerriglieri nel Delta. I vietcong sono convinti di avere una causa; gli altri no. A Kontum il comando sudista si mise a distribuire frigoriferi, ventilatori e motociclette per convincere i soldati a combattere contro i carri armati comunisti. Altre ragioni altrettanto convincenti probabilmente non c'erano.

A dicembre all'aeroporto di Phu Bai, vicino a Hué, incontrai un contadino di 37 anni con un piede in cancrena. Veniva da Sadek, una provincia del Delta. Era stato per sette mesi a Quang Tri con la 1ª divisione. Era stato ferito da un colpo di mortaio, ma dopo una settimana dall'ospedale militare lo avevano buttato fuori perché non c'era più posto. Stava raggomitolato sotto il sole da due giorni, cercando di trovare un posto su uno dei tanti aerei che ripartivano per Saigon dopo aver scaricato munizioni. Nessuno si occupava di lui e ogni volta che cercava, zoppicando, di raggiungere un aereo, veniva ricacciato da un sergente dei paracadutisti o arrivava che l'aereo aveva già chiuso il portellone. Ogni mese aveva mandato alla moglie e agli otto figli i soldi della sua paga, ma non aveva mai ricevuto una sola riga di risposta. Non sapeva più se erano vivi o morti. Chiedeva, a me, perché c'era questa guerra o perché avevano mandato lui, che era del Delta, a combattere a Quang Tri contro altri vietnamiti come lui.

Per la gente come lui, e il Vietnam è fatto di contadini, quello che conta è il pezzo di risaia, il bufalo, la famiglia. Comunisti e nordisti per lui sono del tutto irrilevanti. Non sono certo suoi i nemici che gli ufficiali gli indicano come tali.

Tempo fa venni invitato a cena in casa del generale Lu Lan, membro dello stato maggiore di Saigon. Nella sua villa, ben protetta in mezzo alla base aerea di Tan Son Nhut, fra mobili lucidi, ricordi di accademie militari francesi e americane, quadri e piante, parlammo della guerra: la figlia quindicenne suonava al piano *Per Elisa* di Beethoven mentre i figli più piccoli facevano i compiti sotto la supervisione di un tenente-precettore. Uno di loro disse, sentendoci parlare dei vietcong: «Sono uomini senza faccia; che non combattono in campo aperto, che tendono delle imboscate, che non escono mai dall'ombra. Sono i miei nemici e li voglio uccidere». Aveva dieci anni e il padre annuiva soddisfatto.

Per il contadino-soldato abbandonato all'aeroporto di Phu Bai, i vietcong sono certo figure diverse; e se un giorno verrà avvicinato da uno dei loro quadri politici non è detto che non diventi anche lui uno dei loro.

Per gli intellettuali invece, per la gente che non può dirsi di non aver saputo, è il momento di temere di aver fatto scelte sbagliate. Un professore di liceo, originario di Hanoi, venuto nel Sud nel 1954, per spiegarmi la tristezza di questo momento storico m'ha raccontato la vecchia favola vietnamita del granchio che ha perso la perla preziosissima della verità e che in riva al mare fa mille e mille buche per ritrovarla; ma ogni volta la marea gliele distrugge e lui ricomincia da capo.

«Anch'io ho perso la perla, ma ho lasciato ad altri il compito di ritrovarla. Quando un giorno gli altri arriveranno qui, perché un giorno arriveranno, non avrò il coraggio di guardarli in faccia», diceva.

*Singapore, 29 marzo**

L'ultimo soldato americano ha lasciato il Vietnam, l'ultimo gruppo di prigionieri di guerra è in volo verso gli Stati Uniti. La partita fra Washington e Hanoi è formalmente chiusa. I tempi sono stati rispettati. E ora, in Vietnam, cosa succede?

La guerra, nonostante gli accordi di Parigi intesi a mettervi fine, continua e senza dubbio continuerà. Il meccanismo internazionale di controllo ha contribuito a limitare gli scontri, ma non a evitarli. L'accordo firmato il 27 gennaio scorso s'è, per ora, limitato a essere uno strumento per lo scambio di prigionieri e una garanzia del disimpegno americano. Era chiaro, fin dal primo momento, che con quel trattato non sarebbero stati risolti i problemi che hanno dato origine al conflitto; ma anche molte delle cose che l'accordo di Parigi prevedeva non sono avvenute.

Non sono state stabilite delle linee di demarcazione fra le zone controllate dal governo di Saigon e quello rivoluzionario; non sono state garantite alla popolazione del Sud le più elementari libertà (di parola, di movimento, di riunione, eccetera); non sono state smantellate le basi militari; non è stato regolato il flusso di armi per rifornire i due eserciti; non è stato trovato un accordo per la liberazione dei prigionieri politici, eccetera.

La lista è lunghissima e, a meno che ognuna di queste premesse venga realizzata, è difficile che in Vietnam ci sia innanzitutto un vero cessate il fuoco; tanto meno la pace.

A sessanta giorni dall'entrata in vigore degli accordi di Parigi la situazione interna del Sud-Vietnam è grosso modo questa: il regime di Thieu è militarmente forte, politicamente debole. Partendo, gli americani hanno lasciato all'esercito di Saigon gran parte del loro materiale che è andato ad aggiungersi a quello inviato, in gran fretta, prima della tregua, sia dagli Stati Uniti che dai magazzini in Giappone. I governativi hanno oggi enormi riserve di mezzi; hanno più aerei ed elicotteri di quanti ne possano mettere in volo; hanno munizioni da condurre, per mesi, vaste operazioni senza doversi rifornire.

Politicamente il regime però è sempre più isolato. L'appello di Thieu per la creazione di un fronte anticomunista non è stato accolto neppure dalla metà dei senatori e dei deputati in un Parla-

* Ho lasciato il Vietnam alla metà di febbraio. Da allora ogni tentativo di riottenere un visto di ingresso è stato inutile.

mento che comunque non ha mai avuto una vera opposizione. E quando Thieu, tentando di forzare la mano, ha annunciato che tutti vi avevano aderito, vari gruppi, da quello del generale Minh «il grosso», ai cattolici, ai buddisti, ai Dai Viet hanno rilasciato dichiarazioni dissociandosi dall'iniziativa del presidente.

Come ha detto lo stesso Minh, andrebbero mutate le basi stesse su cui si fonda il potere di Saigon, perché la stessa Costituzione della Repubblica del Sud è oggi in contraddizione con gli accordi di Parigi che Saigon ha firmato. Ma solo emendare quella Costituzione significherebbe per Thieu mettere in gioco il proprio potere.

Per Thieu la distruzione degli accordi, la non realizzazione del loro spirito resta l'unica speranza di salvezza. La continuazione dell'attuale stato di guerra nei confronti dei comunisti nelle zone occupate da loro e la repressione all'interno delle zone del governo continuano ad essere i pilastri della strategia di Thieu.

Oggi il governo controlla più territorio di quanto ne avesse al momento dell'entrata in vigore del cessate il fuoco. Ben 400 villaggi sono stati ufficialmente «riconquistati».

A meno di una massiccia offensiva del Fronte, che dovrebbe, come quella di primavera, essere appoggiata da Hanoi, Thieu non ha da temere, sul piano puramente militare.

Il pericolo più imminente è principalmente interno, e si chiama «Terza Forza». È quella massa di gente per ora senza leadership che, se organizzata, può legittimamente contestare a Thieu il suo potere e rappresentare un valido interlocutore non comunista per il Fronte di Liberazione. Da qui deriva il gravissimo problema dei prigionieri politici. Se questi vengono rilasciati Thieu ha una vera opposizione con cui dover fare i conti. Quanti sono? A novembre Hoanh Duc Nha, consigliere speciale del presidente, ammise che solo «nelle ultime settimane» erano state arrestate quarantamila persone.

Le stime sui detenuti del regime vanno da settantamila a duecentomila. Qualunque sia la cifra esatta è probabile che ci siano nel Sud-Vietnam, con una popolazione di diciassette milioni di persone, più prigionieri politici che in tutto il resto del mondo. Molti di questi sono stati recentemente riclassificati «delinquenti comuni» per evitare un loro eventuale rilascio in futuro; molti altri muoiono, più o meno misteriosamente, nelle galere di cui è disseminato il paese e le sue isole. Saigon ha «rispettato» gli accordi, consegnando di recente a Parigi una lista di questi detenuti; ci sono elencate 5081 persone.

Quanto al Fronte, la sua posizione è forte politicamente; più debole militarmente. Col cessate il fuoco i partigiani sono riusciti a presentarsi, in contrapposizione a Thieu, come il partito della pace, conquistando nuove simpatie fra la popolazione delle campagne; ma se il governo lanciasse operazioni militari contro certe loro zone, non potrebbero che tornare nei tunnel sotterranei lasciando parti del territorio ai soldati di Saigon. È così che si capisce il ruolo di protezione che hanno le forze di Hanoi rimaste nel Sud, e i rifornimenti di carri armati e uomini che continuano ad affluire dal Nord.

È molto improbabile che i nordvietnamiti possano, e vogliano, a breve scadenza, ripetere l'offensiva di un anno fa, ma è anche chiaro che non intendono lasciare a Saigon la possibilità di rovesciare completamente, sul terreno, la situazione creatasi col cessate il fuoco.

In questa prospettiva il Fronte di Liberazione lavora ora alla infiltrazione nell'apparato militare amministrativo di Thieu con l'obiettivo di rovesciare il regime dall'interno e non più in uno scontro frontale. È un lavoro a lunga scadenza.

Quanto questo durerà dipende molto dagli americani e dall'appoggio che, a vari livelli, continueranno a dare a Thieu.

Innanzitutto gli aiuti economici: più che un collasso militare, oggi Saigon ha da temerne uno economico. Washington non solo dovrà continuare a dare quello che ha dato in passato, ma dovrà in qualche modo compensare il Vietnam per la perdita dei milioni di dollari che i soldati vi spendevano, per la gente che le varie società americane impiegavano e che ora è disoccupata. Il Congresso non sembra molto propenso a questi nuovi salassi del budget americano.

Rimane poi la presenza americana militare o paramilitare. I soldati sono partiti, sì, dal Vietnam, ma sono già arrivati i «consiglieri», i civili impiegati dalle ditte americane che hanno appaltato i servizi specializzati dell'esercito di Saigon. Ce ne sono già circa diecimila con le loro sahariane che la gente chiama le «nuove uniformi».

Questa conversazione fa sospettare che gli Stati Uniti, in qualche modo, intendano mantenersi aperta la possibilità di continuare una sorta di «guerra segreta» in appoggio a Thieu come è stata per anni quella nel Laos e nella Cambogia, dove gli americani non hanno ufficialmente mai avuto truppe regolari. Rimangono, comunque, nella regione del Sud-Est asiatico, se non altro in funzione deterrente, oltre centocinquantamila regolari americani.

Stando alle dichiarazioni di Kissinger, la politica americana riguardo al Vietnam oggi è che, se eventualmente la «superiorità morale» del Nord si imponesse nel Sud con mezzi pacifici, Washington considererà questo un affare interno vietnamita. Non c'è dubbio che se gli affari di questo paese verranno davvero lasciati ai vietnamiti, l'ipotesi di Kissinger sarà a lunga scadenza una realtà.

L'America sarebbe allora semplicemente riuscita a rimandare nel tempo quello che, invece, si era impegnata ad evitare a ogni costo.

Quando Kissinger era ancora un professore di scienze politiche ad Harvard scrisse: «In Vietnam i comunisti vincono se non perdono, noi perdiamo se non vinciamo». Così è stato: l'America in Vietnam ha perso la sua prima guerra e s'accorge ora che l'idea kennediana della luce alla fine del tunnel in cui si erano cacciati era una pura illusione. L'avevano capito i soldati americani che all'inizio dell'anno scorso su un dormitorio della base di Hué avevano scritto: «Quando ci ritiriamo, l'ultimo che esce di qui si ricordi di spegnere la luce alla fine del tunnel». In Vietnam gli americani non hanno mai avuto neppure una possibilità di vincere.

Oggi, mentre da un magnetofono a cassette suonava l'inno americano e 42 GI sull'attenti salutavano per l'ultima volta la bandiera americana che veniva ammainata per sempre nel cortile del MACV, che negli anni passati era stato il comando d'un esercito di oltre mezzo milione di uomini, centinaia di civili vietnamiti, familiari di militari e impiegati della base militare prendevano d'assalto le baracche appena abbandonate e saccheggiavano tutto il possibile.

È stata l'ultima immagine della presenza americana in questa guerra.

Dieci anni fa i primi americani venuti qui a spezzare le reni di un movimento rivoluzionario che aveva già sconfitto i francesi erano sbarcati in Vietnam con corone di fiori al collo; oggi se ne sono andati anche loro sconfitti, fotografati da un ufficiale vietcong che a uno a uno li contava mentre salivano sull'ultimo aereo.

Erano venuti per difendere «la democrazia» e si lasciano dietro una dittatura che imprigiona e tortura i suoi oppositori; erano venuti a ricacciare i comunisti a nord del 17° parallelo e li lasciano invece a pochi chilometri dalla stessa Saigon. Erano venuti a proteggere un paese che hanno, invece, finito per distruggere; erano venuti per difendere gli altri e sono finiti a difendere esclusivamente la propria ritirata.

La loro, qui, voleva essere la guerra del *Quiet American*, la guerra sofisticata della *counter-insurgency*, intesa a conquistare i cuori e le menti della gente, la guerra invisibile; sono finiti, invece, a combattere la stessa «guerra sporca» dei francesi. Invece delle forze speciali hanno dovuto lentamente impiegare l'esercito regolare; invece degli agenti, preparati nelle migliori università, hanno dovuto impiegare i B-52.

Gli americani sono stati per dieci anni in questo paese, ma ne hanno capito poco o nulla. La radio delle forze armate americane trasmetteva quotidianamente consigli ai soldati su come comportarsi con la popolazione locale, su come farsi degli amici: «Se fate un regalo a un vietnamita e quello non vi ringrazia non è per ingratitudine, è perché non vuol sdebitarsi con un semplice grazie». «Se entrate in una pagoda toglietevi le scarpe.» Non è servito granché.

I soldati si aspettavano, naturalmente, riconoscenza, amore, e hanno immancabilmente incontrato ostilità, al massimo indifferenza. Presto loro stessi ricambiarono con il disprezzo. Quando la guerra cominciò ad andare male, i GI dicevano che la colpa era dei sudvietnamiti che erano inefficienti, corrotti, codardi. I soldati che venivano qui, per il loro anno di guerra, arrivavano già istruiti dai racconti di quelli che li avevano preceduti, convinti che il paese dei loro alleati non fosse altro che una massa di prostitute, di ruffiani, di disertori. *Gooks*, come all'inizio chiamavano i soli vietcong, diventarono presto tutti i vietnamiti. Guidando i camion lungo le strade di campagna si divertivano a terrorizzare i contadini, a prendere al volo per le trecce le ragazze in bicicletta. Unità di paracadutisti uscivano in pattuglia col compito di portare indietro le orecchie dei vietnamiti uccisi e, quando i soldati si annoiavano, incidevano le loro iniziali, col coltello, sulla pelle dei bufali. Negli orinatoi della base americana di Da Nang è rimasto per anni scritto: «In culo al Vietnam e a tutti i vietnamiti».

Anche ai livelli più alti americani e vietnamiti non si sono mai intesi. Un esperto, mandato da Washington a risolvere i problemi dell'agricoltura, propose di togliere dalle risaie, per farci meglio passare i trattori, le tombe degli antenati che per i contadini vietnamiti sono la cosa più sacra.

Alla fine, fra gli stessi ufficiali sudvietnamiti, era diventato un motivo di orgoglio dire di aver messo a posto un americano. Un colonnello dell'aviazione a Gan Tho si vantava con me, mesi fa, d'aver dato una sventagliata di mitra ai piedi del suo consigliere americano che voleva far rimuovere della terra per costruire delle fortificazioni attorno ai suoi elicotteri. Lui gli si parò di fronte e gli disse: «Che l'avete portata dalla California questa terra?» e sparò.

Disprezzando i loro alleati, gli americani finirono per ammirare e rispettare i loro avversari. «Avremmo dovuto bombardare Saigon, non Hanoi», mi ha detto recentemente un ufficiale all'aeroporto di Tan Son Nhut. «Ho Chi Minh era certo meglio di Thieu.»

L'America, la stessa America, uscita dalla seconda guerra mondiale ammirata, invidiata, amata, ricca e generosa, l'America che aveva la coscienza di aver combattuto dalla parte del giusto, del bene, esce ora dal Vietnam delusa, scoraggiata, avvilita. Gli ultimi soldati tornano a casa dove li aspettano dei falsi ricevimenti da eroi, ma dove anche li accoglieranno gli sguardi di chi li ritiene colpevoli; loro, che in fondo si sentono delle vittime. A gennaio nella base aerea di Da Nang c'era un sergente negro che aspettava di salire sul *freedom bird*, l'aereo che lo avrebbe riportato in America. Accanto al sacco militare aveva una grande foto a colori di sé. Sullo sfondo azzurro, a mano, aveva scritto: *We are the unwilling, doing the unnecessary for the ungrateful* («Controvoglia abbiamo fatto l'inutile per gli ingrati»).

Partendo, gli americani si lasciano dietro cinquantamila morti loro e forse due milioni di morti vietnamiti; si lasciano dietro trecentomila orfani; trecentomila bambini mutilati; ventimila bastardi, i crateri delle bombe, i villaggi distrutti, le foreste defoliate. Ma in fondo non lasciano nulla. Di loro, nel giro di qualche anno, non resterà in Vietnam neppure il ricordo; al limite neppure l'odio della gente. Alla fine di una guerra combattuta senza onore, sono partiti con oltre due milioni di medaglie al valore, ma i vietnamiti non li hanno neppure degnati d'uno sguardo. Non si sono neppure voltati.

Paradossalmente, ha fatto più male il Vietnam all'America che l'America al Vietnam.

Dai bar, dai ristoranti di Saigon, hanno già tirato giù le bandiere americane e locali come l'Hawai e il San Francisco vengono oggi ribattezzati *Hoa Binh* («Pace») e *Tu Do* («Indipendenza»).

Il Vietnam resta ai vietnamiti.

GIAI PHONG!

LA LIBERAZIONE DI SAIGON

Ad Angela,
compagna per la vita

Prefazione

CAO GIAO spalancò la porta della camera C-2 dell'Hotel Continental, dove ero appena arrivato, e ci abbracciammo, commossi. Felici di ritrovarci, tutti e due, ancora una volta a Saigon.

Era il pomeriggio di domenica 27 aprile 1975. Io avevo ingiustamente temuto che lui, in un momento irrazionale di panico, fosse partito con gli americani. Lui aveva pensato che io, dopo essere stato scortato all'aeroporto per la seconda volta in due anni dalla polizia di Thieu, non ce l'avrei fatta a tornare prima della fine.

Non era solo il mio interprete, la mia guida. A lui e a Buu Chuong, un ex prigioniero politico, liberato alla fine del '71 e col quale avevo da allora viaggiato attraverso il paese in guerra ed ero anche stato in una zona liberata del Delta, dovevo tutto quello che sul Vietnam non si può legger nei libri.

Cao Giao veniva da una famiglia di letterati del Nord. Per nove generazioni i suoi antenati erano morti lavorando a scrivere commentari sul grande libro cinese delle mutazioni, l'*I Ching*. Il padre era stato un giudice di distretto nell'amministrazione coloniale francese e lui, da piccolo, era stato educato in campagna da un patriota comunista che, dopo anni di galera, i francesi gli avevano messo in casa a residenza coatta.

Era venuto al Sud nel 1954 ed aveva vissuto – come lui stesso diceva – la sua «*rage d'être vietnamien*» lavorando come giornalista, come consigliere, interprete, per la stampa straniera. Passava nottate a studiare, tradurre documenti, fare appunti per gente come me che arrivava per un periodo limitato e voleva vedere, capire tutto.

Alcuni conoscenti americani, scappando da Saigon, nell'ultima paurosa settimana di aprile, gli avevano proposto di prender la famiglia e andar con loro negli Stati Uniti.

«Conosci le lingue, non dormi mai e potrai facilmente trovare un lavoro come portiere di notte», gli avevano detto.

Non era per questo che era rimasto.

«Dentro ogni vietnamita c'è un mandarino, un ladro, un mentitore che dorme, ma c'è anche un sognatore», mi disse. «A me la Rivoluzione fa sognare e voglio vederla coi miei occhi.»

Anch'io l'avevo voluta vedere.

Ero stato cacciato dal Vietnam all'inizio di marzo, poco dopo la caduta di Ban Me Thuot. Il direttore del Centro Stampa del ministero dell'Informazione di Thieu, Nguyen Quoc Cuong, poi scappato con gli americani, mi aveva detto che in un mio articolo, appena uscito, avevo offeso il capo dello Stato e che avevo gettato la Repubblica del Vietnam nel fango.

Nguyen Ngoc Bich, direttore di Vietnam Press, l'agenzia stampa del governo, scappato poi anche lui con gli americani, mi aveva ripetuto le stesse cose. Fui espulso.

Ero disperato. Avevo seguito questa vicenda da quattro anni e non volevo perderne la conclusione che, come tutti, sentivo arrivare. Sapevo bene che se avessi tentato di tornare sarei stato arrestato e rimesso sul primo aereo in partenza. Non mi restava che arrivare con uno che non sarebbe ripartito: l'ultimo.

Ebbi fortuna. Quando il jet dell'Air Vietnam che veniva da Singapore atterrò a Tan Son Nhut, i poliziotti dell'Immigrazione erano quasi tutti scappati e la «lista nera», col mio nome, non fu consultata da nessuno. Ero a Saigon.

Poco dopo Cao Giao arrivò anche Buu Chuong a cercarmi in albergo ed io chiesi loro di aiutarmi, come in passato, a registrare tutto quello che succedeva, quello che vedevamo, che sentivamo dire.

Avremmo dovuto girare dappertutto in città, parlare con più persone possibile, raccogliere ogni sorta di documenti, di testimonianze. Ogni sera ci saremmo riuniti per mettere assieme, confrontare le nostre esperienze e buttare giù degli appunti. Lo facemmo.

Il fatto che già negli anni della guerra io avessi passato le linee e fossi andato dall'altra parte del fronte a cercare di conoscere i vietcong e «l'altro Vietnam» certo mi aiutò a stabilire contatti con le nuove autorità una volta che la guerriglia fu al potere.

Fui invitato varie volte a Doc Lap, ottenni la prima intervista con Nguyen Huu Tho, presidente del Fronte di Liberazione Nazionale e in sostanza successore di Thieu a capo dello Stato, ebbi lunghe ed uniche conversazioni con ufficiali dell'Esercito di Liberazione e responsabili del partito. Assieme a Nayan Chanda della *Far Eastern Economic Review* fui il primo giornalista occidentale ad uscire da Saigon liberata, ad andare nelle province del Delta, ad assistere ai corsi di rieducazione per i «fantocci» e a fare poi a ritroso il tragitto dal Sud al Nord del paese.

Tre mesi dopo la Liberazione, quando lasciai il Vietnam passando per Hanoi, dove rimasi alcuni giorni e dove in una serie di incontri ebbi l'altra versione di eventi che avevo vissuto da una sola parte del fronte, c'erano nella mia valigia quattordici quaderni di appunti, venti cassette con interviste, registrazioni di discorsi, conversazioni con la gente per strada e pacchi di giornali, documenti, traduzioni.

Da questo materiale è uscito il libro che segue.

Non posso aver scritto tutta la verità, perché se ce ne fosse una certa io non l'avrei vista intera. Ho, però, fatto di tutto affinché quello che scrivevo fosse vero, perché sono convinto che, anche se non c'è una sola verità, certo c'è il falso.

Ogni episodio, ogni frase, ogni nome che ho riportato è stato controllato al limite del possibile in una situazione che era di per sé difficile e spesso caotica. D'inventare, di ricorrere alla fantasia anche per un solo dettaglio non c'era ragione: in una storia come questa, niente è più fantastico della realtà.

Lavoro per un giornale, *Der Spiegel*, che mi ha permesso di rimanere in Vietnam finché era possibile e che mi ha sempre lasciato libero di scrivere quello che volevo. Gli uomini di Thieu mi avevano per questo definito «un comunista»; i vietcong, dopo mesi di conoscenza, «un borghese permeabile».

Non pretendo affatto di essere obiettivo: io stesso ho i miei pregiudizi, principi, simpatie ed emozioni che certo hanno influenzato la scelta delle stesse cose che vedevo e registravo. Eccole.

t.t.

Saigon, aprile-luglio / Firenze, agosto-ottobre 1975

I giorni avanti

Una città assediata

IL cielo era rimasto l'unica via aperta. A Saigon ormai non s'entrava, non s'usciva che da lì. In alto, denso ed azzurro; verso il mare, chiaro e luminoso con spumose nuvole leggere, sfumate di arancioni e bianchi caldissimi. Immobile, riflesso nelle acque del fiume; mutevole col passare delle ore.

I tetti della città erano imbandierati a festa. Dopo il cessate il fuoco del '73 ogni casa, ogni palazzo aveva dovuto issare i colori della Repubblica, tre strisce rosse in campo giallo, come un giuramento di fedeltà al regime di Thieu, diventato da una settimana il regime di Huong, disposto a diventare quello di qualcun altro, qualsiasi altro, purché non dei comunisti, dei vietcong.

I vietcong. Da tre giorni sui campi di battaglia pesava un insolito, inquietante silenzio. Era come se fossero già dall'altra parte del fiume a guardare i due campanili appuntiti della cattedrale. Vicini. La gente se li sentiva respirare sulla schiena. Non poteva essere una domenica come le altre, con una grande folla alla messa del pomeriggio e poi la passeggiata sulla via Tu Do e lungo il molo a mangiare, con la salsa di peperone, le seppie secche arrostite sul carbone delle bancherelle e a guardare le navi attraccate nel porto.

Passeggiare era qualcosa che nessuno fece il pomeriggio del 27 aprile a Saigon. La gente si affrettava, con le auto cariche di familiari e valigie; a piedi, con pacchi ed involti. Chi tentava di partire, chi traslocava in cerca di una casa più sicura per proteggersi da un attacco che si sentiva nell'aria, chi tornava da fare incetta al mercato di riso, di pesce secco, di carne in scatola. La verdura non si trovava più perché la strada da Dalat era chiusa e quella del Delta anche.

Chi non aveva pacchi si portava la paura come un fardello sulle spalle. La gente strisciava, un po' ricurva, lungo i muri, come per evitare qualcosa che poteva cadere dall'alto: un razzo, forse.

Ne erano caduti quattro all'alba. Uno s'era infilato nel tetto dell'Hotel Majestic, sventrando la suite vuota degli ospiti d'onore e ammazzando un guardiano. Gli altri eran piombati sulla via Phan Chu Tinh facendo un macello in un gruppo di catapecchie e di rifugiati. Erano stati i primi razzi su Saigon dal dicembre 1971: non un vero attacco, solo un avvertimento dei vietcong per dire che erano lì.

Ne sarebbero potuti arrivare altri, così, improvvisi e la gente tendeva l'orecchio per spiare ogni rumore. Ma nel cielo non si sentiva che il rombo continuo dei jet carichi di americani e sud-vietnamiti che scappavano.

Per il tardo pomeriggio il presidente della Repubblica Tran Van Huong aveva convocato una seduta straordinaria dell'Assemblea Nazionale. Radio Saigon ripeteva l'appello ogni ora: i membri delle due Camere dovevano trovarsi al Senato alle sei. L'ordine del giorno era « scegliere una personalità destinata a rimpiazzare il capo dello Stato ed a negoziare con l'altra parte ».

Dopo una settimana angosciante di dispute giuridiche su dettagli procedurali d'interpretazione costituzionale, mentre le truppe vietcong si ammassavano, ormai incontrastate, attorno alla capitale, la situazione politica sembrava finalmente essersi sbloccata.

Ma non era già tardi?

Le dimissioni di Nguyen Van Thieu lunedì 21, e la sua partenza, richiesta per mesi dal Governo Provvisorio Rivoluzionario come una condizione per aprire le trattative con Saigon, avevano fatto sorgere la speranza che un nuovo « gabinetto di pace » sudista, composto da personalità non legate al vecchio regime, avrebbe potuto mettere fine alla guerra.

Si era pensato che la successione di Huong a Thieu sarebbe stata solo una formalità e che il nuovo presidente avrebbe immediatamente ceduto il potere all'uomo che ormai tutti indicavano come il solo accettabile; sia ai vietcong come interlocutore, sia ai resti della Repubblica come capo dello Stato: il generale Duong Van Minh. Ma una volta diventato presidente, Huong non volle saperne di andarsene, anzi, dette l'impressione di voler rimanere in quel posto il più a lungo possibile.

Nel suo discorso di investitura Huong giurò di combattere « finché le truppe moriranno o il paese sarà perduto » e ad un diplomatico occidentale che era andato a trovarlo per convincerlo a dimettersi, Huong, asmatico, arteriosclerotico, rispose pomposamente: «Thieu è sfuggito al destino. Il destino ora è venuto da me».

Era così cominciato un interminabile, estenuante gioco di scarico di responsabilità, giustificato col «rispetto della Costituzione». Huong diceva che spettava all'Assemblea, se non lo voleva più come presidente, votare la sua rimozione; l'Assemblea rispondeva che toccava a Huong dimettersi.

Sabato 26 le due Camere, riunite in una tipica scena da fine regime, avevano speso dieci ore in patetiche e accalorate discussioni sul come risolvere questo problema costituzionale che diventava sempre più irrilevante dinanzi alle forze comuniste ormai alle porte della città.

Il generale Minh, dopo aver rifiutato, il 24 aprile, il posto di primo ministro che Huong, cercando di calmare i suoi oppositori ma non cedendo il potere, gli aveva offerto, s'era chiuso nella sua villa ad aspettare la «chiamata della Nazione».

Minh era convinto che la sua ascesa alla presidenza avrebbe fermato l'avanzata delle truppe comuniste, che ci sarebbe stato un cessate il fuoco e che dopo di questo sarebbero iniziate le trattative col GPR per la costituzione del governo di coalizione, così come era stato descritto dagli Accordi del '73. Era così persuaso che il GPR lo avrebbe accettato come interlocutore che aveva già designato l'avvocatessa Nguyen Phuoc Dai da mandare a Parigi a capo della delegazione di Saigon per la ripresa dei negoziati politici.

Minh non pensava di andare al potere come rappresentante di una evanescente, indefinibile Terza Forza che lo indicava come il suo candidato, ma di essere il successore di Thieu, di rappresentare la prima forza al pari del GPR. Non a caso si era tenuto a distanza dagli elementi più a sinistra della cosiddetta «Terza Componente», come la signora Ngo Ba Thanh, che non venne mai consultata dal generale. Lei ed altri si rifiutavano di riconoscere la legalità del passato regime e chiedevano la distruzione di tutto l'apparato militare, poliziesco, giudiziario dell'amministrazione di cui Minh invece avrebbe, succedendo costituzionalmente a Huong, garantito la continuità.

Minh era convinto di essere l'uomo che il GPR avrebbe accettato al potere a Saigon, ma lui col GPR non aveva mai avuto alcun contatto. Chi lo aveva persuaso di questo era Jean-Marie Merillon, uno dei più brillanti e spregiudicati diplomatici del Quay d'Orsai che Giscard d'Estaing aveva mandato, giusto un anno prima, come ambasciatore di Francia a Saigon. Prima e dopo la caduta di Thieu, Merillon, chiamato familiarmente da tutti «Memé», era stato infaticabile nel fare la spola fra il palazzo presidenziale, l'ambasciata americana e tutti i politici di un certo conto nella capitale sudvietnamita.

«Il GPR sosteneva di voler negoziare e noi abbiamo favorito questa soluzione. La Francia ha voluto giocare un ruolo onesto; per noi era una sorta di dovere evitare un bagno di sangue a Saigon. Ci siamo semplicemente comportati come il console svedese che salvò Parigi non scappando e poi facendo da mediatore coi nazisti che volevano far saltare i ponti, bruciare la città», mi disse Merillon alcune settimane dopo.

In realtà il gioco della Francia era stato più sottile ed ambiguo. In nome degli Accordi di Parigi, che tutti invocavano ma che non avevano più alcun valore, tanto era cambiata la situazione dal momento della loro firma, i francesi, offrendosi come mediatori, sostenevano la necessità di arrivare al più presto ad un governo di coalizione. L'idea dietro questa politica era semplice: i vietcong rappresentavano nel Sud-Vietnam una realtà incontestabile. Era meglio dare loro una fetta di potere subito ed impedire così che se lo prendessero tutto poco dopo.

Merillon aveva portato avanti la politica del suo governo tessendo personalmente una rete di contatti che andavano dall'ambasciatore americano Graham Martin, al presidente Huong, ai generali pro-francesi come Tran Van Don, vice primo ministro di Thieu e poi ministro della Difesa.

Dietro gli incontri ufficiali c'erano stati vari abboccamenti discreti, la notte, in una villa sulla via Le Van Duyet messa a disposizione da Chau Ngoc Thai, capo di gabinetto di tutti i governi del passato e uomo strettamente legato alla Francia.

Un ultimo incontro era stato organizzato fra il presidente Huong ed il generale Duong Van Minh all'interno della piantagione di Mai Xuu Xuan, appena fuori Saigon, sabato 26 nel pomeriggio; ma anche quel tentativo era fallito.

Tornando in città, la macchina di Huong era dovuta passare da strade secondarie, perché migliaia di profughi che scappavano verso Saigon dinanzi all'avanzata delle truppe comuniste e temevano di essere presi nel mezzo di una battaglia avevano intasato l'autostrada di Bien Hoa.

Paracadutisti e *rangers* dell'ARVN, portati a difendere la capitale, avevano fatto dei blocchi stradali per impedire che la colonna di rifugiati entrasse in città a seminare il panico come era successo a Da Nang, a Hué, a Nha Trang.

La resistenza costituzionale di Huong impediva ogni soluzione che facesse sperare in un cessate il fuoco.

«Dio mio, questa gente non si rende conto che migliaia di vite umane sono sul filo del rasoio?» disse Merillon ad un giornalista la sera del 26.

Non era il solo ad essere convinto che Saigon, ormai circondata, aveva le ore contate.

Aspettando

Pareva ormai inevitabile: se i negoziati non cominciavano subito, le truppe comuniste non potevano più essere fermate e la guerra si sarebbe conclusa in un'ultima, grande, sanguinosissima battaglia per le vie di Saigon.

Da giorni nella clandestinità moltissima gente ci si stava preparando.

Gruppi di studenti avevano fatto provviste di riso e medicinali in varie parti della città ed avevano nascosto armi e macchine da ciclostile in «case amiche». Il loro centro era Van Hanh, l'università buddista sulla via Truong Minh Giang, un insieme di edifici gialli di cemento mal rifinito su un cortile di terra battuta, sempre pieno di fango nella stagione delle piogge.

«Scegliemmo Van Hanh perché era in un quartiere popolare, la gente attorno era in gran parte per il GPR e ci avrebbe aiutato», mi disse alcune settimane dopo Nguyen Huu Thai, il leader studentesco che avevo conosciuto anni prima e che avevo sempre incontrato nei suoi brevi periodi di libertà fra una carcerazione e un'altra.

Per non destare sospetti ed anche per essere più efficaci in una città di cui conoscevano la vena di profondo anticomunismo, gli studenti decisero di presentarsi come Terza Forza; cominciarono col chiamarsi semplicemente «Comitato degli Studenti buddisti» e si fecero dei braccialu di riconoscimento verdi con una croce rossa. Non erano i colori del Fronte, ma quasi. Avrebbero cambiato immagine con l'evolversi della situazione. Van Hanh, una volta iniziata la battaglia, avrebbe funzionato come centro di raccolta per i feriti, ma i veri obiettivi degli studenti erano:

– indebolire la resistenza dell'ARVN;
– fare propaganda pacifista fra la popolazione.

Il loro agente di collegamento col Fronte di Liberazione Nazionale era uno studente che, una volta al giorno, era in grado di comunicare con un gruppo dirigente vietcong in città.

Di infiltrati ce n'erano dappertutto. Alcuni erano arrivati alla spicciolata, coi camion, gli autobus dei profughi della prima ondata. Altri erano entrati a piedi o sulle Honda, passando normalmente attraverso i posti di blocco della polizia e dell'ARVN, con false carte d'identità.

Tutti erano volontari. Molti venivano da Hanoi. Non conoscevano Saigon, ma l'avevano studiata minuziosamente sulle carte e sapevano a memoria le strade da prendere, gli indirizzi a cui presentarsi. Una volta in città si ricostituivano in gruppi di dieci-quindici uomini. Ognuno aveva un obiettivo: una caserma, un deposito di munizioni, una stazione di polizia. La consegna di tutti era: proteggere ad ogni costo i ponti. Al momento dell'attacco l'ARVN avrebbe cercato, ritirandosi in un perimetro difensivo dentro la città, di farli saltare e così l'ingresso della fanteria e delle colonne blindate vietcong sarebbe stato bloccato.

Come mi spiegarono, alcuni mesi dopo ad Hanoi, alti ufficiali che erano stati responsabili dell'offensiva, attorno all'aeroporto di Tan Son Nhut, già dal 25 aprile si erano infiltrati 1500 commandos comunisti. Con l'aiuto di alcune cellule locali del Fronte sopravvissute all'offensiva del Tet e al programma di eliminazione Phoenix, erano riusciti anche a trasportare, in pezzi, quattro cannoni da 105. Nel distretto 7 della capitale si era installato il Comando militare comunista della regione di Saigon, agli ordini di un generale di brigata. Anche il Comitato centrale del partito, responsabile della città, era sul posto, al completo, la sera del 26.

« Saigon era come una spugna », mi disse, qualche giorno dopo, il fratello di Cao Giao che era entrato in città da sud-est con un gruppo di giornalisti nordvietnamiti il cui compito era documentare quello che sarebbe successo durante la battaglia. Nascosta in un sacco, un operatore della televisione di Hanoi s'era portato dietro la sua cinepresa e alcune pellicole.

Nel recinto di Camp Davis, in mezzo all'aeroporto di Tan Son Nhut, duecento militari del GPR aspettavano. La loro situazione, come altre cose in questa guerra, era di una incredibile assurdità.

In base agli Accordi di Parigi erano arrivati il 30 gennaio 1973 e si erano installati proprio nel cuore della macchina militare di

Saigon, in un acquartieramento che era stato per ufficiali americani. Avevano ridipinto di bianco le baracche, avevano vangato le strisce di terra fra l'asfalto e ci avevano piantato palme di banana ed alberi di papaia.

Il cessate il fuoco, la cui applicazione erano venuti a negoziare coi rappresentanti degli Stati Uniti e di Thieu, non si era mai realizzato e, col passare dei mesi, quegli alberi avevano fatto i frutti.

Formalmente la delegazione del GPR a Camp Davis godeva delle immunità diplomatiche, ma naturalmente le autorità di Saigon avevano fatto di tutto per rimandarla nella giungla da dove veniva. Avevano a periodi tagliato le linee telefoniche, l'acqua, la luce elettrica; ma i vietcong non avevano abbandonato quella che chiamavano la prima zona «liberata» di Saigon ed ogni sabato Vo Dong Giang, un ossuto colonnello, membro del Comitato centrale del partito comunista, argutissimo dialogatore, aveva tenuto la sua conferenza stampa, interrotta regolarmente dal rombare dei jet sudisti che decollavano per andare a bombardare le posizioni comuniste sempre più vicine.

L'ultima conferenza stampa era stata sabato 26. Qualcuno aveva chiesto se le forze comuniste stavano davvero per attaccare Saigon e lui aveva risposto: «Le nostre truppe continuano ad avanzare».

Sapeva ben più di questo. La sera prima, un messaggio in codice proveniente da Loc Ninh, la capitale amministrativa del GPR, aveva avvertito la delegazione di Camp Davis che l'attacco generale contro Saigon era imminente, che era oramai impossibile venirli a prendere senza svelare i piani al nemico e che per questo la delegazione doveva cercare di salvarsi coi propri mezzi. «Buona fortuna. Arrivederci a Saigon, compagni», finiva il messaggio.

«Cominciammo a scavare dei bunker sotto le baracche», mi raccontò Giang una settimana dopo, «ma dovevamo farlo di notte per non farcene accorgere. Non avevamo strumenti adatti e per portare via la terra usammo le nostre camicie.»

Camp Davis era isolato, in mezzo a Tan Son Nhut ad un passo dal DAO, diventato il centro dell'evacuazione americana, circondato da truppe dell'ARVN che cominciavano a sbandarsi. Correvano voci che elementi dell'aviazione sudista volessero fare un colpo di mano contro quei duecento vietcong sulla porta di casa. Sterminarli sarebbe stata una cosa da nulla.

184

L'uomo che aveva per primo diretto la delegazione a Camp Davis, e che era ripartito per le zone della guerriglia dopo tre mesi di inutili discussioni sul come realizzare il cessate il fuoco, era di nuovo vicinissimo a Saigon.

Tran Van Tra, il leggendario vietcong che aveva ideato e diretto nel '68 l'offensiva del Tet, ora comandante in capo dell'Esercito di Liberazione, la notte del 25 aprile era arrivato col suo quartiere generale mobile a nord di Bien Hoa.

Cinque divisioni ai suoi ordini stavano serrandosi attorno a Saigon, altre scendevano a tutta velocità sull'autostrada numero 1, lungo la costa, dirette verso la capitale.

Il Nord-Vietnam aveva dichiarato la mobilitazione generale. Cinque corpi d'armata, ognuno di tre divisioni, ogni divisione con almeno 10.000 soldati, erano ormai impegnati nel Sud.

Il 28 marzo una importante decisione strategica era stata presa da Hanoi e comunicata a Tran Van Tra: «Prepararsi a prendere Saigon».

L'ordine era stato passato alle truppe il 17 aprile.

Quel giorno era cominciata l'istruzione dei soldati che sarebbero stati coinvolti nell'attacco alla capitale. I commissari politici delle varie unità avevano spiegato che la battaglia sarebbe stata durissima, che avrebbe potuto durare delle settimane e forse dei mesi, ma che era importante continuare ad inseguire il nemico fino nel suo ultimo campo trincerato.

Il 19 aprile era stata lanciata la «grande campagna Ho Chi Minh» per la liberazione della capitale. Una delle parole d'ordine era: «Una volta che il bambù è intrecciato, basta un colpo per spezzarlo».

L'ultima seduta

I quattro razzi d'avvertimento, piombati sul centro di Saigon all'alba di domenica 27 aprile, avevano più di ogni argomento dei diplomatici e dei suoi consiglieri convinto Tran Van Huong che era tempo di andarsene. Se avesse insistito a rimanere presidente, la capitale sarebbe davvero divenuta, come lui stesso una settimana prima aveva cinicamente predetto, «un mare di fuoco ed un cumulo di ossa».

Passò la mattinata a Doc Lap a consultarsi coi dignitari del regime; poi, con una staffetta militare, mandò al presidente del Senato Tran Van Lam, che aspettava nella villa del generale Minh, una lettera che finiva così: «... una volta che le Camere congiunte abbiano scelto una personalità cui affidare il compito sacro, io sono disposto a trasferirgli tutti i poteri presidenziali della Repubblica del Vietnam. Prima questo sarà fatto, meglio sarà».

Senatori e deputati erano stati convocati d'urgenza, per radio.

Alcuni cominciarono ad arrivare nel palazzo del Senato sul lungofiume Bach Dang, accanto alla sede della Banca Nazionale, verso le cinque. L'atmosfera era tesissima. Nei corridoi del vecchio edificio costruito dai francesi, sulla scalinata che porta alla galleria dell'aula, gruppetti di gente si parlavano inquieti. Nella buvette un senatore mi disse: «D'accordo, accettiamo Minh perché lo vogliono i comunisti. Ma quelli sono ancora disposti a trattare?»

Perché avrebbero dovuto? Oramai avevano Saigon per la gola.

Vecchi avvocati, professori, ex militari divenuti politici, giovani tecnocrati allevati negli Stati Uniti, arrivisti e mestatori venuti al potere con la mafia di Hoang Due Nha, nipote della signora Thieu, i legislatori del regime abituati alla pubblicità, usati alle telecamere della televisione americana, cercavano ora i giornalisti non per fare dichiarazioni, ma per chiedere loro: «C'è ancora una possibilità? Quanto tempo abbiamo?»

Quando alle 6.45 Tran Van Lam fece suonare il campanello e chiamò all'ordine l'assemblea, senatori e deputati si trovarono in una sala semivuota. Si guardarono attorno con smarrimento, si contarono: di 219 che avrebbero dovuto essere, eran rimasti solo 136. Gli altri avevano già scelto la fuga per salvarsi.

Tran Van Lam fu brevissimo. Dichiarò aperta la seduta ed annunciò che si sarebbe svolta «a porte chiuse».

Mentre il pubblico ed i giornalisti lasciavano la galleria entrarono in aula, seguiti da alcuni soldati con cartelle gonfie di documenti e di carte, il generale Cao Van Vien, capo di stato maggiore generale dell'ARVN, il generale Nguyen Khac Binh, capo della polizia, ed il generale Nguyen Van Minh, governatore militare di Saigon.

Tran Van Lam aveva chiesto loro di preparare per l'Assemblea un rapporto sulla situazione militare.

Quello che fecero fu il quadro di un disastro.

Dall'inizio dell'offensiva, lanciata dalle forze comuniste in Sud-Vietnam la notte di Capodanno, contemporaneamente a quella dei khmer rossi in Cambogia che s'era già conclusa, il 17 aprile, con la conquista di Phnom Penh, le truppe sudvietnamite avevano subito un rovescio dopo l'altro.

Il 7 gennaio era caduta Phuoc Binh. La città non aveva alcun valore strategico, ma era la prima capitale di provincia ad essere presa dai vietcong dopo gli Accordi di Parigi. Dal punto di vista comunista era stato un test per mettere alla prova la reazione americana. Non ci fu.

Thieu, da parte sua, non aveva né difeso adeguatamente la città, né aveva impegnato le sue riserve di truppe per andarla a riprendere. Aveva probabilmente lasciato che cadesse, come una forma di ricatto nei confronti degli Stati Uniti. Era come dire: «Guardate, se non ci aiutate, se non ci date più dollari, qui finisce male». Il ricatto non aveva funzionato.

Il 10 marzo, dopo aver finto di concentrare le loro truppe attorno a Pleiku e Kontum, i vietcong avevano attaccato Ban Me Thuot negli Altipiani. In una notte la città, duecentocinquanta chilometri a nord di Saigon, coi suoi 90.000 abitanti era caduta.

Thieu si era recato a Phan Rang per parlare col generale Phan Van Phu e lì, da solo, la sera del 14 marzo, senza consultarsi con gli altri generali, aveva preso la decisione di evacuare tutti gli Altipiani e concentrare le sue forze lungo la costa dove pensava che i vietcong avrebbero dovuto passare se volevano puntare su Saigon.

Fu un errore spaventoso. Le truppe dell'ARVN messesi in marcia intatte con 3000 veicoli e decine di migliaia di civili che credevano, seguendo le truppe, di essere più al sicuro e di evitare i bombardamenti dell'aviazione, furono imbottigliate sulla strada 7 dalle unità vietcong, e decimate.

Il 19 marzo era caduta Quang Tri, il 20 An Loc, le due città che nel 1972 erano state difese dall'ARVN a costo di migliaia di morti e della loro completa distruzione.

La velocità e la durezza delle sconfitte avevano dell'incredibile ed a Saigon cominciò a correre la voce che gli americani stavano dando ai comunisti ciò che avevano loro promesso in una intesa segreta, firmata assieme agli Accordi di Parigi.

Nessuno poteva provare che le cose stessero davvero così e che Thieu facesse parte di questo gioco. A Saigon comunque si facevano notare certe strane coincidenze: ad esempio che parecchi consiglieri militari americani avevano preso le vacanze ed avevano lasciato il paese proprio dopo la caduta di Ban Me Thuot. I saigoniti ricordavano poi che Kissinger aveva detto ai suoi collaboratori a Parigi che il compito americano in Vietnam era ormai di garantire un «intervallo decente», dopo il quale l'inevitabile avrebbe potuto succedere.

L'«intervallo decente» era forse scaduto a due anni esatti dagli Accordi? Molti lo credettero quando il 26 marzo anche Hué, la vecchia capitale imperiale, fu presa dai vietcong e la storia del suo abbandono fu raccontata da chi era riuscito a scappare. Si seppe che un giorno il colonnello Nguyen Huu Due, capo provincia, aveva ricevuto l'ordine di resistere ad ogni costo e il giorno dopo quello di ritirarsi immediatamente. Lui non capiva e, preso un elicottero, era andato a Da Nang a vedere il generale Ngo Quang Truong, comandante di tutta la prima regione militare.

«Saigon ci sta tradendo, bisogna fare qualcosa», aveva detto Due.

Il console americano a Da Nang, Al Francis, che era presente all'incontro, l'aveva preso da parte, dicendogli: «Colonnello, gli ordini sono ordini. Lei li esegua ed avremo occasione di rivederci».

Si rividero perché Due, tornato a Hué, prese le sue truppe, fece sessanta chilometri verso il mare, dove era stato fissato il punto d'imbarco, e si mise in salvo. Durante la marcia i vietcong non spararono un solo colpo sulla sua colonna in ritirata.

Probabilmente la «congiura americana» era vera solo nella fantasia dei generali e dei politici sudisti che avevano da trovare una scusa per i loro errori.

Al fondo di quello che era successo nei primi mesi del '75 c'era un'altra verità: vietcong e nordvietnamiti si stavano prendendo militarmente quello che avrebbero ottenuto politicamente se gli Accordi di Parigi fossero stati rispettati da Thieu.

Il 24 marzo era caduta Tan Ky, il 25 Quang Ngai, il 29 Da Nang. Metà del citatissimo milione di truppe ARVN che difendevano il Sud era persa, assieme a metà delle armi, carri armati, aerei, munizioni.

Il 1° aprile era caduta Qui Nhon, il 3 Nha Trang, il 4 aprile Dalat. Ogni giorno a Saigon si era parlato di un colpo di Stato, ma nessuno l'aveva neppure tentato.

Thieu aveva pensato di fare una sorta di linea Maginot, proprio a nord di Saigon, per difendere una regione che sarebbe stata più o meno la vecchia Cocincina francese ed avrebbe compreso la capitale ed il delta del Mekong. In questa zona sarebbero stati sistemati tutti i rifugiati che fuggivano per paura della guerra e che le truppe sudiste si portavano dietro nella loro ritirata.

Un gruppo di generali, tra cui Nguyen Van Minh, Trang Van Trung e l'ammiraglio Chung Tan Cang, avevano fatto piani per ritirarsi eventualmente anche oltre Saigon e stabilire un governo di resistenza a Can Tho. Ma le truppe comuniste avevano continuato ad avanzare al di là di ogni previsione e con una velocità che continuamente prendeva di sorpresa l'ARVN.

Il 16 aprile era caduta Phan Rang, il 19 Phan Thiet ed il 20 aprile, dopo l'unico vero tentativo di resistenza dell'ARVN, era caduta la città di Xuan Loc, l'ultimo ostacolo sulla via di Saigon. Thieu s'era dimesso.

Il rapporto che i tre generali fecero alle Camere riunite nella sala del Senato la sera del 27 aprile si concluse con un esame della situazione a Saigon. L'ARVN aveva già 60.000 soldati in città, ma nessuna possibilità di far venire altri rinforzi. I vietcong avevano un numero equivalente di truppe, ma queste andavano aumentando col passare delle ore.

Alle 8.45 Tran Van Lam annunciò la votazione. Da un foglio lesse: «Chi accetta che il presidente Huong trasferisca i poteri presidenziali al generale Duong Van Minh, affinché egli cerchi un modo di riportare la pace in Vietnam?»

Tutti alzarono la mano.

Minh era presidente all'unanimità. La sua inaugurazione sarebbe avvenuta l'indomani.

Quando le macchine dei senatori e dei deputati sfilarono sul lungofiume Bach Dang, disperdendosi nella città, le strade erano deserte. Dalle 8 era in vigore il coprifuoco. La radio dette immediatamente, e ripeté più volte, il risultato della votazione. Quell'annuncio era soprattutto diretto alle forze vietcong.

La gente di Saigon, chiusa in casa, aspettava dal cielo la risposta in razzi che sarebbe potuta venire da un momento all'altro.

Fu una notte calmissima e questo riaccese la speranza che, se Minh avesse fatto presto a mettere assieme un governo e a presentare un suo piano di pace, ci sarebbe stato un po' di respiro per questa città già soffocata dall'incertezza.

I tre giorni

28 aprile

In cerca d'un governo

IL generale Duong Van Minh aveva difficoltà a mettere assieme un governo e la inaugurazione, annunciata per le 11 di mattina, fu rinviata prima alle tre, poi alle cinque del pomeriggio.

Durante tutta la giornata, esponenti del mondo politico saigonita, generali, uomini d'affari, profittatori ed amici si erano presentati all'ingresso secondario della sua villa al numero 3 della via Tran Quy Cap, ad un passo dalla via Pasteur. Alcuni erano stati convocati per consultazioni, altri erano venuti semplicemente per offrire se stessi o i loro non richiesti consigli al presidente designato. Da Minh si entrava ormai per abitudine dalla porta di dietro perché il portone principale era chiuso da quando il generale, diventato presidente col colpo di Stato del 1963 contro Diem, era stato a sua volta spodestato dal suo collega, generale Khanh, appena quattro mesi dopo.

Nel cortile dinanzi al cancello verde che si apriva di tanto in tanto per far passare gli ospiti aspettati, c'erano crocchi di gente, deputati, senatori, curiosi. Parlavano di aprire negoziati con «l'altra parte», di preparare le difese di Saigon, ma, soprattutto, di fare presto. Non c'era disperazione, anzi un certo ottimismo. Nessuno parlava di resa.

Vanuxem, un generale francese a riposo che aveva combattuto e perso vent'anni prima, da ufficiale del corpo di spedizione francese, la sua prima guerra contro *les viets*, come chiamava i rivoluzionari, si muoveva, obeso e sudato, da un gruppo all'altro, cercando di convincere tutti che Saigon poteva ancora averla vinta; che *les viets* erano debolissimi, che lui sapeva da fonte sicura, a Parigi, che russi e cinesi non volevano una vittoria vietcong e che perciò quello era il momento propizio di contrattaccare.

Era arrivato in Vietnam due mesi prima su invito di Thieu che l'aveva voluto come consigliere militare, ed era rimasto poi accreditandosi come corrispondente di una semisconosciuta pubblicazione francese, *Carrefour*.

Al cancello Ly Qui Chung, un giovane, brillante deputato dell'opposizione che da anni lavorava per il generale Minh e che sarebbe stato il suo ministro dell'Informazione, l'ultimo della Repubblica, faceva gli onori di casa.

Minh, seduto su un lungo divano azzurro, in mezzo ai suoi grandi acquari pieni di colorati pesci tropicali, riceveva nel salotto al pianterreno con la veranda aperta sul giardino gremito di orchidee. Erano state quelle la grande passione del generale negli anni in cui, caduto in disgrazia e dimenticato dai vietnamiti, era stato tenuto politicamente in vita da alcuni osservatori politici, soprattutto stranieri, che avevano continuato ad indicarlo come l'unica alternativa a Thieu, come il solo uomo che poteva riportare la pace nel paese.

Gli Accordi di Parigi, con l'idea di un governo di coalizione cui doveva partecipare, oltre all'amministrazione di Saigon (Prima Forza) e all'amministrazione vietcong (Seconda Forza), una non meglio definita Terza Componente o Terza Forza, avevano contribuito ad assegnare a Minh questo ruolo di uomo del destino che aspetta il suo turno. Senza che lui si fosse mai dichiarato e senza che la Terza Forza, se mai era esistita effettivamente, lo avesse riconosciuto per tale, Minh era automaticamente diventato il simbolo della Terza Componente neutralista-non comunista che voleva mettere fine alla guerra ed applicare gli Accordi di Parigi.

In verità era un equivoco, ma un equivoco che faceva comodo a tutti: a Thieu, che di Minh, generale senza truppe e politico senza base elettorale, non aveva da temere; agli americani, che conoscendo Minh (era stata la CIA ad aiutarlo a fare il colpo del '63), contavano su di lui piuttosto come carta di riserva per un regime di Saigon più moderato ed accettabile; Minh faceva comodo ai vietcong che, pur di spingere Thieu fuori dal palazzo presidenziale, avevano fatto capire in un primo momento che avrebbero accettato Minh come loro interlocutore; e faceva comodo alla Terza Forza che, disorganizzata, divisa, perseguitata e senza un leader carismatico, aveva così trovato un conveniente personaggio che era un punto d'incontro, una copertura e che ognuno si riservava, poi, di manipolare a suo modo.

Al contrario di tanti suoi colleghi generali vigliacchi e volta-
gabbana, continuamente accusati di corruzione e coinvolti nei
traffici più loschi, Minh era un soldato onesto, rispettato dalle
truppe che aveva comandato, fisicamente coraggioso e con un
suo tradizionale senso dell'onore. Quando era ufficiale francese
e i giapponesi lo torturarono per giorni facendogli cadere tutti i
denti di bocca, non si piegò.

«La patria vale bene una dentiera», mi disse una volta, ricordando quell'episodio.

Gli piaceva la pubblicità, ma non amava esporsi e quando i
suoi seguaci, in momenti di crisi, si aspettavano da lui un pronunciamento, una presa di posizione, se ne usciva sempre con delle
dichiarazioni ambigue che non soddisfacevano e non urtavano
nessuno. Spesso la sua indecisione era presa per prudenza, per
abilità, ma invero i suoi silenzi, cui si attribuivano grandi significati, erano solo il segno che il generale non aveva nulla da dire.
Era il contrario di un intellettuale; un uomo senza idee, senza visioni.

«La sua più grande qualità è la statura», mi diceva un amico
vietnamita. Quel metro e ottanta, eccezionale per un asiatico, gli
aveva tirato addosso il nomignolo di Minh «il grosso», ma gli
aveva anche dato quell'aria imponente che fece di lui un personaggio. Se non fosse stato per un gruppo di giovani intellettuali
come Ly Qui Chung e Nguyen Van Ba che gli si erano messi
alle spalle e lo dirigevano, Minh non sarebbe stato quel lunedì
pomeriggio il presidente designato della traballante Repubblica
del Vietnam, ridotta ormai a poco più che la Repubblica di Saigon.

Dopo quattro giorni di relativa calma su tutti i fronti, la mattina
del 28 i combattimenti erano ripresi violenti nella periferia della
città e dalla via Tran Quy Cap si sentivano chiari i colpi di mortaio
e le cannonate. Un commando vietcong si era attestato all'imboc-
catura del ponte di Newport, sull'autostrada per Bien Hoa, a soli
cinque chilometri dal centro, e non accennava a muoversi. Le
truppe di Saigon ci avevano mandato contro un'unità di mezzi
blindati, ma i primi erano stati centrati da dei razzi B-40 e bruciavano sull'asfalto, bloccando la strada a quelli che seguivano.

Nel salotto di Minh, in mezzo agli acquari, un ospite seguiva
l'altro ed in questi incontri il tempo passava. Il generale aveva
trovato un vice presidente, un presidente del Consiglio, qualche

ministro; ma la lista non era completa. Quelli che lui avrebbe voluto non accettavano l'offerta o erano indecisi, e quelli che si offrivano, lui nel suo governo non ce li voleva. Ormai l'investitura non poteva essere rimandata una terza volta ed alle 16.45 Minh, vestito di blu scuro, si mosse per andare, con quel che aveva, a palazzo.

Entra Minh « il grosso »

Doc Lap, il « Palazzo dell'Indipendenza », costruito in cemento e vetro coi dollari americani dopo che quello vicino di Diem era stato mezzo distrutto dalle cannonate del '63, era diventato la quintessenza, il simbolo del regime di Thieu: grigio, isolato, pesante, barricato, tagliato fuori dalla gente pur essendo nel cuore della città.

Il palazzo presidenziale è a duecento metri dalla cattedrale in mattoni rossi, sul viale Thong Nhat, l'Unificazione, che taglia perpendicolare la via Tu Do, la rue Catinat dei tempi francesi. Ad un capo del viale Thong Nhat, larghissimo, fiancheggiato da alcuni alberi vecchi ed altri nuovi piantati di recente, c'è il giardino botanico e lo zoo; dall'altro c'è la grande, impertinente cancellata di ferro, l'ingresso a Doc Lap. Su quel percorso di appena un chilometro c'era bianca, compatta, senza finestre, come una fortezza irta d'antenne, l'ambasciata americana; accanto una piccola chiesa protestante in cui il vecchio ambasciatore Bunker andava ai tempi della guerra, che lui stesso dirigeva, a leggere il Vangelo della domenica. C'erano il Comando della guerra psicologica, l'ufficio del primo ministro, l'ambasciata inglese e un'entrata secondaria di quella francese.

Doc Lap è in mezzo ad un piccolo parco di grandi alberi dalla corteccia rossastra; ai tempi di Thieu, avvicinarsi anche alla cancellata era impossibile: rotoli di filo spinato, reticolati, barriere di ferro bloccavano il viale e tutte le vie attorno. Soldati in assetto di guerra, col fucile all'anca, erano appostati ogni venti metri e se uno si fermava, semplicemente a guardare, un poliziotto fischiava, arrivava di corsa, cacciava via.

Thieu preferiva spostarsi in elicottero e c'erano sempre due di questi uccellacci acquattati in due spiazzi d'erba ai lati del palazzo. Fra gli alberi stavano nascoste le batterie antiaeree, una decina di mezzi blindati e le tende della guardia di palazzo.

Thieu aveva sempre temuto un colpo di mano dei vietcong o un colpo di Stato dei suoi ex colleghi generali. Né l'uno, né l'altro furono mai tentati, e Thieu uscì dal suo palazzo il 21 aprile lasciando la presidenza al settantunenne Tran Van Huong, asmatico e mezzo cieco.

Il pomeriggio del 28 aprile, per la prima volta nella sua storia, Doc Lap divenne accessibile. Il cancello sud sulla via Nguyen Du era aperto e bastò presentarsi perché un poliziotto, senza controllare le nostre credenziali, ci indicasse la scalinata laterale che portava nella grande hall aperta del piano rialzato su cui dava il salone delle conferenze. Colpiva, piantata nel mezzo della moquette azzurra, un'altissima impalcatura di ferro su cui degli operai stavano lavorando. Riparavano i danni causati dal bombardamento dell'8 aprile.

In pieno giorno, nel cielo serenissimo, un A-37 a reazione, dell'aviazione sudista, era sfrecciato fra i due campanili della cattedrale e si era buttato in picchiata una, due, tre volte sul palazzo presidenziale, sganciando il suo carico solitamente destinato ai comunisti. Saigon s'era bloccata. Le sirene avevano suonato il segnale del coprifuoco immediato, le strade s'erano vuotate mentre colonne di fumo salivano dal palazzo presidenziale. Thieu era uscito senza un graffio, e l'aereo pilotato dal tenente Nguyen Thanh Trung dell'aviazione sudvietnamita scomparve verso nord dove l'Esercito di Liberazione controllava ormai gran parte del paese.

«Io non c'entro. Non è un colpo di Stato dell'aviazione», aveva dichiarato il maresciallo Cao Ky.

«È stato l'atto individuale d'un criminale, d'un ribelle», aveva detto Thieu, ma per precauzione vietò da allora a tutti i suoi aerei di sorvolare la città. I giornali di Saigon avevano scritto che il pilota era disequilibrato, e per dare una piega semipatriottica alla faccenda avevan detto che il tenente era impazzito per non essere riuscito a salvare la sua famiglia da Da Nang prima che arrivassero i comunisti e che con quel gesto aveva voluto protestare contro la perdita del Nord del paese.

Tre mesi dopo, parlando ad Hanoi col colonnello Tran Cong Man, direttore del *Quan Doi Nhan Dan*, il quotidiano delle forze armate, ebbi una versione ben diversa di questo episodio: «Nguyen Thanh Trung è stato membro del partito fin da quando era studente. Fu il partito ad ordinargli di entrare nell'aviazione di Saigon e di andare negli Stati Uniti, dove prese il brevetto di pilota. Un uomo come lui era importante per un'occasione decisiva, per questo Trung non si scoprì, non venne utilizzato prima. Il bombardamento di Doc Lap fu un colpo che valse la pena. L'aviazione era l'arma fidata di Thieu, una delle sue basi di potere. Con le bombe dell'8 aprile volevamo distruggere questa fiducia, seminare il sospetto all'interno dell'aviazione stessa. L'attacco riuscì magnificamente».

Dall'alto delle impalcature di ferro gli operai guardavano curiosi un'insolita folla che si radunava nella grande hall del palazzo e nel colonnato aperto sul giardino. Deputati, senatori, giudici dell'Alta Corte arrivavano alla spicciolata, ricevuti dagli assistenti del presidente uscente e del nuovo. Ufficiali dell'esercito, addetti al palazzo, goffi nelle loro uniformi verdi da campo stirate ed inamidate, coi pantaloni infilati negli alti scarponi di cuoio, ma senza armi e senza cinturone così che le camicie rimanevano penzoloni alla vita, andavano incontro agli ospiti più vecchi, zoppicanti, mostrando loro la strada, sorreggendoli.

Stava per scoppiare un violento temporale; s'era levato fortissimo un vento umido e caldo che s'infilava nei corridoi del palazzo, spazzava la hall e faceva svolazzare spettralmente nell'aria le lunghe tende leggere di mussola bianca delle porte-finestre nell'ampia sala dei ricevimenti, illuminata a festa, in cui due soldati aggiustavano le ultime poltrone di damasco rosso.

Nelle prime due file si sedettero i dignitari del regime, i membri del governo uscente (almeno quelli che non erano ancora scappati); dietro venivano gli altri. Le forze armate erano rappresentate da due giovani generali in uniforme di gala, pieni di mostrine, medaglie e un cordone dorato sulla spalla destra. Mancava il capo di stato maggiore, Cao Van Vien. Con la moglie, i figli, i suoi ufficiali e tutte le loro famiglie era già andato a Tan Son Nhut a prendere un aereo per gli Stati Uniti, senza curarsi nemmeno di dare le dimissioni.

Sulla parete di fondo, su un largo pannello in lacca, un condottiero vietnamita medievale a cavallo si scagliava contro un'orda dei soliti nemici invasori del Vietnam: i cinesi.

Sotto, al centro, c'era un podio con due microfoni. Ai lati due bandiere gialle a tre strisce rosse della Repubblica.

Per primo parlò Tran Van Huong, presidente da una settimana. Curvo, vecchio, tremante, sorretto da un assistente, con dei grandi occhiali neri che lo facevano più cieco di quanto fosse, presentò all'Assemblea il generale Minh e rivolto a lui concluse: «Le vostre responsabilità sono grandi, generale». Strascicando i piedi e il bastone lasciò la scena.

Il podio rimase vuoto. Minh non si muoveva. Un soldato entrò nel fascio di luce dei riflettori, prese le due bandiere e le portò via. Ritornò, staccò dal podio lo stemma della Repubblica ed un altro soldato attaccò al suo posto l'immagine bianca e azzurra di un fiore a cinque petali con dentro il segno cinese dello Yin e dello Yang, simbolo degli opposti che fanno l'unità dell'universo.

Ci fu un lungo mormorio nella sala. La Repubblica cambiava faccia.

Minh si avvicinò lento al podio, misurando i passi, lo sguardo grave. Era una scena carica di emozioni e due fulmini che brillarono vicini col rotolar dei tuoni segnarono per tutti la storicità del momento.

Minh parlò fra lo scrosciare della pioggia che cadeva a catinelle sul palazzo, sul giardino, su Saigon in attesa.

«Non posso promettervi nulla. Nei giorni che vengono non avremo che difficoltà; terribili difficoltà. Le decisioni da prendere sono gravi, importanti, la nostra posizione è difficile.» Pensammo per un attimo che stesse per annunciare la resa.

«Da tempo credo che l'uso della forza non sia per noi una buona soluzione.» Ma poi proseguì: «L'ordine ai nostri soldati è di rimanere dove sono, di difendere le loro posizioni, di difendere con tutte le forze il territorio che ci resta. Accetto la responsabilità per cercare di arrivare ad un cessate il fuoco, a dei negoziati, alla pace sulla base degli Accordi di Parigi. Sono pronto ad accettare qualsiasi proposta in questo senso».

Minh dunque non cedeva. Quello che proponeva era già superato, rifiutato dal GPR; non c'era nel suo discorso niente di nuovo, niente che facesse sperare in una soluzione immediata, quella sera.

Minh parlava lentamente da un testo scritto che lesse fedelmente. Poi lo ripiegò, lo mise in tasca e con un primo tono di grande commozione e sincerità che spiegava più d'ogni altra parola la sua posizione, disse: «Cittadini, fratelli, patrioti! In queste ore difficili posso solo pregarvi di una cosa: siate coraggiosi, non abbandonate il paese, non scappate. Qui sono le tombe dei nostri antenati, questa è la nostra terra, è ad essa che noi tutti apparteniamo». La sala applaudì.

Minh presentò il cattolico ex presidente del Senato Nguyen Van Huyen come suo vice presidente, incaricato dei negoziati;

Vu Van Mau, il capo dell'opposizione buddista, come il suo primo ministro. Disse che il Gabinetto completo sarebbe stato presentato il giorno dopo. Ci fu un nuovo, breve applauso. La cerimonia era finita. Erano le 17.50 e ci affollammo verso l'uscita.

In piedi sui gradini, senatori, giudici, deputati, alti funzionari dei vari ministeri aspettavano che gli inservienti, in uniforme bianca, aprissero le portiere di dietro delle macchine di rappresentanza che cominciarono a strisciare sulla breve salita all'ingresso principale del palazzo.

Tutti in abito scuro, con cravatta, un prete con una larga tonaca, un bonzo in marrone scuro, una collezione di uomini compunti, sorpassati da ciò che stava succedendo nel paese, ma che ancora confabulavano, si prendevano sottobraccio, si dicevano, l'uno con la bocca all'orecchio dell'altro, inascoltabili segreti. Poteva cambiare il colore di tutte le sue bandiere, ma il vecchio mondo di Saigon era ancora lì, con tutti i suoi compromessi, le sue piccole congiure, i suoi mercanteggiamenti di governo.

Il temporale s'era spostato ed il cielo era squarciato dai raggi dell'ultimo sole che indoravano i grandi alberi sulla piazza ed il tetto della cattedrale. L'odore della terra bagnata dava all'aria una freschezza insolita. Saigon era calma, come una normale città che ridiscende in strada, riprende il suo ritmo, dopo un acquazzone.

Con dei colleghi mi avviai verso la via Tu Do. Gli strilloni dei giornali vendevano le prime copie del *Saigon Post*, datate l'indomani, 29 aprile. I grandi titoli erano: *Big Minh at the helms* («Minh il grosso al timone»); *Ceasefire likely* («Probabile cessate il fuoco»); *Saigon residents feel a sense of relief, hope* («Saigon, sollevata, spera»). Tre macchine in fila con cartelloni colorati sui fianchi annunciavano i programmi dei cinema centrali: al Capitol *La CIA mène la danse* (La CIA dirige il gioco); al Rex *La maison du diable* (La casa del diavolo); all'Eden *La belle et le clochard* (La bella e l'accattone).

Sentimmo tre rimbombi. Ci fermammo. Uno, guardando il cielo ancor carico di nuvole, disse: «Son tuoni!» Ne vennero altri tre, quattro, cinque e sentimmo il tuono venirci dalla terra, da sotto i piedi. «Son bombe!»

Di chi? Contro chi?

La contraerea di Doc Lap cominciò a sparare all'impazzata. In un attimo mitragliatrici, fucili, tutta Saigon sparava. Sentivamo i proiettili picchiettare come grandine sui tetti delle case. Buttandomi a capofitto nell'ufficio della Reuter, vidi due poliziotti con un ginocchio per terra sparare con le pistole, a braccio teso, verso la cattedrale.

Un colpo di Stato? Ma di chi?

Le sirene ulularono dando il segnale del coprifuoco immediato, permanente. Le strade si svuotarono d'un colpo. Macchine si bloccavano contro i marciapiedi, la gente si andava ad acquattare contro le porte chiuse. Alcuni, ricurvi in motocicletta, acceleravano verso casa. Le navi attraccate al porto avevano aperto il fuoco con le loro armi pesanti e il cielo era solcato dalle strisciate rosse delle pallottole traccianti.

«C'è un attacco aereo, un attacco aereo; abbiamo ricevuto l'allarme da Tan Son Nhut», rispose concitato al telefono un ufficiale di guardia a Doc Lap.

Cinque A-37 dell'aviazione sudvietnamita catturati dai vietcong stavano passando e ripassando sull'aeroporto, sugli hangar, sui depositi di munizioni, sulle zone di parcheggio, dove migliaia di persone cercavano di imbarcarsi sugli aerei americani diretti a Guam. Era il tenente Nguyen Thanh Trung che faceva il suo secondo colpo, come mi spiegò, poi, il colonnello di Hanoi: «Gli aerei decollarono e tornarono a Phan Rang. Trung era il capo squadriglia. Conosceva bene l'aeroporto ed il suo sistema difensivo. Gli altri quattro piloti li avevamo addestrati per una settimana a volare sugli A-37 perché erano abituati sui Mig. Durante l'attacco mantennero il silenzio radio per non essere scoperti. La sorpresa fu importante. Riuscimmo così a colpire molti degli aerei nemici ancora al suolo. I fantocci pensavano che non avremmo mai potuto attaccare l'aeroporto perché avevamo ancora i nostri compagni a Camp Davis. Infatti riflettemmo a lungo prima di dare il via all'operazione; ma dovevamo farlo. L'aviazione era l'ultima difesa di Saigon ed attaccare Tan Son Nhut e Bien Hoa era indispensabile».

Dopo quindici minuti la pazzesca sparatoria si diradò, smise; ma Saigon aveva avuto un assaggio di cosa sarebbe stata una battaglia strada per strada; casa per casa. Il sollievo dell'ascesa di Minh alla presidenza era durato l'attimo d'un respiro. Ormai pareva tardi per tutto. Minh non aveva ancora un governo, l'altra parte non sembrava accettarlo come interlocutore. Come avrebbe potuto trattare? Come avrebbe potuto fermare una macchina da guerra che sembrava già in moto per schiacciare Saigon?

Quella sera l'ascolto di Radio Giai Phong, l'emittente del Fronte di Liberazione, ci dette i brividi. Commentando l'investitura del nuovo presidente, la radio parlò della «cricca Minh-Huyen-Mau» che si ostina a prolungare la guerra nella speranza di mantenere il neocolonialismo americano. Poi, alla fine del notiziario, si sentirono chiare le note di *Indomabile Saigon, sollevati!*

«È il segno dell'attacco», disse Cao Giao, «hanno fatto la stessa cosa alla vigilia dell'attacco contro Da Nang, Hué, Nha Trang...»

«È solo propaganda, lo fanno per salvare la faccia; forse un accordo di massima c'è già», suggeriva qualcun altro.

La speranza che potessero esserci ancora delle trattative, che si potesse evitare un massacro a Saigon, era dura a morire.

Era davvero un'illusione? La risposta sarebbe venuta presto. Se i vietcong accettavano l'invito di Minh a «deporre le armi, sedersi ad un tavolo e trattare», la notte sarebbe stata calma. Altrimenti sarebbero arrivati i razzi. Si diceva che i vietcong ne avevano migliaia nella cerchia della capitale. Contro i razzi che fare?

Andai a letto coprendomi con un materasso.

29 aprile

Il sole dalla parte sbagliata

M'ero addormentato pensando ai razzi e, nel sonno, li sentii arrivare, vicini, con dei tonfi sordi, in scariche di quattro o cinque alla volta.

Corsi alla finestra e vidi la piazza dell'Assemblea Nazionale, la via Tu Do deserte. Solo il poliziotto di guardia, seduto ai piedi della scalinata con l'M-16 fra le gambe, era lì, immobile al suo posto che guardava nel cielo nerissimo verso il fiume.

Pareva una delle solite notti di Saigon, col tuonar delle cannonate, con la guerra non troppo lontana, ma mai proprio lì, con la gente che dorme tranquilla, convinta che dopotutto la capitale non verrà toccata.

Eppure quella notte, Saigon vuota, muta, col fiato sospeso, non dormì. Migliaia e migliaia di persone in quel silenzio scosso dai tonfi dei razzi in arrivo facevano i conti con la propria vita, facevano piani da attuare all'alba, cercavano qualcuno da cui farsi aiutare, pronti a tradire famiglia, amici, legami di anni pur di trovare un modo per scappare. Scappare. Ma come? Erano in pochissimi a saperlo.

Vennero altri razzi, parvero molto più vicini, ed il poliziotto corse, quattoni, a ripararsi sotto l'arco d'ingresso dell'Assemblea. Ad occidente, dietro le sagome geometriche delle case, si vide un alone di luce levarsi dal suolo, aumentare, espandersi, salire con bagliori rossastri. Era ancora notte fonda, ma era come se quella mattina su Saigon il sole sorgesse in anticipo e dalla parte sbagliata.

«Qui è tutto in fiamme. Una trentina di razzi sono caduti sulle piste e nei depositi. Sembrano da 122. Whiskey Joe, Whiskey Joe, mi senti? Conferma.»

«Okay. Qui Whiskey Joe. Roger.»

Tutto l'albergo s'era svegliato alle quattro. Nel corridoio qualcuno, con una normale radio a modulazione di frequenza, era riuscito a sintonizzarsi sul circuito di sicurezza dell'ambasciata americana e quella che ascoltavamo era la voce concitata di un *marine* che parlava dall'USDAO (United States Defense Attaché Office) all'aeroporto di Tan Son Nhut.

Il corridoio s'era riempito di gente. Di tutto l'albergo era forse il posto più sicuro nel caso un razzo avesse colpito l'edificio. Gli ospiti erano ormai solo dei giornalisti, in gran parte americani, ed alcuni membri polacchi della Commissione internazionale di controllo e supervisione, installata dopo gli Accordi di Parigi. Stavamo tutti incollati alla radio, col pavimento che a ogni nuovo colpo ci tremava sotto i piedi. La radio taceva; poi un brusio metallico indicava che il circuito era stato riaperto. Di nuovo la voce di Tan Son Nhut: «Cadono ancora qui tutto attorno. Due *marines* sono morti all'entrata numero quattro. Che ne facciamo dei cadaveri?» La risposta non venne.

L'attacco contro l'aeroporto era gravissimo. Da giorni gli esperti militari dicevano che se i vietcong muovevano contro Tan Son Nhut, era il segnale dell'attacco a Saigon; se l'aeroporto cadeva, la capitale era finita. L'evacuazione americana sembrava ormai inevitabile. Imminente.

Alcuni giornalisti corsero nelle loro camere a fare le valigie. Un collega americano, che aveva il suo telex nell'albergo, arrivò mostrando a tutti una striscia di carta: «Il mio ufficio di Washington l'ha saputo dal Pentagono. L'evacuazione è fissata fra due ore».

Qualcuno chiamò l'ambasciata americana per conferma. Nessuno sapeva nulla. Voci alla radio parlarono di una riunione d'emergenza fissata per le sei; dall'aeroporto richiamarono Whiskey Joe, ma il problema era ancora quello di dove mettere i cadaveri dei due *marines*.

«Portateli al Seventh Day Adventist Hospital», risposero dall'ambasciata.

Un colonnello polacco, che con un walkie-talkie si era messo al terzo piano dell'albergo a parlare coi suoi ufficiali rimasti intrappolati nelle loro residenze a Tan Son Nhut, scese le scale dicendo: «C'è battaglia lungo il perimetro dell'aeroporto. I miei uomini dicono di sentire raffiche di AK-47».

I vietcong stavano lanciando un attacco di fanteria? Se era così, l'evacuazione con gli aerei sarebbe stata impossibile. Anche se i *marines* della 7ª Flotta fossero arrivati a fare un cordone di sicurezza lungo le piste, i vietcong erano ormai in grado di impedire le operazioni di atterraggio e decollo. Si parlava di questo e la conferma venne da una nuova voce che chiamava Whiskey Joe: «Qui è Jacobson. La situazione è seria. Il piano di evacuazione deve essere cambiato. Cambiato. Le opzioni uno-due-tre non sono più valide».

Gli americani e gli altri bianchi che avevano deciso di andarsene sapevano cosa questo voleva dire. Era l'evacuazione per elicottero.

Nei giorni precedenti l'ambasciata americana e le altre che avevano ottenuto da Washington la garanzia di essere aiutate ad evacuare i propri cittadini avevano distribuito istruzioni «estremamente riservate» da seguire nel caso di una evacuazione d'emergenza. Ad ognuno erano stati dati degli indirizzi ai quali avrebbe potuto recarsi e da dove sarebbe stato preso per essere portato, in elicottero, sulle portaerei della flotta che incrociava al largo di Saigon.

Il dottor Schostal, primo segretario dell'ambasciata d'Italia, il lunedì 28, dopo avermi fatto presente che ero entrato illegalmente nel paese perché non avevo visto e che avrei dovuto subito mettermi in regola con le autorità, dicendomi che dovevo partire con l'evacuazione americana perché l'ambasciata italiana, anche se fosse rimasta aperta, non avrebbe potuto ospitarmi («questo tipo di assistenza non è compito delle missioni diplomatiche»), mi consegnò, con molte raccomandazioni di riservatezza, il seguente documento simile a quello delle altre ambasciate:

« In caso di emergenza i cittadini italiani dovranno fare quanto segue:
1) mettersi in tasca il proprio passaporto, dei propri figli e della propria moglie. Deve trattarsi ovviamente di passaporto italiano;
2) recarsi con la massima urgenza in uno dei seguenti punti di raduno, portando con sé non più di una valigia di modeste proporzioni:
   a) al numero 192 di Cong Ly qualora abitassero nelle vicinanze dell'ambasciata;
   b) al numero 22 di Gia Long qualora abitassero nelle vicinanze dell'Hotel Continental;
   c) al numero 2 di Phan Van Dat qualora abitassero nelle vicinanze dell'Hotel Majestic.
Come riconoscere lo stato d'emergenza:
l'ambasciatore e il primo segretario verranno avvisati telefonicamente, posto che il telefono funzioni;
l'ambasciatore dovrà telefonare al col. Andrei che avviserà il maresciallo Pimpinella, al dr. Schostal se non fosse già stato avvertito e al sig. Esposito;
manderà il suo autista col sig. Venuti ad avvisare gli altri impiegati;
il dottor Schostal avviserà i giornalisti degli Hotel Majestic, Continental e Caravelle. Se i telefoni non funzionassero, vi si recherà di persona.

Qualora invece la situazione dovesse precipitare ed i telefoni non dovessero più funzionare, ognuno deve munirsi di una radio a modulazione di frequenza per ascoltare un messaggio che verrà lanciato dalla radio americana a Saigon. Il messaggio consisterà di un annuncio meteorologico: '*105 degrees and rising*', che vuol dire: 'Vi sono 105 gradi Fahrenheit e la temperatura sta aumentando'. Dopo trenta secondi vi sarà un canto: '*I am dreaming of a white Christmas*', che vuol dire: 'Sto sognando un Natale con la neve'. Il messaggio verrà ripetuto ogni 15 minuti per due ore. Con ogni probabilità il tutto avverrà di notte.

In questa ipotesi ognuno deve recarsi con mezzi propri al più vicino posto di raduno senza contare sull'aiuto di nessuno se non di se stesso.

Ricordarsi di portare con sé in tasca delle somme in piastre ed in dollari da darsi eventualmente ai blocchi di polizia. Non dimenticarsi il passaporto che verrà portato sulla persona. Soltanto esibendo il passaporto italiano ci si potrà avvalere dell'assistenza.

202

N.B. – Quanto sopra è da considerarsi riservatissimo. Nessuno degli interessati dovrà farne parola a nessuno. Né vietnamita, né straniero di altra nazionalità. *Soprattutto se avesse dei familiari vietnamiti egli si asterrà dal comunicarlo*» [corsivo nel testo].

Albeggiava e su Tan Son Nhut c'era ormai una palla arancione di fuoco e colonne nere di fumo. I depositi di munizioni colpiti dai razzi stavano saltando in aria. Vedemmo alzarsi due F-5 che andarono a bombardare le posizioni comuniste prima di scomparire all'orizzonte in direzione sud. Un vecchio DC-3 si abbassò lento su Tan Son Nhut, scomparendo dietro una fila di alberi. Un piccolo L-119 da osservazione esplose in aria colpito dalla contraerea comunista che scoppiettava in cielo come dei fuochi d'artificio.

Nei corridoi del Continental c'era ormai una grande confusione. Chi aveva deciso di partire portava nell'atrio valigie e distribuiva a chi restava bottiglie di vino, champagne, macchine per scrivere, giacche antiproiettile ed elmetti. Molti erano attaccati alla radio a transistor ad aspettare la parola d'ordine per partire.

Nelle ultime ore il vecchio messaggio «*105 degrees and rising*» era stato cambiato, perché tutta Saigon ormai lo sapeva. Il nuovo avrebbe dovuto essere: «*Mother wants you call home*» (La mamma vuole che tu telefoni a casa), ma la radio americana continuava a trasmettere musica.

Un gruppo era rimasto in ascolto delle comunicazioni dei consiglieri americani e dei *marines* all'aeroporto con Whiskey Joe.

Dalle cinque del mattino, più o meno ogni quindici minuti si sentiva la voce di qualcuno che diceva: «Sono padre Devlin, padre Devlin della via Yen Do, quand'è l'evacuazione?» Whiskey Joe gli rispondeva regolarmente: «Per ora non ci sono istruzioni. Richiami».

Verso le sette, padre Devlin richiamò disperato: «Ditemi, quando ci sarà l'evacuazione, come faccio ad andare ad una piazzola per gli elicotteri? Sono in via Yen Do; c'è il coprifuoco ventiquattr'ore su ventiquattro; come faccio a muovermi? Ditemi che cosa debbo fare!»

Non ricevette risposta. Mentre la solita voce parlava dall'aeroporto, si sentì nella radio uno squillo di telefono, poi: «Pronto, qui è Watanabe, ambasciata giapponese. Ci sono novità sull'evacuazione?» Whiskey Joe gli disse di cambiare frequenza e nell'albergo gli americani e gli altri, pronti a partire, si preoccuparono.

Ci fu il panico quando sentimmo la voce del consigliere dell'ambasciata americana Jacobson dire a Whiskey Joe: «Fate bene attenzione. Dite all'ambasciatore di procedere verso Tan Son Nhut con estrema cautela».

L'evacuazione era già in corso? Martin stava andandosene lasciandosi dietro i giornalisti?

Il centralino dell'albergo era nel caos più completo. Il vecchio portiere di notte, Annamalay, un indiano che anche nei suoi rari momenti di sobrietà non era mai riuscito a trasferire dalla centrale una chiamata in una camera, aveva abbandonato il suo posto lasciando ad un gruppo ansioso di colleghi il compito di infilare e sfilare le spine giuste per chiamare l'ambasciata.

Qualcuno ci riuscì. No. L'evacuazione non era ancora cominciata, né decisa. Che ognuno restasse in ascolto alla radio. Martin, non fidandosi dei suoi collaboratori che aveva sempre accusato di essere dei disfattisti e delle Cassandre, con un'ultima spavalderia era voluto andare a Tan Son Nhut a rendersi conto personalmente della situazione.

Dal bollettino di informazioni delle 8 si seppe che il presidente Ford aveva convocato d'urgenza il Consiglio nazionale di sicurezza per le nove, ora di Saigon. C'era ancora da aspettare tranquilli. Il telefono squillava in continuazione. Erano semplici vietnamiti che chiedevano come scappare, colleghi giornalisti di altri alberghi che volevano sapere che cosa sapevamo noi, diplomatici che cercavano i loro connazionali per avvertirli di tenersi pronti.

Dinanzi ai camerieri dell'albergo che ripiegavano le brande su cui avevano dormito come sempre e si infilavano le giacche bianche, sfilacciate, ma ben stirate, con le iniziali «CP», Continental Palace, in azzurro sul petto, si presentò nel giardino per la colazione un nervoso, impaurito, eccitato gruppo di gente.

Tutti nel bagno di sangue

Joseph, uno dei vecchi dell'albergo, quarantacinque anni di servizio, ma per professione ancora semplicemente *boy*, venti parole di francese ed un assurdo, sproporzionato paio di scarpe nere a punta lasciategli da qualche cliente tempo addietro, ciabattava tra i tavoli prendendo le ordinazioni della colazione, spiegando ai distratti clienti di quella mattina che le brioche non c'erano e che probabilmente non sarebbero arrivate neppure più tardi.

204

«Perché?» chiese qualcuno.

«*Peut-être aujourd'hui c'est finie la guerre*», rispose.

Un giornalista americano, maglietta bianca, spalle larghissime e scarpette da tennis, ex *marine* diventato corrispondente di guerra per un quotidiano di Chicago, andava ugualmente di tavolo in tavolo a prendere i nomi dei colleghi che volevano partire.

L'ambasciata americana aveva nominato per ogni albergo un capogruppo responsabile dell'evacuazione dei giornalisti stranieri. In caso d'emergenza, l'ordine di scappare sarebbe arrivato a lui e lui avrebbe guidato la corsa al punto di radunо.

Molti erano indecisi. Alcuni teorizzavano ancora la possibilità di un cessate il fuoco e di un governo di coalizione. Un inglese ripeteva continuamente: «Gli americani non possono permettere che i carri armati di Giap sfilino per la via Tu Do. Questi attacchi sono solo di diversione. Un accordo ci deve essere già».

La paura, l'incertezza rendevano alcuni terribilmente loquaci, altri muti e dolcemente sorridenti.

«È probabile che ci sia una sola, totale evacuazione», disse il giornalista capogruppo che aveva giusto parlato per telefono con qualcuno dell'ambasciata. «Chi non dà il nome ora rischia di rimanere a terra.»

La sua lista si allungava col dilungarsi della colazione.

Per migliaia e migliaia di vietnamiti erano ore di terrore. Coi razzi su Tan Son Nhut avevano capito d'aver perso per sempre il loro «biglietto per la salvezza».

L'evacuazione con cui gli americani, una settimana prima, avevano appena incominciato a far partire per i campi profughi di Guam, al ritmo di settemila al giorno, le persone considerate sulla «lista nera dei vietcong», non avrebbe potuto continuare. Da ore non si sentiva più il rombo dei giganteschi C-141 della US Air Force che nei giorni e nelle notti precedenti erano atterrati e decollati a ciclo continuo. Le piste erano impraticabili e per molta gente che aveva già tutto venduto, tutto organizzato per partire, questo equivaleva – credete – a una condanna a morte.

Dal bombardamento dei cinque A-37 vietcong la sera precedente, Tan Son Nhut era stata teatro di scene allucinanti. Quando i jet, che in un primo momento tutti credettero amici, balenarono a filo delle case, c'erano migliaia di persone accampate nella mensa, nella palestra, nei capannoni del DAO. Altre centinaia erano già con le loro carte di imbarco in mano, nell'area di parcheggio degli elicotteri.

Caddero le bombe: alcune in mezzo alla folla carica di bagagli, di bambini, terrorizzata. Fu un massacro. Due aerei che erano già sulla linea di partenza decollarono, un aereo militare si alzò ancora con le porte aperte e con la gente che gli correva dietro. Fu una carneficina. Morirono più di cinquecento persone.

L'evacuazione fu sospesa, ma i sopravvissuti non scapparono; non desistettero. Per ore ed ore rimasero sull'asfalto, in mezzo ai cadaveri ed alle valigie sventrate dalle schegge, a tendere l'orecchio nel buio della notte, a cercare nel cielo chiaro dell'alba la sagoma nera d'un altro aereo, il loro, che li venisse a prendere. Non venne mai più ed i razzi fecero fra quei disperati delle nuove vittime.

La gente a Saigon era in quei giorni così convinta che i vietcong sarebbero arrivati facendo terribili massacri, che era pronta a correre qualsiasi rischio, a fare qualsiasi pazzia pur di scappare.

Da mesi gli americani avevano parlato del grande «bagno di sangue» che avrebbe avuto luogo a Saigon se i vietcong fossero entrati nella capitale. Le vittime delle rappresaglie comuniste sarebbero state, secondo i loro calcoli, dalle 150.000 alle 200.000.

L'idea del massacro era tanto diffusa fra la popolazione che non solo gli ufficiali dell'ARVN, i poliziotti ed i soldati che avevano collaborato con gli «imperialisti» ed avevano combattuto contro i vietcong temevano per la loro vita; anche le segretarie, gli impiegati delle aziende americane, le ragazze dei bar, le prostitute che avevano vissuto di dollari americani, le donne di servizio, i cuochi, gli autisti che avevano lavorato per famiglie americane, i medici, gli ingegneri, i giovani che avevano semplicemente studiato negli Stati Uniti, si sentivano «segnati».

L'avanzata delle truppe comuniste dagli Altipiani alla costa, dal Nord verso il Sud, era stata accompagnata da terribili voci di raccapriccianti eccidi e vendette.

A Da Nang 12 poliziotti sudisti sarebbero stati fatti marciare nudi per le strade del centro e poi uno ad uno sarebbero stati decapitati; il vescovo cattolico di Ban Me Thuot sarebbe stato preso dai vietcong e tagliato in tre pezzi; il padre e tutta la famiglia del capo della guardia di palazzo di Thieu che abitava negli Altipiani sarebbero stati impalati ed esibiti per giorni alla popolazione. Un bonzo raccontò d'aver visto uccidere a colpi di bastone trecento persone sulla piazza del mercato di Ban Me Thuot. Tutta Saigon sapeva e ripeteva queste storie.

Nessuno avrebbe allora creduto che il vescovo sarebbe arrivato, di lì a pochi giorni, libero e tutto d'un pezzo nella capitale; che i trecento morti di Ban Me Thuot erano veri, ma che erano stati vittime del bombardamento aereo ordinato da Thieu dopo la liberazione della città; che i familiari del capo delle guardie di Thieu erano sani e salvi e che erano stati loro stessi a mettere in giro la voce della propria morte per poter più facilmente scappare a Saigon con tutti i loro soldi.

Tutte queste voci venivano regolarmente confermate dai portavoce militari di Saigon; Washington convalidava.

Il 16 aprile James Schlesinger, segretario alla Difesa, aveva detto al Congresso che almeno 200.000 vietnamiti rischiavano di essere uccisi in caso di vittoria comunista. Il 18, il colonnello Robert Burke, portavoce del Pentagono, aveva dichiarato che, secondo dei rapporti segreti, sanguinose rappresaglie erano in corso nelle zone comuniste e che i dettagli su certi episodi erano «orripilanti».

Lo stesso giorno, Kissinger, parlando dinanzi all'House Committee for Emergency Aid, aveva detto che nelle zone del Vietnam recentemente occupate «*we expect the communists to try to eliminate all possible opponents. There will be a lot more than a dozen executions* (ci aspettiamo che i comunisti eliminino tutti i loro possibili oppositori. Ci saranno ben più di qualche dozzina di esecuzioni)».

Stars and Stripes, il quotidiano delle forze armate americane nel Pacifico, in uno degli ultimi numeri arrivati a Saigon aveva un titolo che suonava: «*At least a million Vietnamese will be slaughtered* (Almeno un milione di vietnamiti verranno massacrati)».

«Qui sarà cento, mille volte peggio che a Hué durante il Tet del '68», diceva la gente a Saigon, senza sapere che molte vittime dei «massacri» comunisti nella vecchia capitale imperiale in verità erano state fatte dai bombardamenti americani e che molti dei corpi filmati, fotografati e pianti nelle fosse comuni, scoperte con grande pubblicità quando la città fu riconquistata dagli US *marines* e dalle truppe di Thieu, erano dei vietcong sepolti lì, assieme ai civili, dai comunisti in ritirata.

Il terrore del bagno di sangue era cresciuto giorno per giorno con l'avvicinarsi della guerra a Saigon. Al tempo della caduta di

Ban Me Thuot, la ragazza di un'agenzia di viaggi del centro, con una lunga treccia nera sulla schiena, mi aveva chiesto: «Crede che i comunisti mi taglieranno i capelli?»

Sei settimane dopo, quella stessa ragazza e migliaia di altre come lei erano convinte che i vietcong avrebbero loro strappato ad una ad una le unghie, semplicemente perché le avevano laccate.

Le donne che avevano avuto dei figli dagli americani erano persuase che i comunisti glieli avrebbero tolti e uccisi, perché – si diceva – questo era ormai successo in tutte le zone dove erano arrivati. Incontrai dopo la Liberazione due giovani madri disperate perché nel panico avevano messo i loro figli meticci su un volo di orfani. Contavano di raggiungerli in seguito e di ricercarli negli Stati Uniti, ma erano rimaste bloccate.

La presa di Phnom Penh da parte dei partigiani khmer rossi il 17 aprile, e le prime storie vaghe e mai confermate sui massacri e le violenze che avrebbero avuto luogo in Cambogia, fecero per giorni le prime pagine dei giornali, dando nuovamente alla popolazione di Saigon un'idea ed una riprova di quello che sarebbe successo presto qui, ma su ben altra scala e con ben altra metodicità.

La gente di Saigon si immaginava già, una volta che la città fosse caduta, squadre di assassini vietcong andare di casa in casa a cercare, con delle liste che – si diceva – erano pronte da tempo, le vittime per i plotoni d'esecuzione. Ognuno credeva di sapere almeno una ragione perché toccasse anche a lui.

«Sono sicura. Mi ammazzeranno», m'aveva detto a metà marzo una donna di quarant'anni che in passato era stata per due anni la telefonista dell'ambasciata australiana.

I cattolici erano fra i più terrorizzati. Si diceva che quelli scappati dal Nord nel 1954 sarebbero stati costretti a rifare il cammino all'inverso, a piedi, nella giungla, lungo il sentiero di Ho Chi Minh; si diceva che le ragazze sarebbero state obbligate a sposare i ciechi, gli storpi, gli invalidi di guerra nordvietnamiti.

Nelle prime settimane dopo la Liberazione questa voce continuò a circolare con insistenza e le chiese quasi non bastarono per celebrare matrimoni in massa di giovinette che prendevano in fretta un marito qualsiasi pur di non ritrovarsi a spingere, come dicevano, la carrozzella di un «mezzo vietcong».

Le storie, le voci dei massacri, la teoria del «bagno di sangue», inventate e diffuse dalla propaganda americana e di Thieu per screditare il nemico, per rafforzare lo spirito di resistenza della popolazione e dell'esercito sudista e per convincere il riluttante

Congresso americano a stanziare nuovi miliardi per salvare il Vietnam, o almeno il più alto numero di vietnamiti, dal «giogo comunista», avevano finito per riversarsi sui loro stessi autori, per essere uno dei fattori che accelerarono la rotta, lo sbandamento, il caos nel Sud.

Gli americani avevano preparato da tempo piani per l'evacuazione non solo dell'intera colonia americana e dei loro familiari locali, ma anche di tutti i vietnamiti che, per la loro attività di collaborazionisti, avrebbero rischiato la vita una volta caduti in mano ai vietcong.

La sezione CIA dell'ambasciata aveva preparato enormi liste di persone con varia priorità, a seconda del rischio che ognuno avrebbe corso: i primi evacuati sarebbero stati alti ufficiali, ministri in carica ed a riposo, agenti dello spionaggio, responsabili della polizia segreta e tutti quelli che erano stati coinvolti nel programma Phoenix, lanciato nel '68 per eliminare sistematicamente dalle città e dai villaggi ogni persona anche semplicemente sospetta di avere legami col Fronte.

Poi c'erano le liste dei capi provincia, dei capi distretto, dei senatori, dei deputati, degli alti funzionari di alcuni ministeri, generali e diplomatici a riposo, più altre liste di persone in un modo o nell'altro legate alla politica americana in Vietnam.

Il Dipartimento di Stato aveva calcolato un minimo di 130.000 persone da evacuare. Altre liste supplementari facevano arrivare a 200.000 il numero dei vietnamiti che era indispensabile far partire, se gli Stati Uniti volevano mantenere la parola nei confronti degli «alleati» che si erano impegnati a fare la guerra per loro.

Le liste erano pronte da tempo, una intera flotta di aerei era stata messa a disposizione dal Pentagono, ma l'ambasciatore Martin a Saigon e Kissinger a Washington s'erano costantemente rifiutati di dare il via all'operazione, temendo che questa avrebbe provocato la prematura fine di un regime già traballante.

Quando l'offensiva comunista cominciò a passare da un successo all'altro, l'ambasciata, pur non annunciando l'evacuazione, fece partire discretamente, senza dar troppo nell'occhio, le famiglie americane residenti.

«Ogni mattina si scopriva che una villa era stata abbandonata, che in un appartamento non c'erano rimasti che dei mobili coi cassetti vuoti», mi raccontò una *tiba*, una donna di servizio in un quartiere abitato prevalentemente da stranieri, vicino al cimitero Mac Dinh Chi.

Il segretario della Difesa Schlesinger voleva a tutti i costi che « gli americani non essenziali » fossero portati via da Saigon al più presto; ma Martin continuò a dire che non ce n'era bisogno ed insistette che tutti i cittadini americani che lasciavano il paese fossero in regola con le leggi vietnamite. Per molti che avevano moglie e figli locali significò pagare sottobanco fino a due-tre milioni di piastre per ottenere dei visti d'uscita. Martin era così convinto – o voleva convincere gli altri – che la situazione non fosse affatto precaria, che rifiutò persino di far imballare e spedire i mobili, le porcellane e la biblioteca di casa sua.

Partito Thieu, la situazione precipitò. L'evacuazione venne annunciata ufficialmente e l'ambasciata che aveva creduto di avere ancora in Vietnam 7000 americani venne presa d'assalto da vecchi disertori, uomini d'affari, pensionati, di cui nessuno aveva tenuto conto. Con le loro famiglie e i parenti vietnamiti erano 35.000 persone in più. Le formalità burocratiche vennero messe da parte e nella sala cinematografica del complesso del DAO, che era stato un tempo il MACV, il quartiere generale del corpo di spedizione americano, vennero consegnate a ritmo continuo le carte d'imbarco per i *freedom birds*, gli aerei diretti a Guam o nelle Filippine. Per tacitare le autorità vietnamite dell'immigrazione, l'ambasciata promise che tutte le guardie e i poliziotti dell'aeroporto sarebbero poi partiti anche loro per gli Stati Uniti.

L'evacuazione cominciò accompagnata da una campagna pubblicitaria umanitario-anticomunista che avrebbe dovuto camuffare la sconfitta e la fuga americana. Centinaia di bambini, orfani o meno, vennero caricati sugli aerei militari diretti dall'altra parte dell'Oceano. Il presidente Ford andò ad aspettare il primo carico per farsi fotografare sorridente sulla scaletta dell'aereo con in braccio il primo bambino « salvato dal comunismo ».

Sulle intenzioni di questo *baby-lift* non ci sono dubbi. Il 2 aprile a questo proposito il dottor Phan Quang Dan, ministro degli Affari Sociali di Saigon, aveva scritto al suo primo ministro Khiem: « La partenza di un notevole numero di orfani causerà nel mondo, e specialmente negli Stati Uniti, una profonda emozione che sarà tutta a vantaggio del Sud-Vietnam. L'ambasciatore americano ci assisterà in ogni modo possibile, dal momento che è lui stesso convinto che l'evacuazione di centinaia di migliaia di vittime di guerra contribuirà a muovere l'opinione pubblica americana a favore del Sud-Vietnam. Quando i bambini arriveranno negli Stati Uniti la stampa, la televisione e la radio daranno ampia pubblicità alla cosa e l'impatto sarà enorme».

I vietnamiti stessi reagirono in parte con dispetto a questa operazione di rapimento di bambini. Quando il Galaxy dell'US Air Force scoppiò in aria mentre decollava da Tan Son Nhut, facendo 206 vittime fra gli orfani a bordo, un ufficiale sudvietnamita disse al corrispondente del *New York Times* che si trovava all'aeroporto al momento del disastro: «È simpatico che ve ne andiate portandovi dietro tanti souvenir del Vietnam: gli elefanti di terracotta, le ceramiche ed i bambini. Peccato che oggi qualcuno si sia rotto; ma non preoccupatevi, ne abbiamo tanti altri...»

Secondo i calcoli americani l'evacuazione doveva durare fino al 13 maggio. Quando invece divenne chiaro che poteva essere interrotta molto prima, l'ambasciata rivide i suoi piani, rifece le liste, cambiò le priorità. Molte persone che, avendo ricevuto assicurazioni e promesse di partire, avevano venduto tutto quel che possedevano e cambiato in dollari al mercato nero che saliva fino all'ultima piastra, si trovarono perse, abbandonate.

Un ex colonnello che aveva lavorato per anni nell'ufficio della presidenza del Consiglio mi raccontò quel che gli era capitato: «Mi avevano dato un indirizzo e un appuntamento. Le istruzioni erano precise: portate solo una valigia a testa e solo gli strettissimi familiari.

«Ci andai con mia moglie. Era una bella villa. Lasciai la macchina dinanzi alla porta. Un americano ci ricevette, ci fece passare in salotto. C'erano altre famiglie. Ci dettero delle buste con tutti i documenti e ci dissero di aspettare. Ci sarebbero venuti a prendere con un autobus al buio. Col coprifuoco e le strade deserte avremmo dato meno nell'occhio.

«Verso mezzanotte l'americano tornò, dicendo che qualcosa era andato storto, il programma era cambiato. Dovevamo tornare a casa. Uscendo non trovai più la macchina; qualcuno che aveva capito cosa stava succedendo l'aveva portata via».

Rividi il colonnello varie volte dopo la Liberazione. La sua più grande preoccupazione era di non far sapere che aveva tentato di partire.

Man mano che i giorni passavano e che la prospettiva del «bagno di sangue» si avvicinava, le carte d'imbarco distribuite ai vietnamiti dall'ambasciata americana, dove ormai c'era in permanenza una lunghissima coda di gente che sventolava fogli, attestati, lettere di benemerenza, divennero sempre più preziose ed all'asta informale di Saigon, che da sempre aveva comprato e venduto tutto, passarono da mille a duemila, tremila dollari l'una.

Un impiegato dell'USIS, invece di distribuire queste carte alla gente del suo servizio, le vendette a 1500 dollari l'una. Non poté godersi la sua piccola fortuna perché, per restar negli affari fino all'ultimo momento, finì per perdere il suo aereo.

Il generale Cao Hoa Hon, consigliere di Thieu a palazzo, ottenne cinquanta posti per il suo staff, ma preferì metterli in vendita per 1000 dollari l'uno.

All'inizio dell'evacuazione un americano che voleva portarsi dietro dei vietnamiti con cui non era legato da parentela, doveva presentare i dovuti documenti, firmare degli «affidavit»; alla fine bastava portarli con sé al posto giusto, nel momento giusto.

Quando, all'uscita del DAO, un *marine* chiamava per l'imbarco «Smith», oltre al solito giovanottone biondo, si presentavano tanti altri «Smith» vietnamiti che strisciavano fino alla scaletta dell'aereo dietro a lui che li aveva semplicemente dichiarati parenti suoi. Qualcuno, facendo queste frettolose dichiarazioni, si aggiudicò come figli gente più vecchia di lui.

A Saigon corse voce che in questo modo ogni americano poteva portare con sé fino a dieci vietnamiti e cominciò così il più grosso mercato della disperazione e della paura.

Ex GI rimasti in Vietnam come protettori di prostitute, costruttori falliti, proprietari di bar, piccoli trafficanti di droga, tenutari di bordelli, si rifecero in poche ore dei dollari che avevano sperperato in anni di ubriache nottate nei bui androni dei night-club di Saigon.

Famiglie benestanti che non erano riuscite a scappare in altro modo si comprarono «il loro americano» per cinque-diecimila dollari a testa per essere portate via.

My Linh, la tenutaria di un piccolo bordello vicino al monumento di Tran Hung Dao, dette 4000 dollari al suo *boy friend* americano; quello le ordinò di preparare le valigie mentre lui andava a fare i fogli. Non ripassò mai più. Lo stesso successe a decine di ragazze come lei nei vari bar della via Tu Do.

Altri mantennero la parola per non rovinarsi il mercato. Un americano venne scoperto ed arrestato all'ambasciata mentre cercava di ottenere carte d'imbarco per la sua «famiglia». Aveva già fatto tre volte la spola fra Saigon e Guam. Ogni viaggio gli era valso migliaia di dollari.

Più fortunato fu il proprietario del negozio «Giao Sport» nel centro di Saigon. Trovò un americano che per 6000 dollari lo mise su una lista di importanti agenti della CIA. Lo vennero a prendere con una macchina e lo portarono a Tan Son Nhut assieme ad altri veri agenti.

Persino indonesiani ed iraniani della Commissione internazionale di controllo e supervisione approfittarono di questa occasione. Sugli ultimi aerei che partirono domenica 27 presero le famiglie dei loro dipendenti locali per 300 dollari a testa.

La paura dei vietcong aveva fatto perdere la testa a Saigon ed il panico, come il fuoco in un fienile dopo aver covato a lungo, era esploso attaccandosi a tutti. La gente non parlava d'altro; partire era diventata un'ossessione.

I mendicanti della via Tu Do usavano questo nuovo argomento per impietosire i passanti stranieri. Uno degli orfani lustrascarpe che vivevano nel passaggio Eden e che mi aveva « adottato » mi veniva incontro ogni giorno stendendo la mano e dicendo: «*Papa, you give me money, I go America* (Papà, dammi soldi, vado in America) ».

La paura del « bagno di sangue » aveva cominciato ad infiltrarsi col passar delle ore anche nel gruppo di giornalisti che la mattina del 29 facevano colazione nel giardino del Continental sotto le fronde dei frangipane carichi di fiori bianchi.

Quando tentai di spiegare ad un collega inglese che non avevo condiviso i principi e la politica dell'intervento degli americani in Vietnam e che per questo non vedevo ora alcuna ragione di condividere i rischi e le emozioni della loro fuga, quello con sorpresa mi disse: « Ma tu non hai mai lavorato per gli americani? Non hai mai scambiato con loro le tue informazioni? » Fu uno di quelli che partì.

Settimane dopo la Liberazione le nuove autorità fecero sapere che avevano trovato, fra i dossier che gli americani ed i sudvietnamiti non avevano fatto in tempo a distruggere, le cartelle di alcuni giornalisti che avevano « collaborato ».

Uno di questi, un ex Peace Corps che parlava bene il vietnamita, era rimasto a Saigon. Nella sua cartella trovarono scritto di pugno da Tom Polgar, il capo della CIA a Saigon, il resoconto di gran parte delle sue attività di « informatore », prima in Thailandia, poi in Cambogia ed in Vietnam. Non gli successe nulla. I vietcong lo chiamarono al ministero degli Esteri, gli dissero che era un nemico del popolo vietnamita e che per questo doveva andarsene. Quello insistette, dicendo che non capiva, ed il funzionario che gli comunicava l'ordine di espulsione gli disse: «Ci pensi bene. Vada in America. Ripensi a tutto quello che ha fatto, rilegga quello che ha scritto, lo paragoni con quello che ha visto e poi ci scriva, ci faccia sapere. Magari un giorno potrà tornare e ne riparleremo».

Il tempo passava e la radio continuava a trasmettere musica; l'annuncio della mamma che voleva che la si chiamasse a casa non veniva.

La hall dell'albergo si stava riempiendo di gente spaventata e Joseph venne a dire che c'erano dei vietnamiti che cercavano un americano.

«Chi? Quale americano?»

«Un americano, uno qualsiasi.»

«To whom it may concern»

Uno era stato autista di un colonnello americano, uno interprete con le Forze Speciali, uno aveva lavorato come archivista. Le storie degli altri erano simili.

Erano sei, stanchi, spauriti; in un inglese elementare, imparato dai GI, con fortissimo accento americano, chiedevano di essere aiutati. Da fogli di cellofan, dall'interno delle camicie tiravano fuori pacchetti di documenti, carte con grandi aquile americane, brevetti di accademie. L'interprete, che poi disse di essere stato in verità un interrogatore di prigionieri vietcong coi Berretti Verdi, aveva, su carta intestata del Dipartimento della Difesa, un attestato di *security clearance*. Tutti avevano una lettera standard indirizzata *to whom it may concern* (a chi legge). C'era scritto: «Il latore della presente ha servito e combattuto alle mie dipendenze. È persona che crede fermamente nei valori della democrazia e del mondo libero. Se dovesse cadere in mano ai comunisti, a causa delle attività svolte la sua vita sarebbe in serio pericolo. Si prega di dargli tutto l'aiuto e l'assistenza possibile». Seguivano firme svolazzanti di ufficiali superiori americani.

I sei uomini, fra i venticinque ed i trent'anni, forti, dalle facce piene e dure, ci mostravano le loro carte con sguardi docili di speranza e di panico. Ognuna di queste lettere poteva essere un biglietto per la salvezza; oppure, qualche ora più tardi, una sentenza di morte.

Venivano dall'ambasciata americana; avevano passato la notte in mezzo alla folla disperata che assediava l'edificio, ma là non avevano trovato nessuno che li ascoltasse. I *marines* bloccavano tutte le entrate e s'erano messi, baionette in canna, lungo il bianco muro di cinta.

Ormai solo gli americani potevano entrare. Alcuni vietnamiti ce l'avevano ugualmente fatta, mettendo in mano degli incorruttibili *leathernecks* rotoli di dollari in biglietti da cento. Sulle mani vuote degli altri, che si attaccavano alla cancellata o cercavano di scavalcare il muro, i *marines* picchiavano coi calci dei fucili.

C'era gente che si rotolava per terra in crisi isteriche; c'era chi urlava nomi di americani, di colonnelli, di generali di cui era stato amico. Donne eleganti con grosse valigie «Samsonite» fra i piedi e dei bambini in braccio, singhiozzavano, ebeti. C'erano ufficiali in uniforme che tentavano di farsi riconoscere da qualcuno dietro la cancellata e semplici ragazze di bar venute lì solo perché avevano in passato avuto qualche fidanzato americano.

Il generale Huyen Van Kao, senatore, uno dei più fedeli di Thieu, piangeva impietrito con la moglie al braccio. Il miliardario Le Trunh Nghia, che era stato intimo di Westmoreland ai tempi della grande guerra americana, cercava di farsi largo a gomitate. Ngoc Khac Tienh, cugino di Thieu ed ex ministro della Giustizia, venne ricacciato quando aveva già raggiunto il cancello.

Vistisi persi, i sei avevano pensato ai giornalisti americani. Quelli sarebbero andati all'ambasciata e li avrebbero potuti portare con sé.

«*Sorry, very sorry*», ripetevano i colleghi americani, sapendo che al massimo nell'evacuazione avrebbero potuto portar via la macchina per scrivere ed una piccola valigia.

Scoprii poi che c'erano in quel momento a Saigon migliaia di persone in cerca di un qualche destinatario per le loro lettere *to whom it may concern*. Partendo nei giorni precedenti, gli americani, militari, appaltatori, rappresentanti di aziende private, ufficiali, avevano firmato decine di simili pezzi di carta come parte del benservito ai loro dipendenti, sperando che all'ambasciata qualcuno avrebbe onorato le loro raccomandazioni.

Ma nella confusione delle ultime ore, fra gli ordini e i contrordini, le tragedie personali, le delusioni, i fallimenti professionali, l'ambasciata aveva perso la testa e tutte le promesse andarono in fumo.

Partendo, gli americani si dimenticarono persino dei loro ultimi morti, i due *marines* uccisi all'entrata quattro di Tan Son Nhut. Qualcuno li aveva portati nella stanza mortuaria del Seventh Day Adventist Hospital, come avevano detto dall'ambasciata; ma lì rimasero fin quando i vietcong non vennero a portare i propri morti.

Gli americani si lasciarono dietro duecentocinquanta filippini che avevano lavorato per loro, abbandonarono dodici diplomatici della Corea del Sud, un gruppo di cinesi dell'ambasciata di Formosa e, peggio ancora, tutto lo staff dell'ambasciata cambogiana di Lon Nol che, dopo la liberazione di Phnom Penh, s'era messo sotto la protezione americana.

Furono i vietcong a mettere discretamente molta di questa gente sui primi aerei che lasciarono il Vietnam diretti in Laos per evitare, specie coi cambogiani, l'imbarazzante scelta di tenerli in prigione o consegnarli al nuovo governo dei khmer rossi.

La storia della Radio Stella Rossa fu tipica della distratta fretta con cui gli ultimi americani abbandonarono il Vietnam. Da anni per la CIA operava, dal numero 7 della via Hong Tap Tu, una radio clandestina che, imitando sigle, musiche e linguaggio di Radio Giai Phong, emittente del Fronte di Liberazione Nazionale, e trasmettendo quasi sulla stessa frequenza, diffondeva notizie false ed interpolava, imitandone la voce, i discorsi dei leader vietcong, per creare confusione nelle file nemiche.

Era stata questa trasmittente, ad esempio, a dare la notizia, ripresa poi da tutta la stampa internazionale, della morte del generale Giap nel dicembre 1972 sotto un bombardamento americano ad Haiphong; era stata questa radio a dare, dopo la caduta di Da Nang ed Hué, la notizia di un colpo di Stato a Hanoi, del ritiro dal Sud di tre divisioni nordvietnamite perché dovevano fronteggiare un'invasione cinese nel Nord-Vietnam. Di nuovo in aprile, «Stella Rossa» aveva riannunciato la morte di Giap; ma fu solo un quotidiano di Saigon, il *Chin Luan*, a riprenderla nell'edizione del 27.

In questa operazione della radio clandestina, cui erano legati tutti i servizi segreti di informazione sudvietnamiti, gli americani avevano sempre impiegato i loro migliori agenti ed esperti del mondo comunista. Quando prepararono il piano per evacuare il personale di Hong Tap Tu decisero perciò di portar via innanzitutto le segretarie e gli impiegati meno importanti, per permettere agli altri di lavorare fino all'ultimo momento. Finì che solo le segretarie partirono. Tutti gli archivi, le collezioni di documenti, le liste degli informatori ed i migliori agenti rimasero. Fra questi c'era anche il famoso compositore Pham Tuy che, prima di mettersi a disposizione degli americani, era stato un membro della Resistenza.

L'attacco di razzi ed artiglieria contro Tan Son Nhut continuava e nel cielo erano cominciati a sfrecciare gli aerei a reazione americani che, arrivando dalle portaerei al largo della costa, si preparavano a proteggere il corridoio aereo nel quale sarebbero passati poi gli elicotteri dell'evacuazione.

Alle nove telefonai all'ambasciata italiana, che fino alla sera prima sembrava decisa a restare, come facevano i francesi, i belgi, gli svizzeri, i giapponesi. L'ambasciatore Rubino confermò: «Restiamo, Terzani. Restiamo».

Le forze vietcong attaccavano ormai su tutti i fronti della capitale e si sentiva il tuonar della battaglia venire da ogni direzione.

La popolazione dei quartieri periferici cercava di scappare verso il centro della città. Specie attorno all'aeroporto la gente aveva cominciato all'alba ad abbandonare le proprie case e sulla via Cong Ly si vedevano ora le scene classiche del Vietnam, ma da cui Saigon era sempre stata risparmiata. Migliaia e migliaia di persone che correvano, trascinandosi dietro carretti carichi di roba; uomini con materassi sulle spalle, donne con grappoli di bambini; urla, pianti, scoppi.

Il comando militare di Saigon temeva che succedesse qui quello che aveva causato la caduta di Da Nang, di Nha Trang e delle altre città della costa; temeva che i rifugiati portassero con sé i vietcong, che l'ondata dei rifugiati seminasse il panico ed aveva perciò ordinato alle truppe di bloccare l'imbocco della grande arteria che conduceva in centro.

I soldati avevano fatto uno sbarramento all'altezza di Yen Do. La gente premeva, si gettava contro i fili spinati, e le truppe roteavano come clave i loro mitra tenuti per la canna; altri sparavano in aria, sopra le teste della folla impazzita di paura.

Un gruppo della televisione francese che aveva tentato di raggiungere l'aeroporto per filmare i depositi di munizioni che saltavano in aria fu bloccato da alcuni *rangers* di Saigon. Messi contro il muro, fecero appena in tempo a mostrare i loro passaporti.

«Se eravate americani vi avremmo fucilati. Ci hanno fatto fare la guerra per anni ed ora ci lasciano qui a farci scannare dai vietcong. Porci!» imprecò l'ufficiale.

Un altro gruppo di giornalisti era riuscito ad arrivare dalla via Vo Thanh fino all'altezza dello stato maggiore. I soldati tolsero loro tutte le macchine fotografiche ed i soldi che avevano.

Dal tetto dell'Hotel Caravelle, che era diventato l'affollato osservatorio della guerra, con tutte le televisioni del mondo che puntavano i loro teleobiettivi nell'orizzonte, ci si rendeva conto che Saigon era spacciata. I limiti della città erano segnati dal cerchio di fumate nere e bianche delle esplosioni. Al ponte di Newport si vedevano ormai ad occhio nudo i combattimenti ed il *puff puff* dei colpi di mortaio sparati a distanza ravvicinata.

All'inizio di Cholon i vietcong erano già entrati nella stazione radar di Phulam. Il coprifuoco imposto la sera prima era sempre in vigore e sotto di noi le strade, le piazze, i giardini erano deserti.

Quanto sarebbe ancora durata?

La guerra psicologica continua

Nei comandi, nelle caserme, negli uffici dello stato maggiore, nelle stazioni di polizia non si parlava a quell'ora che di scappare. Scappare. Chi non vi era ancora riuscito faceva i conti dei colleghi scomparsi, delle scrivanie vuote. La lista era ormai lunghissima.

Il generale Cao Van Vien era partito con tutto il suo staff la mattina del 28; il maresciallo Nguyen Cao Ky, che il sabato precedente aveva giurato assieme ad altri 400 ufficiali di non voler abbandonare il paese, aveva tre giorni dopo fatto partire la moglie e all'alba del 29 qualcuno che era andato a cercarlo trovò la sua villa nel campo di Tan Son Nhut vuota.

Quasi tutti gli ufficiali che abitavano come lui nelle residenze vicino al campo d'aviazione erano riusciti a scappare con gli americani.

Era partito così l'ex generale della polizia Loan, quello della famosa foto che lo ritrasse mentre uccideva con un colpo di pistola alla tempia un vietcong con le mani legate dietro la schiena, durante l'offensiva del Tet. Era partito il colonnello Ngoan, capo dei servizi dell'aeroporto, che aveva con sé un milione e 600.000 dollari. Era partito con le valigie piene d'oro il generale Nguyen Van Manh, incaricato della sicurezza.

Altri, nel timore d'essere lasciati indietro dagli americani, s'impossessarono di dieci elicotteri dell'Air America fermi in un parcheggio e volarono via verso il mare, alla ricerca della flotta americana. La posizione esatta delle portaerei era stata tenuta segreta ed alcuni di questi elicotteri scomparvero fra le onde senza più benzina.

Scappati erano anche tutti i quadri superiori e molti piloti dell'aeronautica sudvietnamita. Gli americani non volevano che i loro caccia bombardieri sofisticati, come gli F-5E, cadessero nelle mani dei vietcong e misero la loro base di Utapao in Thailandia a disposizione di chi voleva atterrarci. Più di 150 jet vennero così «salvati» coi loro equipaggi.

Scappato era l'ammiraglio Chung Tan Cang, ex comandante della regione di Saigon e poi capo della marina.

Il generale Ngo Quang Truong della prima regione militare, l'uomo che aveva diretto la fuga da Da Nang da una nave e che Thieu aveva fatto mettere sotto sorveglianza nell'ospedale Cong Hoa, riprometendosi probabilmente di processarlo, era stato preso con un elicottero dagli americani e portato via il pomeriggio del 28.

Il generale Phu, invece, era rimasto nel suo letto con «l'esaurimento nervoso». Tre giorni dopo si sarebbe suicidato con una forte dose di Novakin, le pillole contro il paludismo.

Il generale Tran Van Don, vice primo ministro di Thieu, che in elicottero era andato personalmente a dare l'ordine di ritirata a Phan Rang, soprattutto per controllare se la sua barca era pronta per scappare da Vung Tau, aveva preferito all'ultimo momento affidarsi agli americani.

Solamente del gruppo della guerra psicologica diretto dal generale Tran Van Trung nessuno era ancora scappato. Ai suoi ufficiali, che il 27 gli avevano chiesto di poter preparare un piano di massima per una evacuazione, Trung aveva risposto che il dovere di tutti era restare e battersi fino alla fine: «Al massimo potete far partire le vostre famiglie». Lui stesso aveva messo su un aereo americano la moglie e due figli.

La loro speranza era forse che, essendo il comando della guerra psicologica giusto accanto all'ambasciata americana, sul viale Thong Nhat, avrebbero potuto andarsene con gli americani all'ultimo momento.

«Appena sentii i razzi su Tan Son Nhut andai in ufficio e ci trovai il colonnello Hien ed il capitano Anh. Erano rimasti lì tutta la notte», mi raccontò dopo la Liberazione il colonnello Do Viet, uno dei due portavoce militari che per anni, a turno con Le Trung

Hien, dal podio della sala stampa avevano raccontato le più grosse fandonie sull'andamento della guerra, sulle perdite nemiche, sulle vittorie dell'ARVN. Loro la chiamavano conferenza stampa, i giornalisti l'avevano ribattezzata «*the four o'clock follies* (le follie delle quattro)».

Dopo il ritiro degli americani le conferenze divennero due: una al mattino e una al pomeriggio. Si trattava, dopo il cessate il fuoco, di denunciare e tenere il conto, ormai salito a numeri di cinque o sei cifre, delle «violazioni comuniste».

Anche quella mattina, il 29 aprile, la conferenza stampa doveva aver luogo. L'aveva ordinato il generale Trung ed il colonnello Hien disse a Do Viet: «Arrangiati tu stamani».

«Ci andai, ma non c'era nessuno, così mi risparmiai l'imbarazzo. Non avevo nulla da dire; quella mattina non avevamo ricevuto dai comandi periferici alcun rapporto sulle operazioni militari e non sapevo neppure con esattezza cosa stesse succedendo a Tan Son Nhut.

«Quando rientrai in ufficio, passando a malapena in mezzo alla folla che ondeggiava dinanzi all'ambasciata americana, trovai ancora Hien e Anh che discutevano. C'erano anche due fotografi che protestavano per un furto di macchine e soldi avvenuto vicino a Tan Son Nhut. Mi occupai di loro. Telefonai al comando della 5ª divisione. Non rispondeva nessuno. Chiamai l'ufficio stampa del capo di stato maggiore, ma anche lì non c'era risposta.

«Dopo vari tentativi, finalmente rispose un certo tenente Hoanh, ma appena cominciai a spiegargli il caso, quello buttò giù il ricevitore: 'Colonnello, non è più il tempo di occuparsi dei giornalisti, qui non c'è più nessuno'.»

Gli uffici dello stato maggiore s'erano svuotati, i telefoni squillavano a vuoto, i ventilatori giravano sulle carte abbandonate.

Il generale Vinh Loc aveva accettato di succedere a Cao Van Vien alla testa dello stato maggiore generale solo per essere in posizione di scappare meglio. Appena preso l'incarico fece un discorso trasmesso per radio ai soldati in cui disse: «Obbedite agli ordini e non scappate via come topi». Poi si procurò un aereo ed andò via. Con lui molti altri ufficiali. Ne incontrai uno che, rifiutandosi di darmi il suo nome, quel giorno disse: «Restare non è certo un onore, ma partire è peggio, è un disonore». E restò.

«Alle undici», continuò a raccontare Do Viet, «arrivò una telefonata per il colonnello Hien. Lo vidi cambiare in faccia dal giallo al verde. Disse qualcosa al capitano Anh, li vidi tutti e due prendere dai loro cassetti delle carte, li vidi togliersi le uniformi e mettersi dei vestiti che avevano in un sacchetto di plastica. 'Andiamo a mangiare', mi disse Hien. Da allora non li ho più visti.»

Anche alla sede della polizia nazionale c'era grande confusione. Le celle erano piene di prigionieri, alcuni sotto interrogatorio da mesi. Il capo, generale Nguyen Khac Binh, era partito senza neppure passare le consegne e nessuno sapeva cosa fare.

Binh era andato all'aeroporto scortato fino all'ultimo dalle sue guardie del corpo. Ai piedi dell'aereo che lo doveva portare in Thailandia, quando aveva tirato fuori da una grossa borsa dei pacchi di piastre per pagare i suoi gorilla, quelli, avendo capito che non li avrebbe portati con sé, avevano rivolto verso di lui le loro pistole ed a Binh non restò che portarli via tutti.

Quando il suo successore, Trieu Quoc Manh, nominato dal neopresidente Minh, era arrivato in ufficio, una delegazione di poliziotti era andata a chiedergli che piano avesse per l'evacuazione, ma quello per tutta risposta aveva ordinato di liberare i prigionieri tenuti nella sede centrale della polizia.

«Sono solo cento», gli avevano detto gli ufficiali, che forse contavano di uccidere o di mercanteggiare la vita degli altri duecento.

Manh li convinse con calma che era meglio fare come diceva lui e quando fu sicuro che i trecento disgraziati erano stati fino all'ultimo rimessi in libertà, tornò dal generale Minh a dare le dimissioni. Il suo più importante lavoro da capo della polizia l'aveva fatto.

Minh presidente

Minh sentì i razzi cadere sull'aeroporto dalla sua villa. Dopo l'investitura del lunedì, il generale era tornato a casa e vi aveva convocato per la mattina dopo il vice presidente Huyen, il primo ministro Vu Van Mau e i suoi giovani collaboratori.

«C'eravamo riuniti molto modestamente nel salotto del generale Minh. Si trattava di organizzare il governo, ma soprattutto di far capire all'altra parte che volevamo negoziare», mi raccontò una settimana dopo la Liberazione il vice presidente Huyen. «Avevamo tutti accettato di prendere il potere per muovere il paese verso la riconciliazione, verso la pace. Credevamo che i negoziati fossero ancora possibili, ma non sapevamo che cosa l'altra parte voleva da noi. La cosa più semplice mi sembrò andarlo a chiedere ai delegati del GPR che stavano a Camp Davis.»

Alle undici di mattina del 29, una jeep con quattro uomini di fiducia di Huyen, scortata da soldati della guardia di Minh, si diresse verso Tan Son Nhut. Le truppe che bloccavano il vialone Cong Ly e tenevano ancora a bada l'onda di rifugiati che tentava di mettersi in salvo nel centro di Saigon li lasciarono passare; ma i soldati vietcong che stavano di guardia al cancello di Camp Davis non aprirono neppure.

«Che volete?» chiese un capitano.

«Veniamo da parte del vice presidente Huyen...»

«Non abbiamo niente da dirvi. La nostra posizione è chiara, le nostre condizioni sono quelle della dichiarazione del 26 aprile...»

I quattro si guardarono imbarazzati. Nessuno sapeva quali erano state queste richieste, nessuno aveva letto questa dichiarazione.

Anche Huyen e Minh caddero dalle nuvole quando la delegazione riportò il messaggio nella villa di Tran Quy Cap. Uno dei giovani assistenti risolse questo assurdo enigma della Repubblica: «Il 26 hanno chiesto la fine di ogni intervento americano in Vietnam e lo smantellamento del nostro esercito e della polizia».

Vu Van Mau prese il telefono e chiamò l'ambasciatore Martin. Il governo della Repubblica del Vietnam chiedeva agli americani – tutti gli americani – di lasciare il paese. Entro ventiquattr'ore. Erano le dodici del 29 aprile.

Gli americani comunque avevano già deciso di andarsene. Dalle 11.20 s'era visto un filo di fumo nero uscire dai comignoli dell'edificio. Stavano bruciando i documenti segreti.

«America, addio!»

La parola d'ordine arrivò sul tetto dell'Hotel Caravelle prima ancora che la radio trasmettesse i messaggi convenzionali e la voce di Bing Crosby intonasse *I'm dreaming of a white Christmas*.

Un giornalista televisivo americano, capogruppo responsabile dei residenti dell'albergo, che teneva i contatti con l'ambasciata attraverso un walkie-talkie, urlò: «*We go!*» ed il «si parte! si parte!» rimbalzò di piano in piano, come un baleno attraversò la piazza dell'Assemblea e raggiunse il Continental.

Nei due alberghi ci fu il caos. Era tutto uno sbatter di porte, chiamarsi a vicenda, urlare nei corridoi, trascinar valigie e correre, correre. La paura di chi partiva s'era sciolta. Quella di chi restava si raggrumava, diventava più pungente. Capii il meccanismo del panico. Il mio vicino partiva, partiva quello davanti, mi pareva che partissero tutti e per un attimo pensai anch'io di scappare.

Nel sole del mezzogiorno, sulla via Tu Do deserta, silenziosa, cominciò la frettolosa sfilata di giornalisti, funzionari, commercianti, appaltatori americani che con una valigia, con un pacco in mano, strisciavano verso i punti di raccolta. Il cassiere del Caravelle corse dietro a due che nella confusione s'erano scordati di pagare il conto. Joseph e gli altri camerieri del Continental erano usciti sul marciapiede; dalle finestre i vietnamiti guardavano increduli, stupefatti, ma anche terrorizzati. Se gli americani partivano era davvero la fine, la fine. Ora che sarebbe successo?

La fuga degli americani fu patetica, drammatica, ed anche noi che la seguimmo da lontano tenevamo il fiato sospeso. I vietcong, che erano ormai nella periferia della città ed avevano – si sapeva – qualche migliaio di sabotatori già infiltrati dovunque, avrebbero potuto bombardare coi mortai i luoghi di raccolta, le piazzole di atterraggio, avrebbero potuto abbattere senza difficoltà coi missili «Strella» gli elicotteri mentre si levavano da terra. Non lo fecero. Durante tutta l'evacuazione le truppe partigiane non spararono un sol colpo contro gli elicotteri.

Ma ancor più che l'odio dei nemici facevano in quel momento paura la rabbia, la disperazione, la frustrazione degli «amici» che si sentivano traditi, abbandonati. Il vecchio, latente antiamericanismo degli «alleati» vietnamiti avrebbe potuto scoppiare ora, improvviso, terribile.

Un gruppo di soldati ARVN tirò sventagliate di mitra contro i primi autobus carichi di gente che andavano verso Tan Son Nhut, ma i *marines* americani che scortavano il convoglio li dispersero. Furono incidenti isolati; la scintilla che avrebbe potuto provocare un massacro non scoccò.

Su quegli ultimi americani che scappavano si riversarono d'un tratto tutto il peso, il pericolo, la responsabilità d'una politica doppiamente sbagliata che dieci anni prima era stata d'intervento, ora era d'abbandono. Improvvisamente il semplice essere americano in Vietnam divenne una colpa, come essere tedesco dinanzi ad un ebreo, e noi che restammo corremmo a farci con pezzi di stoffa bandierine coi colori dei nostri paesi da mettere sulle camicie o sul vetro delle nostre macchine.

Fra quelli che partivano, ce n'erano alcuni che non avevano condiviso la politica del proprio paese, che avevano criticato la guerra, che non avevano avuto niente a che fare col governo americano in Vietnam, che non credevano nel « bagno di sangue »; ed in un primo momento avevano deciso di restare.

Fra i rappresentanti della stampa americana che avevano in passato avuto un ruolo importantissimo nello smuovere l'opinione pubblica del loro paese da posizioni grettamente reazionarie, c'erano, ancora a Saigon, la mattina del 29 aprile, David H. Greenway del *Washington Post*, Loren Jenkins di *Newsweek*, Malcolm Browne del *New York Times*, che già nel '65 aveva esposto in un suo libro « il nuovo volto della guerra »; c'era il fotografo Mark Godfrey dell'Agenzia Magnum che, come gli altri, aveva decine di volte rischiato la vita per andare a cercare sui campi di battaglia quella verità del conflitto che certo non veniva fuori dai comunicati e dalle immagini ufficiali. Anche loro andarono via. Qualcuno dell'ambasciata li aveva convinti che la partenza di « tutti » gli americani era una condizione per evitare la battaglia di Saigon. In verità, Martin non voleva lasciarsi dietro troppi testimoni di ciò che sarebbe successo; di ciò che avrebbe smentito tutte le sue fantasticherie. Washington aveva voltato pagina.

Telefonai di nuovo all'ambasciatore Rubino.

« Partiamo », disse imbarazzato, « non sono molto convinto, ma il ministero ci ha dato carta bianca. »

La fuga fu precipitosa. Sul tavolo del primo segretario restarono in disordine carte, fotografie ed i documenti di un italiano, Giorsetti, che chiedeva di sposare una donna vietnamita con cui viveva da anni per portarla via dal paese. Al numero 192 della via Cong Ly il personale della missione italiana rimase delle ore sotto il sole finché gli americani non vennero a caricarli con un gruppo di vietnamiti.

La notizia della totale evacuazione americana scosse la città. Nessuno più rispettò il coprifuoco che era stato imposto la sera prima. Sulla via Tu Do cominciarono a passare macchine cariche di gente e bagagli, jeep militari guidate da ufficiali in civile con le loro famiglie, motociclette con quattro, cinque persone a bordo.

Tutti andavano verso il porto in cerca di una nave, di una barca, di qualcosa che galleggiasse, che li portasse via.

La polizia militare della marina aveva fatto uno sbarramento all'altezza dell'Hotel Majestic. I soldati per un po' ressero sparando sopra la testa della gente; poi, quando videro che alcuni passavano comunque, che centinaia di loro colleghi, alle loro spalle, stavano imbarcandosi sulle motovedette attraccate, si lasciarono andare all'ondata della folla e corsero con quella verso il molo.

Due macchine bianche della Croce Rossa Internazionale con grandi bandiere sventolanti traversarono il centro ed i delegati svizzeri fecero il giro degli alberghi per annunciare agli ospiti stranieri che avrebbero fatto della sede CRI una zona neutrale e che chi voleva poteva andarcisi a rifugiare.

Nella comunità internazionale solo i francesi erano organizzati. Avevano riserve d'acqua e di riso all'ambasciata e il loro ospedale Grall era attrezzato per accogliere, nel caso di un assedio che durasse dei giorni o delle settimane, alcune centinaia di rifugiati.

Gli altri stranieri, cinesi, coreani, giapponesi ed europei, erano abbandonati a se stessi e la grande paura fra loro era che, se i vietcong non avessero attaccato e preso in fretta la città, le truppe sbandate dell'ARVN avrebbero, come era successo già a Da Nang ed in altri posti, messo a ferro e fuoco Saigon, predando i quartieri residenziali, assaltando i negozi e uccidendo indiscriminatamente chi si fosse trovato sulla loro strada. La caccia allo straniero avrebbe potuto cominciare. Il Continental, il Caravelle erano i simboli della ricchezza, del benessere degli americani, dei bianchi, ed avrebbero potuto essere fra i primi obiettivi di una truppa disperata in una città sotto le cannonate e caduta nell'anarchia.

La Croce Rossa è alla fine della via Hong Tap Tu; da una parte della strada, al numero 201, c'è la sezione vietnamita; dall'altra, al 406, la sede del Comitato Internazionale. Dappertutto era un gran via vai di gente. Uomini scaricavano da camion grandi sacchi di riso da distribuire in caso di assedio; gruppi di giovani in camicia bianca e una croce rossa sul braccio si addestravano a sfilare e rinfilare le lettighe di una decina di ambulanze che erano state preparate per raccogliere i feriti in città. Arrivò su una jeep un capitano medico dell'ARVN. Ossequioso, con l'elmetto in mano, si presentò al delegato svizzero: «Lei mi deve salvare. Mi deve nascondere qui con tutta la mia famiglia; non siamo riusciti a scappare; rischiamo tutti di essere uccisi; lei ci deve aiutare a partire; vogliamo andare in Francia...» Era il figlio del proprietario dell'Hotel Miramar. «Siamo ricchi, possiamo pagare.»

Il telefono squillava in continuazione. Erano altri ufficiali, altra gente che chiedeva soccorso, che voleva essere protetta.

Un senatore pretendeva che una macchina della Croce Rossa lo andasse a prendere a casa perché i vietcong del suo quartiere lo avrebbero ucciso.

Il capitano medico insisteva, voleva garanzie, voleva nascondersi presso la Croce Rossa e il delegato svizzero spazientito sbottò: «Non sono qui per evacuare la gente... Quando tutto sarà finito io darò le liste di quelli che si rifugiano qui alle autorità, le nuove autorità...»

«E se sono i vietcong?» chiese il capitano medico.

«Le darò a loro!»

«Ma lei garantisce...?»

«Quello che le posso garantire è che qui non ci saranno esecuzioni sommarie, nessuno verrà ucciso senza un regolare processo...»

Il capitano medico partì. Si vedeva già dinanzi ad un tribunale popolare.

Volevo tornare in centro e mi misi sulla strada a cercare un passaggio. Nessuno si fermava. La gente sulle motociclette passava di corsa, piegata, facendosi più piccola possibile, come quando ci si vuol riparare dalla pioggia; le macchine suonando i clacson all'impazzata, le jeep coi fari accesi sfrecciavano in direzione di Cholon e poi le vedevo ripassare nel senso opposto. Cercavano di lasciare Saigon sulla strada 4 verso il Delta, ma anche quella era occupata dai vietcong a pochi chilometri da lì. E tornavano indietro, in cerca di un'altra via d'uscita. Non ce n'erano.

La strada numero 1 era tagliata, la via per Bien Hoa anche. La via del mare era stata interrotta la sera prima. Era ormai impossibile andare a Vung Tau. Saigon era una trappola, chiusa, bloccata, assediata. Quando sarebbero arrivati?

Finalmente un uomo sulla trentina in civile, con gli occhiali neri, un berretto rosso, solo su una Honda si fermò.

«Va verso il centro?»

Rispose di sì, ma disse che avremmo dovuto passare dal mercato, perché all'inizio di Hong Tap Tu c'erano dei soldati disertori che fermavano il traffico, derubavano i passanti, prendevano le automobili.

Il cielo s'era coperto, stava per piovere e la città aveva un aspetto funereo. Passammo per quartieri popolari, per strade strette, evitando mucchi di spazzatura che nessuno si preoccupava più di portar via. Affacciata alle porte delle case, a gruppi sui marciapiedi, la gente mi guardava curiosa. Alcuni mi indicavano ridendo. Qualcuno urlò «My, My» (americano, americano), un ragazzo corse dietro la moto e tirò un sasso.

«Stia tranquillo, ho la pistola», disse il mio conducente e mi fece sentire il gonfio che aveva sul fianco destro, sotto la camicia. Era un poliziotto; l'uniforme l'aveva già buttata via.

«Dove andiamo? All'ambasciata?»

«No, all'Hotel Continental», risposi.

Quasi mi stava per sparare. Credeva che fossi americano e m'aveva caricato solo pensando che seguendomi si sarebbe salvato anche lui.

L'evacuazione vera e propria cominciò alle tre del pomeriggio.

I «Jolly Green Giant», gli elicotteri dei *marines* che venivano dalle portaerei, si posarono sulle piazzole del DAO, caricarono i primi gruppi e si risollevarono pesantemente da terra. Altri, più piccoli, scendevano sul tetto dell'ambasciata, restavano tre o quattro minuti e poi via.

Gli elicotteri neri e grigi dell'Air America, la compagnia appaltata dalla CIA, andavano in altre parti della città a prendere gli ultimi «vietnamiti importanti» con le loro famiglie.

Gli uomini che avevano organizzato l'evacuazione avevano scelto degli edifici alti che avessero terrazze a tetto, qualche struttura sopraelevata, cassoni d'acqua per esempio, su cui gli elicotteri potevano posarsi. Gli indirizzi erano stati tenuti segreti, ma ormai non solo chi doveva andarci li conosceva.

Dall'alto del Caravelle si vedevano qua e là sui tetti grappoli di persone che si battevano, si spingevano su per delle scale di ferro che salivano, salivano verso questi improvvisati punti di atterraggio: tante scale verso il cielo cariche di gente.

C'era chi aveva pagato nelle ultime ore cifre favolose per essere su quegli elicotteri; e c'era chi aveva semplicemente dato una mancia di mille piastre al portiere dell'edificio perché gli insegnasse la via del tetto.

Verso le cinque del pomeriggio, Martin uscì dall'ambasciata americana a piedi, con un gruppo di *marines* che gli facevano cerchio attorno, ed andò a salutare l'ambasciatore francese Merillon.

«Non voleva partire, sarebbe rimasto in città ad aspettare i vietcong se questo era quello che doveva succedere», mi raccontò poi l'ambasciatore francese. «Martin partì perché il Dipartimento di Stato gli ordinò di partire.»

L'incontro fra i due fu breve. Non avevano più molto da dirsi. Tutto quello per cui avevano lavorato, una soluzione che non desse ai partigiani tutto quello che stavano per prendersi, non si era realizzato. Tutti e due avevano fatto fiasco. Per Merillon era una questione politica, professionale; per Martin era anche personale.

Era venuto in Vietnam alla fine della sua carriera («ho accettato perché l'ho sentito come una missione», mi aveva detto durante una lunga conversazione a gennaio). Un figlio gli era morto soldato contro i vietcong e lui era venuto a continuare la sua guerra. Anticomunista alla maniera degli anni '50, «l'ultimo dei guerrieri freddi» l'aveva definito un suo collega, era venuto credendo di poter ancora far giocare il peso della potenza americana per impedire che il Sud cadesse in mano ai «rossi», come lui li chiamava. Era stato sconfitto.

Dall'ambasciatore francese andò, sempre a piedi, nella sua casa poco distante. Di tutto quello che doveva lasciare, i mobili, le stampe, i libri, prese solo una valigia e il cane.

Rientrò nell'ambasciata; dal suo enorme ufficio dalla moquette gialla tolse la bandiera americana che teneva accanto alla scrivania, la ripiegò in un sacchetto di carta, salì sul tetto ed un elicottero se lo portò via.

Era una scena che si ripeteva. Due settimane prima, il suo collega a Phnom Penh, John Gunther Dean, era partito alla stessa maniera con la bandiera sotto il braccio, scortato dai *marines* che puntavano i loro mitra contro una folla di cambogiani esterrefatti: tutti e due ambasciatori di una grande potenza, ridotti al ruolo di stonati eroi medievali, spazzati via dalla storia.

Di tutti gli imperi che erano tramontati in Indocina, quello tentato dagli americani finiva freddamente, senza stile, senza forma.

I francesi battuti lasciarono Hanoi nel 1954. Sul ponte Doumer, che traversa il Fiume Rosso, gli ufficiali ed i soldati del corpo di spedizione sfilarono, disarmati, dinanzi alle truppe vietminh che entravano in città. Un soldato comunista tirò un calcio nel culo ad un ufficiale francese. Quello si voltò e salutò militarmente. I vietminh risposero al saluto con la mano ai loro elmetti coperti di frasche.

Martin e gli americani partirono ugualmente sconfitti, ma non ebbero l'onore delle armi. Il sogno americano finì col rombo delle grandi macchine volanti che avrebbero dovuto pacificare questo paese di asiatici ribelli e che invece servirono solo a portare in salvo i loro pretesi pacificatori.

Gli americani? Volevano annientare un movimento rivoluzionario, ma l'avevano alimentato. Erano venuti per mettere ordine e lasciavano il caos. Erano venuti per proteggere un popolo che dissero aggredito e se ne andarono proteggendo esclusivamente se stessi dai loro stessi «amici».

Dieci anni di tragedie per nulla.

I dollari al popolo

La partenza degli americani scatenò il saccheggio.

Cominciò nel primo pomeriggio coi vicini che entrarono a curiosare nelle case abbandonate, con qualcuno che prese una sedia, un altro che mise a fatica sulla motocicletta un condizionatore d'aria.

In un baleno fu un'orgia di gente che apriva cassetti, strappava tende, svuotava frigoriferi, prendeva lenzuoli, coperte, stoviglie. L'intera città venne travolta. Gli americani non erano ancora usciti che le loro case, appartamenti, ville, uffici vennero invasi, devastati, sventrati.

Le abitazioni dei vietnamiti che erano scappati fecero la stessa fine. Quadri, tappeti, televisori, radio, macchine per cucire, per scrivere, tavoli, orologi, apparecchi stereofonici venivano portati via; ventilatori, lampadari e persino i fili della luce venivano strappati dai soffitti e dalle pareti.

Dal PX, il magazzino *for americans only* (per soli americani), la roba usciva sulle spalle della gente ancora imballata: casse di whiskey, sapone, batterie, biscotti...

Dai quartieri popolari, dalle catapecchie ronzanti e squallide di Khanh Hoi, arrivarono in centro di corsa, scalzi, affannati gruppi di gente lacera e invasata. Alcuni si resero conto che le mani non bastavano e corsero indietro a prendere carretti, barroccini.

Cominciò come una spontanea festa popolare; finì in una macabra divisione delle spoglie. Fra le urla, le risate, le imprecazioni si sentivano, a tratti, degli spari.

Sulla via Hai Ba Trung vidi il cadavere di un uomo disteso, con una pallottola in petto, in mezzo ad un mucchio di scatole di cartone vuote.

Sulla piazza Lam Son, davanti al Brinks, la residenza abbandonata degli ufficiali americani, migliaia di persone si spingevano, si calpestavano per entrare da uno stretto cancello nell'edificio ormai spogliato, stanza per stanza, fino all'ultimo chiodo, da una folla esultante che compariva alle finestre mostrando i suoi trofei e gettava dai piani più alti le cose che non avrebbe potuto trasportare per le scale. Molti si accontentavano di raspare fra i cumuli di rottami, di cocci.

La rabbia, la frenesia, la gioia della gente tuffatasi nel saccheggio era impressionante.

Vidi bambini che cadevano trascinando casse di birra troppo pesanti, coppie di poliziotti che s'aiutavano a trasportare condizionatori d'aria; vidi delle donne allontanarsi con enormi tronconi di carne congelata trovati nelle celle frigorifere del palazzo, ancora avvolti nella garza bianca del macello; vidi un mutilato strisciare via su una carrozzina a rotelle con una moquette azzurra arrotolata sui monconi di gambe; un colonnello dell'esercito, in uniforme, su una moto con la moglie sul sellino di dietro abbracciata ad una poltrona di velluto.

«Alla fine gli aiuti americani arrivano anche al popolo», disse Cao Giao.

Nel cielo piovigginoso continuava la sarabanda assordante degli elicotteri americani che facevano la spola con l'ambasciata e gli altri punti di raccolta. Più in alto, per protezione, volteggiavano i Cobra con le loro mitragliatrici.

Feci un breve giro della città. Dovunque era la stessa scena che si ripeteva. Le strade erano ingombre di carte, vecchi giornali, fotografie, lettere che la gente gettava dai cassetti dei mobili che si trascinava sulle spalle. Passavano macchine cariche di materassi, di tavoli, di letti smontati.

Sulla via Tran Hung Dao passò a tutta velocità, coi fari accesi, un convoglio di camion militari, carichi di sacchi di riso: un ufficiale andava a vendere ai ricettatori cinesi di Cholon le riserve del suo battaglione.

In certi quartieri attorno alla via Le Van Duyet i saccheggiatori avevano cominciato ad assaltare anche negozi e case di ricchi vietnamiti, di funzionari del governo. Alcune famiglie benestanti abbandonarono in fretta le loro abitazioni per andarsi a rifugiare in altri quartieri.

In tutta la città gli unici poliziotti che vidi erano quelli che, con le fondine delle pistole aperte, in mezzo alla folla dei saccheggiatori prendevano la loro parte di bottino o correvano sulle loro Honda cariche di mercanzie.

Come un burattino non più retto dai fili, l'intero apparato governativo di Saigon stava crollando. Non c'era più ordine, non c'era più esercito, non c'era più autorità se non quella dei fucili, delle armi che tanta, tantissima gente aveva ancora ed usava.

La città quella sera del 29 aprile era un caos di gente che rubava, che scappava, che si batteva per un posto sulle scale verso il cielo, in attesa degli elicotteri.

« Venite fratelli »

Alle 5.30 di quel confuso, pauroso pomeriggio del 29 aprile, una macchina uscì dalla villa al numero 3 di via Tran Quy Cap, svoltò a sinistra sul viale Cong Ly e si diresse a tutta velocità verso l'aeroporto di Tan Son Nhut.

I tre uomini che stavano dentro però non scappavano. Erano rappresentati della Terza Forza che, ormai convinti d'un imminente attacco contro Saigon, andavano a chiedere alla delegazione del GPR a Camp Davis che cosa potevano fare per evitare la battaglia, la distruzione della città e le migliaia e migliaia di vittime che ci sarebbero state.

Erano l'avvocato Tran Ngoc Lieng, incarcerato da Thieu e rilasciato giusto tre giorni prima; il professor Chaa Tam Luan, e Chan Tin, il prete redentorista che si era per anni occupato dei prigionieri politici ed aveva diretto, negli ultimi mesi di Thieu, le manifestazioni di piazza per l'applicazione degli Accordi di Parigi e la pace.

I tre avevano in tasca un lasciapassare del presidente Minh per superare i posti di blocco che l'ARVN aveva eretto lungo la strada; ma nessuno li fermò.

Durante tutta la giornata nella villa di Minh si era ancora discusso della formazione del governo e della eventuale partecipazione della Terza Forza. Ma la situazione era rimasta esattamente quella della sera precedente, quando il generale aveva dovuto presentarsi a palazzo senza la lista completa dei suoi ministri.

Il problema era semplice: la Terza Forza non sapeva cosa fare. Fino ad una settimana prima elementi neutralisti della Terza Componente erano stati disposti a partecipare ad un governo sotto Minh. Uomini che si dicevano del GPR a Saigon avevano suggerito questa soluzione ed il generale Minh aveva avuto dall'ambasciatore francese Merillon assicurazioni che il GPR avrebbe accettato un suo governo con la partecipazione della

Terza Forza come controparte nelle trattative per la soluzione della crisi.

Poi c'era stata l'interminabile settimana della presidenza di Huong, appoggiata dagli americani. La situazione era rapidamente cambiata, l'atteggiamento del GPR s'era indurito, e il nuovo governo era stato definito dalla radio vietcong «la cricca Minh-Huyen-Mau».

«Succedendo a Huong, il generale Minh diventa la prima forza, non la terza», dicevano alcuni neutralisti che, temendo oramai di bruciarsi in un governo che i partigiani definivano «fantoccio» come tutti quelli precedenti, preferivano a questo punto restarne fuori.

Altri invece erano ancora disposti a collaborare col generale, ma volevano contattare il GPR per chiedere tempo, per accertarsi delle intenzioni comuniste.

Su questo verteva la discussione nella villa di Minh, quando alle cinque padre Chan Tin era arrivato per chiedere al nuovo presidente un permesso scritto per andare a liberare i prigionieri politici nelle galere di Saigon.

Minh gli aveva suggerito invece di andare, assieme agli altri due rappresentanti della Terza Forza, a parlare coi vietcong a Camp Davis. Avevano accettato.

«Tan Son Nhut pareva deserto. Non vedemmo che pochissimi soldati dell'ARVN», mi raccontò alcuni giorni dopo padre Chan Tin. «Solo nella zona del DAO c'era una grande confusione.

«I *marines* americani avevano fatto un perimetro difensivo tutto attorno all'edificio e su una piazzola si abbassavano gli elicotteri. Si sentivano dei colpi di mortaio in arrivo e grandi colonne di fumo si levavano dalle piste e dai depositi di benzina saltati in aria...

«All'ufficiale del GPR che venne a riceverci al cancello di Camp Davis chiedemmo di parlare col colonnello Vo Dong Giang; venivamo a titolo personale, e non come delegazione di Minh.»

I vietcong li fecero entrare. Giang e i tre non si erano mai incontrati prima, ma si conoscevano reciprocamente di fama. In riconoscimento per il lavoro fatto coi prigionieri politici, il colonnello Giang aveva mandato a Chan Tin, in occasione del Tet, una piccola lacca di Hanoi.

«So che venite da amici: per questo vi ricevo. La delegazione ufficiale c'è già stata», disse Giang. E stringendo loro le mani, accompagnandoli in fretta verso un bunker, li chiamò «fratelli».

« Siamo convinti che Saigon stia per essere attaccata. Cosa possiamo fare per evitare un massacro nella capitale? » chiese l'avvocato Lieng.

« Abbiamo posto le nostre condizioni e Saigon non ha risposto. L'ordine dell'attacco è già stato dato. Tocca a Minh vedere chiaramente la situazione. Non si tratta di arrendersi, ma di accettare i risultati di questa grande lotta del popolo vietnamita contro la dominazione straniera.

« Minh non deve ordinare alle truppe, come ha fatto, di resistere; deve permettere ormai che i nostri due eserciti si stringano la mano, si abbraccino. Non ci sono più vincitori né vinti. È il popolo vietnamita, tutto il popolo vietnamita che ha vinto, e l'America, solo l'America che ha perso », disse Giang.

Mentre parlavano ci fu una scarica di razzi comunisti che caddero vicinissimi al campo ed i quattro andarono a rifugiarsi in uno dei tunnel sotterranei che erano stati scavati, di nascosto, nelle notti precedenti.

La conversazione continuò ancora per una mezz'ora; poi Chan Tin e gli altri vollero tornare in città per andare a dire a Minh di dichiarare Saigon città aperta. Ma Giang consigliò loro di rimanere. L'aeroporto era sotto tiro; rientrare in città sarebbe stato pericolosissimo.

Le linee telefoniche di Camp Davis erano tagliate; non c'era più modo di comunicare con la villa di Tran Quy Cap e Minh aspettò invano che i suoi tre informali emissari gli dessero notizie su ciò che stava accadendo.

« Giang ci chiese di restare. Per cena mangiammo gallette secche di riso », raccontò poi Chan Tin. « Rimanemmo tutta la notte nel tunnel. Dopo ogni scarica di artiglieria c'erano lunghi periodi di silenzio. »

« I nostri soldati stanno avanzando », ci spiegava Giang.

« Non riuscimmo a dormire un minuto. Tutta la notte restammo lì serrati contro la terra, a parlare, a conoscerci: ma soprattutto a sperare che la fine venisse presto. »

La notte degli elicotteri

La sera calò terribile, agghiacciante su una città al colmo dello sgomento e della paura, su migliaia e migliaia di persone che, sentendosi in trappola, erano sicure di essere massacrate all'alba.

Si sapeva che i comunisti avevano portato in un raggio di dieci chilometri i loro micidiali cannoni da 130. Se quelli cominciavano a sparare Saigon sarebbe stata come un mattatoio. Ci si aspettava che cominciassero da un momento all'altro. Correva voce che i vietcong avessero accatastato trecentomila colpi destinati alla capitale.

Alle otto Radio Saigon, ormai controllata dagli uomini di Minh, dando le notizie della guerra non parlò più di «vietcong». L'annunciatore disse: «Stamani i nostri fratelli dell'altra parte hanno attaccato l'aeroporto di Tan Son Nhut... i nostri fratelli dell'altra parte stanno ora attaccando su tutti i fronti...»

C'era ancora uno spiraglio aperto per le trattative?

Il cielo era carico di nuvole. Verso le nove cominciò a piovere. Mancava la luce elettrica e la città era piombata in un buio cieco. Dalle vetrate del ristorante al nono piano del Caravelle, dove giornalisti, cinesi di Hong Kong e ricchi vietnamiti che si erano rifugiati nell'albergo cenavano eccitati e rumorosi al lume di candela, serviti da impeccabili camerieri in giacca e farfalla nera, si vedevano a tratti, in direzione dell'aeroporto, le fiammate rosse di improvvise esplosioni.

Si diceva che fossero squadre speciali di sabotatori americani venuti a distruggere i caccia dell'aviazione sudvietnamita che non erano riusciti a partire per la Thailandia, e che non dovevano cadere nelle mani delle truppe comuniste ormai vicinissime.

In quei brevi sprazzi di luce si distinguevano sul tetto dell'ambasciata americana le sagome nere di gente che correva ricurva sotto il rotear delle pale verso le portiere degli elicotteri.

L'evacuazione continuava. Per tutta la notte il vuoto nero del cielo fu punteggiato dalle intermittenti luci rosse di questi strani uccelli da preda che si calavano lenti sui tetti, gettavano a tratti, per orientarsi, un lungo raggio bianco di luce dal loro unico occhio, si posavano per quattro, cinque minuti e scivolavano via, carichi di gente, ogni volta evitando a fatica la grande antenna della radio sopra l'edificio della Posta e i due appuntiti campanili della cattedrale.

Fu una ossessiva, assordante danza di macabri mostri, fantasmi del passato, ultimi esemplari di una preistoria che stava per essere spazzata via.

In città, bande di soldati randagi ed ubriachi si aggiravano coi mitra in mano per le strade deserte in cerca di un modo per scappare o di un altro bar da saccheggiare.

Davanti all'albergo Majestic, che i portieri di notte avevano sprangato per paura di essere assaltati, un cliente americano in ritardo, che voleva andare in camera a prendere il suo passaporto per poi partire dall'ambasciata, fu lasciato fuori tutta la notte. Gli fece compagnia un colonnello dell'ARVN che, tenendolo sotto il tiro di una pistola, gli ripeteva: «O ci salviamo insieme o moriamo tutti e due». Rimasero entrambi a Saigon.

All'università Van Hanh, gli studenti, dopo aver ascoltato il notiziario della notte di Radio Hanoi e del Fronte, si convinsero che l'attacco finale contro la città era imminente e decisero di rimanere negli edifici. Erano un centinaio. Si divisero le poche armi che avevano e stabilirono dei turni di guardia ai due ingressi principali.

Nei quartieri periferici, dove si erano infiltrati negli ultimi giorni, gruppi di guerriglieri uscivano dalle case amiche in cui si erano nascosti per andare ad occupare alcune selezionate stazioni di polizia, neutralizzare gruppi di autodifesa e proteggere i ponti sulle strade principali che conducevano in città.

«Prendemmo la caserma sulla via Dong Binh semplicemente con un megafono», raccontò dopo la Liberazione il fratello di Cao Giao, membro di uno di questi commandos nel settore sette della città.

«Eravamo solo in undici, ma nel buio facemmo credere ai fantocci che eravamo molti più di loro e così si arresero senza sparare neppure un colpo.»

Nelle cellule clandestine del Fronte, quadri politici si preparavano per l'«insurrezione popolare».

Migliaia di bandiere rosso-blu con la stella d'oro nel centro venivano confezionate o tolte da magazzini segreti e distribuite ai membri dei Comitati Rivoluzionari locali.

In molti quartieri i giovani delle formazioni d'autodifesa vennero persuasi ad arrendersi e a consegnare le armi.

Saigon non lo sapeva, ma dal Comando generale mobile delle Forze di Liberazione, situato quella notte a nord di Bien Hoa, il generale Tran Van Tra aveva dato alle truppe l'ordine di marciare verso la capitale, e le varie unità, protette dall'oscurità, stavano muovendosi per occupare le posizioni da cui al mattino avrebbero fatto l'ultimo balzo in avanti.

30 aprile

Un silenzio assordante

Improvviso venne il giorno, ma gli incubi della notte non svanirono.

Nella luce livida dell'alba Saigon era una città fantasma. Gigantesche nuvole grige rotolavano, lente, sulla distesa silenziosa di case, palazzi, monumenti e baracche che si perdeva nella lontananza limpida del mare cui nessuno poteva più arrivare.

Era come se una peste improvvisa avesse spazzato via tre milioni di abitanti. Grossi ratti scorrazzavano sui mucchi di spazzatura dolciastra e putrida lungo i marciapiedi. Ogni tanto passava, strisciando sull'asfalto bagnato dei grandi viali, una camionetta carica di soldati coi fucili spianati contro le saracinesche abbassate, le porte, le finestre sprangate. Folate di vento sollevavano da terra mulinelli di cartucce, sfogliavano pacchi di documenti, giornali, lettere abbandonati nelle strade dai saccheggiatori.

Solo attorno all'ambasciata americana c'era ancora agitazione. Alle 7.30 i *marines*, che erano di guardia al muro di cinta, si ritirarono. In formazione da combattimento, con le baionette puntate contro una folla disperata di vietnamiti che scavalcavano ormai la cancellata, invadevano il prato, si gettavano nell'edificio e rubavano, urlavano, distruggevano, i *marines*, indietreggiando, corsero sul tetto sparando nelle scale scariche di granate lacrimogene. Altri *marines* andarono alla cassaforte, sparsero un bidone di benzina sulle pile di biglietti da cento dollari che erano il tesoro dell'ambasciata ed appiccarono il fuoco.

La folla era arrivata al secondo piano. Mobili, archivi, scrivanie venivano rovesciati. Ognuno strappava via quello che poteva. I poliziotti della vicina stazione si fecero largo fra la folla ed andarono alla cassaforte; spensero il fuoco e portarono via bracciate di dollari; altri corsero fuori con quadri di presidenti, macchine per scrivere, tende, poltrone e condizionatori d'aria.

Nell'atrio, vicino alla targa che commemorava i *marines* morti in difesa dell'ambasciata durante l'offensiva del Tet, rimase per terra una frase di Lawrence d'Arabia che i consiglieri militari americani amavano tanto recitare e che qualcuno dell'ambasciata si era fatto incorniciare: «*It is better that they do it imperfectly than that you do it perfectly. For it is their war and their country and your time here is limited* (Meglio che lo facciano loro imperfettamente che voi in maniera perfetta. Perché dopotutto è la loro guerra e il loro paese e il vostro tempo qui è limitato)».

Alle 7.45 un elicottero verde si posò sul tetto. Gli ultimi undici *marines* si buttarono nelle portiere aperte e l'elicottero si sollevò.

Lingue di fuoco uscivano dalle feritoie del moderno edificio-fortezza ormai avvolto da una nuvola nera e rosa di fumo e gas lacrimogeni.

Da una casa vicina e dal basso del viale Thong Nhat dei soldati dell'ARVN scaricarono la loro rabbia e i loro mitra contro quella pancia di ferro che si alzava nel cielo grigio. L'elicottero fece una brusca virata e lo mancarono. Il frullio delle pale si sciolse nell'aria umida e afosa del mattino e l'elicottero fu, in un attimo, un punto sempre più piccolo all'orizzonte. Era l'ultimo. L'ultimo.

Un disperato silenzio calò sulla città.

All'ambasciata corse voce che i *marines* avevano messo delle cariche di dinamite nelle cantine e la folla dei ladri, dei poliziotti, dei saccheggiatori, dei mancati profughi si disperse, lasciandosi dietro solo le carcasse di macchine, di mobili, di librerie, come sciacalli che volan via da una carogna.

Gruppi di persone, avvinghiate alle scale verso il cielo, rimasero ancora ad aspettare, in ascolto dell'ormai impossibile brusio d'un motore lontano. Poi quei grovigli di teste, di corpi, si diradarono; tristemente la gente scese dalle scale e scomparve fra i tetti.

Il silenzio si era fatto assordante.

« Restate in ascolto »

Duecento metri oltre l'ambasciata americana, dalla parte opposta sul viale Thong Nhat, negli uffici della presidenza del Consiglio, il generale Minh e il primo ministro Vu Van Mau erano riuniti coi loro collaboratori, quando un ufficiale dell'ARVN portò la notizia che l'evacuazione era terminata.

«È ora di fare l'annuncio», disse Ly Qui Chung.

Dalla sera precedente il giovane ministro dell'Informazione sosteneva l'idea di dichiarare una resa incondizionata, ma il generale Minh si opponeva e insisteva invece perché fosse completata la lista dei ministri che lui voleva annunciare in giornata. Su questi due diversi piani d'azione la discussione continuò.

All'università Van Hanh gli studenti che avevano occupato gli edifici, una volta riesaminata la situazione che ormai mutava precipitosamente, decisero di cambiare il nome del loro comitato.

Da «Studenti Buddisti», si chiamarono «Buddisti Patriottici». Due ore dopo cambiarono ancora il nome in «Comitato Rivoluzionario», e con questa testata cominciarono a stampare al ciclostile centinaia di fogli che sarebbero serviti come permessi per circolare in città, come documenti di identificazione per i soldati dell'ARVN che loro avrebbero convinto ad arrendersi.

Il capo degli studenti, Nguyen Huu Thai, aveva passato la notte in casa di un amico, assieme al quadro politico che era il contatto del Fronte con l'università.

Alle sette del mattino era montato da solo su una Honda ed era andato alla pagoda di An Quang.

«Per evitare una battaglia a Saigon bisognava che Minh dichiarasse la resa e l'unico uomo che poteva convincerlo era il venerabile Tri Quang», mi raccontò Thai alcuni giorni dopo. «I buddisti volevano a tutti i costi evitare un bagno di sangue a Saigon. Nell'ultima settimana avevano cercato di contattare il Fronte per avere assicurazioni che nei combattimenti avrebbero rispettato la neutralità di dieci centri in cui volevano raccogliere i loro fedeli, ma non avevano avuto risposta. Trich Tri Quang accettò di intervenire presso Minh e gli telefonò.»

Minh esitava; diceva che se si fosse arreso, troppa gente glielo avrebbe rimproverato e che Saigon avrebbe davvero rischiato un massacro, perché molte unità dell'ARVN non avrebbero obbedito agli ordini e si sarebbero barricate nella capitale.

Minh passò il telefono a Vu Van Mau. Trich Tri Quang ed il senatore diventato da due giorni primo ministro si conoscevano da tempo e Mau era stato per anni l'uomo politico della pagoda di An Quang.

Mau disse che lui era pronto ad arrendersi; chiedeva solo che il Fronte accettasse le sue condizioni:
1) che fosse permesso ad alcune persone del governo di lasciare il paese (il numero ed i nomi non vennero specificati);
2) che i comandanti sul campo dei due eserciti si incontrassero per definire le modalità della resa.

«Seguivo la conversazione al telefono», raccontò ancora Thai, «e dissi a Trich Tri Quang che questo era ormai impossibile. L'attacco contro Saigon era cominciato e al massimo sarei riuscito a mettermi in contatto con un rappresentante del Fronte verso mezzogiorno. Sarebbe stato troppo tardi.»

Il Venerabile spiegò la situazione a Mau, ripeté le stesse cose al generale Minh che sembrò convincersi.

«Certo non c'è più modo, di contattare l'altra parte. La delegazione che ho mandato ieri pomeriggio non è più tornata», disse.

Mentre Thai rientrava a Van Hanh, al primo piano della presidenza del Consiglio, Minh e gli altri si misero a preparare una dichiarazione.

Alle 9 Radio Saigon annunciò: «Cittadini, restate in ascolto. Il presidente farà tra breve un importante discorso».

Dall'alto del Caravelle guardavo Saigon deserta, immobile, ed il tempo passava con una lentezza esasperante. Alle 10.20 vidi il personale dell'albergo riunirsi attorno alla radio; riconobbi la voce lenta e impacciata del generale Minh, ma le uniche parole che capii furono quelle di un cameriere: «*C'est fini! C'est fini!*» urlò verso di me. Il presidente stava dicendo: «Io credo fermamente nella riconciliazione fra vietnamiti. Per evitare un inutile spargimento di sangue chiedo a tutti i soldati della Repubblica di porre fine a tutte le ostilità e di rimanere dove si trovano. Il Comando militare è pronto a prendere contatto col Comando dell'esercito del Governo Provvisorio Rivoluzionario per realizzare un cessate il fuoco. Chiedo inoltre ai fratelli del Governo Provvisorio Rivoluzionario di cessare da parte loro le ostilità. Siamo qui ad aspettare che i loro rappresentanti vengano per discutere il trasferimento dei poteri nell'ordine».

Dopo aver registrato il discorso nella presidenza del Consiglio, Minh era andato con tutti i membri del suo governo a Doc Lap.

La trasmissione della resa era stata ritardata di cinque minuti perché alle 9.50, quando Minh stava per mandare un suo ufficiale alla stazione radio con la registrazione, era arrivato il generale Vanuxem, relitto della Francia coloniale. Voleva ancora una volta convincere il presidente a non arrendersi, ma a lanciare un appello a cinesi e russi perché intervenissero. Minh lo aveva ascoltato, poi dicendo: «Va bene, va bene», aveva ordinato all'ufficiale di partire.

La Saigon che vedevo dal tetto del Caravelle non reagì. Era ancora lì, immobile, muta come prima. Sulla via Tu Do passarono dei soldati scalzi coi fucili a tracolla e dei sacchi pieni di roba sulle spalle. Un gruppo di paracadutisti andò a sedersi smarrito e spavaldo sulle poltrone vuote della terrazza del Continental.

Poi vidi un poliziotto camminare dritto verso il mostruoso monumento al Milite Ignoto di Thieu, davanti al palazzo bianco dell'Assemblea Nazionale. Lo vidi mettersi sull'attenti, estrarre la pistola dalla fondina e spararsi alla tempia. Rimase lì, solo, in una pozza di sangue, per alcuni minuti. Poi un soldato su una moto si fermò, gli prese la pistola ed andò via; un altro gli strappò l'orologio.

L'annuncio della resa sciolse l'esercito.

Le unità dell'ARVN nelle prime linee uscivano dai fortini, dalle trincee, abbandonavano le armi pesanti e ripiegavano verso Saigon. Quelle nelle caserme in città aprivano le porte, si spogliavano delle uniformi ed andavano a caccia di abiti civili.

Gruppi di soldati armati fermavano le rare macchine cariche di bagagli e di gente che ancora tentava di fuggire, facevano scendere tutti e ripartivano sparando raffiche in aria. Altri, ormai senza fucili, derubavano i passanti, si facevano aprire le porte delle case minacciando di gettare delle granate che tenevano con la sicura aperta.

Dappertutto nelle strade, nei vicoli, nei giardini delle ville, nei cortili delle case popolari, cominciò un frettoloso spogliarello di migliaia e migliaia di soldati e poliziotti che si toglievano i cinturoni, le giacche, le scarpe, gli elmetti e rimanevano in mutande, scalzi, con le teste rapate; la gente dalle finestre buttava loro vecchi calzoni, camicie.

Al ponte Tan Thuan un capitano minacciò di fucilare i soldati che scappavano; venne abbattuto.

Al centro reclute di Quang Trung, sulla via di Tay Ninh dove gli ufficiali erano scomparsi la sera prima, ventimila soldati si spogliarono assieme e la distesa di uniformi, elmetti, fucili, scarponi abbandonati sulla strada, nella risaia, rimase per giorni uno spettacolo impressionante.

Sul viale Thong Nhat, al Comando della guerra psicologica, dove il generale Trung era venuto al mattino a dare ancora una volta disposizioni per la conferenza stampa delle 9, una unità di paracadutisti che si era ritirata dal ponte di Thi Nghe invase il cortile.

«Un ufficiale entrò nei magazzini e distribuì tutte le sigarette che c'erano. I soldati lasciarono le uniformi per terra e uscirono di corsa», mi raccontò il colonnello Do Viet. «Due parà si puntarono i mitra a vicenda contro lo stomaco, contarono uno-due-tre e spararono. Erano cattolici e non volevano suicidarsi.»

A Cholon, a Gia Dinh, i quadri del Fronte vissuti per anni nella clandestinità uscirono armati nelle strade, occuparono le stazioni di polizia; bandiere del Fronte cominciarono a sventolare sulle baracche di legno lungo i canali.

All'annuncio della resa uno studente uscì urlando di gioia dall'università Van Hanh per dare la notizia alla gente del quartiere. Un poliziotto lo uccise con una raffica di M-16.

Un centinaio di *rangers* che si ritiravano lungo la via Truong Minh Giang entrarono nell'edificio ed un colonnello cercò di organizzare, lì all'università, una linea di difesa. Gli studenti ed i suoi ufficiali più giovani lo convinsero a desistere. I *rangers* abbandonarono le armi e ricevettero in cambio abiti civili.

Gli studenti registravano nome ed unità di chi si arrendeva e distribuivano dei piccoli fogli gialli di carta stampati al ciclostile che dicevano: «Il fratello... del reparto... ha consegnato le armi... Si è impegnato ad obbedire alle autorità rivoluzionarie, ed è autorizzato a rientrare presso la sua famiglia. Firmato: Il Comitato Rivoluzionario degli Studenti».

Con le nuove armi recuperate dai soldati, gli studenti rafforzarono le loro sentinelle attorno all'edificio. Un gruppo di quindici andò ad occupare la facoltà d'Agricoltura a pochi metri dalla stazione radio, sulla via Nguyen Binh Khiem.

«Lasciai i compagni nella facoltà ed andai a cercare Ly Qui Chung. Con lui avremmo potuto entrare nella Radio senza dover sparare sui soldati che la difendevano ancora», mi disse Thai dopo la Liberazione. «Trovai Chung a Doc Lap, ma gli autisti avevano paura e si rifiutarono di portarci alla stazione. Così rimasi a Doc Lap.»

Alcune unità dell'ARVN che si ritiravano in ordine dalle prime linee cercarono di far saltare i ponti dietro di sé, ma le squadre di soldati dell'Esercito di Liberazione che si erano infiltrate nella città si erano già appostate lungo i principali assi stradali, e i depositi di munizioni, di carburante e i ponti erano protetti. Lasciarono passare l'ARVN in ritirata, lasciarono entrare anche delle unità corazzate, ma spararono sui guastatori che cercavano di piazzare le loro cariche di tritolo.

In moltissimi uffici dei ministeri, della Polizia, dell'Immigrazione, dove gli impiegati erano rimasti bloccati dal coprifuoco o s'erano andati a rifugiare, sperando di essere portati via dagli americani, quando qualcuno cercò, prima di arrendersi, di distruggere documenti compromettenti, di bruciare gli archivi, si fecero avanti colleghi di cui nessuno aveva mai sospettato e che, dichiarandosi del Fronte, presero in consegna tutto quello che c'era.

Lo stesso successe al numero 5 della via Bach Dan dove, in una vecchia palazzina coloniale tutta dipinta di bianco, aveva sede la famigerata CIO (Central Intelligence Organization), l'organizzazione di spionaggio che era stata uno dei più importanti strumenti del terrore di Thieu.

All'annuncio della resa, quattro impiegati (tre uomini ed una donna) estrassero le pistole, misero tutti gli altri alla porta e si barricarono dentro l'edificio, salvando tutti i dossier che erano stati accatastati per anni dalla polizia segreta in collaborazione con la CIA americana.

Giai Phong! Giai Phong!

Nel centro di Saigon l'annuncio della resa fu accolto con sgomento dalla comunità straniera che si era raccolta nei grandi alberghi, nell'ospedale Grall ed in alcuni negozi della via Tu Do coi bandoni abbassati.

La Repubblica che per anni tutti avevano sostenuto, difeso, e dietro la quale avevan fatto i loro commerci ed i loro affari, era finita per sempre. La nuova che veniva faceva paura, ma ancor più paura in quel momento faceva l'aspettarla.

«I vietcong lasceranno che la città piombi nel caos; lasceranno che l'ARVN metta tutto a ferro e fuoco per poi venire a farsi accogliere da liberatori», disse il proprietario di un ristorante francese.

Lungo i muri strisciavano, scalzi, soldati sospetti con dei tascapane pieni di cose rubate o di bombe a mano; un paio sfrecciarono, pistola in mano, su una Honda.

«Speriamo che arrivino presto. Meglio i *viet* che questi delinquenti», disse una signora francese nella hall del Continental affollata di europei.

Tutti ormai non desideravano altro che di essere considerati neutrali. Questa guerra che finiva era improvvisamente diventata una faccenda da cui volevano esser tenuti fuori, come se non ci fossero mai stati coinvolti. Essere francesi sembrò diventare d'un tratto una protezione; il tricolore fu issato sul pennone del Continental e nel giro di pochi minuti sventolò su tutti gli edifici posseduti o abitati dai francesi. I commercianti indiani di Tu Do e Le Loi misero fuori le loro bandiere.

Dal momento della resa era cessato il tuonar delle cannonate. Si sentivano solo isolate raffiche di mitra e i colpi secchi delle armi individuali. Poi, poco prima di mezzogiorno, si sentirono vicini i colpi di un'arma nuova ed il brontolio di motori cui Saigon non era abituata.

«Sono carri armati!» disse qualcuno.

Dall'angolo del Caravelle vidi venire giù dalla cattedrale, nel mezzo della via Tu Do deserta, una grande bandiera del Fronte di Liberazione Nazionale su una jeep americana con otto giovani in civile, i bracciali rossi, le mani in aria, che urlavano «*Giai Phong! Giai Phong!* (Liberazione! Liberazione!)». Erano le 12.10.

Mi misi a correre. La jeep arrivò all'altezza dell'Hotel Majestic e voltò di nuovo in direzione della cattedrale. Le corsi dietro. All'incrocio con la via Gia Long mi vidi sulla destra venire addosso due grossi camion Molotova carichi di vietcong in uniforme verde, casco coloniale, acquattati sul fondo; scansai il primo che aveva nel mezzo, camuffata con dei rami di palma, una mitragliatrice pesante. Mi attaccai dietro al secondo. I soldati mi guardavano stupiti, sorridenti. Credo che dissi «*bao-chi, bao-chi* (giornalista, giornalista)». Erano tutti giovanissimi, sedici-diciotto anni, uno mi fece cenno di accovacciarmi, di stare giù. Stavano andando a prendere il ministero della Difesa.

Arrivati all'angolo della via Pasteur, i camion si bloccarono, i soldati saltarono giù. Correndo curvi scivolarono dinanzi alla garitta vuota della guardia; uno teneva la mitragliatrice con le due mani puntata contro l'edificio.

Nel cortile accanto al pennone, dove sventolava ancora la bandiera a «tre bacchette» di Thieu, un colonnello tentò di suicidarsi. I soldati lo bloccarono. Vidi la pistola agitarsi in aria, il suo braccio tenuto da una decina di mani. In un attimo tutto era finito; e la bandiera del Fronte sventolava sul palazzo.

Dinanzi alla cattedrale una camionetta carica di soldati dell'ARVN s'era sfasciata, scappando, contro un albero. I soldati s'erano tolti le giacche dell'uniforme, avevano gettato i fucili nel-

l'erba ed avevano issato sull'antenna della radio una camicia
bianca.

Sul viale Thong Nhat una lunga fila di carri armati su cui
sventolavano i colori del Fronte rotolavano rumorosamente verso
Doc Lap; alcuni soldati sudisti in mutande correvano loro incontro e dai carri, coperti di frasche e di polvere, giovanissimi vietcong sorridevano e facevano cenni di saluto con le mani aperte.

L'ingresso del palazzo era spalancato. Il grande cancello di
ferro era rovesciato, tutto d'un pezzo, per terra e sull'erba rasata
del giardino di Thieu c'erano profonde le strisciate pesanti dei
cingoli. Tre carri armati stavano coi cannoni puntati contro il palazzo ai piedi della scalinata; quello di mezzo, col numero 843 in
bianco sulla torretta, era stato il primo ad arrivare. Altri erano in
semicerchio o lungo la cancellata. Una grande bandiera rosso-blu
con la stella d'oro a cinque punte nel centro sventolava, soffice,
sul tetto di Doc Lap.

La guerra di trent'anni era finita. L'insurrezione cominciata
117 anni prima per cacciare dal suolo vietnamita gli stranieri invasori aveva vinto e il popolo vietnamita era di nuovo padrone
del suo destino.

Al settimo incrocio voltare a sinistra

L'ordine di attacco era arrivato la notte dal Comando generale
mobile dell'Esercito di Liberazione nella periferia di Bien Hoa.
Quattro colonne corazzate dovevano muoversi contemporaneamente al sorgere del sole per entrare a Saigon da direzioni diverse. La fanteria avrebbe seguito.

La colonna dell'Ovest, sulla strada di Tay Ninh, doveva puntare su Tan Son Nhut ed imboccare la via Bay Hien; quella del Nord,
sulla strada numero 13, doveva partire da Phu Nhuan e scendere
per la via Hai Ba Trung; la colonna del Sud-Ovest, già sulla strada
4 del Delta, doveva entrare a Cholon per la via Luc Thinh; la colonna dell'Est, coi cento carri blindati, anfibi, cannoni e contraerea
della 203ª brigata, già attestati a Ho Nai, doveva passare il grande
«ponte di Saigon», dividersi in due tronconi ed entrare in città per
la via Phan Thanh Gian e la parallela Hong Tap Tu. Per tutti l'appuntamento era: «A Doc Lap il più presto possibile».

La 203ª brigata sapeva già dal pomeriggio del 23 aprile che la
sua missione finale era prendere Saigon, ma solo due squadroni

di carri erano arrivati a Suoi Cat, vicino alla capitale; gli altri con cui avevano cominciato la marcia dal Nord occupando Hué e Da Nang, avevano appena attaccato Phan Thiet e Phan Rang sulla costa ed i soldati dell'avanguardia avevano dovuto aspettare.

Nel carro 843, un T-54 di fabbricazione sovietica che i soldati avevano coperto di frasche di cocco per camuffarlo, la notte del 29 c'era grande eccitazione. L'equipaggio era fatto di volontari. Il capo carro era Bui Quang Than, il pilota Lu Van Hao, il primo cannoniere Thai Ba Minh, il secondo Nguyen Van Ky. Tutti giovani del Nord; nessuno di loro era mai stato a Saigon e, aspettando il segnale di partenza, si ripetevano a vicenda l'ordine breve e preciso dato loro dal commissario politico della brigata, Bu Van Tung: «Passare il ponte di Thi Nghe. Procedere tutto dritto sulla via Hong Tap Tu. Al settimo incrocio voltare a sinistra. Doc Lap è davanti a voi».

I carri si misero in moto alle cinque, in formazione serrata. Al centro della colonna c'era lo stato maggiore della 203ª brigata col comandante An ed il commissario Tung. L'avanzata verso Saigon fu poi raccontata così da Nguyen Trung Tanh, uno dei partecipanti: «Durante tutta la notte l'artiglieria dei fantocci ci aveva sparato addosso dalla Scuola Militare di Thu Duc, dalla Scuola di Polizia e da dietro la cementeria di Ha Tien. I nostri cannoni avevano risposto colpo per colpo, mentre il genio riparava il ponte nel distretto di Buy che i fantocci in ritirata avevano avuto il tempo di far saltare.

«Ci muovemmo alle cinque. Non avevamo più da temere l'aviazione e tenevamo tutte le nostre batterie antiaeree col tiro abbassato. Con quelle ci facemmo strada. Alle sei avevamo già alle spalle il ponte di Long Binh e quattro mezzi blindati M-113 dei fantocci distrutti. Al ponte di Rach Chiec dei carri nemici ci bloccarono per un po' sparando dei missili anticarro, ma il nostro squadrone di testa li distrusse uno ad uno. Alle 11 eravamo sul ponte di Thi Nghe.

«La porta di Saigon era aperta, dinanzi a noi. I primi tre carri rullavano già sulla via Hong Tap Tu, quando due M-41 nemici si pararono dinanzi sparando alla follia. Il nostro carro 390 ne colpì uno con un proiettile perforante, l'altro andò in fiamme colpito dal carro 843 di Bui Quang Than. La strada però era rimasta bloccata, il carro 843 girò sulla sinistra e si ritrovò sulla via Mac Dinh Chi. La direzione era persa. Il capo carro Than vide sul marciapiede due soldati fantoccio in uniforme mimetica.

245

« 'Dov'è Doc Lap?' » chiese Than.

« Uno non rispose. E l'altro: 'Lo so io'.

« Than tolse loro le giacche dell'uniforme e li fece montare sul carro che all'incrocio seguente voltò a destra. Than non si fidava. Vide una ragazza su una Honda, si mise ritto sul carro ed urlò:

« 'Per favore, da che parte rimane Doc Lap?'

« La ragazza guardò stupefatta il nostro combattente. Era certo la prima volta che vedeva un soldato delle Forze di Liberazione.

« 'Siete sul viale Thong Nhat. Il palazzo eccolo là, davanti a voi', rispose.

« Il carro 843 si lanciò su Doc Lap. Era mezzogiorno ».

Il colonnello Do Viet aveva sentito i carri avvicinarsi e messosi ormai in abiti civili era uscito dal Comando della guerra psicologica e s'era diretto verso la cattedrale.

« I carri mi sorpassarono. I primi erano tre, uno in coda all'altro. Non credetti ai miei occhi. Sapevo che era finita, sapevo che sarebbe successo così; ma vedere le stesse persone di vent'anni fa ad Hanoi, vederle lì con le stesse uniformi, gli stessi caschi, sui carri armati passare davanti alla cattedrale mi parve un incubo, un sogno. »

All'altezza della cattedrale, il carro 843 aveva aperto il fuoco, sparando in aria come per annunciarsi, tirando al di sopra del tetto sul quale sventolava ancora la bandiera gialla a tre strisce rosse della Repubblica. I soldati della guardia esterna erano già scappati.

Than dall'alto della sua torretta aperta guardava sugli ultimi metri del viale Thong Nhat le uniformi, i giubbotti antiproiettile, gli elmetti, i mitra, i sacchi di granate abbandonati. Il cancello era chiuso. Il carro aveva accelerato e come un fuscello di legno la cancellata di ferro s'era abbattuta per terra. I cingoli s'erano srotolati veloci sull'erba girando a destra della fontana in mezzo al giardino ed il carro si era fermato dinanzi alla gradinata vuota del palazzo. Gli altri due carri s'erano messi dietro, ai lati.

Than, il mitra in una mano e nell'altra la bandiera del Fronte strappata dall'antenna della radio, era saltato giù dalla torretta. I suoi sandali di copertone avevan fatto a balzi gli scalini dell'ingresso. Arrivati sul grande tappeto giallo coi draghi azzurri della hall, Than aveva incontrato Nguyen Huu Hanh, generale dell'ARVN in uniforme con una stella d'oro sul collo della camicia.

Dietro di lui c'erano il presidente, il primo ministro Vu Van Mau, Ly Qui Chung, Nguyen Van Ba e il resto del governo.

«Dov'è il signor Duong Van Minh?» aveva urlato Than.

«State calmo. Ci siamo già arresi», aveva risposto, facendosi avanti, il presidente.

Gli equipaggi degli altri due carri erano nella hall. Un giovane guerrigliero arrivando sul tappeto s'era tolto automaticamente i sandali di gomma.

«Da dove si sale?» aveva chiesto il comandante Than.

«Da qui», aveva risposto Nguyen Huu Thai, lo studente, mostrandogli l'ascensore.

In un attimo Than era arrivato sul tetto e, dopo averla sventolata violentemente a due mani, aveva issato la bandiera del Fronte sul pennone più alto nel centro del palazzo. Erano le 12.15.

Dal viale Thong Nhat erano arrivati altri carri armati. Grossi camion avevano scaricato soldati davanti al cancello del palazzo, davanti alla gradinata.

Minh e gli altri membri del governo erano stati portati nella sala delle riunioni al primo piano ad aspettare che arrivasse il commissario politico della brigata. Il palazzo era ormai pieno di soldati dell'Esercito di Liberazione. Nessuno più sparava.

Sul viale Cong Ly arrivavano altri carri. Erano le avanguardie della colonna dell'Ovest che venivano da Tan Son Nhut, dove una unità dell'ARVN che s'era rifiutata d'arrendersi aveva opposto una dura resistenza. Cinque T-54 e duecento soldati dell'Esercito di Liberazione erano stati messi fuori combattimento.

Camp Davis, nel mezzo dell'aeroporto Tan Son Nhut, dove risiedeva la delegazione militare del Governo Provvisorio Rivoluzionario, venne liberato verso l'una del pomeriggio.

«Quando sentimmo alla radio il discorso di resa di Minh ci furono scene di grande gioia», raccontò poi padre Chan Tin che aveva passato la notte in un bunker col colonnello Giang. «Uscimmo da sottoterra ed andammo dal generale Tuan. I soldati si abbracciavano nel cortile, saltavano, correvano da una baracca all'altra e Tuan dette l'ordine di ammazzare un pollo e portare delle bottiglie di vino.

«Vedemmo il primo carro verso mezzogiorno, ma non uscimmo dal campo fino alle sei del pomeriggio perché c'era ancora battaglia attorno alla sede dello stato maggiore generale dell'ARVN.

«Fu bello poi, dopo tanti anni di lotta, rientrare a Saigon con l'Esercito di Liberazione, con la gente che ci veniva incontro ed applaudiva per le strade. Giang firmò per noi il suo primo lasciapassare. Era datato 30 aprile 1975.»

Alcuni carri della colonna del Sud-Ovest si erano persi entrando a Cholon.

«All'imbocco di Hong Bang vidi un soldato vietcong scendere da un carro, leggere il nome della strada ed accostarsi al muro come se volesse orinare», mi raccontò poi un amico vietnamita. «Avvicinandomi vidi invece che stava consultando una bussola. Si vergognava a chiedere dove era.»

Un carro aveva imboccato il viale Le Loi dalla parte del mercato e solo al secondo incrocio fece marcia indietro accorgendosi d'aver passato la trasversale che conduceva al palazzo.

Il commissario politico Tung della 203ª brigata arrivò a Doc Lap dieci minuti dopo i primi carri. Entrò nella sala delle riunioni, si presentò a Minh, disse a lui e agli altri diciotto membri che erano presenti di considerarsi liberi, precisò che non erano affatto prigionieri e chiese al «fratello Minh» di dare per radio un nuovo ordine alle truppe di arrendersi per evitare altri inutili spargimenti di sangue vietnamita.

Gli studenti di Nguyen Huu Thai avevano già preso la stazione radio, ma tutti i tecnici erano scappati e nessuno la sapeva far funzionare. Passarono due ore finché Minh, portato su una jeep con Vu Van Mau alla trasmittente di via Nguyen Binh Khiem, potesse leggere, da presidente, dopo varie prove, le sue ultime parole scrittegli su un pezzo di carta gialla dal commissario politico Bui Van Tung. Radio Saigon, che era piombata nel silenzio dopo il primo discorso di resa del mattino, riprese a trasmettere alle 2.30 del pomeriggio, con un semplice annuncio: «Qui è la voce delle Forze Rivoluzionarie di Saigon-Gia Dinh. Sono un rappresentante delle Forze di Liberazione. Ora Duong Van Minh farà un appello». Ci fu un attimo di silenzio e poi: «Io, generale Duong Van Minh, presidente del governo di Saigon, faccio appello alle forze armate della Repubblica del Vietnam perché depongano le loro armi e si arrendano incondizionatamente alle forze del Fronte di Liberazione Nazionale. Dichiaro inoltre che il governo di Saigon a tutti i livelli è stato completamente sciolto».

Di seguito parlò Mau: «Nello spirito di concordia e di riconciliazione nazionale, io professor Vu Van Mau, primo ministro, faccio appello a tutti gli strati della popolazione perché salutino con gioia questo giorno di pace del popolo vietnamita. Faccio appello a tutti gli impiegati dell'amministrazione perché tornino ai loro posti di lavoro e continuino la loro attività».

Minh e Mau furono riportati a Doc Lap dove rimasero con tutti i membri dell'ormai tramontato governo.

Il vice presidente Nguyen Van Huyen, che aveva lasciato il palazzo mezz'ora prima dell'arrivo dei carri per andare a casa a riposarsi, venne a consegnarsi alle cinque del pomeriggio, facendosi portare da un parente a bordo di una Honda.

Il vietcong vicino di casa

I primi carri sfilarono in una città vuota, spettrale.

Lentamente le finestre, le porte cominciarono ad aprirsi, la gente si affacciò curiosa ed in pochi minuti tutta Saigon era nelle strade.

Giovani, a coppie sulle motociclette, seguivano la marcia delle colonne corazzate, indicando loro la strada; urlando, incitavano gli indecisi ad uscire di casa.

Dai marciapiedi, dai balconi, gruppi di donne e ragazze guardavano attonite, con improvviso stupore, le teste dei vietcong spuntare dalle torrette dei carri, li vedevano sorridere e rispondevano con grandi gesti delle mani. La tensione, la paura si scioglieva.

Affacciati alle spalliere dei camion Molotova che arrivavano uno dietro l'altro dinanzi a Doc Lap, fra le fronde di palma usate per mimetizzarsi, sorridevano file di giovanissimi vietcong. Sull'elmetto di ognuno una piccola striscia di foglio bianco col motto della giornata: «Mangia la metà, lavora il doppio per portare a termine la missione dello zio Ho».

Spesso, fra i carri armati sovietici, i camion cinesi, passava un blindato americano con le vecchie insegne sudiste coperte da una stella del Fronte verniciata di fresco. In mezzo ai vietcong si vedevano soldati dell'ARVN ancora con le loro uniformi, rientrare felici in città dopo essersi arresi.

Il giardino fra la cattedrale e Doc Lap era diventato un immenso parcheggio di carri armati, camion, batterie contraeree, cannoni coperti di frasche e polvere rossa. Migliaia di persone si mescolavano ai soldati e nel rumore assordante di altri carri che arrivavano fra nuvole di fumo bluastro non vedevo che sorrisi, sorrisi e mani che si agitavano.

Correndo, saltando su un carro, prendendo un passaggio su una jeep, feci un giro della città.

Nei quartieri popolari l'entusiasmo era travolgente.

Un prete cattolico in tonaca sulla via Cong Ly si parò dinanzi ad un carro per montarci su ad abbracciare i soldati.

Sulla via Le Van Duyet, vicino alla prigione Chi Hoa, in mezzo ad una folla che urlava, staccava gli striscioni di propaganda, stracciava le bandiere della Repubblica, si attaccava ai camion carichi di soldati, di mitragliatrici, munizioni, vidi una vecchia donna, col tipico cappello conico dei contadini, stringere al collo un giovane guerrigliero.

«*Hoa binh, hoa binh!* (Pace, pace!)» gridava.

Degli uomini piangevano, bambini sventolavano le bandiere del Fronte. I colori rosso e blu erano ormai su tutte le case. Gruppi di giovani con bracciali rossi abbattevano i cartelloni con le parole d'ordine del vecchio regime. Dovunque c'erano mucchi di uniformi, di elmetti, di scarponi militari abbandonati. Dinanzi alle case su cui c'erano ancora i cartelli imposti da Thieu, «Questa famiglia non accetterà mai di vivere sotto il comunismo», gruppi di persone cantavano *Saigon indomabile sollevati.*

Davanti all'ingresso della prigione di Chi Hoa, il comandante di un carro si fermò a fare alla folla un breve discorso: «Il popolo ringrazia tutti quelli che si sono sacrificati ed hanno sofferto per la Rivoluzione». I settemila prigionieri erano già liberi. La folla applaudì.

Dopo i carri, i camion, i blindati, arrivò la fanteria. In lunghe file indiane, sudati, con le uniformi bagnate, motose, le camicie due volte più larghe dei petti magrissimi, i sandali di copertone, passarono a gruppi di quindici-venti, per ore e ore, giovanissimi guerriglieri con gli AK-47 ad armacollo, i mortai, i razzi anticarro sulle spalle, i pezzi più pesanti appesi a dei bastoni che portavano in due.

Alcuni portavano con sé dei cesti di verdura, bietole d'acqua, che presto Saigon imparò a conoscere. Assieme al riso erano la dieta base dei vietcong. A volte, appesi sul retro dei camion e persino sui fianchi dei carri armati si vedevano delle gabbiette di ferro con dei polli dentro. L'Esercito di Liberazione era autosufficiente.

Ripartendo a raggiera dal palazzo, i carri armati, le truppe, si divisero ed a macchia d'olio entrarono in tutta la città, in ogni quartiere.

Gli episodi di resistenza furono pochissimi.

Davanti al palazzo del comune, un vecchio palazzetto francese dalla facciata di stucchi baroccheggianti, sulla via Le Than Ton, un gruppo dell'ARVN sparò sui vietcong che andavano a mettere la bandiera sulla torre dell'orologio. In un attimo i guerriglieri s'infilarono nel cortile e gli altri s'arresero. Uno gettò il fucile e stava contro il muro, tremante, dinanzi ad un soldato col mitra puntato. Non gli tirò. Lo guardò un attimo, gli sorrise e con la canna dell'arma gli fece cenno di andarsene. Era libero.

Una ventina di paracadutisti s'era nascosta, ad un passo dal palazzo, dietro il monumento della Tartaruga, sulla piazza Chien Si. Quando tutto era calmo cominciò a sparare e ci fu un gran fuggi fuggi tra la gente che stava davanti a Doc Lap. I vietcong si ripararono dietro i carri, dietro gli alberi e poi, senza sparare, si fecero sotto. In capo a dieci minuti la calma era ritornata.

Alle 14.30 i carri armati srotolarono i loro cingoli carichi di fango sulla via Tu Do per andare a prendere il porto, la base navale, e a rafforzare le unità che erano già entrate al Senato ed alla Banca Nazionale.

La spianata davanti all'Assemblea Nazionale si riempì di gente. Sull'edificio bianco un guerrigliero locale coi calzoni neri, la camicia azzurra ed un cappello floscio di tela verde andò a togliere la bandiera di Thieu ed a metterci quella del Fronte. Sopra la porta stese uno striscione con su scritto: «Lo spirito di Ho Chi Minh vive in tutti noi».

Due ragazze con delle piccole pistole mitragliatrici si misero accanto alla garitta della vecchia polizia. Erano studentesse di Saigon. Una teneva i caricatori della sua arma in una sacca di plastica della Pan Am.

Un giovane vietcong entrò nella hall del Continental a chiedere che cosa c'era nell'edificio; Joseph e gli altri camerieri stavano già preparando con un vecchio lenzuolo e della tinta rossa uno striscione da mettere all'ingresso dell'albergo.

Sotto il monumento al Milite Ignoto, proprio dove il poliziotto s'era ucciso quattro ora prima, una decina di giovani, piccoli soldati dell'Esercito di Liberazione nelle loro uniformi verdi ed i bracciali rossi, venivano abbracciati da delle donne, avvicinati con curiosità ed ammirazione da studenti, quasi soffocati da una folla di gente che allungava la testa per vederli, le mani per toccarli.

Era una sorpresa reciproca.

I soldati, quasi tutti del Nord, guardavano con stupore questa Saigon corrotta, schiava ed indomabile di cui avevano sentito parlare, ed erano colpiti dai palazzi, dai viali, dagli alberghi, dal lusso, dalle Honda, dai negozi, i cinema, gli orologi, la ricchezza.

Per la gente di Saigon, che aveva creduto d'essere massacrata, che aveva temuto il bagno di sangue, era il sollievo.

Per anni la propaganda americana e di Saigon aveva proiettato una immagine disumana di questo «nemico senza faccia». Cartelloni colorati che descrivevano gli orrori della vita sotto il comunismo erano stati affissi agli incroci di tutte le strade. Il vietcong non era un uomo, ma un mostro coi denti acuminati che uccideva i contadini, bruciava le chiese, sgozzava i bonzi, radeva al suolo le pagode.

A Saigon, come in tutto il Vietnam, migliaia e migliaia di famiglie avevano un fratello, un figlio, un parente dall'altra parte del 17° parallelo o nelle zone liberate del Sud, ma la gente aveva dimenticato o preteso di dimenticare. Tutto ciò che accadeva nel Nord-Vietnam ora un mistero colorato di paura, di terrore. «L'altro Vietnam» era lontano, remoto, un altro mondo: la luna. Gli unici vietcong che molta gente di Saigon aveva visto erano quelli gonfi, putrefatti, esposti dalla sezione psicologica dell'esercito di Thieu lungo le strade di campagna dopo una battaglia.

Ora erano lì. I vietcong. Ragazzi contadini, gentili, sorridenti, educati alla vecchia maniera, che rispondevano a qualsiasi domanda chiamando tutti «fratelli».

Già nelle prime ore dopo l'entrata dei carri molte famiglie cominciarono a ricevere visite di vecchi parenti di cui non avevano saputo da anni, genitori ritrovarono i figli creduti persi.

Il mio amico Cao Giao, rientrando a casa verso le cinque, trovò alla porta un biglietto senza firma che gli chiedeva di andare ad un certo indirizzo. Era il fratello più giovane che aveva lasciato ad Hanoi nel 1954. Era entrato a Saigon con un commando di sabotatori il 27, e la mattina del 30, ancor prima che i carri arrivassero, era andato a trovare la madre.

A Ho Nai, nel quartiere della periferia dove vivevano esclusivamente i rifugiati cattolici del Nord e c'è una chiesa ogni cento metri, un vecchio prete anticomunista ricevette nel pomeriggio la visita di un alto ufficiale vietcong che gli disse: «Son venuto a ringraziarvi perché voi nel 1953 salvaste la vita a mio padre nascondendolo alla polizia francese. Ho un enorme debito con voi».

A Bien Hoa, un sarto qualche giorno dopo mi raccontò che stava alla finestra a veder passare i primi vietcong, quando in mezzo ad un gruppo riconobbe suo zio. Non l'aveva mai visto, ma assomigliava tutto ad una vecchia foto di suo padre, morto vent'anni prima ad Hanoi.

In una stradina dietro il mercato Ben Thanh un vietcong si fece avanti con un megafono chiedendo dove abitava una certa donna. I vicini impauriti, pensando che questo in qualche modo significasse guai, dissero di non conoscerla. Ma due bambini si misero a urlare: «Mamma, mamma, ti cercano!»

Il vietcong li abbracciò. Era il padre, partito alla macchia nel '68, al tempo dell'offensiva del Tet. Da allora la famiglia aveva dovuto cambiare quartiere.

Centinaia e centinaia di episodi così avvennero già il primo giorno, dopo l'arrivo dei carri.

In poche ore la barriera di ignoranza, di paura, di silenzio fra Nord e Sud, fra un Vietnam e l'altro, andò in frantumi. Il vietcong «nemico senza faccia» era diventato qualcuno di conosciuto, il figlio del vicino, il proprio fratello, un parente, un vietnamita come tutti gli altri.

Persino il nome scomparve. Da quel giorno nessuno parlò più dei «vietcong».

I francesi, gli stranieri, li chiamarono «i piccoli uomini verdi»; le ragazze dei bar e dei bordelli nel loro americano elementare li chiamarono collettivamente «Ho Chi Minh»; e Saigon imparò la prima parola di un nuovo vocabolario vietnamita che si sarebbe presto imposto: *bo-doi*.

Bo-doi voleva dire letteralmente «soldati», «soldati del popolo»; ma *bo-doi* volle dire «Rivoluzione», volle dire «nuovo ordine», «nuove autorità».

Da quel giorno a Saigon i *bo-doi* divennero il soggetto di tutti i discorsi, di tutti i commenti della gente. Non si faceva che dire, «i *bo-doi* hanno detto», «i *bo-doi* hanno fatto», «i *bo-doi* vogliono che...»

Da Saigon a Città Ho Chi Minh

La sera del 30 aprile Saigon era calma.

Soldati dell'Esercito di Liberazione avevano steso i loro panni ad asciugare sulla cancellata del palazzo presidenziale; carri ar-

mati, camion, batterie contraeree, cannoni coperti di fango rossastro e di fronde mimetiche erano ammassati fra i grandi alberi di
tamarindo sulla piazza fra la cattedralè e Doc Lap. Migliaia di
soldati comunisti si accampavano nei parchi, nei giardini della
città, nei cortili delle case, ci facevano i loro falò come fossero
ancora nella giungla da cui erano sbucati poche ore prima per
prendere Saigon.

Alle sei era stato annunciato un coprifuoco, ma nessuno ci
aveva dato peso. La gente continuava a circolare per le strade e
i *bo-doi* non dicevano nulla. Dappertutto c'erano capannelli di
persone che discutevano, ragazzi che montavano sui carri, soldati
di Hanoi che raccontavano la loro marcia verso sud, mostravano
ai loro coetanei di Saigon, spesso soldati dell'ARVN, come si
smonta e rimonta il fucile cinese AK-47, come si punta una batteria antiaerea.

Sulla piazza della cattedrale i *bo-doi* avevano acceso dei fuochi di legna su degli improvvisati treppiedi, fatti con bossoli di
artiglieria incrociati, cuocevano pentoloni di riso e bietole d'acqua bollivano l'acqua per metterla nelle borracce.

Sulla via Duy Tan il vecchio Centro studentesco, che Thieu
aveva fatto chiudere, era stato riaperto. Giovani e ragazze, con
bracciali rossi e fucili americani recuperati dalle truppe arresesi,
facevano la guardia al perimetro esterno. Dentro, nelle sale e sulla terrazza scoperta, gruppi di studenti cantavano canzoni della
Rivoluzione, tenevano riunioni, parlavano con compagni usciti
dalla clandestinità, che non avevano visto da mesi o da anni.

Nei quartieri periferici, le caserme del vecchio esercito, le stazioni di polizia erano state occupate da guerriglieri e quadri politici locali cui si univano a mano a mano unità di *bo-doi*.

Dopo i discorsi di Duong Van Minh e Vu Van Mau, Radio
Saigon aveva trasmesso continui appelli: il primo agli impiegati
e ai tecnici della radio stessa perché si ripresentassero immediatamente al lavoro; altri alla popolazione perché collaborasse col
Governo Provvisorio Rivoluzionario a riportare l'ordine in città;
ai giovani perché si mettessero a disposizione di alcuni centri, di
cui si davano gli indirizzi, per ricevere istruzioni sui lavori da
svolgere; ai dipendenti dei servizi pubblici perché riprendessero
normalmente le loro attività.

Gli studenti erano invitati a presentarsi all'università Van
Hanh, che era stata fin dal mattino il centro più efficiente per
la registrazione dei soldati dell'ARVN e la consegna delle armi.

Per tutta la giornata gruppi di studenti, che avevano sostituito i bracciali verdi con la croce della mattina prima, con bracciali rossi e le iniziali dell'università in giallo, avevano lavorato nel cortile e nelle aule a registrare nomi, indirizzi di soldati ed ufficiali che si arrendevano, a registrare armi e a rilasciare a ciascuno ricevute e nuovi documenti di identità.

Quando i *bo-doi* vennero alle sei del pomeriggio a prendere possesso dell'università – solo nominalmente, perché gli studenti armati continuarono a fare la guardia ed a garantire la sicurezza degli edifici, ed io riuscii ad entrarci solo con un lasciapassare firmato da Nguyen Hou Thai, – trovarono nel cortile ed accatastato in due grandi sale un enorme arsenale: 1525 carabine, 2596 M-16, 399 M-72, 174 M-79, tre casse piene di pistole e quattordici mezzi blindati parcheggiati dinanzi all'ingresso.

Un altro appello che la radio ripeteva continuamente era per la cessazione dei furti nelle case, negli uffici, nei magazzini abbandonati dagli americani e dai vietnamiti scappati con loro. Il saccheggio era durato tutta la giornata.

Alle quattro, passando sulla via Phan Dinh Phung, in mezzo ai carri che continuavano ad arrivare ed ai *bo-doi* che sfilavano a piedi lungo i marciapiedi, avevo visto un centinaio di persone che spogliavano indisturbate un grosso camion carico di merce che qualcuno aveva abbandonato; persino nel Brinks, ormai ridotto a uno scheletro, gruppi di saccheggiatori si aggiravano per le stanze ed i corridoi pieni di cartacce e vetri rotti a racimolare quel che ancora potevano.

Il «mercato dei ladri» attorno alla via Ton That Dam aveva riaperto subito dopo l'arrivo dei carri e ci si trovavano per due soldi i più moderni apparecchi stereofonici, macchine cinematografiche, radio ed una distesa di bottiglie di whiskey appena uscite dai magazzini americani.

Molti degli ultimi furti furono commessi da gente che nella confusione circolava con vistosi bracciali rossi ed armi recuperate per strada, spacciandosi per guerriglieri del Fronte. Un gruppo di vecchi poliziotti così camuffati era entrato in un garage della via Le Loi ed aveva «requisito» tutte le macchine che vi erano parcheggiate.

Per tutto il pomeriggio colonne di *bo-doi* continuarono ad entrare in città dalle quattro direzioni da cui erano venuti i carri, ma soprattutto da nord-est.

Dal retro dei camion scoperti che passavano davanti all'Assemblea Nazionale, alla cattedrale e sul lungofiume i soldati si guardavano attorno soddisfatti, curiosi, a naso insù come tanti turisti dinanzi a monumenti e cose di cui hanno solo sentito parlare. Ufficiali in camionetta si fermavano a certi incroci del centro, tiravano fuori dalle loro cartelle marroni a tracolla carte di Saigon e le orientavano cercando la loro destinazione.

La stragrande maggioranza dei soldati che entrarono nella capitale del Sud il 30 aprile (almeno tre divisioni) veniva dal Nord-Vietnam; molti erano di Hanoi stessa. La gente di Saigon li riconosceva dal loro accento, li distingueva per la loro statura, in genere più piccola degli uomini del Sud; ma non li considerava stranieri.

Non poteva. Da sempre, per tutti i vietnamiti il Vietnam è stato un solo paese, la gente del Sud e del Nord ha parlato la stessa lingua, ha avuto le stesse abitudini, la stessa cultura; per secoli hanno combattuto contro gli stessi nemici e tutti i regimi del Sud, compreso quello di Thieu, persuasi dell'esistenza di un solo Vietnam, hanno celebrato come «il giorno della vergogna» la ricorrenza degli Accordi di Ginevra che nel 1954 avevano, pur temporaneamente, tagliato in due tronconi il paese, lungo il fittizio confine del 17° parallelo.

I *bo-doi* del Nord arrivati a Saigon erano a casa loro quanto lo erano stati i cattolici nordisti venuti nel '54, quanto tutti i capi militari e politici, come Nguyen Cao Ky che, pur essendo originari del Nord, avevano detenuto il potere nel Sud. I *bo-doi* erano gente di campagna che veniva in città. Questa era al massimo la loro estraneità.

Saigon era stata liberata, non conquistata. L'esercito dei liberatori era fatto di vietnamiti come i liberati; non era una truppa straniera di occupazione.

«Liberazione? Fu ben altra cosa a Parigi nel '45!» dicevano la sera alcuni francesi ancora rintanati al Continental, ricordando l'entusiasmo isterico delle folle europee che accolsero gli Alleati lungo la loro marcia.

Ma il Vietnam non era l'Europa, e se a Saigon, specie nel centro, attorno al Continental, l'accoglienza ai *bo-doi* era stata cauta e sospettosa, prima d'essere di sollievo e di gioia, se non c'era stata la pioggia di fiori dalle finestre, questo era per la diversa storia, per le diverse radici di questa guerra; per la paura, il ter-

rore che gran parte di questa città, chiamata Saigon, aveva anche avuto d'esser liberata.

Saigon era una città puttana che aveva dovuto imparare a sopravvivere con tutti i regimi ed a profittare di tutte le guerre. Per questa città che aveva lustrato le scarpe e venduto le sue donne a tutti i corpi di spedizione, da quello francese a quello giapponese a quello americano, la guerra era stata l'unica industria; un'industria che aveva arricchito pochi e tenuto in vita moltissimi. Da un milione, la popolazione della città era passata negli ultimi vent'anni a due, a tre, forse a quattro milioni. Le statistiche avevano perso il conto dei profughi.

La guerra americana non aveva solo alimentato i conti in Svizzera dei vari presidenti, generali, poliziotti, diplomatici; i GI, prendendosi in «affitto» le loro mogli, avevano campato intere famiglie vietnamite, dei loro dollari s'erano sfamati i pedalatori di ciclopousse, i mendicanti, i pittori di cristi insanguinati e donnine nude, i trafficanti di droga, i sarti, i calzolai, i lustrascarpe; di dollari americani erano vissuti gli alberghi, i ristoranti, le agenzie di viaggio, i negozi di souvenir, i falsificatori di antichità.

Con l'arrivo dei carri armati finiva la guerra, la paura; finivano i morti; ma finiva anche quel modo di sopravvivere. Per molti, moltissimi a Saigon con la Liberazione cominciava anche l'incertezza d'una zuppa di riso.

Al contrario dei carri armati alleati in Europa, quelli dei *bo-doi* non passavano gettando stecche di sigarette e di cioccolata, non portavano il pane bianco a chi ne aveva mangiato del nero, spesso fatto con la segatura.

I *bo-doi* con le loro uniformi mal tagliate, grinzose, sfilacciate, coi loro sandali Ho Chi Minh fatti di vecchi copertoni, non portavano il benessere «made in USA»; erano al contrario il simbolo d'una austerità, d'una durezza cui Saigon non era certo abituata e che avrebbe presto dovuto imparare.

Se la liberazione di Saigon non fu quella di Parigi o di altre città europee nei fiori, non lo fu neppure nelle esecuzioni.

A Saigon il giorno della Liberazione non ci furono regolamenti di conti, non ci fu la caccia al fascista; i vinti non vennero esposti in pubblico, non vennero umiliati. Non ci furono donne rapate e nude spinte fra due ali di folla, come le avevo viste da ragazzo alla Liberazione.

A Saigon il 30 aprile e nei giorni che seguirono non ci fu una sola fucilazione di collaborazionisti, di poliziotti, di torturatori.

Stranamente per una città che aveva sempre bisbigliato le storie più false e incredibili, non corse neppure la voce che da qualche parte c'era stata una esecuzione.

Nei quartieri dove gli studenti, prima di dare nuove carte di identità ai soldati del vecchio regime, li facevano firmare dichiarazioni in cui si dicevano pentiti e disposti ad obbedire alle direttive delle autorità rivoluzionarie, i *bo-doi* spiegavano alla gente che soldati e poliziotti del vecchio regime erano stati costretti dall'imperialismo americano a prendere le armi contro il proprio popolo, che erano delle vittime loro stessi e che per questo bisognava capirli e perdonarli.

Saigon, non c'era dubbio, era caduta dinanzi ai carri armati, dinanzi alle divisioni di un Esercito di Liberazione in gran parte reclutato a nord del 17° parallelo. Ma questo, pur essendo l'aspetto più appariscente, era anche il più marginale.

Cach mang, la Rivoluzione, come tutti impararono a chiamarla, non era stata un fatto semplicemente militare, né tanto meno una questione di carri armati e di divisioni. Come nel resto del Vietnam, anche a Saigon con l'avanzata delle truppe regolari venne alla luce l'organizzazione politica clandestina che aveva permesso questa avanzata, uscì dall'ombra tutta una schiera di combattenti che avevano per anni contribuito dal di dentro, in silenzio, alla lotta per l'indipendenza del paese. Emersero i quadri fra gli studenti, i rappresentanti del Fronte fra gli operai nelle fabbriche e tanta tanta gente, ad ogni livello della società, si rivelò per quello che era: un agente del Fronte.

A Quag Ngai, la donna che per anni aveva venduto succo di canna da zucchero dinanzi al quartier generale della polizia era membro del Comitato Rivoluzionario della città. Il « folle » che aveva mendicato per anni alla stazione degli autobus e che ogni tanto era comparso urlando per i campi nonostante il coprifuoco era in verità un ufficiale dell'Esercito di Liberazione.

A Ben Me Thuot la gente aveva scoperto il giorno della Liberazione che quella che si presentava come una « famiglia » e che abitava poco distante dall'Hotel Anh Dao era in effetti il gruppo dirigente dell'FLN della regione. Per non dare nell'occhio avevano scelto questa finzione di essere padre, madre e figli.

A Saigon, la mattina del 30 aprile il signor Binh, cameriere del ristorante Kim Hoa, all'angolo delle vie Pasteur e Le Loi, un locale solitamente frequentato da alti ufficiali dell'ARVN, diplomatici, uomini d'affari e giornalisti, chiese al padrone un permesso di una settimana. Nel pomeriggio tornò a salutare i colleghi con un gruppo di *bo-doi*. Era stato per dieci anni il responsabile di una rete di informazione del Fronte. Parlava francese, inglese e cinese. Divenne, nei giorni successivi, un funzionario della sicurezza della città.

Al Circle Sportif, il ritrovo esclusivo di diplomatici e stranieri, l'ultimo covo del vecchio mondo coloniale, gli impiegati scoprirono dopo la Liberazione che una donna delle pulizie era un alto quadro politico della Resistenza.

Ce n'erano un po' dappertutto. Padre Tran Huu Thanh, il prete cattolico anticomunista che aveva diretto il «Movimento contro la corruzione», scoprì che il giovane studente che lo accompagnava ad ogni manifestazione e gli serviva da guardia del corpo era un guerrigliero del Fronte. La signora Ngo Ba Thanh, leader della Terza Forza, scoprì che la segretaria generale del suo movimento, una ragazza di nome Tran Thi Lan, era un quadro del Fronte. Persino il colonnello Dao Viet scoprì che due suoi colleghi ufficiali al Comando della guerra psicologica erano agenti vietcong. A Saigon si disse che anche due generali dello stato maggiore dell'ARVN avevano lavorato per il Fronte. Qualcuno dopo la Liberazione li vide a Doc Lap. Uno sarebbe stato il generale Dong Van Khuyen che era stato responsabile della logistica.

Naturalmente ci furono, in mezzo a vicende di questo tipo, anche quelle dei profittatori.

Nell'ufficio dell'agenzia di stampa americana AP la mattina del 30, al momento del discorso di resa di Minh, uno dei fotografi vietnamiti tirò fuori un bracciale coi colori del Fronte e disse: «State tranquilli. A nome del Governo Provvisorio Rivoluzionario vi assicuro che non vi succederà nulla. Qui garantisco io».

La storia del «vietcong in ufficio», scritta dai due giornalisti che erano rimasti, fece il giro del mondo, ma era falsa. Il tipo si rivelò semplicemente uno di quei rivoluzionari della venticinquesima ora che presto furono identificati e messi da parte.

La sera del 30, la prima in cui non si sentì il tuonar del cannone e non s'ebbe paura dei razzi, Saigon era già un'altra città.

La radio annunciò che si sarebbe chiamata Ho Chi Minh. Ma non solo il nome, i colori delle bandiere su ogni casa, palazzo, auto, non solo le uniformi dei soldati, le musiche trasmesse dagli altoparlanti, gli striscioni attraverso le strade erano cambiati in poche ore. Il clima, il paesaggio umano di Saigon era mutato.

I *bo-doi*, i guerriglieri si mischiavano alla popolazione, e sempre più nuove facce di contadini, di operai, di giovani apparivano in città. Dovunque s'aveva l'impressione netta di una nuova classe, quasi una nuova razza di gente pallida, magra, dura, diventata quasi fisicamente diversa in anni di clandestinità e di giungla, che prendeva il potere.

Saigon stava tornando ad essere quella che avrebbe dovuto sempre essere: la capitale povera d'un paese contadino.

Presto Saigon non esisté più. Era diventata città Ho Chi Minh, e lentamente, con pena e fatica, imparava, secondo le istruzioni date dalle nuove autorità e ripetute alla radio, ad essere una « città rivoluzionaria, civile, pulita, sana, gioiosa e felice, degna del grande nome dello zio Ho ».

I tre mesi dopo

I

Una pace di diecimila anni

LA presa di Saigon fu improvvisa, folgorante, facile. Nessuno se l'aspettava così. Tantomeno gli uomini del Fronte e dell'Esercito di Liberazione. S'erano preparati a tre mesi di assedio, come mi spiegarono poi ad Hanoi; avevano tenuto conto di un eventuale ultimo devastante intervento dell'aviazione americana; avevano studiato misure di rappresaglia nel caso i sudisti avessero impiegato, come avevano fatto a Xuan Loc, le loro bombe asfissianti CBU, s'erano organizzati a prendere Saigon passo passo, strada per strada; invece, d'un balzo si ritrovarono a Doc Lap, con in mano una enorme sovraffollata città da sfamare, da amministrare, da controllare.

Fu un imprevisto.

Ci volle un commissario politico, arrivato dieci minuti dopo il carro 843, a spiegare a Minh ed ai membri del suo governo che non erano prigionieri di guerra, come i primi *bo-doi* avevano fatto loro credere.

Ci vollero le foto dei giornalisti occidentali per documentare i momenti storici della Liberazione perché i fotografi-guerriglieri, che pur si erano infiltrati in anticipo a Saigon a questo scopo, arrivarono in centro quando tutto era già finito.

Da settimane a Loc Ninh avevano preparato, da distribuire ai soldati che sarebbero andati a Saigon, uniformi ed elmetti nuovi, distintivi del Fronte e sandali stampati di gomma e di plastica per sostituire quelli artigianali fatti coi ritagli di vecchi copertoni; ma nella fretta dell'improvvisa avanzata i *bo-doi* si presentarono nella capitale con quello che avevano, con le loro uniformi della giungla; ed anche quelli della seconda ondata, che arrivarono nel pomeriggio ed erano stati fatti passare dai magazzini, si ritrovarono a Saigon con camicie, caschi di misure sbagliate e con sandali spaiati.

Moltissimi avevano dimenticato il distintivo con la stella rossa in campo rosso blu del Fronte che avrebbe dovuto, almeno in quei primi giorni, avallare la pretesa che erano soldati sudisti e non di Hanoi.

I camion che entrarono in città la sera del 30 avevano ai fianchi, su strisce di carta bianca incollate di fresco, il motto che avrebbe dovuto essere di una lunga campagna: «Ogni sacrificio per la vittoria. Siamo determinati a liberare Saigon, la grandiosa città dello zio Ho». Saigon era già liberata.

I responsabili politici e militari entrarono in città nel corso del pomeriggio.

Il generale Tran Van Tra, comandante in capo dell'Esercito di Liberazione, l'uomo che secondo i servizi di informazione francesi aveva diretto la guerriglia urbana a Saigon negli anni '50 e che poi, secondo gli americani, era stato l'ideatore e lo stratega della offensiva del Tet nel '68, l'uomo che aveva passato la vita a combattere dentro e nei dintorni della capitale, arrivò a Doc Lap alle 5.30 del pomeriggio. Con lui c'erano il commissario politico Bui Thanh Khiet e gli ufficiali del Comando generale mobile che da Bien Hoa avevano diretto le ultime fasi della campagna Ho Chi Minh.

Nel corso del pomeriggio arrivò anche Pham Hung, il mitico, misterioso membro del Politburo, segretario della sezione sud del partito, che era varie volte entrato ed uscito clandestinamente da Saigon negli anni della guerra e che, secondo alcuni, era già da giorni nella capitale, nascosto in una casa amica del settimo distretto. Era conosciuto solo dai suoi più stretti collaboratori. I servizi segreti americani e sudisti non erano mai riusciti a raccogliere su di lui molte informazioni e gli archivi della CIA e della CIO non avevano neppure una sua foto. Avrebbe potuto passeggiare tranquillamente per la via Tu Do senza essere riconosciuto. Forse in passato lo aveva fatto.

La mattina del 1° maggio arrivò Le Duc Tho.

Con le trattative di Parigi era diventato la controfaccia pubblica internazionale di Pham Hung. Conosciuto, fotografato, intervistato, assegnatario di un premio Nobel per la pace che aveva rifiutato, Le Duc Tho era stato, con Kissinger, il negoziatore degli Accordi. In realtà aveva rilevato da Le Duan, diventato segretario del partito ad Hanoi, la più alta responsabilità politica della lotta nel Sud, e dopo la firma degli Accordi di Parigi era nelle zone liberate del Sud che aveva passato gran parte del suo tempo.

Al momento della Liberazione era probabilmente a Loc Ninh, o forse già a Bien Hoa col Comando avanzato di Tran Van Tra.

Rimettendo piede, dopo trent'anni, nella capitale, Le Duc Tho si fermò a Tan Son Nhut e dal telex militare della delegazione GPR a Camp Davis inviò «ai compagni del Politburo», rimasti ad Hanoi, il rapporto sulla situazione. Una poesia.

> *L'ultima notte voi non avete dormito, lo so bene.*
> *L'ultimo combattimento è cominciato all'alba.*
> *Voi avete atteso*
> *e seguito minuto per minuto, secondo per secondo*
> *ogni passo del Sud che avanza*
> *ardito, rapido,*
> *pronto a versare il fuoco sul covo dei valletti.*
> *Attorno a Saigon la cerchia s'è chiusa.*
> *La strada 4 è tagliata, Vung Tau senza uscita.*
> *Notte e giorno l'artiglieria a lungo tiro*
> *bombarda Bien Hoa e l'aeroporto Tan Son Nhut.*
> *Gli A-37 e gli F-5 in fiamme*
> *non decollano più.*
> *Come pioggia, torrenti, tifoni, una marea*
> *avanzano i carri blindati,*
> *e nessuna forza impedirà l'attacco*
> *contro l'ultimo rifugio del nemico morente.*
> *Alza le mani e s'arrende.*
> *Sul «Palazzo dell'Indipendenza»*
> *la bandiera rossa svetta*
> *a segnar l'ingresso della nostra armata eroica e vittoriosa.*
> *Le masse urlano, la gioia vince.*
> *Le onde del popolo salgono infinite.*
> *Sui carri armati sorride il combattente della Liberazione*
> *e accetta i fiori più belli della popolazione.*
> *Ah, queste lacrime versate per felicità,*
> *questa gioia assaporata*
> *una volta soltanto in tutta la vita.*
> *Cosa ne pensate di questi momenti,*
> *voi che di gioia non potete dormire?*
> *Ricostruiremo risoluti l'avvenire del nostro paese*
> *perché sia mille volte più ricco,*

mille volte più bello.
Son finiti i giorni della fame e delle pene.
Nord e Sud sono riuniti sotto lo stesso tetto.
Il sogno dello zio Ho s'è fatto realtà
ed egli dormirà in pace.
Il cielo, oggi, è splendido ed infinitamente sereno.

Tan Son Nhut, 1º maggio 1975.

La festa fu spontanea, popolare. Nessuno dette ordini. Il 1º maggio fu celebrato senza programmi ufficiali, da centinaia di migliaia di persone che da ogni parte della città, in macchina, in Honda, a piedi si riversarono in centro, «a vedere la Rivoluzione».

Alcuni vennero con le bandiere rosse, con gli striscioni dei comitati operai, altri semplicemente con tutta la famiglia, i bambini per mano o sulle spalle.

Davanti a Doc Lap ci fu per tutto il giorno una folla enorme. La meta di tutti era lì. Tutti dovevano stare almeno un attimo con gli occhi sbarrati a guardare da vicino i due *bo-doi* di sedici anni, di guardia al cancello distrutto, a guardare l'ancora incredibile sventolio della bandiera vietcong sul tetto di Thieu.

Nel pomeriggio entrò in città anche la marina della Liberazione, ma non venne in nave; arrivò in camion, dall'autostrada di Bien Hoa, e si diresse al porto. Erano giovani di Hanoi venuti a prendere le imbarcazioni che i sudisti avevano abbandonato lungo il fiume di Saigon, quando la notte del 29 si era sparsa la voce che i vietcong avevano tagliato la via del mare.

La sera, fra i tantissimi *bo-doi* che passeggiavano per le vie del centro, disarmati, spesso a coppie, tenendosi per il dito mignolo, c'erano anche questi marinai, con le uniformi che parevano quelle della *Corazzata Potemkin*, i pantaloni blu, larghi, le camicie bianche abbondantissime e le golettine con le stelle.

Il 1º maggio sui muri di Saigon comparve il primo manifesto firmato dal Comitato di gestione militare Saigon-Gia Dinh, che sotto la presidenza del generale Tran Van Tra avrebbe retto la capitale nei mesi a venire.

Annunciava la chiusura di bar, bordelli, dancing, fumerie d'oppio, saloni di massaggio e di tutti i locali «per le attività di tipo americano».

Il Maxime, il night-club più alla moda di Saigon, a fianco dell'Hotel Majestic, alla fine della via Tu Do, divenne immediatamente una stazione di polizia e dei ragazzi delle vecchie forze di autodifesa di Thieu, diventati rivoluzionari grazie ad un bracciale rosso che si erano legati all'altezza del gomito, andarono coi loro fucili M-16 ad occuparlo assieme ad una squadra di *bo-doi*.

Per le prime due settimane dopo la Liberazione, numerosi gruppi di questi giovani di Saigon scorrazzarono liberamente per la città, a sirena spiegata, sulle jeep che erano state della polizia del vecchio regime, diressero il traffico, fecero la guardia agli edifici pubblici, si misero un po' dappertutto in mostra coi bracciali e i nastrini rossi legati alla canna dei fucili di fabbricazione americana.

Erano studenti di quattordici-quindici anni che il vecchio regime aveva armato ed organizzato in formazioni paramilitari cui spettava la difesa notturna dei quartieri. Il fucile era il simbolo della loro maturità e i *bo-doi* glielo lasciarono. Psicologicamente fu un atteggiamento corretto. Migliaia di questi giovani si sentirono coinvolti, ebbero l'impressione di partecipare a tutto ciò che era nuovo, di non essere messi da parte. Spesso si vedevano, pieni di sé, l'aria cattiva, stare a gambe larghe ad un incrocio con l'arma puntata contro il fianco alla maniera imparata dagli americani, a dirigere il traffico, guardati a distanza da un modestissimo *bo-doi* col suo AK-47 appoggiato sul petto, ad armacollo.

Una mattina, proprio davanti al Continental, uno di questi ragazzi sparò cinque o sei colpi in aria per disperdere un gruppo di gente attorno a delle prostitute che litigavano. Quando l'episodio si risolse, e la gente era andata via, due *bo-doi* presero gentilmente da parte il ragazzo, gli tolsero il fucile e gli parlarono a lungo.

Una quindicina di giorni dopo la Liberazione molte di queste bande erano scomparse dalle strade. La sera in riunioni di quartiere, i *bo-doi*, senza far perdere loro la faccia, cominciarono a ritirare le armi a questi ragazzi e a convincerli a «provare in altra maniera il loro spirito rivoluzionario».

Alcuni si arruolarono regolarmente nell'Esercito di Liberazione, quando a giugno comparvero i primi bandi per la ricerca di volontari.

Il pomeriggio del 1° maggio, al centro della via Duy Tan si tenne la prima grande assemblea di studenti. La sala-teatro era zeppa di giovani; moltissimi non riuscirono ad entrare e stettero in piedi nei cortili a sentire la voce di un compagno studente tornato dalla clandestinità che parlava attraverso gli altoparlanti: «Abbiamo vinto i nostri più terribili nemici. Questo è il giorno più bello della nostra storia. Ora la Rivoluzione può fiorire, ora possiamo costruire una pace che duri diecimila anni. Voi siete gli eroi della Rivoluzione, il futuro dipende da voi, dal fuoco che avete dentro. La Rivoluzione non è cosa di un giorno, di un anno o di trent'anni. È il lavoro per il resto della nostra vita».

C'era una grande commozione. In mezzo alle ragazze di buona famiglia, eleganti nei loro semplici *ao-dai* bianchissimi, si vedevano giovani contadine in pigiama nero con lunghe trecce di capelli sulla schiena.

Alle sette di sera la televisione riprese a funzionare. La prima immagine che comparve sullo schermo con le note di *Giai Phong Vietnam* (Liberare il Sud), l'inno del Fronte, fu il ritratto del presidente Ho Chi Minh.

Poi parlò Huynh Tan Man, lo studente di Saigon che aveva fatto anni di galera sotto Thieu. La Rivoluzione, portata avanti quasi come un'ossessione da una generazione di vecchi combattenti, non perdeva occasione per ribadire il suo interesse per i giovani.

Un altro comunicato del Comitato di gestione militare annunciò quel giorno la proibizione di tutti i giornali, pubblicazioni, libri, stampati senza il permesso delle nuove autorità.

Un solo Vietnam

Cominciò nell'attimo stesso della Liberazione e continuò nei giorni e nelle settimane che seguirono. Dappertutto in città si vedevano *bo-doi* con fogli in mano che chiedevano informazioni, che cercavano qualcuno.

Era come se ogni soldato dell'Esercito di Liberazione fosse arrivato a Saigon con in tasca l'indirizzo di un parente, di un amico; o con una lettera di qualcuno del Nord che dava notizie di sé ad un familiare del Sud.

Questo, come il fatto che nei quartieri dei rifugiati cattolici finirono proprio i *bo-doi* dei villaggi cattolici del Nord, non fu casuale ed il risultato di questa operazione di guerriglia psicologica fu enorme.

Fra esercito e popolazione si stabilì immediatamente un rapporto umano; era un continuo riconoscersi, discutere, riallacciare legami interrotti da anni. I vecchi che avevano lasciato il Nord-Vietnam nel 1954 per non vivere sotto il regime vietminh ritrovavano i figli dei loro vicini, chiedevano notizie delle loro case, delle tombe dei loro antenati.

« Credevo che la mia classe fosse stata distrutta, che la mia famiglia fosse stata perseguitata e dispersa. Invece scopro ora che tutti i miei nipoti hanno studiato, chi a Mosca, chi a Pechino, che della mia gente, dei miei colleghi nessuno è stato punito », mi disse, con enorme sorpresa, l'avvocato Vu Van Huyen che era stato procuratore generale di Hanoi al tempo dei francesi ed era scappato al Sud dopo gli Accordi di Ginevra per paura di rappresaglie.

Le differenze fra Nord e Sud-Vietnam che gli ultimi vent'anni di guerra avevano creato e che la propaganda occidentale aveva convenientemente ingigantito si minimizzarono col moltiplicarsi di questi incontri.

L'abisso aperto fra la popolazione vietnamita da due diversi sistemi politici che si erano sviluppati in direzioni opposte rimase: i problemi della diversa struttura economica e sociale fra Nord e Sud si sarebbero risolti col tempo; ma sul piano psicologico, l'unificazione fra i due Vietnam fu un fatto scontato nell'attimo stesso della Liberazione.

I vietnamiti si risentirono d'un colpo cittadini di un solo paese. Migliaia di civili di Hanoi all'annuncio della vittoria andarono a registrarsi per poter lavorare nel Sud; altri si misero in cammino sulle strade verso il 17° parallelo. A Saigon invece una delle frequenti domande che la gente faceva ai *bo-doi* era: « Quando potremo visitare Hanoi? »

« Oggi per la prima volta il concetto di patria è chiaro; non ci sono più differenze fra Sud e Nord-Vietnam. Sono fiero che abbiamo finalmente raggiunto l'unità. La gloria di tutto questo va a voi », dichiarò Ly Qui Chung, ministro dell'Informazione di Duong Van Minh, ad un ufficiale dell'Esercito di Liberazione a Doc Lap.

L'arrivo plateale a Saigon « dei carri armati di Giap » e l'ingresso in città di venti, forse trentamila *bo-doi* che, anche se portavano sugli elmetti coloniali il distintivo del Governo Provvisorio Rivoluzionario del Sud, erano chiaramente originari del Nord, fece dire a diplomatici ed osservatori occidentali che la Liberazione era semplicemente la conquista del Sud da parte di Hanoi e che l'unificazione, una volta dichiarata, altro non sarebbe stata che un'annessione del Sud da parte del Nord comunista.

«Il GPR è un paravento di comodo», dicevano. «Gli uomini che comandano sono dovunque quelli di Hanoi.»

Erano conclusioni fondate sulla vecchia tesi americana secondo cui la guerra era stata una «aggressione» comunista contro il Sud democratico.

Eppure, anche se era assurdo legare il significato politico del 30 aprile al nome della città o del villaggio scritto sul certificato di nascita dei *bo-doi* e dei quadri politici, era un fatto che la guerriglia sudista aveva combattuto a fianco delle truppe regolari nordiste e che a Saigon la stessa struttura amministrativa che venne alla luce dopo la Liberazione era fatta in gran parte di elementi sudisti.

L'uomo che prese in mano la Posta centrale – e che firmò due mesi dopo col suo nome di battaglia «Bay Phan» la mia carta di credito per spedire messaggi-stampa – era un vecchio studente di Saigon andato coi vietminh nel '45; era stato prima alla macchia e poi ad Hanoi ed era rientrato nella sua città con l'Esercito di Liberazione. Era un nordista?

Una verità spesso dimenticata dal pubblico occidentale è che nel 1954, in seguito agli Accordi di Ginevra, non solo ci furono sei-settecentomila cattolici che dal Nord vennero al Sud per sfuggire al «giogo comunista», ma ci fu un altrettanto considerevole numero di partigiani che, secondo le disposizioni degli Accordi, dovettero trasferirsi, «raggrupparsi» al Nord.

Nei tre mesi che rimasi a Saigon non feci che incontrare nell'amministrazione e nei gradi superiori dell'Esercito di Liberazione uomini e donne del Sud. Avevano abbandonato le loro case e le loro famiglie nel 1954 e invece di tornarci, come avevano sperato, dopo le elezioni generali previste – e mai tenute – a breve scadenza dagli Accordi di Ginevra, avevano dovuto aspettare vent'anni.

Uno di questi che rientrarono a Saigon coi *bo-doi*, il pomeriggio del 30 aprile, era un uomo che io cercavo. La sorella, che ha lasciato il Vietnam e vive all'estero, sposata con un francese, mi aveva dato il suo nome, Co Tan Chuong, dicendomi: «Forse un giorno lo incontrerai. Credo che ora sia colonnello dell'esercito di Hanoi».

Il fratello numero cinque

«Ero come ubriaco di gioia. Dopo aver ascoltato il discorso di resa di Minh non facevo che dirmi: abbiamo vinto, abbiamo vinto!» mi raccontò Co Tan Chuong quando, un mese dopo, riuscii a rintracciarlo. «Sapevo che un giorno sarebbe successo così, ma mi pareva impossibile che quel giorno fosse già arrivato e che io fossi su una camionetta diretto a Saigon, a Saigon, a casa!

«Vedevo i carri armati fantocci in fiamme, i soldati dell'ARVN gettare le armi, spogliarsi, scappar via. Era incredibile. Ero felice.

«Entrai con la colonna dell'Est e sapevo che, superato il ponte Phan Thanh Gian, la casa di mia madre non era lontana; ma non riuscivo ad orientarmi.

«Tutto era nuovo, l'autostrada di Bien Hoa, le case.

«Dove prima, quand'ero ragazzo, c'erano campi e risaie, ora non vedevo che grandi palazzi, blocchi di cemento, baracche. Tutto era cambiato e passai vicino all'imbocco della mia strada senza accorgermene. Quando avevo lasciato Saigon nel '45 si chiamava ancora col nome francese rue Foucault; immaginavo che l'avessero cambiato, ma non sapevo come e non ero neppure sicuro che la mia famiglia abitasse ancora lì.

«Non potevo fermarmi. Con la mia colonna dovetti andare fino al centro; prima a Doc Lap e poi alla prefettura. Lì mi ritrovavo. Riconoscevo i monumenti, la cattedrale. Il liceo Chasse Loup Laubat, dove avevo studiato, era proprio lì, ad un passo da Doc Lap.

«Fu in quel liceo che entrai in contatto con la Rivoluzione. Ero vietnamita, ma dovevo imparare le vicende di *'nos ancêtres, les Gaulois* (i nostri antenati, i Galli)'. Capii che appartenevo ad un popolo che aveva perso la sua storia, e quando ne ebbi l'occasione, nel '45, alla Rivoluzione d'Agosto, presi il fucile contro i francesi.

«Alla macchia fu dura e mio fratello, il numero sette, che era venuto con me, morì. Era troppo giovane, debole, e nella giungla non ce la fece.»

Raccontando dei fratelli, Co Tan Chuong non li chiamava coi loro nomi propri ma, come avviene in ogni famiglia vietnamita, col loro numero, in ordine di nascita, a cominciare dal due. Nessuno è il fratello numero uno.

Nella famiglia di Chuong erano stati nove i figli. Nelle loro storie, nei loro diversi destini c'era tutta la storia del Vietnam.

Il primogenito, il fratello numero due, era stato allievo ufficiale nell'esercito francese. Diventato pilota nell'aviazione di Saigon, era morto nel '68, abbattuto dalla contraerea comunista.

Il fratello numero tre era professore di liceo; aveva partecipato alla Rivoluzione d'Agosto ed era stato poi un militante clandestino della Resistenza. Aveva fatto due anni di galera al tempo di Diem.

La sorella numero quattro era morta di malattia a diciotto anni.

Co Tan Chuong era il fratello numero cinque.

Il fratello sei era stato reclutato di forza dall'esercito sudista nel 1953. Ci aveva fatto carriera ed era diventato colonnello dell'ARVN, assistente del comandante militare di Saigon.

Il sette era morto vietminh nel '45.

Poi veniva Christine che, da quando era partita, tutti chiamavano col suo nome francese di battesimo. Era l'amica che mi aveva parlato di Chuong.

La sorella numero nove viveva a Saigon, sposata con un ufficiale dell'ARVN.

Ultimo veniva il fratello numero dieci, un pittore, partito guerrigliero nel '62 e tornato a Saigon dopo la Liberazione, come responsabile della Nuova Scuola di Belle Arti.

« In tutti gli anni che ho passato alla macchia e poi ad Hanoi », continuò a raccontare Chuong, « non avevo che un pensiero: rivedere mia madre. Non ero sicuro che avrei fatto in tempo. Mio padre era morto mentre ero via. Ma una volta presa una strada bisogna percorrerla fino in fondo e per me il ritorno sarebbe stato possibile solo dopo la liberazione totale del Sud.

« L'unico contatto diretto che ebbi con la famiglia a Saigon fu una nota scrittami nel '46 dal fratello tre per dirmi che mio figlio di due settimane era stato portato a casa sano e salvo.

« Era nato in un momento difficile. Il nostro fronte a Bien Hoa era stato spezzato dai colonialisti, molti compagni erano stati uccisi ed altri avevano desistito ed erano tornati a Saigon. Mia moglie partorì nella giungla mentre i francesi facevano continui rastrellamenti. Non potevamo tenerlo lì ed una donna di cui ci fidavamo lo consegnò a mia madre. Non lo rividi più.

« Rimasi per otto anni a combattere nella zona D, a pochi chilometri da Saigon, ma non riuscii mai a venire in città. Neppure nel '54. Secondo gli Accordi di Ginevra dovevamo abbandonare i nostri campi trincerati e raggrupparci nel Nord-Vietnam. Ci dettero novanta giorni ed io e la mia unità fummo fra i primi ad andare a Vung Tau e ad imbarcarci da lì per Haiphong.

«Nel '66 incontrai mia sorella Christine a Phnom Penh e seppi che mio figlio cresceva in famiglia e che studiava. In seguito cercai varie volte di farlo avvicinare da dei compagni che lavoravano nel Sud per portarlo da me, per farlo venire nella Rivoluzione; ma non ebbi mai una risposta.»

Nessuno aveva osato dire a Chuong la verità: il figlio era stato arruolato nell'esercito di Thieu, era stato addestrato negli Stati Uniti ed era diventato pilota nell'aviazione di Saigon. Sapeva di avere un padre dall'altra parte, il fratello tre glielo aveva detto una volta; ma l'argomento non era più stato toccato.

Nessuno in famiglia parlava di Chuong; tutto ciò che gli apparteneva era stato distrutto, fatto sparire. In tutta la casa non c'era una sola foto di lui per paura che un giorno la polizia potesse scoprire qualcosa. Solo un paio di volte il fratello numero sei, quello colonnello, avendo saputo dai servizi segreti dell'ARVN che era stato catturato un prigioniero di nome Co Tan, era andato dal fratello più anziano, il numero tre, e gli aveva chiesto quanto Chuong era alto, come aveva i capelli e tutti e due senza parlarne con gli altri si erano rallegrati nello scoprire che le descrizioni del prigioniero non corrispondevano al fratello cinque.

«Mi misi a cercare mia madre la sera del 30, appena potei lasciare la mia unità», continuò a raccontare Chuong.

«Venni nel mio quartiere e chiesi della via Foucault. Mi dissero che il nome era cambiato in Nguyen Phi Khanh, ma che i numeri erano rimasti quelli di un tempo.»

La via è in un quartiere di media borghesia dietro il cimitero Mac Dinh Chi. La casa è modesta con un cancellino di ferro, un piccolo cortile ed uno stanzone ingresso-salotto-cucina: in un angolo un divano e due poltrone di plastica; su un altarino le foto del padre, della sorella, del fratello morti; una statuina di marmo; una sola luce al neon e, come in tutte le case vietnamite, accanto alle poltrone, le biciclette e le Honda appoggiate contro il muro.

Quando Chuong era arrivato nella sua uniforme verde, il casco coloniale, la pistola al fianco, la cartella a tracolla, scortato da due giovanissimi *bo-doi*, i vicini si erano affollati alla porta e sbirciavano dalle finestre aperte sul cortile. Il fratello numero tre lo riconobbe subito.

«Da giorni mi dicevo 'Ora arriva, ora arriva'», raccontò poi. «Ci abbracciammo. Avevamo tante cose da dirci che rimanemmo a lungo senza dire nulla.»

La madre era in camera al piano di sopra. Dal giorno prima,

quando il fratello sei, il colonnello, era venuto a dirle addio, spiegandole che partiva per l'America, che non poteva restare, che sarebbe stato ucciso, lei non era voluta scendere.

Chuong salì le scale a balzi. Aprì la porta e la madre si mise a urlare, impaurita. Vide un vietcong, pensò che erano venuti a prendere il colonnello e che avrebbero ammazzato anche lei. Aveva 82 anni e non l'aveva riconosciuto.

Dopo un po' nella stanza, dal gruppo dei parenti, dei nipoti che stavano dinanzi alla vecchia madre seduta in una poltrona di vimini con un lungo *ao-dai* bianco, il fratello tre prese per mano un giovane sui trent'anni, lo portò in faccia a Chuong e disse: «Ti presento tuo figlio». Tutti erano muti e commossi.

Quando li andai a trovare, la famiglia era riunita; vivevano di nuovo tutti assieme. Il 5 maggio era arrivato, portando una nuora e due nipoti in più, anche il fratello dieci, pittore, che aveva combattuto per 13 anni col Fronte nel delta del Mekong.

Ognuno raccontava la sua storia con semplicità, come fosse la cosa più naturale del mondo. L'unico argomento diventato tabù era quello del fratello sei, scappato negli Stati Uniti. Non volevano parlarne. Se ne vergognavano e davano la colpa alla moglie ricca che lo aveva costretto a partire.

Il figlio di Chuong che, convinto dallo zio tre, aveva buttato via la sua uniforme di pilota e non era partito, s'era già registrato per la rieducazione.

Un nugolo di nipoti giocava nel cortile ed i vicini continuavano a sbirciare dalle finestre.

In quei giorni migliaia di altre famiglie a Saigon e nel resto del Sud-Vietnam facevano ugualmente il bilancio di trent'anni di guerra. Non per tutti il ritorno dei combattenti era stato facile come per il fratello cinque.

Ci furono partigiani che tornarono solo per scoprire che non avevano più famiglia, che i figli avevano lasciato il paese o erano scomparsi nelle galere di Thieu, che erano morti battendosi contro la guerriglia.

Una figlia di Nguyen Huu Tho, presidente del Fronte di Liberazione Nazionale, s'era legata a un americano, ed era scappata con lui. La moglie di un ministro del GPR, mentre lui era alla macchia, era diventata la donna di un ufficiale di polizia ed era fuggita con uno degli ultimi elicotteri.

272

Lezione di guida

Capitava a volte a me, ma doveva succedere molto più spesso alla gente di Saigon: guardarsi attorno, trovare tutto normale e poi d'un tratto accorgersi d'essere circondati da vietcong. Ci volle tempo per abituare l'occhio alla loro presenza.

Non fosse stato per quella, spalancando la mia finestra d'albergo, la mattina del 2 maggio avrei potuto credere che a Saigon non era successo nulla. I negozi sulla via Tu Do avevano tirato su le saracinesche ed i commessi buttavano acqua e spazzavano i marciapiedi davanti ad ogni ingresso. I forni avevano rifatto il pane ed i ragazzi con le ceste piene di *baguettes* sul retro delle biciclette andavano a distribuirlo.

Scendendo a far colazione nel giardino del Continental dove Joseph, il cameriere, per la prima volta non mi accolse col suo solito borbottio: «Tè o caffè? Burro o marmellata?» ma mi strinse orgoglioso, felice, la mano, ritrovai sul tavolo le brioche.

Il traffico nelle strade era tornato ad essere quello caotico, puzzolente di sempre. Nonostante i distributori di benzina fossero chiusi – e lo sarebbero rimasti per molto tempo – automobili, Honda, autobus e tricicli a motore circolavano a migliaia. Costava dieci volte il suo prezzo normale, ma al mercato nero la benzina si trovava.

Davanti alla Posta, agli incroci più importanti e tutto lungo il fiume, c'erano lunghe file di donne e ragazzi accovacciati davanti alle loro bottiglie da tre quarti, vendute per un litro, piene del carburante viola fornito dagli americani all'esercito sudista e rubato negli ultimi giorni prima della Liberazione.

In passato l'ambasciata americana, credendo di poter impedire i furti, aveva fatto colorare la benzina destinata ad usi militari, ma il trafugamento era naturalmente continuato ed i saigoniti s'erano talmente abituati a pensare alla benzina violetta, «americana», come alla migliore, che quando, settimane dopo la Liberazione, a Saigon arrivarono i primi rifornimenti di benzina sovietica scialba, gialliccia, i rivenditori del mercato nero furono costretti con delle polverine a colorarla di viola per far credere ai clienti che era ancora quella degli stock americani.

Il 2 maggio, i tremila rifugiati vietnamiti che avevano invaso l'ospedale francese Grall in cerca di protezione, rassicurati, tornarono alle loro case. Un gruppo di poliziotti che si era barricato nella cappella dell'ospedale lasciò armi e munizioni e andò via.

Le famiglie che s'erano spostate dai quartieri di periferia verso il centro, dove credevano d'essere più al sicuro in caso di battaglia, rientrarono nelle loro abitazioni.

In mezzo al traffico di camion militari, carri armati che si spostavano, vecchie auto colme di gente, materassi, biciclette, ventilatori, pacchi, si vedevano lucidissime limousine nere che erano state dell'ambasciata americana, stivate di dieci, quindici sorridenti *bo-doi* che coi vetri opachi e le tendine abbassate si godevano, divertiti e un po' imbarazzati, l'aria condizionata.

La radio al mattino aveva dato l'ordine di ripulire la città e, mentre gruppi di studenti spazzavano strade e piazze, autogrù dell'esercito sudista trascinavano via le carcasse di auto che cannibalizzate dai saccheggiatori, ormai senza ruote, sedili, motori, fari, erano sparse per tutta la città.

Grosse ruspe caricavano sui camion di spazzatura i mucchi di cartacce, documenti, giornali, uniformi, elmetti, scarponi militari. Una squadra di *bo-doi* con spazzoloni e sapone andò persino a pulire il cortile dell'ambasciata americana ed a rastrellarne il giardino. Saigon tornava rumorosamente a vivere.

Il posto più tranquillo nella cerchia della città era diventato Tan Son Nhut.

Passato il grande edificio in cemento e bandone del DAO, fatto esplodere dagli ultimi *marines* americani prima di partire, un elicottero dell'Air America con le pale stroncate era rovesciato nel piazzale davanti al terminal passeggeri; e sulla immensa distesa di cemento delle piste dei parcheggi di questo che era stato, con la guerra, uno dei più grandi e movimentati aeroporti del mondo, si sentivano volare le mosche fra le carcasse dei C-130 da trasporto e dei caccia F-5 distrutti dall'artiglieria. Il cielo era mosso da nuvole di fumo che ribollivano lente sui depositi di carburante e munizioni ancora in fiamme.

La torre di controllo era intatta; le piste erano punteggiate dai buchi dei proiettili, dalle schegge e dai brandelli degli aerei e degli elicotteri distrutti. Almeno un centinaio.

In questo enorme cimitero di cemento si muovevano solo le sagome di alcuni *bo-doi* che nel sole del mezzogiorno, in questo spazio aperto a perdita d'occhio, imparavano a guidare Honda e biciclette trovate nei magazzini. L'arrivo della mia macchina su una delle piste costituì una grande attrazione ed una decina di *bo-doi* vollero a turno che insegnassi loro a guidarla.

Ero andato a Tan Son Nhut a cercare il colonnello Vo Don

Giang della delegazione del GPR a Camp Davis. Alle 15.30 del giorno della Liberazione i telex della posta e di tutte le agenzie di stampa s'erano bloccati, avevano ripreso per mezz'ora verso le 18 e da allora erano rimasti muti (lo sarebbero rimasti per sempre). Il telefono con l'estero non funzionava più. Tutte le comunicazioni erano state interrotte ed il mondo non sapeva cosa fosse successo in Vietnam dopo l'arrivo dei primi carri armati.

Avevo scritto poche righe telegrafiche per il mio settimanale *Der Spiegel* e sapevo che l'unica possibilità di farle uscire da Saigon, di farle arrivare in Germania era Giang.

All'ingresso di Tan Son Nhut, i *bo-doi* di guardia mi avevano bloccato e non intendevano ragioni; ma una vecchia foto di me e del colonnello, presa ad una delle conferenze stampa del sabato e che portavo sempre addosso pensando che un giorno mi sarebbe servita, funzionò da lasciapassare.

Raggiunsi Camp Davis sul lato ovest dell'aeroporto, guidando sulle piste in mezzo agli aerei, ai proiettili esplosi.

Una grande bandiera del Fronte sventolava sul deposito dell'acqua del campo. Fra le baracche c'era aria di grande festa e di smobilitazione. Gli interpreti, i traduttori, gli ufficiali, i soldati di guardia preparavano i loro sacchi, mettevano i documenti in scatole di cartone. Il gruppo di Giang stava traslocando a Doc Lap.

C'era il maggiore Phuong Nani, burbero ma simpatico, l'unico vietcong che avessi incontrato con un po' di pancia, l'uomo che, nell'assurda situazione creata dagli Accordi di Parigi, rispondeva al telefono, quando da Saigon bastava chiamare il 9245149 per sapere qual era la posizione del GPR su un certo argomento. C'era Giang che era stato il portavoce ufficiale della delegazione.

Fu un incontro fra vecchi conoscenti. C'eravamo visti saltuariamente per due anni al sabato mattina. Giang era commosso; abbracciandomi, l'elmetto nuovo con cui stava per recarsi in città gli rotolò per terra.

Per due anni avevano preso decine di foto di ogni giornalista che frequentava Saigon e che era stato alle loro conferenze. Raccoglievano ogni articolo che scrivevamo, catalogavano ogni notizia che ci riguardasse e prima di ogni incontro, confrontando le nostre foto, si ripassavano a memoria i nomi di ognuno per salutare tutti con un tocco personale.

L'articolo partì per ordine di Giang sul telex militare. Da Hanoi venne ritrasmesso a Berlino Est, da lì ad Amburgo. *Der Spie-*

gel ebbe il primo resoconto di Saigon liberata, ed il 5 maggio, con qualche ritocco, l'articolo comparve sui tre giornali di Hanoi, compreso il *Nhan Dan*, il quotidiano del Partito dei Lavoratori.

Lasciando Camp Davis ripassai dal terminal dell'aeroporto.

Gruppi di *bo-doi* stavano quietamente pulendo i loro fucili, mangiando ananas in scatola che avevano trovato nei frigoriferi. Alcuni, appoggiati al bancone che era stato della Pan American, scrivevano a casa su della carta da lettere a righe coi bordi sfumati di azzurro e delle rose rosse stampate su ogni pagina. Un ragazzo di vent'anni scriveva alla moglie rimasta ad Hanoi: « Mia amata, sono finalmente a Saigon. Ti scrivo da Tan Son Nhut, l'aeroporto. Ho combattuto eroicamente. Ora che il Sud è liberato spero di tornare presto. Occupati di nostro figlio. Sii felice, la guerra è finita ».

Alle 12.50 sentimmo in lontananza avvicinarsi il frullio d'un elicottero. Da tutte le parti i *bo-doi* si misero a correre ed io con loro, verso una pista.

Un grande elicottero verde con una stella rossa, un Mi-6 di fabbricazione sovietica, si posò sull'asfalto. Il pilota sventolò dall'oblò una bandiera del Fronte, e dinanzi alla pancia che si apriva c'era ormai una folla di *bo-doi* che sventolavano elmetti, applaudivano, saltavano di gioia ed abbracciavano altri *bo-doi* più anziani che scendevano; alcuni piangevano.

Era il primo collegamento aereo Hanoi-Saigon. Quelli che arrivavano erano quadri politici ed ufficiali dell'aviazione nordista che venivano a prendere in mano le installazioni dell'aeroporto. C'era anche un giornalista, Le Ba Thuyen, direttore della *Rivista Illustrata* di Hanoi. Era originario di Saigon.

« Quando partii trent'anni fa sapevo, sapevo che sarei tornato un giorno », disse commosso, guardandosi attorno.

In nome del popolo

La sera del 2 maggio, radio e televisione annunciarono che ogni segno del passato, ogni traccia del vecchio regime doveva essere cancellata.

Saigon, senza alcuna resistenza, obbedì. Quel che non era già stato distrutto o bruciato nelle prime ore della Liberazione scomparve definitivamente. Vennero grattate via le bandiere « a tre bacchette » dipinte all'ingresso di ogni abitazione e sui tetti delle case; i manifesti di propaganda anticomunista vennero così radicalmente estirpati che quando qualche settimana dopo alcuni funzionari di Hanoi vennero per raccogliere una documentazione per il Museo della Rivoluzione, non riuscirono in tutta Saigon a trovarne un solo esemplare.

All'ingresso di Tan Son Nhut il muro sul quale a lettere cubitali era stato scritto per anni: « *The noble sacrifice of the allied soldiers will never be forgotten* (Il nobile sacrificio dei soldati alleati non verrà mai dimenticato) », venne coperto da uno strato di vernice bianca su cui poi in rosso comparve la frase di Ho Chi Minh che divenne il motto della Rivoluzione: « Niente è più prezioso dell'indipendenza e della libertà ».

Il 5 maggio la campagna per la distruzione dei simboli del passato si concluse alle 10.30 del mattino con l'abbattimento del mostruoso monumento di Thieu al Milite Ignoto dinanzi all'Assemblea Nazionale. Dalla testa di cemento armato che rotolò per terra in una nuvola di polvere tra un gran sventolio di bandiere rivoluzionarie uscì uno stormo di pipistrelli che vi avevano fatto il loro nido.

Quella certa Saigon che aveva visto con terrore l'arrivo dei *bo-doi* in città accettò con entusiasmo questo cambiare delle bandiere, ma non capì che non era una questione di sola facciata.

Dopo i primi giorni di titubanza, molta gente, quando si accorse che non c'erano plotoni d'esecuzione, che non c'era la caccia ai collaborazionisti pensò che il mutamento di potere era stato come quelli del passato e che semplicemente voltando gabbana si poteva forse vivere come prima.

Il bar Rex, il ritrovo della gioventù dorata della capitale ed il centro più conosciuto degli spacciatori di droga, riaprì i battenti. Travestiti e puttane che il giorno dopo la Liberazione s'erano mischiati alla popolazione vestiti modestamente, alcuni persino in abiti contadini, ricomparvero sui marciapiedi truccati ed ammiccanti, assieme ai mutilati, agli accattoni e alle bande di ragazzini lustrascarpe teleguidati da un racket di vecchi poliziotti ora in borghese.

Il centro di Saigon tornò ad avere un aspetto di sorprendente normalità sotto gli occhi dei *bo-doi* che, come fossero in un altro pianeta, passavano in fila indiana con le loro armi sulle spalle e col passo ondeggiante di chi è abituato a camminare sui monti. Molta gente che non era riuscita a scappare in tempo e nei primi giorni si era rassegnata, riprese speranza di riuscire a farcela.

Alcune società segrete di cinesi di Cholon garantivano per 10.000 dollari a testa un passaggio in nave per la Thailandia, la Malesia o Singapore. Alcuni partirono e non si seppe mai se erano arrivati a destinazione; ma il prezzo del dollaro al mercato nero salì nuovamente fino a 3000 piastre.

« Saigon è così », diceva Cao Giao. « Il primo giorno la gente è contenta di aver salvato la testa, il secondo cerca di recuperare la Honda, il terzo si organizza per continuare a vivere dei suoi piccoli traffici. »

Saigon, che a suo tempo aveva imparato a vendere ogni sorta di cose, pensò di commercializzare la Rivoluzione, di poterla smerciare come aveva fatto con altri prodotti del passato.

I cinesi di Cholon, che si erano preparati alla Liberazione sostituendo nelle loro botteghe i ritratti di Chiang Kai Shek con quelli di Mao, avevano anche fabbricato decine di migliaia di bandiere del Fronte di diversa qualità, diversa misura, di cotone, di seta, ed anche di plastica.

Sulle bancarelle del mercato le imitazioni degli accendini Zippo, adorati dai GI americani, con da una parte incisa la frase « *When I'll die I shall go to heaven for in Vietnam I have already been in hell* (Quando muoio andrò in paradiso, perché in Vietnam sono già stato all'inferno) », comparvero con una stella rossa incisa dall'altra parte.

Un uomo di cinquant'anni, aiutato dal figlio di tredici, si mise accovacciato all'angolo di Tu Do, davanti al bar Givral, a fabbricare con vecchi copertoni decine di « sandali Ho Chi Minh ». Presto dei concorrenti comparvero un po' dappertutto in città.

Ma la cosa più ricercata di Saigon divenne Ho Chi Minh.

Alcuni intraprendenti commercianti, con le prime preziosissime copie del ritratto del presidente, fecero migliaia di fotocopie che vennero vendute agli angoli delle strade. Altri riuscirono presto a stamparne delle imitazioni.

Il 5 maggio il primo numero del nuovo quotidiano *Saigon Giai Phong* (Saigon liberata) aveva su un quarto della prima pagina la foto sorridente di Ho. Altre immagini del presidente al lavoro, in mezzo ai bambini, al fronte coi combattenti, assieme a Giap, comparvero sui seguenti quindici numeri del giornale.

Ho Chi Minh fece la sua apparizione dovunque, una sorta di immagine sacra, un santino, nelle case, incorniciato negli uffici, nei negozi, nelle scuole, sventolante sul manubrio delle biciclette e delle Honda, sul parabrezza delle macchine e degli autobus.

I *bo-doi* reagirono a questo commercio che arricchiva certi grossi commercianti, andando di bancarella in bancarella a dire che « lo zio Ho non è in vendita » e che le organizzazioni popolari avrebbero distribuito gratuitamente le copie necessarie ad ogni famiglia, ogni fabbrica, ogni ufficio. Ma la gente aveva fretta ed il commercio continuò, sottobanco, con circospezione come si trattasse di cocaina: ritratto in bianco e nero 500 piastre, a colori 1000.

I primi *bo-doi* che arrivarono in città non avevano certo con sé la moneta di Saigon e cominciarono ad offrire i loro dong del Nord per comprare transistor, orologi e batterie.

I cinesi di Cholon, speculando sul fatto che presto ci sarebbe stata l'unificazione del paese, che ci sarebbe stata una riforma monetaria e che comunque il dong valeva molto più della piastra di Thieu, fissarono un tasso inufficiale di scambio: 2000 piastre per un dong.

L'8 maggio il Comitato di gestione militare annunciò che il dong non aveva corso al Sud, che l'unica moneta valida era quella « del regime fantoccio » e che il cambio sarebbe stato fatto regolarmente dalle banche. Ma le banche erano chiuse ed allora il mercato nero fiorì in questo nuovo settore.

Sul marciapiedi della via Han Thuyen, ad un passo da Doc Lap, si aprì quella che presto la gente chiamò « la Banca del popolo »: un gruppo di donne e uomini, fra cui si riconoscevano ex poliziotti ed ufficiali dell'esercito di Thieu, per conto dei cinesi cambiavano senza problemi dong per piastre ai *bo-doi* che in grossi camion venivano portati dalle province a vedere la capitale ed a fare i loro acquisti.

« Se continua di questo passo non saranno i *bo-doi* a mettere ordine a Saigon, ma Saigon a corromperli », dicevano con soddisfazione alcuni abitanti.

I tentativi c'erano stati. Dei ragazzi sorpresi a rubare a Gia Dinh avevano tentato di cavarsela alla vecchia maniera offrendo ai *bo-doi* di spartire la refurtiva; My Linh, la tenutaria del bar-bordello vicino al monumento di Tran Hung Dao, quando i *bo-doi* erano entrati da lei per chiederle che tipo di attività svolgeva, li aveva fatti sedere al tavolo ed aveva offerto da bere gratis a tutta la squadra. In passato, per proteggere la sua attività e le 32 ragazze che lavoravano per lei – e l'avevano fatta ricca –, aveva pagato mille dollari al mese ai poliziotti del quartiere. I *bo-doi* bevvero ed il giorno dopo tornarono a portarle dieci chili del loro riso in pagamento.

Un ex informatore della polizia, Nguyen Van Ba, che aveva lavorato al porto mi raccontò la sua esperienza: «Una notte, parlando con un *bo-doi* di guardia al deposito, gli proposi di scambiare il mio orologio con una delle tante casse di whiskey accatastate nei magazzini. Lui accettò. La sera dopo tornai con un altro orologio e feci lo stesso cambio. Quando ci riprovai la terza volta, invece del *bo-doi* ci trovai tutto un comitato. Mi dissero che se tornavo ancora mi avrebbero fucilato».

C'erano in quei giorni dopo la Liberazione almeno un mezzo milione di persone a Saigon, ex poliziotti, soldati sbandati del vecchio esercito, tutti rimasti senza lavoro, e molti ancora con le loro armi, che aggiuntisi ai normali gangster di una grande città ed ai delinquenti di diritto comune rilasciati dalle prigioni circolavano per le strade cercando un modo qualsiasi di fare alla svelta dei soldi.

Rangers ed elementi delle Forze speciali, addestrati in passato ad infiltrarsi nei ranghi del Fronte e nelle zone controllate dall'Esercito di Liberazione, utilizzarono i loro vecchi trucchi e, fingendosi *bo-doi*, terrorizzarono la popolazione di alcuni quartieri, «confiscarono» case con tutto il loro contenuto, rubarono macchine e motociclette.

Una decina di *bo-doi* vennero uccisi di notte, in stradine secondarie, da gente che voleva solo impossessarsi delle loro uniformi per qualche impresa piratesca.

Mentre quadri del Fronte andavano di quartiere in quartiere a fare il censimento della popolazione, a prendere il nome di quelli che erano scappati con gli americani, altri, spacciandosi per autorevoli responsabili della guerriglia, li seguivano cercando di vendere favori ed influenza alla gente più ingenua. Uno di questi episodi, avvenuto nel quartiere di Vo Tang vicino a Tan Son Nhut, mi venne raccontato da un uomo di sessant'anni che ci aveva assistito: «Due giorni dopo *cach mang* (la Rivoluzione), tre uomini vennero qui e radunarono tutta la popolazione. Parlarono della guerra, dissero a tutti di stare calmi e di seguire le istruzioni dei *can-bo*, dei 'quadri'. Alle famiglie dei poliziotti e dei soldati dissero di non preoccuparsi. Dovevano registrarsi e non sarebbe loro successo nulla. Dissero che la politica del nuovo governo era di clemenza e di perdono. Non ci sarebbero state rappresaglie contro chi aveva servito Thieu e gli americani. I tre avevano i nomi degli abitanti di ogni casa; conoscevano bene il quartiere.

«Quando furono partiti un giovane intellettuale della zona

prese la parola, disse che era in contatto col Fronte da molto tempo e che avrebbe aiutato la popolazione a risolvere i suoi problemi con le nuove autorità. Non erano passate due ore che i tre tornarono, riconvocarono tutti e tenendo una pistola puntata alla testa del giovane spiegarono alla gente che lui non aveva nessun potere, che non era un responsabile del Fronte e che se avesse tentato ancora una volta di sfruttare la situazione lo avrebbero fucilato».

Le autorità militari avevano fatto ripetuti appelli alla radio per invitare la popolazione a proteggere le proprietà private e quelle del popolo (per questo si intendeva tutto ciò che avevano lasciato dietro di sé gli americani ed i vietnamiti scappati); manifesti erano stati affissi dovunque annunciando «severe punizioni» per i ladri e i saccheggiatori; ma le rapine a mano armata, gli scippi e gli assalti a ciò che era rimasto nelle case, nei magazzini americani, continuarono. Al grande emporio americano dopo il ponte di Newport, una folla rumoreggiante sostava da un giorno ad un altro, pronta ad abbattere il recinto e tenuta a bada da una decina di giovanissimi guerriglieri. Circolare per il centro di Saigon con una borsa o un semplice pacchetto in mano era diventato un enorme rischio.

I *bo-doi* ebbero allora l'ordine di sparare.

Due giovani che scappavano su una Honda furono abbattuti sulla via Hai Ba Trung; tre ladri furono fucilati al mercato centrale di Cholon. Il cadavere di un altro venne lasciato per tre giorni esposto nel quartiere di Ka Noi con un cartello al petto con su scritto «Ho rubato». Un altro venne abbattuto con una raffica di mitra sul lungofiume Bach Dang, alla fine di via Tu Do.

La mattina di sabato 17 maggio i *bo-doi* annunciarono con dei megafoni che alle nove ci sarebbe stato un tribunale popolare al crocevia fra Vo Tanh e Truong Tan Buu.

Una folla di circa 500 persone assistette. In mezzo alla strada, col traffico che si era bloccato, tre *bo-doi* portarono avanti, senza manette, liberi, due ragazzi: uno di diciotto, uno di vent'anni. Un quarto *bo-doi* col megafono spiegò alla popolazione che erano stati sorpresi a rubare un fusto di benzina da un garage vicino. Due testimoni dissero di averli visti; il *bo-doi* chiese alla popolazione cosa si doveva fare. Qualcuno urlò: «A morte!»

Il *bo-doi* col megafono chiese di nuovo: «Chi li vuole morti alzi la mano». Una selva di palmi aperti si levò nell'aria.

Il *bo-doi* disse: «In nome del popolo». Estrasse la pistola dal fodero e fece fuoco. Due colpi per uno, alla testa. Ed il traffico riprese.

Un altro tribunale popolare ebbe luogo sulla via Nguyen Thien Thuat. Me lo descrisse una ragazza di 23 anni, Trinh Thi Hoa, dattilografa di una compagnia commerciale chiusa dalla Liberazione perché il suo padrone, un vietnamita, era scappato con gli americani: «Conoscevo bene l'uomo che i *bo-doi* hanno fucilato. Abitava vicino a me. Era un drogato e con una banda di complici era diventato il terrore del quartiere. Ha fatto molto male a tanta gente. Rubava, vendeva droga ed obbligava i giovani della zona a comprare droga da lui. I suoi genitori non riuscivano a correggerlo. Era stato in prigione, ma era uscito alla Liberazione ed era diventato ancora peggio di prima.

«L'altro giorno è andato da sua madre a chiederle soldi; mentre lei faceva finta di cercare nei cassetti, il padre è andato a chiamare i *bo-doi* per arrestarlo. Sono stati i genitori a chiedere al Governo Provvisorio Rivoluzionario di fare qualcosa per liberare il quartiere da questa sventura.

«Il tribunale era fatto di gente che era stata vittima di quel tipo ed ha votato per la pena capitale. I *bo-doi* l'hanno eseguita sul posto. E' stato violento, ma con un tipo così non c'era altro da fare».

Col passare delle settimane la criminalità per le strade diminuì. Credo che nei tre mesi in cui rimasi a Saigon dopo la Liberazione ci furono almeno una trentina di queste esecuzioni sommarie di delinquenti comuni. Nessuna di carattere politico.

Protagonisti rivisitati

Avrei dovuto essere testimone al rilascio del generale Minh e del suo governo, ma il giovanissimo *bo-doi* di guardia al cancello abbattuto di Doc Lap era inflessibile ed il mio accompagnatore, venuto apposta a prendermi in albergo con tanto di scorta e camionetta sovietica da stato maggiore, tutta chiusa e con un mazzo polveroso di fiori di plastica accanto al volante, aveva un bel dire con tono suadente e sommesso: «Compagno, sono il maggiore Phuong Nam. Questo giornalista è stato invitato dal Comitato di gestione militare. Deve essere portato subito nella sala del Protocollo. Il generale Tran Van Tra ci aspetta...» Non c'era nulla da fare.

Nella confusione del trasloco da Camp Davis, Phuong Nam, il simpatico vietcong con la pancia, aveva dimenticato i suoi documenti d'identità ed il *bo-doi*, con sorrisi e fermezza, ci bloccò il passo. Così, dell'ultimo atto storico fra i due regimi, quello che aveva capitolato e quello vincitore, la sera del 2 maggio alle 7.30 non vidi che da lontano le strette di mano e le camionette che riportavano a casa i protagonisti sconfitti.

Dal pomeriggio del 30 aprile il generale Minh e la sua gente, fra cui Nguyen Van Huyen, Vu Van Mau, Nguyen Van Hao, Ly Qui Chung, Nguyen Van Diep e Thai Lam Nghiem (in tutto sedici persone) erano stati trattenuti a palazzo e alloggiati nei quartieri solitamente riservati agli ospiti. Dopo i primi momenti di sorpresa e di una certa durezza, perché Minh si aspettava una delegazione del GPR per negoziare la resa, mentre invece si vide arrivare, sparando in aria, la fila dei carri armati, i rapporti fra i vecchi ed i nuovi occupanti di Doc Lap erano stati cordiali.

Tran Van Tra, una volta entrato a palazzo, aveva parlato a lungo col gruppo e Minh, rivolto ad un suo collaboratore, riferendosi ai *bo-doi* disciplinati, efficienti, che si muovevano attorno a loro, aveva detto: «Questa è la razza vietnamita che credevamo fosse scomparsa».

L'incontro fra quei due gruppi fu più di un incontro fra avversari di una guerra che era stata innanzitutto contro lo straniero aggressore e poi guerra civile. Fra la gente dei due campi c'erano uomini che alle origini avevano avuto gli stessi ideali di Patria e che s'erano divisi solo in seguito sul modo di realizzarli.

Al tempo in cui era studente di medicina ad Hanoi, Minh, giovane nazionalista, era stato amico di Huynh Tan Phat entrato poi nel partito comunista e nominato primo ministro del GPR. La Rivoluzione d'Agosto del '45 li aveva separati, ma Minh non s'era mai sentito per questo meno nazionalista di Phat o del suo stesso fratello rimasto nel Nord e diventato generale dell'Esercito di Liberazione. Minh aveva creduto di poter perseguire l'indipendenza senza rompere i legami con la Francia e mantenendo il Vietnam nell'area occidentale. Non era stato un opportunista; al massimo un ingenuo. Pagando questo errore storico era finito a Doc Lap a dichiarare la resa incondizionata.

Dietro a lui, nella sala del Protocollo sedeva Thai Lam Nghiem. Era nato ad Hanoi; già all'università era stato un accanito nazionalista ed un feroce anticomunista. Quando Ho Chi

Minh prese il potere, lui andò alla macchia e si batté allo stesso tempo contro i francesi ed i comunisti. Catturato nel '46 fece la prigione vietminh; scappato al Sud nel '54 fece la galera di Diem per poi finire sostenitore di Nguyen Cao Ky e senatore arrabbiato della Repubblica. Passato all'opposizione di Thieu, finì di nuovo in prigione. Liberato il 26 aprile s'era messo a disposizione dell'ultimo presidente. Minh, Huyen, Nghiem e tanti altri come loro s'erano illusi che la liberazione del paese potesse non passare per la disciplina, l'ideologia, la base popolare che solo il partito comunista era riuscito a fornire. S'erano sbagliati e le loro erano, in vario modo, tante vite sprecate alla stessa maniera.

La cerimonia del rilascio di Minh e dei suoi era stata formale. Da una parte della sala stavano sedici poltrone coi membri del governo Minh, dall'altra tre poltrone col commissario politico Bui Thanh Khiet, il vice presidente dell'amministrazione militare Cao Van Chiem e, al centro, Tran Van Tra. Attorno decine di ufficiali e soldati dell'Esercito di Liberazione.

Dopo un discorso generico sulla caduta di Saigon del commissario politico, aveva preso la parola il generale Tra: «Alla fine di questa lunghissima lotta non ci sono né vincitori né vinti, tranne il popolo vietnamita, tutto il popolo che ha sconfitto l'imperialismo americano. In tutta la sua storia il popolo vietnamita è il solo ad aver sconfitto i mongoli. Nel 1945 abbiamo sconfitto i giapponesi, nel 1954 la Francia a Dien Bien Phu, ed ora abbiamo vinto gli Stati Uniti che si credono il paese più forte del mondo. È al popolo vietnamita che va la gloria di tutto questo».

Il generale Minh aveva risposto: «Sono contento di trovarmi qui. Credo di aver contribuito con le mie azioni ad evitare un ultimo inutile spargimento di sangue a Saigon. È stata la mia parte positiva in questa lotta. Ho 60 anni e oggi sono fiero di poter essere di nuovo un cittadino libero in un paese indipendente».

I due gruppi si strinsero la mano davanti alla scalinata del palazzo e Minh venne accompagnato nella sua villa di Tran Quy Cap dalla quale non si mosse più, rifiutando di dare interviste e di ricevere visite, tranne quelle dei suoi intimi collaboratori di un tempo.

Una settimana dopo la Liberazione si sparse la voce che Minh avrebbe avuto un ruolo in un prossimo governo di coalizione coi comunisti, un mese dopo si disse che il generale era stato convocato e portato per consultazioni ad Hanoi; ma in tutto questo non c'era niente di più che le aspirazioni di alcuni suoi ammiratori e di una certa parte di Saigon che, preoccupata di veder nascere un potere unicamente comunista, sperava ancora di avere voce in capitolo attraverso un uomo come lui. Ma Duong Van Minh col 30 aprile aveva concluso la sua parte sulla scena politica. L'aveva recitata con dignità, ma certo anche senza troppa convinzione. Sulle motivazioni della sua ascesa al potere rimasero infatti molti dubbi ed il posto che la storiografia ufficiale gli avrebbe riservato rimase incerto.

Gli uomini del Fronte lo rispettarono e ripagarono nella loro moneta per la sua decisione di arrendersi: Minh e tutti i membri del suo governo furono esentati dalla rieducazione cui dovettero sottoporsi tutti gli altri funzionari del vecchio regime. Ma quando fra la gente cominciò a nascere il mito di Minh «salvatore di Saigon», la stampa comunista rispose con una serie di articoli in cui si parlò del Minh «ufficiale dei colonialisti francesi», del Minh «organizzatore del colpo anti-Diem ispirato dalla CIA», eccetera.

Minh fu presto dimenticato. All'ingresso di Tran Quy Cap non ci fu più neppure una guardia, ed i due telefoni nella portineria davanti al cancello verde furono tagliati. Un amico che era stato a trovarlo mi disse: «Prima ci si immaginava sempre il generale nel suo giardino a coltivare le orchidee, in attesa della chiamata della Nazione. Ora è lì, in mezzo ai pesci colorati dei suoi acquari, con l'aria assente che tenta di decidere se scrivere o meno le sue memorie».

Il vice presidente Huyen lo trovai, dopo il rilascio, nella sua casa al 181 di Hong Tap Tu. Mi ricevette in pigiama bianco, in un salotto modesto in mezzo alla biancheria stesa ad asciugare, sotto un gran ritratto del Papa ed un armadietto pieno di bamboline di plastica e statuette di santi in gesso.

Cattolico fervente, con un figlio prete ed una figlia suora, era sempre stato considerato uno degli uomini più onesti del vecchio regime. Era un giurista e si era dimesso dalla presidenza del Senato quando Thieu con un colpo di mano aveva fatto passare la risoluzione che gli dava pieni poteri.

«È una vergogna doverlo ammettere, ma Thieu era un fantoccio degli americani», mi disse Huyen. «Quando lui si dimise capimmo che non c'era altra strada per noi che il negoziato. Questa fu l'opinione comune a tutti noi che accettammo di lavorare col generale Minh. Il nostro atteggiamento era molto diverso da quello di Huong. Lui fece formalmente della resistenza costituzionale, ma in verità era un paravento per gli americani. Se Huong ci avesse rimesso il potere in tempo, noi avremmo potuto negoziare; ma gli americani non volevano. Era un gioco sottilissimo. Volevano che la situazione precipitasse, volevano il dramma per giustificare la loro partenza. L'ambasciatore Martin era deciso a partire a caldo, non a freddo.»

«Perché allora Minh non dichiarò la resa al momento dell'investitura?» gli chiesi.

«Io ed altri gli consigliammo di fare così. Ma si rifiutò. L'esercito a Saigon era ancora intatto e c'era il pericolo di un colpo di Stato ed allora davvero Saigon avrebbe rischiato un massacro. Pensi, la mattina stessa della resa, alle 11, due carri armati dell'ARVN vennero con la bandiera bianca a Doc Lap. Un gruppo di ufficiali salì nello studio di Minh chiedendo perché, perché si era arreso e fortunatamente lui riuscì a calmarli.»

Fra gli altri rilasciati, l'economista Nguyen Van Hao si dichiarò disposto a collaborare alla ricostruzione del paese in qualunque modo potesse essere utile. Le nuove autorità lo richiamarono presto a palazzo dove assieme ad un gruppo di tecnocrati del vecchio regime lavorò a preparare un'analisi dell'economia sudista.

Il primo ministro, Vu Van Mau, ripeté a tutti quelli che lo andarono a trovare che la Terza Forza non esisteva più, dal momento che c'era ormai una sola forza e che quella aveva preso il potere.

Fra i giovani collaboratori di Minh, Nguyen Van Ba e Ly Qui Chung erano i più entusiasti per come erano andate le cose. Scoprii in seguito, col ritorno dall'esilio del loro capo, Ngo Cong Duc, deputato cattolico di Vinh Binh, ex direttore del quotidiano *Tin Sang*, condannato a morte dalla CIO, perché: pur non essendo uomini del Fronte, erano parte di un gruppo informale, ma ben organizzato di persone che, in contatto col Fronte, si erano infiltrate in varie organizzazioni non comuniste di opposizione al regime per provocare la soluzione che si era poi verificata.

Io sottoscritto soldato fantoccio

Il breve comunicato che apparve nell'ultima pagina del quotidiano *Saigon Giai Phong* il 6 maggio e che venne poi appeso dai *bodoi* sui muri della città non era formalmente né un ordine né un invito. Firmato da Tran Van Tra e rivolto «ai soldati, sottufficiali e ufficiali dell'esercito fantoccio, della polizia e dello spionaggio», diceva semplicemente che la « registrazione » sarebbe stata aperta dall'8 al 31 del mese e dava gli indirizzi ai quali presentarsi: i generali al numero 213 del viale Hong Bang, gli altri ufficiali ed i soldati al più vicino comitato di quartiere nei luoghi di residenza.

Saigon dovette familiarizzare così con un'altra parola del nuovo linguaggio introdotto dalla Rivoluzione: «fantoccio», in vietnamita *nguy*.

«Fantoccio» non era solo chi aveva preso le armi contro i partigiani o aveva in un modo o nell'altro lavorato nell'amministrazione sudista. «Fantoccio» era tutto quello che aveva avuto a che fare col vecchio regime, tutto ciò che di vietnamita era stato contaminato, imbastardito dalla presenza straniera ed in particolare americana.

Non c'erano solo soldati, impiegati, ufficiali, ministri, poliziotti, magistrati «fantocci»; c'era anche una cultura, una mentalità, un'arte, un modo di vita «fantoccio».

Conseguenza di questo era che per costruire «una società nuova, fresca, gioiosa e rivoluzionaria», tutto ciò che era marchiato come «fantoccio» andava escluso, finché non fosse stato cambiato, rimodellato, in altre parole purificato.

L'essere «fantoccio» era una colpa, ma non imperdonabile. Non c'erano pene con cui si potesse espiarla; ma confessare, prenderne coscienza era, in parte, già redimersi. L'essere «fantoccio» era una malattia, ma non inguaribile. La cura sarebbe venuta poi con *hoc tap*, la rieducazione, il bagno nella Rivoluzione.

La registrazione dei militari «fantocci» era il primo passo di questo impressionante processo di purificazione cui sarebbe stata sottoposta l'intera società vietnamita del Sud. Ogni uomo, donna, ragazzo di ogni classe sociale, di ogni professione, di ogni origine, di ogni cultura avrebbe fatto *hoc tap*. Per alcuni sarebbe durato solo qualche giorno, per altri dei mesi o forse degli anni.

I *bo-doi* nelle loro conversazioni quotidiane per strada con la gente, la radio e la televisione nelle trasmissioni serali, avevano spiegato che la politica delle autorità rivoluzionarie era di perdono, che nessuno sarebbe stato punito per i delitti commessi in passato, che nessuno aveva da temere rappresaglie; ma i «fantocci» non si fidavano e la mattina dell'8, quando i centri per la registrazione si aprirono, furono pochissimi i militari del vecchio regime che andarono a presentarsi. Poi le esperienze dei primi incoraggiarono gli altri e per giorni e giorni si videro lunghe file di uomini di diverse età, ma tutti uguali, dimessi, in abiti civili, con pacchetti di fogli in mano, aspettare sotto il sole il loro turno.

Il 9 passai l'intero pomeriggio in uno di questi centri a Bien Hoa, la cittadina trenta chilometri a nord di Saigon. La vecchia caserma della polizia, ad un passo dal mercato, era diventata con la Liberazione la sede della Sicurezza Popolare.

Lungo il muro di cinta almeno duecento persone stavano ordinatamente in fila per tre, in silenzio. Al cancello due ragazzi guerriglieri, al massimo sedici anni ciascuno, in pantaloni neri, camicia azzurra, un cappello floscio a larghe tese, tipico dei combattenti del Sud, e l'AK-47 appoggiato al petto, erano di guardia. Una piccola folla di parenti e curiosi guardava dall'altro lato della strada.

I « fantocci » entravano a due o tre per volta in una piccola stanza scalcinata e sforacchiata di pallottole, che era stata la sala d'aspetto del vecchio capo della polizia. Si toglievano il berretto, si sedevano su una panca di legno e, ad un cenno d'un altro giovanissimo guerrigliero, si presentavano ad un tavolo dietro il quale due ex ufficiali dell'ARVN, che si erano offerti volontari, scrivevano su un registro nome, cognome, data e luogo di nascita, residenza, numero di matricola e posizione militare di ognuno.

In un angolo della stanza, ad un tavolaccio sconnesso con una grande, sporca teiera da cui offriva generosamente un liquido verde e fumante, stava un contadino sui cinquant'anni, piccolo, la pelle secca e screpolata, le mani dure, una fronte piena di bozzi ed un continuo sorriso pieno di denti d'oro, che dopo la registrazione parlava ad uno ad uno, ai « fantocci ». Chiedeva loro dove avevano combattuto, con quali ufficiali erano stati, a quali operazioni avevano partecipato. Di ogni risposta prendeva veloci appunti su un quaderno a quadretti di scuola. A volte chiedeva precisazioni.

Era originario di Tu Due, un villaggio poco lontano da Bien Hoa. Era entrato nella Rivoluzione nel '59 e da allora aveva sempre combattuto nella regione. Spesso le operazioni di cui gli parlavano i « fantocci » le conosceva bene, perché le aveva vissute dall'altra parte del fronte: lui ed i suoi compagni erano stati gli obiettivi della « ricerca e distruzione » dell'ARVN. Gli era facile giudicare della sincerità di quello che gli raccontavano gli uomini venuti alla registrazione.

C'era in questa scena non solo di ex soldati, ma anche di ufficiali che avevano studiato, alcuni dei quali erano stati in America, che erano stati potenti e che ora si presentavano dimessi, con rispetto ed anche timore, dinanzi ad un modestissimo contadino vestito nel suo semplice *ao-baba*, il pigiama nero della gente di campagna, tutto il rovesciamento di valori, di etica, di potere che la Rivoluzione aveva causato.

Alla fine dei colloqui col contadino, i «fantocci» venivano mandati, attraverso il cortile, in un'altra stanza, un'aula con tanti banchi di legno come in una scuola. Da dietro una cattedra un altro guerrigliero distribuiva fogli di carta gialla su cui i «fantocci» dovevano scrivere quello che credevano: le loro esperienze sotto il vecchio regime, le ragioni per cui si erano arruolati, i crimini che avevano commesso, quello che pensavano e quello che si aspettavano dalla Rivoluzione.

Se si dimenticava per un attimo quali erano stati, fino a pochi giorni prima, i rapporti fra quei due gruppi di persone, che cosa c'era nel passato di molti dei «fantocci», poteva essere penoso vedere degli uomini di trenta-quarant'anni, stivati in banchi di scuola troppo piccoli per le loro gambe, con la testa ricurva sui fogli a fare preoccupati il compito da cui, pensavano, sarebbe in un modo o nell'altro dipeso il loro futuro.

Alcuni scrivevano pagine e pagine, altri solo poche righe. Uno consegnò dopo due ore questa frase: «Io sottoscritto soldato fantoccio mi pento di tutto il male che agli ordini del traditore Thieu ho fatto al mio popolo».

Tutti i fogli tornavano al guerrigliero-contadino che alla fine firmava e consegnava ad ognuno dei «fantocci» un pezzo di carta ciclostilata cui era stato aggiunto il suo nome, il suo indirizzo e la data di registrazione. Quella era la sua nuova carta di identità. Con quella avrebbe potuto circolare liberamente in tutto il Sud-Vietnam, avrebbe potuto presentarsi alle nuove autorità per cercare lavoro; con quella avrebbe dovuto presentarsi in seguito alla rieducazione.

A quelli – ed erano molti – che non abitavano nella zona, ma erano venuti a registrarsi in quel centro, pensando di non essere riconosciuti ed essere così più sicuri da eventuali rappresaglie, venivano dati tre giorni perché si ripresentassero al centro del quartiere in cui effettivamente abitavano.

Una cosa che colpiva nel centro di registrazione di Bien Hoa e negli altri che visitai, nei giorni seguenti, a Saigon, era l'assenza dei *bo-doi*, dei soldati regolari dell'Esercito di Liberazione.

Dovunque i colloqui, la raccolta di informazioni, il rilascio dei nuovi documenti di identità erano fatti da quadri locali, da guerriglieri del Fronte che spesso avevano abitato o combattuto nel quartiere o nella regione.

Questo non era solo un modo per dare credibilità ad un'amministrazione sudista GPR, distinta dall'esercito che veniva in gran parte dal Nord; o un semplice modo di ripagare col potere i quadri locali di anni di lotta. Era anche un sistema, specie in una città come Saigon, per mettere alla prova gli elementi locali.

Come mi spiegarono in seguito alcuni esponenti del Fronte, il fatto che non c'era stata una battaglia per Saigon aveva paradossalmente creato un problema, nel senso che era venuta a mancare quella situazione di crisi in cui la struttura clandestina del Fronte sarebbe stata messa alla prova; in una battaglia, che avrebbe potuto durare delle settimane, ci sarebbe stata una naturale selezione, la popolazione avrebbe scelto i suoi capi e non ci sarebbe stato il problema dei rivoluzionari della venticinquesima ora, usciti all'ultimo momento coi bracciali rossi reclamando un passato di combattenti. Molti quadri urbani, specie fra i giovani, non erano stati provati in battaglia ed ora dovevano essere selezionati. La registrazione di «fantocci» era, in questo senso, un test anche per alcuni di loro.

Fra i «fantocci» che vidi presentarsi al centro di Bien Hoa, c'era anche un maggiore della polizia che aveva lavorato in quegli stessi uffici dove ora veniva a farsi registrare dai suoi ex nemici. Quando entrò dal cancello della caserma e poi nella stanza del contadino col sorriso dorato, una donna fra la folla che stava dall'altra parte della strada urlò qualcosa, ma nessuno si mosse, la procedura non cambiò e tutto si svolse come con gli altri, con una freddezza, una sbalorditiva mancanza di emozioni che mi faceva pensare ad una semplice routine burocratica, come si trattasse di gente che era, al massimo, venuta a sostenere l'esame per la patente di guida.

«Non possiamo permetterci sentimenti personali. Il nostro compito è di applicare correttamente la politica di riconciliazione e di concordia nazionale del Governo Rivoluzionario», mi disse il commissario politico del centro di Bien Hoa che, dall'ufficio del vecchio capo della polizia con ancora gli organigrammi della sua forza, le statistiche all'americana dei vietcong catturati appese al muro, controllava il lavoro del centro di registrazione.

«Qui non arrestiamo, non puniamo nessuno. Chi fa delle dichiarazioni oneste, sincere, viene perdonato», disse. «E poi, perché meravigliarsi di questa politica? Abbiamo perdonato ai piloti americani che hanno bombardato le nostre case, bruciato i nostri figli. Perché non dovremmo perdonare a dei vietnamiti come noi che hanno fatto quel che hanno fatto su ordine degli americani?»

Era anche lui un contadino. Veniva dalla provincia di Qui Nhon ed era nella guerriglia dal 1945. Aveva sempre combattuto nel Sud. Ad Hanoi non c'era mai stato. Dal cinturone verde di fabbricazione americana, sui pantaloni di cotone nero gli pendeva una grossa pistola con ancora le iniziali «US» (United States). L'armamento dei guerriglieri del Sud era spesso fatto di armi catturate.

«Ho 49 anni. Della mia famiglia non mi resta che un fratello. Tutti gli altri si sono sacrificati nella Rivoluzione», raccontò di sé, dopo molte mie insistenze, ma sempre rifiutandosi di dirmi il suo nome. «Questa non è la storia di alcune persone. È la storia di tutto il popolo», ripeteva.

Mentre parlava, calmissimo, raccolto, da dietro la scrivania del vecchio capo della polizia, arrivavano giovani guerriglieri con degli incartamenti o con dei piccolissimi ritagli di velina bianca con poche parole scritte a biro. Lui leggeva, strappava e su altri piccoli fogli scriveva brevissime risposte che i suoi uomini portavano via. C'era in quest'uomo una calma, una serenità quasi insopportabile. La sua faccia era continuamente distesa in un larghissimo sorriso ed era come un metro al di sopra di tutto quello che lo circondava.

Raccontando altri episodi della sua vita nella giungla, dei suoi figli, usò ancora due o tre volte l'espressione «sacrificati nella Rivoluzione». Lo diceva senza tristezza. Era come se parlasse di qualcuno che fosse stato toccato dalla grazia, qualcuno che, lui ne era certo, era finito in un suo paradiso. Era questo un modo comune della gente del Fronte di parlare dei loro morti nella guerra.

Phuong Nam, il maggiore vietcong con la pancia, parlava spesso dei suoi due nipoti, figli del fratello contadino, «sacrificati nella Rivoluzione». Seppi solo due mesi dopo, quando andai nel Delta, come era successo. La polizia di Thieu era venuta con l'esercito a fare un rastrellamento nel villaggio ed aveva trovato in un tunnel scavato sotto il letto di legno di casa loro due ragazzi nascosti con le armi. C'erano altri figli in casa e sarebbero stati tutti uccisi se avessero detto la verità.

«Non li abbiamo mai visti. Non li conosciamo», disse la madre.

«Allora non vi importa se li ammazziamo?» chiedeva la polizia.

I due ragazzi stavano legati con le mani dietro la schiena davanti alla famiglia.

«Non li ho mai visti, vi dico che non li conosco», ripeteva la madre.

Un ufficiale prese la pistola e li freddò uno dopo l'altro. Nessuno si mosse. Nessuno fece una lacrima e i due cadaveri rimasero davanti alla porta di casa come se non interessassero a nessuno. Erano stati i vicini a seppellirli poi al cimitero in due tombe senza nome.

«Ho perso mia moglie nel 1965», continuò a raccontare il commissario contadino di Bien Hoa. «Fu catturata mentre era in missione nella città di My Tho ed i poliziotti la torturarono finché morì. Ormai sono passati dieci anni.»

Fuori nel cortile, fra la stanza dei colloqui e l'aula delle dichiarazioni, andavano e venivano i soldati, gli ufficiali ed i poliziotti «fantocci»; timorosi, ossequiosi, con la testa bassa, ma salvi coi loro fogli in mano; e lì stava lui con la sua calma, il suo sorriso larghissimo, le orecchie a sventola e gli occhi arrossati dei contadini che hanno passato troppe ore al sole.

«Capisco le ragioni della politica di riconciliazione. Ma sul piano personale», gli chiesi, «come è possibile accettare la riconciliazione? Come è possibile perdonare a chi ha ucciso, a chi ha torturato?»

«È semplice», rispose. «Di tutto bisogna capire ciò che sta alle origini. Sono stati gli americani che hanno insegnato ai vietnamiti ad uccidere ed a torturare altri vietnamiti. I torturatori, i poliziotti, i soldati 'fantocci' sono stati loro stessi delle vittime; siamo stati tutti degli oppressi. In ogni famiglia vietnamita oggi ci sono soldati del Fronte e soldati di Thieu. Bisogna capire. Bisogna perdonare. Questo è il momento di riunire le famiglie, di riunire il popolo, non di dividerlo scavando altre fosse.»

Il commissario mi spiegò che una delle difficoltà era far capire i principi di questa politica di riconciliazione e concordia nazionale alla popolazione. A Bien Hoa il giorno della Liberazione le famiglie di alcune vittime della polizia avevano preso due ufficiali e stavano per linciarli. I *bo-doi* erano intervenuti ed i due erano stati salvati.

Casi simili si erano verificati da altre parti e specie nei villaggi, dove il rapporto fra la popolazione e gli oppressori era più personale, la gente si conosceva, i *bo-doi* avevano varie volte dovuto mettere i poliziotti nelle loro vecchie prigioni, guardati a vista, per proteggerli da gruppi di gente che voleva fare giustizia sommaria.

Dopo la registrazione dei militari « fantoccio » fu la volta degli impiegati e dei funzionari dell'amministrazione civile. Il 10 maggio cominciò quella degli stranieri residenti a Saigon.

Giornalisti, diplomatici, compreso l'ambasciatore francese Merillon ed il nunzio apostolico Lemaître, rappresentanti di organizzazioni internazionali ed umanitarie dovettero presentarsi al vecchio ministero degli Esteri che, ridipinto e con una nuova iscrizione sulla facciata, ritornò ad essere tale; tutti gli altri si registrarono agli uffici dell'immigrazione.

Il comunicato a proposito degli stranieri assicurava che « tutti coloro che lavorano onestamente, non si oppongono al popolo vietnamita ed alla politica rivoluzionaria, che rispettano le leggi ed i costumi del paese, potranno continuare le loro attività normali ».

C'erano, in questa semplice frase, abbastanza condizioni da far capire alla maggioranza degli stranieri in Vietnam, specie ai francesi con le loro piantagioni, le loro fabbriche, le loro aziende di import-export, che il loro tempo in Vietnam era scaduto.

Un ultimo punto del comunicato precisava che nessuno straniero poteva allontanarsi dall'area di Saigon-Gia Dinh senza un permesso speciale delle autorità rivoluzionarie.

Il 25 maggio cominciò la registrazione dei vietnamiti responsabili degli organi centrali dei vecchi partiti politici della Repubblica, da quello di Thieu, il Dan Chu a quello di opposizione.

Seguì poi la registrazione di tutti i membri dei partiti e delle organizzazioni patriottiche e parapolitiche. Poi quella dei vietnamiti che lavoravano o avevano lavorato nelle aziende commerciali, nelle banche, nelle società, in qualsiasi tipo di organizzazione controllata da stranieri o nelle missioni diplomatiche.

La procedura era sempre la stessa. Ognuno portava i suoi documenti di identità, i suoi attestati, i documenti che potevano provare quello che dichiarava. Ognuno raccontava la sua storia, le ragioni delle sue scelte. Ognuno a suo modo si confessava.

II

Sveglia alle sei

Il cimitero nazionale «Con Hoa», la Repubblica, costruito appena fuori Saigon coi dollari americani per ospitare centomila ragazzi sudisti caduti contro «l'aggressore comunista» fu, dopo la Liberazione, l'unico posto in cui si potevano ancora vedere i colori della vecchia bandiera di Thieu.

All'ingresso, il monumento al «soldato della libertà» in uniforme americana, appoggiato al suo M-16, era stato abbattuto; ma le ultime bare dell'ARVN, arrivate dal fronte nord la sera del 28 aprile, erano ancora lì, in fila, accanto alle fosse vuote, avvolte nei drappi gialli a tre strisce rosse, pronte ad essere calate. Nessuno lo aveva fatto, perché alla vista dei carri armati che avanzavano sulla vicina autostrada i becchini erano scappati.

Quando ci passai, la seconda domenica di maggio, i filari di croci e ceppi bianchi a perdita d'occhio tremolavano nell'aria caldissima come se la terra ribollisse sotto il sole a picco. Non si vedeva un'anima viva. In un giorno così, in passato, ci sarebbero state migliaia di persone a passeggiare e a pregare fra le tombe. Quella domenica il cimitero era vuoto, deserto. Era come se la gente si vergognasse ormai di venirci a piangere i suoi morti «fantocci», caduti dalla parte sbagliata della guerra.

La Rivoluzione per molti era arrivata inaspettata, improvvisa. La prospettiva, i valori della vita si erano rovesciati talmente in fretta che non era facile per tutti capire ed adattarsi.

«Prima il mondo mi era chiaro. Credevo che i comunisti ci volessero togliere la patria e che Thieu la difendesse. Ora sono disorientata», mi disse una donna che finalmente trovai a mettere un mazzetto di bastoncini di incenso dinanzi alla tomba fresca di un fratello. «I *bo-doi* sono venuti nella nostra casa, ci hanno chiesto della famiglia, della nostra salute, ci hanno chiesto se avevamo abbastanza da mangiare. Erano gentili. Erano vietnamiti come noi ed ora non so più chi odiare.»

Il disorientamento durò settimane, col mutare delle abitudini, del modo di vivere.

Gli stock di benzina americana, rubata e venduta al mercato nero, finirono presto e quella sovietica che cominciò ad arrivare era razionata ed andava soprattutto ai mezzi pubblici. La gente dovette così rinunciare alle macchine, alle Honda e riscoprire le biciclette, andare a piedi.

La Saigon di un tempo, caotica, rumorosa, puzzolente, avvolta costantemente nelle nuvole azzurrognole, velenose dei gas di scarico, divenne una città ordinata, silenziosa come Pechino o Hanoi.

Anche il ritmo della vita quotidiana mutò. Ci si svegliava al mattino alle sei con lo strepitare della musica rivoluzionaria trasmessa dagli altoparlanti installati sulle piazze ed ai crocevia. La sera alle otto, anche quando il coprifuoco fu spostato alle undici, per le strade non c'era più nessuno.

I telefoni funzionavano solo saltuariamente; il più delle volte le linee private erano mute. La gente mormorava che i *bo-doi* non erano capaci di riparare i danni provocati nelle ultime ore di guerra; ma non era la verità. I telefoni dei *bo-doi* funzionavano benissimo. Dopo aver tagliato, per ragioni di sicurezza, la maggior parte delle linee urbane, si erano fatti un loro sistema di comunicazioni completamente indipendente che mantenevano con estrema efficacia. Si vedevano spesso *bo-doi* a coppie che stendevano sulle case, sugli alberi e lungo i marciapiedi i loro fili marroni srotolati da artigianali matasse tenute assieme da pezzi di legno incrociati.

Moltissima gente, a parte i soldati e i poliziotti «fantocci», con la Liberazione era rimasta senza lavoro. Società private, aziende commerciali le cui attività erano legate alla guerra, avevano chiuso i battenti; fabbriche i cui proprietari erano scappati con gli americani erano state occupate dagli operai, ma erano ferme per mancanza di materie prime o parti di ricambio per i macchinari; e la stragrande maggioranza degli impiegati civili dell'amministrazione statale, che assorbiva migliaia di persone in questa città di servizi, ogni giorno andando in ufficio si sentiva dire da un *can-bo*, un quadro del Fronte, di ritornare domani. Ogni giorno così. Gli stipendi di aprile non erano stati pagati e gli ultimi soldi riscossi a marzo erano per molta gente finiti.

La vita cambiava lentamente, senza imposizioni, quasi in maniera naturale. Ma in ogni aspetto nuovo c'era un carattere di irreversibilità che scoraggiò chi in un primo momento s'era illuso di poter in qualche modo ritrovare le vecchie abitudini o il vecchio comfort.

Nei primi giorni dopo la Liberazione ci fu un'ondata di suicidi che, pur restando insignificante rispetto ad una popolazione di oltre tre milioni di persone, fu tuttavia il sintomo della difficoltà che certa gente provava ad adattarsi alle nuove condizioni.

Alcuni avvennero fra i militari. Mentre ventidue generali si presentarono in una sola settimana al centro di registrazione di Saigon, altri preferirono togliersi la vita. A parte il generale Phu, che si uccise con una superdose di pillole contro il paludismo, si uccisero i generali Tran Van Hai, ex capo della polizia, Tran Chanh Thanh, ex ministro dell'Informazione, Nguyen Khoa Nam, che era stato comandante nella IV regione militare, e Le Nguyen Vy.

Fra i suicidi delle personalità del vecchio regime alcuni fecero sorgere sospetti e voci incontrollabili. Dopo il suicidio di un ex ministro di Thieu si disse che, al posto del suo cadavere, nella bara avevano sepolto dei sassi. Lui avrebbe con una nuova identità ripreso a vivere, sconosciuto, in un villaggio del Delta.

Molti fra i suicidi furono giovani.

Il caso più drammatico avvenne sulle rovine del monumento al «Milite Ignoto», davanti all'Assemblea Nazionale, il 20 maggio. Alle sei del pomeriggio un uomo sui venticinque anni, vestito dimessamente, forse un ex soldato, salì sul piedistallo pieno di calcinacci, si cosparse di benzina e si dette fuoco, dopo aver piantato ai suoi piedi una bandierina del Fronte ed una di Hanoi. Non gridò niente, non lasciò nessun messaggio. Avrebbe potuto anche essere qualcuno che protestava contro i *bo-doi* per la loro delicatezza nei confronti dei vecchi potenti; ma Saigon bisbigliò che era stato un gesto di sfida contro le nuove autorità, contro il comunismo.

«Non è che il primo. Ce ne saranno molti altri», si sentiva dire.

Non ce ne furono più.

Adattarsi era un problema di tutti; non solo di chi, col nuovo, vedeva peggiorare la propria posizione del passato.

«È assurdo, ma in prigione mi sentivo più sicura. La città, dopo esserne stata per tanto tempo fuori, mi fa paura», diceva Cao Que Tuong, una donna di 34 anni che aveva militato nel movimento per la pace. Era stata arrestata nel 1970 ai funerali del marito studente morto di torture a Chi Hoa ed era riuscita ad evadere dalla galera di Tan Hiep appena prima della Liberazione.

«Cammino e mi par sempre d'essere seguita; ho l'impressione che debbo sempre nascondermi, che mi stanno cercando, che debbo ancora scappare.»

La scuola Hung Vuong

Quanti fossero i prigionieri politici nelle galere di Thieu non è mai stato chiaro. Lui e gli americani dicevano zero, i vietcong ed i loro simpatizzanti dicevano duecentomila. Nessuno l'ha mai saputo con esattezza; e in questa incertezza molti osservatori «obiettivi» si astennero dal parlare dell'argomento; molti giornalisti finirono per farne un problema di numero invece che di sostanza. A me stabilire la cifra esatta era sempre parso irrilevante. Bastava essere convinti, come molti vietnamiti lo erano, che la polizia del regime arrestava indiscriminatamente gli oppositori o i sospetti di esserlo, che nei centri di interrogazione la gente veniva torturata con ogni mezzo, dalle scariche elettriche ai getti d'acqua saponata giù per i polmoni, per capire che, mille prigionieri o centomila, il principio era lì. Il resto era questione di dettagli, anche se importanti.

Per anni da un ufficetto minuscolo accanto ad una stamperia di libri religiosi, nel recinto della chiesa redentorista, al numero 38 della via Ky Dong, un uomo si era occupato di questi dettagli: padre Chan Tin. Senza godere dell'approvazione della gerarchia, ma protetto dall'appartenere, in quanto prete cattolico, ad una organizzazione che appoggiava decisamente il regime, e che il regime non poteva per questo toccare, Chan Tin aveva tenuto, attraverso una sua rete personale di contatti con altri preti progressisti, con giovani cattolici pacifisti e con ex detenuti, un aggiornato archivio di ogni arresto e di ogni rilascio nel paese. Per ogni detenuto aveva una scheda con ogni sorta di notizie e di voci che familiari, poliziotti, amici o detenuti rilasciati gli facevano avere. Come copertura, che gli serviva anche per ricevere finanziamenti dall'estero, Chan Tin era presidente di un comitato, da lui stesso organizzato, per «la riforma del sistema carcerario».

Fu lui, attraverso varie valutazioni, ad arrivare alla cifra di duecentomila, e fu col suo materiale che Amnesty International preparò il dossier sui prigionieri politici in Vietnam.

Qualche giorno dopo la Liberazione Chan Tin mi telefonò in albergo per dirmi che, se volevo andare nell'isola di Con Son con le prime navi che avrebbero riportato i prigionieri, mi sarei dovuto trovare il giorno dopo, alle sette, all'ex ufficio della presidenza del Consiglio per ottenere un permesso. Ci sarebbe stato anche lui.

Il permesso non l'ottenemmo nessuno dei due. I prigionieri erano già in rotta per Vung Tau e sarebbero arrivati a Saigon di lì a poco. Le nuove autorità avevano forse preferito che la liberazione dei prigionieri fosse un fatto tutto loro e non volevano che Chan Tin, la Terza Forza in cui militava, o addirittura la Chiesa cattolica, di cui era un prete, potessero, agli occhi dei prigionieri o anche del pubblico vietnamita, avere dei meriti per quel che era successo.

Mentre aspettavo nel cortile del vecchio edificio che era stato del primo ministro Kiem ed era ora invaso da giovanissimi vietcong felicemente stupiti a veder tutto quello sventolio delle loro bandiere sui grandi palazzi della capitale, vidi Chan Tin scendere, contrariato, la larga scalinata. Era, come al solito, vestito con la sua camicia grigio azzurra, i pantaloni grigio scuri e le ciabatte di plastica marrone. Con la tonaca nera, il collare bianco e una fusciacca nera stretta sulla pancia come gli altri redentoristi, l'avevo visto, negli ultimi anni, solo quando scendeva in piazza con la Terza Forza a sfidare la polizia di Thieu. Non mi disse quali ragioni le nuove autorità gli avevano dato per non portarci a Con Son o almeno farci andare fino a Vung Tau. Scappando via con aria seccata, sbottò: «È già tutto fatto, ma senza di noi».

I primi prigionieri di Con Son cominciarono ad arrivare a Saigon nella seconda settimana di maggio ed io mi misi a ricercare una ragazza che avevo conosciuto un anno prima, quando era ancora nella prigione di Tan Hiep, a nord di Saigon.

Nel febbraio del '74, raccogliendo materiale sui prigionieri politici, ero capitato in una pagoda di bonzesse buddiste fuori Saigon. Mi ci aveva portato la signora Ngo Ba Thanh e la superiora mi aveva presentato un gruppo di madri, sorelle, parenti di prigionieri, ognuna con una sua terribile storia da raccontare. La polizia aveva circondato la pagoda e ogni tanto un poliziotto in borghese con una radio portatile veniva a vedere cosa stessi a fare, io, straniero, in mezzo a tutte quelle donne e bonzesse.

«È un giornalista, figliolo, perché non andate ad acchiappare qualche farabutto o qualcuno dei vostri generali corrotti, invece di perdere il vostro tempo qui con noialtre?» gli diceva la bonzessa. Quello sorrideva imbarazzato e, dopo aver bevuto il tè che gli era stato offerto, se ne andava via.

Era il 15 febbraio, la festa delle offerte buddiste e non so più chi propose di far visita alla prigione più vicina con la scusa di portare delle offerte. Mi dettero un gran cesto pieno di frutta in mano, mi misero (ero l'unico uomo e l'unico occidentale) nel retro di un furgoncino che si riempì, sopra di me, di bonzesse, e uscimmo a tutta velocità dal portone della pagoda in direzione dell'autostrada di Bien Hoa.

Alla guida c'era un vecchio magro, sui sessant'anni, con un pizzo alla d'Artagnan, degli occhi vispissimi ed un'aria invasata che avevo già visto urlare e scagliarsi contro la polizia durante le manifestazioni della Terza Forza, e che dopo la Liberazione avrei ritrovato come capo quartiere nel centro di Saigon. Accanto a lui sedevano la signora Ngo Ba Than e la madre bonzessa con in mano la grande bandiera buddista a cinque colori che sventolava dal finestrino del furgone. La polizia fu colta di sorpresa, e solo una camionetta ci seguì. Gli altri rimasero a presidiare la pagoda dove certo credettero che io fossi rimasto.

Arrivammo dopo mezz'ora dinanzi al cancello del padiglione speciale dell'ospedale di Bien Hoa, riservato ai prigionieri politici della vicina prigione di Tan Hiep.

La bandiera buddista che sventolava autorevole, la madre bonzessa che usciva solenne dal furgoncino, seguita da una fila di altre bonzesse, tutte nelle belle, svolazzanti tuniche gialle, ed io col gran cesto di frutta, tutto questo fece forse pensare, alle guardie sorprese, che si trattava di una delegazione ufficiale e che certo avevamo un permesso. Tolsero i lucchetti ed aprirono il cancello senza che nessuno dicesse nulla, e ci condussero nell'edificio dove, dal di fuori, avevamo visto decine di mani bianche aggrapparsi a delle inferriate.

Su un piccolo corridoio davano due porte, ognuna con uno spioncino al quale più di due persone non potevano affacciarsi. Una dava sul camerone degli uomini – una trentina – l'altra su quello delle donne. Ne contai quattordici. Una stava immobile su un letto di legno con un bambino poco più che neonato attaccato al petto vizzo; altre con sorpresa e commozione trattenuta si avvicinarono. Nessuno diceva una parola.

I carcerieri stavano accanto a noi impalati, con mazzi di chiavi in mano. Nel riquadro dello spioncino comparve una faccia giovanissima, verdognola, con dei lunghi capelli neri e delle mani secche che strisciavano continuamente sulla fronte come a togliersi un sudore freddo. Il sorriso contenuto. Era Nguyen Thi Man.

Aveva ventidue anni, era alla sua seconda detenzione. Era stata una organizzatrice degli studenti della facoltà di lettere ed era stata arrestata un giorno che trasportava dei volantini in cui si chiedeva la fine della guerra. Durante gli interrogatori l'avevano torturata con l'elettricità e la gamba sinistra le era rimasta semi-paralizzata. L'avevano messa nel padiglione dell'ospedale perché aveva avuto un'emottisi.

Fece in tempo a scrivere su un pezzetto di carta il suo nome e l'indirizzo della sua famiglia a Saigon. Noi demmo la frutta e facemmo scivolare dietro la porta un rotolo di piastre.

Dalla parte degli uomini nessuno si mosse. Dai loro letti ci guardavano immobili, molti tossivano sputando in piccoli barattoli di conserva vuoti.

Rimanemmo pochi minuti ed uscimmo senza dare l'impressione d'aver fretta, prima che i poliziotti cominciassero a chiedersi chi davvero eravamo. Ma quel puzzo di bestie rinchiuse, quelle facce spaurite, quegli sguardi che volevano dire, ma non dicevano, e la nostra imbarazzante situazione di visitatori col sorriso caritatevole ed inutile, che di lì ad un momento saremmo tornati nel mondo dei liberi, questo mi rimase attaccato alla pelle.

Cento, centomila prigionieri politici arrestati, torturati, ma anonimi, lontani, restano una entità inafferrabile, quasi irreale; ma quei pochi che avevo visto lì nel puzzo, coi petti ridotti a pelle e ossa, il sorriso dai denti cariati di Thi Man, quelli erano reali. Quelli erano prigionieri politici: solo alcuni, ma già tanti. Troppi.

Una ragazza che non conoscevo, ma che era amica di amici, mi prese sulla sua Honda alle 3 di un pomeriggio, sotto la statua della Madonna davanti alla cattedrale, e mi portò all'indirizzo della famiglia di Thi Man. Il padre era un giornalista democratico rimasto disoccupato e sorvegliato dalla polizia dopo l'arresto della figlia. Fra i ringraziamenti e le lacrime, tenendo sempre, come fanno i vietnamiti, la mia mano nelle sue, mi raccontò la storia di Thi Man, «una storia come le altre; migliaia di altre», ripeteva.

Contrariamente alle intenzioni del padre che insisteva nel presentarmi il problema come un fatto generale, e non suo personale, Amnesty International, alcuni mesi dopo, organizzò dalla Svezia una campagna per liberare Thi Man. Alcune decine di migliaia di cartoline con la foto di Thi Man furono inviate a Thieu; ma Thi Man fu mandata nelle galere di Con Son a metà del '74. C'era già stata una prima volta nel '69, nelle gabbie di tigre.

Per tutto questo, dopo la Liberazione, una sera andai a Bach Dang, un quartiere popolare di Gia Dinh, all'indirizzo dove avevo incontrato il padre di Thi Man.

Da ogni casa sventolavano bandiere del Fronte e di Hanoi, e da ogni porta decine di occhi guardavano questo «americano» che saltellava sulle pozzanghere cercando di non rimanervi impantanato. Catapecchie di legno e bandone, alcune in povera muratura. Erano solo scomparse le cancellate di filo spinato con cui ogni sera le forze di autodifesa di Thieu avevano sbarrato ogni vicolo ed ogni piazzetta di questo, come di tutti gli altri quartieri popolari, per impedire alla popolazione di muoversi, agli agenti vietcong di infiltrarsi.

Mi abbracciarono come fossi io il figlio tornato da Con Son, ma mi fermai pochissimo.

Una piccola folla si era adunata fuori dalla porta, cercando di capire chi ero e che cosa succedeva. Giovani ubriachi, ex soldati sbandati dell'esercito di Thieu. Sbraitavano contro di me, sorreggendosi a vicenda, ed in mezzo alla gente vidi anche qualcuno che aveva ancora i pantaloni di tela mimetica della vecchia polizia speciale, usata da Thieu contro le dimostrazioni di piazza. Non c'era un solo *bo-doi*, né uno dei giovani rivoluzionari con bracciale rosso e l'AK-47 al fianco e non mi sentivo sicuro. In quei giorni si diceva che, in quartieri come quello, soldati dell'Esercito di Liberazione erano stati pugnalati e derubati, che quattro erano stati trovati una mattina appesi a dei ganci da macellaio con un cartello al petto: «Tornate ad Hanoi». Mi bastò sapere che Thi Man era tornata da Con Son, che era venuta a casa solo per qualche ora, e che era alloggiata, come gli altri prigionieri liberati con lei, nella scuola Hung Vuong, sul viale Hong Bang, verso Cholon. Ci andai la mattina presto del giorno dopo.

La scuola di Hung Vuong è uno di quei tipici conglomerati ex coloniali rammodernati coi dollari degli aiuti americani: pilastri di cemento e grandi, semplici stanzoni dipinti di bianco; al centro un campo per la palla a volo; attorno dei giardini senz'erba e pieni di polvere rossastra. Attraverso la cancellata di ferro che corre tutto attorno gli ex prigionieri parlavano, da dentro, con la folla asserragliata di fuori.

Non fosse stato per le loro facce, per i sorrisi, per le strette di mano che vedevo darsi, avrei pensato che fossero ancora prigionieri.

Le misure di sicurezza erano notevoli. Fra i quattrocento detenuti che erano stati portati alla scuola, c'erano alcuni fra i personaggi più importanti di ritorno da Con Son. C'era uno che tutti chiamavano «l'ingegner Tinh» e che era stato il delegato del partito nella prigione; c'era il professor Le Quang Vinh, noto intellettuale di Saigon che era stato insegnante al liceo Petrus Ky, ed un responsabile provinciale del Fronte.

Al tempo dell'occupazione giapponese, la scuola Hung Vuong era stata trasformata in ospedale per quei nazionalisti vietnamiti che, credendo alle promesse di Tokyo, collaborarono con le potenze dell'Asse e combatterono contro i francesi che, per un secolo, erano stati i padroni coloniali dell'Indocina.

Dopo la resa giapponese fu proprio in questa scuola che vennero portati, liberati dall'isola di Poulo Condor, i prigionieri politici del tempo. Uno di questi era stato Le Duc Tho. La storia vietnamita è piena di codeste ricorrenze. Ora, trent'anni dopo, alla fine di una nuova guerra, altri prigionieri venivano riportati nella stessa scuola, dalle stesse galere, nel frattempo ribattezzate Con Son.

Dinanzi al cancello principale, sbarrato, due giovanissime guerrigliere in pigiama nero, uno straccio di stoffa rossa al braccio e dei nuovissimi AK-47, tenevano a bada una ressa di gente che cercava di entrare, di chiamare qualcuno, di passare dei biglietti. Parenti, amici dei prigionieri e semplici curiosi stavano come incollati alle sbarre. Ero l'unico occidentale. Mi fu facile raggiungere una delle due guardie e spiegare chi cercavo. Un responsabile dei prigionieri venne a controllare il mio lasciapassare, rilasciato dall'ufficio stampa del Comitato di gestione militare Saigon-Gia Dinh, e fui fatto entrare.

La mia visita – dissero – era così improvvisa che non avevano avuto il tempo d'organizzare un incontro come avrebbero voluto. Nel centro c'era ancora un po' di confusione e non erano ancora pronti a farmi le accoglienze dovute.

Capii che era un modo molto asiatico di dirmi che non avrei potuto trattenermi a lungo, che la mia presenza era un imbarazzo. Non potevano rifiutarsi di parlarmi, ma non volevano neppure, senza un'autorizzazione superiore, che mi mettessi a guardare troppo intorno, a fare troppe domande. Forse c'era da parte loro anche quel tipico pudore dei poveri che non vogliono mostrare ad un estraneo e spiegare ad un ospite la loro miseria, o la loro semplicità.

È un atteggiamento questo che è venuto fuori continuamente nei tre mesi in cui ho avuto rapporti con le nuove autorità rivoluzionarie a Saigon. Si preoccupavano continuamente di procurarmi un comfort in cui loro, ad esempio, non vivevano mai.

Per settimane chiesi di avere un permesso per andare nel Delta e per settimane, pur senza mai dire di no, mi chiesero di aspettare perché volevano darmi una scorta e volevano organizzarmi cene ed alberghi. C'era da pensare che avessero cose da tenere nascoste ad un giornalista, ma non era esattamente così. E non c'era modo di convincerli che, durante la guerra, andando al fronte avevo corso rischi ben più grossi e che più d'una volta avevo trascorso la notte per terra, nella capanna di qualche contadino.

«Fino a qualche mese fa», dissi scherzando ad un ufficiale, «venivo a vedere le battaglie e voi dall'altra parte del fronte mi tiravate addosso; ora vi preoccupate che possa succedermi qualcosa se viaggio da solo nel Delta che controllate voi.»

«Già, è proprio per questo. Ora sei nostro ospite. Quello che ti succede è nostra responsabilità», rispose.

Quando finalmente fui autorizzato a fare il viaggio nel Delta, dovetti, a My Tho, cambiare albergo due volte in un giorno, finché non trovammo quello che, secondo il mio accompagnatore, era il più adatto per me: aria condizionata, bagno all'europea, materasso a molle ed una poltrona di plastica.

Mentre un giovane andava a cercare Nguyen Thi Man, il responsabile del centro di raccolta dei prigionieri mi offrì una tazza di tè in un'aula della scuola. Dovunque c'erano gruppi di gente che parlavano. C'erano prigionieri appena rilasciati da Con Son, quadri politici della città, guerriglieri del servizio di sicurezza responsabili del programma di riadattamento, ed infermieri. I più avevano pigiami neri, altri di color marrone o vinaccia, come i contadini delle province del Sud. Gli ex detenuti si riconoscevano da una stella rossa di latta che avevano appesa sul pigiama, all'altezza del cuore, come una decorazione.

Mi vennero a parlare in tanti. Incontrai lo studente che aveva organizzato a Saigon azioni terroristiche contro le installazioni ed i cittadini americani, nel 1971; poi un contadino di Cu Chi, un villaggio a nord di Saigon, che era stato condannato a morte come vietcong, già nel 1960, ma la cui pena era stata poi commutata in ergastolo.

Quando venne, magra e pallida come l'avevo vista la prima volta, Thi Man si rifiutò di parlare di sé, del suo caso personale, quindi chiesi a lei, a Vinh, agli altri, che mi raccontassero la liberazione delle galere di Con Son. Questa è la loro storia.

Con Son liberata

«La mattina del 30 aprile», raccontò Le Quang Vinh, «quando mi svegliai m'accorsi che c'era qualcosa di strano. Non sentivo le urla dei detenuti militari nel campo due, non sentivo il saluto alla bandiera a tre bacchette di Thieu. C'era un inspiegabile silenzio, ma non riuscivo a capire perché. Pensai che fosse ancora notte. Dalla bocca di lupo, in alto nella cella, entrava appena un filo d'aria. La luce non entrava mai ed era impossibile sapere, anche con approssimazione, che ora fosse. Intanto il tempo passava e restava il silenzio.»

Dal mese di gennaio, quando lo avevano messo in isolamento nel campo speciale della prigione di Con Son, in una cella di pietra di un metro e mezzo per due, senza neppure una branda e con un bugliolo da cui i carcerieri avevano tolto il coperchio per rendere ancora più soffocante la poca aria umida e pesante, Vinh era riuscito a malapena a tenere il conto del tempo che passava, seguendo con la memoria le volte che il guardiano apriva lo spioncino per passargli la ciotola colma di riso e sassi.

Nel continuo buio in cui viveva distingueva appena il giorno dalla notte, ascoltando i pochi ottusi rumori che venivano dal mondo di fuori: all'alba il saluto del campo alla bandiera e fino al tramonto le urla, le imprecazioni dei prigionieri militari, i peggiori ladri ed assassini dell'esercito «fantoccio» che, pur di farsi liberare, chiedevano agli ufficiali della ronda di essere rimandati al fronte ad ammazzare vietcong.

Fra militari di questo tipo e civili delinquenti comuni c'erano duemila detenuti; gli altri cinquemilatrecento erano prigionieri «politici» come Le Quang Vinh, sessant'anni, professore di matematica del prestigioso liceo Petrus Ky di Saigon, membro della Resistenza fin dalla Rivoluzione d'Agosto del '45, arrestato nel 1960 per attività sovversive, condannato alla pena di morte, poi commutata in ergastolo in seguito ad una campagna di stampa internazionale. Vinh era a Con Son dal 1965.

Al centro di un arcipelago di quattordici isolotti, conosciuta al tempo dei francesi come Poulo Condor, il più terribile bagno penale per i patrioti vietnamiti di allora, Con Son era diventata nuovamente famosa dopo che un giornalista, che vi aveva accompagnato in visita un gruppo di deputati e senatori americani, aveva fotografato e descritto le «gabbie di tigre» in cui Thieu teneva i suoi oppositori politici.

Le «gabbie» erano delle piccole fosse scavate nella terra e coperte con graticole di ferro. I prigionieri non potevano muoversi, le gambe si atrofizzavano e diventavano degli spaventosi stecchi d'ossa e di pelle. Se un prigioniero si ribellava, i carcerieri, dall'alto, attraverso le graticole, invece di una manciata di riso gli gettavano addosso qualche palata di calce viva.

La storia fece il giro del mondo. Per mettere a tacere lo scandalo e ridare al regime di Thieu un'immagine accettabile presso l'elettorato americano, che dopotutto doveva pagare il conto per la guerra a favore della democrazia e della libertà in Vietnam, le «gabbie di tigre» furono distrutte e un'impresa privata americana ottenne dall'USAID il contratto per costruire le nuove celle in muratura per i prigionieri come Le Quang Vinh.

«L'idea era di rompere ogni contatto fra di noi e di isolarci completamente dal mondo esterno», diceva Vinh. Le nuove celle erano estremamente funzionali per i carcerieri. Un sistema di catene, controllato esclusivamente dall'esterno, bloccava alle caviglie ogni prigioniero, dimodoché i carcerieri non avevano bisogno di avvicinarglisi.

«Vivevamo come nel vuoto e per questo la mattina del 30 aprile non sapevo neppure immaginarmi che cosa potesse essere successo fuori, che cosa volesse dire quel silenzio. L'ultima notizia che avevo avuto prima di essere messo in isolamento era che Phuoc Binh era stata liberata in gennaio. Nel carcere era difficilissimo avere informazioni su ciò che succedeva e solo di tanto in tanto le nostre 'basi esterne' riuscivano a passarci dei brevi messaggi o dei documenti. Il testo degli Accordi di Parigi, ad esempio, ci era arrivato in piccoli rotoli di carta nascosti nei gambi delle verdure che i parenti di alcuni detenuti erano autorizzati a portare. Alla fine del '74 riuscimmo anche ad ottenere tre piccole radio a transistor.»

Una certa Tua Cua, moglie di un carceriere ma con simpatie rivoluzionarie, le aveva introdotte furtivamente a pezzi, ma poco dopo la liberazione di Phuoc Binh dei detenuti militari avevano fatto la spia ed informato le guardie. Alcuni prigionieri politici erano stati torturati e Vinh, identificato come il capo della rete di informazioni e propaganda nel carcere, era stato rinchiuso nella cella d'isolamento.

Vinh non lo sapeva, ma fuori dal suo cubo di buio, di lezzo, di solitudine, una serie di cose erano cambiate in Vietnam e stavano cambiando anche nel piccolo mondo della prigione.

Il 27 aprile padre Nguyen Gia Thuy, un prete redentorista, incaricato della parrocchia di Con Son e dei prigionieri, era tornato da Saigon convinto che presto, con la presidenza di Minh ormai certa, il Vietnam avrebbe avuto un governo di coalizione a tre componenti, come descritto dagli Accordi di Parigi. La sua idea era di chiedere che si procedesse in questo senso anche sull'isola di Con Son, coi suoi seimila abitanti, settemilatrecento prigionieri, trecento militari regionali e duecento fra funzionari e poliziotti. L'attuale amministrazione dell'isola, con a capo il colonnello Lam Bui Phuong, governatore delle prigioni e delegato amministrativo del distretto, doveva essere la prima forza; i prigionieri politici, una volta liberati, con a capo l'ingegner Tinh, di cui si sapeva che era il delegato del partito a Con Son, doveva essere la seconda forza; lui, Thuy, con altri neutralisti sarebbe stato la Terza Componente neutralista.

Ne parlò col colonnello Phuong, ma quello di liberare i prigionieri politici non ne voleva sapere. Padre Thuy ripeté la richiesta per iscritto il 28 aprile, ma il colonnello non era ancora d'accordo. Lui aveva ormai un altro piano: la sera del 29 radunò nel suo ufficio i suoi assistenti, ordinò loro di tenersi pronti a distruggere con bombe a mano il campo numero sette coi più importanti prigionieri politici (circa duemila); poi, senza dire niente a nessuno, s'imbarcò con la famiglia su una motovedetta della guardia costiera e prese il largo, sperando di essere raccolto da qualche nave della flotta americana. Non ce la fece; rimasto a corto di carburante, dopo due giorni dovette tornare verso la costa. Approdò a Ben Tre e venne catturato dalle forze di Liberazione.

Vistisi abbandonati a Con Son, i carcerieri persero la testa. La mattina del trenta i poliziotti smisero di fare il loro lavoro, molti non distribuirono neppure da mangiare ai prigionieri nelle celle di isolamento. Attaccati alla radio seguivano le notizie. All'annuncio che Saigon era stata liberata, Ching Kuong, capo della sicurezza dell'isola e più alto in grado dopo la partenza del comandante, riunì i vari responsabili rimasti per discutere le misure da prendere. Molti si lasciarono prendere dal panico. Lontani com'erano da Saigon, la notizia di quello che era successo là appariva ancor più irreale. Ching Kuong voleva procedere col piano di sterminio dei prigionieri, ma non bastavano né il tempo né le forze per agire. I trecento soldati delle forze regionali si erano chiusi nelle caserme e non si muovevano; avevano assunto un atteggiamento neutrale e certo si sarebbero ormai rifiutati di andare a gettare granate nelle celle del campo sette. Qualcuno propose di liberare ed armare i detenuti militari, ma l'idea fu subito scartata perché c'era da temere che quelli avrebbero puntato le armi contro i loro stessi liberatori, e salvato invece i prigionieri politici per riscattarsi coi vietcong. La gente urlava, qualcuno brandiva delle pistole e la riunione finì nel caos.

Quando Ching Kuong uscì, si accorse che molti dei suoi poliziotti erano già scappati a bordo di alcuni canotti verso l'isola dei Bambù, a dieci chilometri da Con Son. Scappò anche lui, seguito da una decina d'altri.

Assieme ai funzionari rimasti, il capitano Dau delle forze regionali, Hien dei servizi di agricoltura, e Dong dei servizi sociali e qualche altro, padre Thuy, che aveva preso in mano la situazione, decise di aprire le celle dei prigionieri, cominciando dal campo sette.

I prigionieri intanto, informati da alcuni carcerieri di quello che stava avvenendo, cercavano di organizzarsi per resistere in caso di attacco. Per paura di rappresaglie i poliziotti erano scappati senza aprire le porte delle celle e molti prigionieri erano ancora incatenati.

«Stava facendosi buio quando vedemmo venire verso il campo un gruppo di gente con un prete e alcuni ufficiali fantoccio. Aprirono le celle, ma la maggior parte dei compagni si rifiutò di uscire. Non ci fidavamo», raccontò Nguyen Thi Man, la studentessa che doveva scontare a Con Son dieci anni di lavori forzati. «Nel campo c'erano molti ufficiali dell'Esercito di Liberazione. Temevamo una provocazione, un tranello; pensavamo che volessero farci uscire allo scoperto per poi mitragliarci più facilmente. Vidi un capitano fantoccio presentarsi al colonnello Le Cau, l'ufficiale più alto in grado delle forze di Liberazione, prigioniero dal 1962. Salutandolo militarmente gli disse: 'Signor colonnello, sono ai suoi ordini!' Le Cau, che non si fidava, rispose: 'I miei ordini sono di portarmi qui, subito, una radio'.

«Riuniti davanti all'uscita del campo sette eravamo in alcune centinaia ad ascoltare la voce di Radio Hanoi che diceva: 'L'intero Vietnam è liberato, Saigon, la città di Ho Chi Minh, è stata liberata stamani...'

«Ci furono grandi scene di gioia. Ma prima ancora di liberare gli altri prigionieri, Le Cau volle immediatamente neutralizzare le caserme dei regionali e dei poliziotti. Non ci fu resistenza. Su una caserma della polizia issarono la bandiera bianca; da un'altra un ufficiale uscì dicendo: 'Sono pronto a passare alla Rivoluzione'. Con le armi recuperate formammo due compagnie di autodifesa.

«Poi ci fu un momento di panico. I vari campi erano distanti l'uno dall'altro e qualcuno pensò di dare l'annuncio della liberazione a tutti contemporaneamente attraverso il sistema di altoparlanti dell'isola. In passato erano serviti a soffocare le rivolte. Quando in un blocco i prigionieri protestavano o a gruppi si mettevano a scandire slogan rivoluzionari, gli altoparlanti a tutto volume trasmettevano l'inno sudista. I compagni che andarono ad azionarli non ne conoscevano il funzionamento e, quando attaccarono la corrente, dappertutto risonò l'inno fantoccio. Credemmo che i poliziotti si fossero organizzati per un contrattacco. Ma fu questione di pochi minuti.

«Alle due di notte l'isola era in mano ai prigionieri, ma non tutti i blocchi erano stati aperti.»

L'ingegnere Tinh, il colonnello Le Cau ed altri si installarono negli uffici della vecchia direzione della prigione dove stabilirono un posto di comando. La liberazione di Saigon, la completa disfatta dell'esercito sudista, erano elementi nuovi il cui sviluppo non era stato seguito dai prigionieri ed il comitato che venne costituito per gestire l'isola ebbe perciò come primo nome: «Comitato di concordia nazionale di Con Son». Era una terminologia che ricordava gli Accordi di Parigi, ma che era ormai largamente superata dagli eventi.

All'alba del 1° maggio venne aperto il campo speciale con le nuove «gabbie di tigre». Le Quang Vinh raccontò: «Avevo passato tutta la notte tentando di capire che cosa succedeva; poi, improvvisamente, sentii dei passi di gente che di corsa veniva verso la mia cella. Nel buio ebbi paura. Pensavo che venissero a prendermi per torturarmi di nuovo. Si fermarono dinanzi alla mia porta. Sentii una voce: 'Sei tu, Vinh, sei tu?' Ero intontito. Non riuscivo a rispondere. Sapevo di conoscere quella voce, ma non la riconoscevo. 'Vinh, rispondi, sei lì?' Mi pareva la voce di Phan Tu, un vecchio compagno con cui ero stato nelle prime gabbie di tigre. Ma non era possibile, Phan Tu era nel campo sette, come poteva essere lì? Sentii imprecare, qualcuno chiedeva: 'La chiave, la chiave!' ed il guardiano, ossequioso, diceva: 'Non ce l'ho, signore, non ce l'ho. Il comandante l'ha portata via quando è scappato'. Non riuscivo a credere, non capivo. Avevo paura che fosse un tranello, che fossero venuti per picchiarmi, forse per farmi fuori. Sentivo che parlavano di un martello. Poi, nel buio, sentii tre colpi forti vicino alla porta e poi le catene sciogliermisi ai piedi. Avevano rotto i blocchi. La porta si aprì e vidi, nel riquadro accecante di luce, la sagoma di Phan Tu. Lui, davvero lui, ed al fianco destro gli vidi una pistola. 'Siamo liberi, liberi, vecchio mio!' Mi abbracciò. Sentii un ufficiale fantoccio che diceva: 'Buon giorno, professore, sono anch'io con la Rivoluzione'. Era il capitano Dau. Attorno c'erano altri compagni, tutti con le armi in mano. Allora capii e ridendo e piangendo abbracciai tutti. E poi, forse per la debolezza, per l'emozione, per quello schiaffo di luce che m'aveva colpito, svenni».

Vinh fu portato alla sede del Comitato Rivoluzionario dove si mise al lavoro con Le Cau e Tinh.

«Nel pomeriggio venne a trovarmi Bay Dung, un aguzzino che quando era guardiano alle gabbie di tigre aveva seviziato i prigionieri e, con le sue mani, ucciso alcuni compagni. 'Egregio signore, avete il viso pallido... Ho sentito dire che siete stato male...' Avevo voglia di picchiarlo, di strangolarlo. Mi sono trattenuto. Ho pensato alla politica della Rivoluzione e non ho detto nulla. Ho continuato a scrivere senza guardarlo», raccontava Vinh.

Un'assemblea di prigionieri decise poi che Bay Dung venisse arrestato e rinchiuso nelle gabbie di tigre assieme ad una ventina di altri aguzzini, fra cui Ching Kuong, il capo della sicurezza. Quando alcuni familiari di poliziotti erano andati ad avvertire lui e gli altri che tornassero dall'isola dei Bambù, Ching Kuong aveva minacciato di uccidere chi si fosse arreso. Ad un secondo tentativo, lui stesso aveva ceduto. Al suo ritorno a Con Son venne fatto prigioniero. Anche molti dei detenuti militari, liberati assieme ai politici, dovettero essere riarrestati e messi nei campi. Nelle prime ore di libertà s'erano messi a violentare le donne dei funzionari della vecchia amministrazione ed a saccheggiare le case dei vecchi poliziotti.

Secondo quanto riuscii a ricostruire dai vari racconti di chi era stato a Con Son in quei giorni, non ci fu tra i prigionieri nessun atto di vendetta personale. Nessun aguzzino, nessun carceriere venne ucciso. Quelli che erano stati fatti prigionieri vennero consegnati ai *bo-doi* che arrivarono sull'isola il 4 maggio.

«A mezzanotte del 4 maggio, vedemmo quattro motovedette presentarsi dinanzi al porto. Battevano bandiera del Fronte», racconta un altro ex prigioniero, «ma non fecero i segnali di riconoscimento che il Comitato Rivoluzionario aveva stabilito nel collegamento radio con Saigon. Pensammo tutti che si trattasse di un contrattacco, che fossero gli americani che sbarcavano per salvare i loro fantocci. Le truppe di autodifesa presero posizione lungo la costa, e venne dato il segnale di allarme. Stavamo quasi per sparare quando, da una scialuppa messa a mare dalle motovedette, qualcuno con un megafono disse: 'Vogliamo parlare col compagno Le Cau!' Qualcuno dalla costa urlò: 'Sono compagni, sono compagni!' Corremmo allora tutti verso la spiaggia. Era la fine delle galere di Con Son.»

Il 6 maggio i prigionieri furono portati a Vung Tau e da lì smistati nei vari centri di raccolta a Saigon. Anche per loro cominciava la rieducazione.

Da detenuto a «can-bo»

Già a Vung Tau, dove erano stati messi nella vecchia scuola di addestramento dei quadri rurali «rivoluzionari» di Thieu, i prigionieri di Con Son erano stati selezionati e smistati. Molti da lì erano stati mandati in centri di raccolta organizzati nelle loro province d'origine; altri a Saigon, in centri come quello della scuola Hung Vuong.

I problemi che le nuove autorità avevano da affrontare con questa massa di ex detenuti erano vari. Innanzitutto si trattava di classificare e dividere i prigionieri politici da quelli comuni; secondo, si trattava di riadattarli sia psicologicamente che fisicamente (molti erano gravemente ammalati) alla società. La Rivoluzione, specie in quella prima fase, aveva bisogno di un numero enorme di quadri, di gente che potesse ad ogni livello ed in ogni settore mantenere i contatti col popolo, spiegare la politica rivoluzionaria ed aiutare le organizzazioni che man mano si andavano creando a gestirsi da sole ed a prendere il potere. La massa dei detenuti politici costituiva, per la loro formazione, l'esperienza e l'educazione che i più si erano fatti nelle galere, definite da un secolo in Vietnam «le università della Rivoluzione», una naturale riserva di quadri.

Ma i prigionieri erano della più grande varietà. C'era gente che aveva speso gli ultimi quindici anni da una galera all'altra, e che per questo aveva in parte perso i contatti con la realtà del paese; altri invece erano stati liberati solo dopo pochi mesi di detenzione. C'erano giovani studenti arrivati alla Rivoluzione senza solide basi ideologiche e vecchi militanti con una lunga esperienza di partito e di cospirazione. C'erano dei convinti rivoluzionari e c'erano persone arrestate, senza nessun motivo, dalla polizia di Thieu e che solo nella prigione avevano cominciato ad interessarsi alla politica.

Il processo di reinserimento, la rieducazione di ciascuno dovevano tenere conto di tutto questo.

Inoltre c'era il problema di distinguere, in mezzo ai prigionieri autentici, le spie infiltrate dalla vecchia polizia e che ora avrebbero tentato di sfruttare la loro copertura per salvarsi, inserendosi nelle organizzazioni rivoluzionarie. C'erano prigionieri che avevano resistito alle torture senza cedere, senza dare al nemico informazioni sulla loro organizzazione e sui compagni, altri che avevano ceduto o anche semplicemente tradito.

Essendo il ruolo del quadro politico, del *can-bo*, estremamente delicato ed importante, in quanto dev'essere di stimolo e di esempio agli altri, si trattava di accertare in ogni modo possibile che chi veniva mandato a svolgere questo lavoro fra il popolo, non solo avesse gli strumenti culturali e politici per farlo, ma ne avesse le qualità personali e non costituisse in alcun modo un rischio. Questo spiega come mai i prigionieri, una volta liberati, non furono semplicemente rimandati nei loro villaggi, nelle loro famiglie, bensì messi in centri di rieducazione dove in un qualche modo restarono prigionieri: prigionieri della Liberazione.

«La mia famiglia capisce. La Rivoluzione comincia ora ed io ho ancora da dare il mio contributo», rispose Thi Man quando le chiesi come aveva reagito al fatto che, pur liberata, non era libera di andare a casa.

«Innanzitutto dobbiamo spiegare a tutti i compagni liberati la politica rivoluzionaria della riconciliazione», mi spiegò il responsabile del centro Hung Vuong. «Non possiamo rischiare che un prigioniero, tornando al suo villaggio, si vendichi contro il poliziotto che lo ha denunciato o contro qualche responsabile della amministrazione fantoccio che sia ancora là. Dopo anni ed anni di sofferenze è una reazione molto umana e comprensibile, ma noi dobbiamo aiutarli a superarla e a capire il significato della politica di riconciliazione.

«Possono esserci detenuti politicamente deboli che, una volta usciti dalle prigioni, pensano di avere dei diritti verso altri, o che si aspettano dei privilegi. Dobbiamo combattere questo atteggiamento; spiegare che non è così, che ognuno ha fatto, a suo modo, la sua parte nella Rivoluzione e che ora non ci sono né conti da saldare, né debiti da riscuotere. Abbiamo poi un programma di reinformazione in cui rifacciamo la storia degli ultimi anni, con lo sviluppo della linea rivoluzionaria, per i compagni che sono stati isolati o che non hanno mantenuto i contatti con l'organizzazione.»

Rivoluzionari e santi

La visita ai detenuti di Con Son mi aveva colpito.

Come spesso mi successe nei tre mesi che passai nel Vietnam liberato, gli appassionanti incontri con certi rivoluzionari mi lasciavano con sentimenti che non riuscivo a conciliare: una grande ammirazione ed una sottile paura. Trovavo in questa gente che usciva dalle galere o dal *maquis* una forza e delle qualità che mi pareva ormai difficile incontrare nel mondo da cui venivo; la gente qui aveva dentro un fuoco che faceva delle loro vite una esperienza straordinariamente compiuta e non casuale. Eppure queste stesse qualità, questa capacità di superare le naturali, accettabili inclinazioni dell'uomo, mi parevano condurre la stessa Rivoluzione ad un limite di disumanità.

Con la testa capivo tutto. Capivo quello che voleva dire Thi Man, che dopo anni di giovinezza passati in prigione parlava del suo «contributo ancora da dare». Capivo quanto importante fosse, per costruire una nuova società più giusta, che non si pensasse più al «mio», ma al «nostro». Capivo che era grazie a questi sacrifici, a questa disciplina, a questa durezza, che la guerriglia aveva vinto, che era grazie a questa loro certezza interiore che i «piccoli uomini verdi» che si aggiravano per Saigon ed i pallidi quadri politici che lentamente prendevano il potere avevano potuto evitare l'annientamento sia fisico che psicologico.

Eppure con le mie budella non potevo sfuggire dal trovare tutto questo al tempo stesso straordinario ed inquietante.

Come facevano i prigionieri, alcuni dei quali erano stati separati da anni di incertezza e di torture dalle loro famiglie, ad accettare così semplicemente di restarne ancora lontani perché questo era quello che la Rivoluzione chiedeva loro?

Come faceva Bui Huu Nhan, che era partito da Saigon con la Rivoluzione d'Agosto del '45 e ci era tornato con la Liberazione, funzionario del ministero degli Esteri del GPR, a non correre dalla madre che non vedeva da trent'anni e che abitava a soli cento chilometri dalla capitale?

«Ancora non posso. Ho da fare qui», ripeteva, e continuava ogni giorno, vestito con la sua solita camicia piena di frinzelli, gli stessi pantaloni e le stesse ciabatte di plastica, a fare la spola fra il suo nuovo ufficio ed una camera puzzolente e senza sole che i *bo-doi* avevano requisito per lui sulla via Nguyen Hue.

Come facevano i torturati – come spesso è successo – a chiedere comprensione per i loro stessi torturatori, alla folla che li voleva, molto naturalmente, linciare?

Questa gente mi faceva venire in mente i santi, come li avevo visti da ragazzo nei quadri delle chiese, con le loro facce sofferte e sorridenti, con l'aureola in testa ed una sorta di luce quasi folle negli occhi. M'erano sempre parsi inverosimili, così lontani dal mondo.

In Vietnam, a volte, avevo l'impressione di ritrovarmeli di fronte, in versione moderna di rivoluzionari, con gli stessi tratti, le stesse qualità: la fede, l'abnegazione, la purezza... Sì, perché anche questo era vero: la Rivoluzione era puritana, ma non con sforzo. Non c'era rinuncia; solo una naturale sublimazione di tutto nella lotta, nella tensione rivoluzionaria.

Dopo che ero stato alla scuola Hung Vuong, venne a trovarmi la sera Nguyen Huu Thai, il capo degli studenti che era stato a palazzo al momento dell'arrivo dei carri armati della Liberazione e che poi, con altri pochi, era stato presente nella stazione radio quando il generale Minh «il grosso» fece il suo ultimo discorso di resa e di abdicazione.

Nell'eccitazione di quei momenti, la cui storicità non sfuggiva a nessuno, Thai, intervistato da alcuni giornalisti stranieri e vietnamiti, aveva parlato di quello che aveva visto ed in un certo modo aveva parlato in prima persona; aveva parlato del suo ruolo in quelle ultime ore della Repubblica.

In seguito venne, nel corso di un'assemblea studentesca, duramente criticato per questo suo eccesso di personalismo.

Thai trovava le critiche giuste, le condivideva; ma quella sua esperienza, assieme alle impressioni con cui ero tornato dall'incontro coi detenuti di Con Son, ci fece discutere tutta la notte sul senso della Rivoluzione, sul come uno arriva ad essere rivoluzionario, sui costi personali del parteciparvi, sulle difficoltà.

Accettò di raccontarmi la sua storia, non per mettere ancora una volta in mostra il suo «io», ma perché, essendo simile alla storia di altre migliaia di giovani, in Vietnam, poteva servire ad altri lontani da qui a capire.

A capire come la Rivoluzione sia una cosa seria, terribilmente seria, come sia un'esperienza dura, faticosa, a volte terribile, come la vera Rivoluzione sia diversa da ciò che lontano da qui tanti, che pur di Rivoluzione si riempiono la bocca, sanno immaginare.

Questa è la storia di uno che cercava onestamente di essere rivoluzionario.

Autobiografia di un combattente

«All'idea della Rivoluzione ci arrivai facilmente», cominciò a raccontare Nguyen Huu Thai, «volevo l'indipendenza del mio paese e mi rendevo conto che il socialismo era l'unica via per risolvere i problemi del Vietnam. Nei piccolo-borghesi delle città, di cui ero pur parte, non avevo alcuna speranza. Tutto questo lo intuivo, ma non avevo modo di confermarlo. Il mio ambiente era chiuso, la mia famiglia borghese; mio padre, educato in Francia, era ufficiale dell'esercito sudista. Non eravamo cattolici praticanti, ma mi mandarono a studiare in una scuola missionaria francese. Tutto quello che sapevo sull''altra parte', sulla guerriglia, era indiretto, di seconda mano, libresco. C'era nella famiglia uno zio che era andato ad Hanoi coi comunisti nel '54, ma io allora avevo sedici anni e lo avevo conosciuto appena.

«Ciò che mi cambiò fu la prigione. Lì incontrai i primi comunisti. Erano quadri ordinari, contadini, operai; ma sono quelli che impressionano di più. I quadri superiori, con cui ebbi contatti poi, sono diversi. Non si fanno conoscere, non si espongono, non dicono cose eccezionali, si camuffano. È una questione di stile, ma anche di prudenza, di sicurezza. Sai? Ci sono ancor oggi, dopo la Liberazione, degli importanti *can-bo* che in questo periodo di transizione rimangono nell'ombra, si tengono in disparte. I quadri semplici, invece, sono chiari, aperti, così come sono le loro motivazioni.

«Le discussioni con questa gente furono una svolta nella mia vita. Capii che un conto è parlare di Rivoluzione, un altro è farla. Gli unici che potevano farla davvero erano i comunisti.

«Ero finito in prigione nel '64 dopo aver partecipato alle manifestazioni studentesche contro la dittatura di Diem. Furono le

314

pressioni degli studenti di Saigon, di cui ero stato eletto presidente, a farmi uscire di galera dopo tre mesi. La polizia segreta di Khanh, allora presidente, aveva comunque avuto l'ordine di eliminarmi e dovetti nascondermi.

« Furono gli americani a proteggermi. Mi tenne chiuso in casa sua il colonnello Wilson; era il consigliere di Cao Ky, un uomo della banda di Lansdale; della CIA insomma. A quei tempi ero studente di architettura. Parlavo il francese e l'inglese e mi offrirono di andare a studiare negli Stati Uniti. 'Quando torni', dicevano, 'diventi ministro come nulla.' Gli americani non ne facevano mistero: il loro interesse era di rimanere in Vietnam per anni e facevano perciò piani a lunga scadenza. Per me sarebbe stata una soluzione brillante e tutta la mia famiglia tentò di convincermi ad accettarla. Ma come potevo?

« Era il tempo dell'intervento americano nel Sud-Vietnam; dei primi bombardamenti sul Nord. Rifiutai. Eppure quei contatti, che pure mi costarono il sospetto di molti compagni di allora e di poi, mi risparmiarono di essere torturato quando fui di nuovo arrestato nel '66. Gli agenti che mi presero rimasero col dubbio che fossi davvero un agente della CIA e, pur interrogandomi per mesi consecutivi, non usarono mai, con me, i loro metodi abituali. Successe così.

« Dopo aver rifiutato di studiare negli Stati Uniti presi contatto con la guerriglia. Visitai una zona liberata nei dintorni di Que Son, a sud di Da Nang, e rimasi nei tunnel coi guerriglieri proprio durante una delle prime operazioni americane di 'ricerca e distruzione'. Ripartii dopo una settimana con l'accordo che sarei passato nel *maquis* nella regione di Binh Due. Un uomo incaricato dei collegamenti mi ci avrebbe dovuto portare, ma all'ultimo momento venne sospettato di essere un doppio agente, ed il piano fallì.

« A Saigon entrai allora in contatto con un gruppo di guerriglia urbana e feci parte di quell'unità che scatenò i primi attacchi di rappresaglia contro le installazioni ed i civili americani per i bombardamenti su Hanoi. Il capo era, come me, uno studente; altri erano dei piccoli gangsters saigoniti che si erano convertiti alla Rivoluzione. Fra di noi c'era una spia e ci arrestarono tutti. Le prove contro di me non furono mai sufficienti e non fui così mai portato dinanzi ad un tribunale. Con un semplice provvedimento amministrativo mi tennero in galera due anni.

« Uscii poco prima della grande offensiva del Tet 1968. Dalla prigione mi mandarono direttamente in un campo di reclute e fui costretto ad arruolarmi nell'esercito di Thieu. Così persi una seconda occasione per passare col Fronte.

«Durante gli attacchi in città del febbraio 1968, quasi tutti i miei compagni scomparvero nel *maquis*. Anche il fratello di mia moglie passò dall'altra parte, ed io rimasi solo. Alla fine del '68 fui nominato sottotenente dell'esercito fantoccio. Riuscii a rimettermi in contatto con la guerriglia, ma mi consigliarono di rimanere dov'ero e di non espormi per qualche tempo. Ritornare a lavorare con gli studenti era per me estremamente pericoloso, perché l'organizzazione era, per sua natura, aperta e la polizia riusciva ad infiltrarvisi. Ogni sei mesi una rete veniva smantellata.

«Solo due anni dopo, nel 1970, ricominciai a lavorare. Fui ammesso in una organizzazione segretissima di giovani armati che svolgevano azioni di guerriglia urbana sotto la guida di quadri del Governo Provvisorio Rivoluzionario. Ci chiamavamo 'Ban An Men'. Il mio nome di battaglia era Hai Hoa.»

Thai continuava a raccontare questo suo curriculum come un giovane della sua età – in Europa – farebbe la storia delle aziende in cui ha lavorato, dopo la laurea.

«Era duro fare la guerriglia in città. Attentati. Azioni audacissime in pieno giorno, in mezzo alla gente. I pericoli erano grandi, e dovevamo operare nella massima segretezza. Neppure mia moglie sapeva. Lavoravamo in cellule di tre, cosicché ognuno conosceva soltanto altri due compagni. Il mio capo diretto era uno studente che aveva disertato dall'ARVN ed era stato in galera dal '65 al '70. Sfruttando la mia posizione di ufficiale, io dovevo procurare informazioni ed armi per i vari colpi. Soprattutto bombe a mano, esplosivo e pistole. Avevo inoltre il compito di seguire il movimento di opposizione buddista ed in particolare le attività della pagoda di An Quang. Con l'approvazione della mia cellula, mi presentai candidato alle elezioni del '71.

«Fu la mia cellula ad organizzare l'attentato contro Tran Quoc Buu, l'uomo della CIA che controllava, per conto del regime, i sindacati gialli, ma fallimmo due volte. Riuscimmo invece nell'attentato al professor Nguyen Van Bong, un ex vietminh passato alla CIA quando il partito lo aveva mandato in missione a Parigi.

«Bong era molto influente alla direzione dell'Istituto Amministrativo e c'erano buone possibilità che diventasse primo ministro al posto di Kiem. La sua eliminazione era importante; altri gruppi ci avevano già provato, senza successo.

«In seguito a questa azione il mio capo cellula fu arrestato e finii in prigione un'altra volta anch'io perché, sotto tortura, lui fece dei nomi, rivelò quello che sapeva dell'organizzazione. Al processo me la cavai con una condanna di due anni. Il presidente del tribunale, che aveva inflitto pene durissime ad altri patrioti, era mio cugino ed eravamo stati compagni di classe. È partito con gli americani nei giorni che hanno preceduto la Liberazione.

«Sono uscito di prigione, di nuovo, nel '74 ed essendo ormai sotto il continuo controllo della polizia, ho avuto dall'organizzazione il solo incarico di seguire la politica buddista e di far muovere la pagoda di An Quang, il gruppo del senatore Vu Van Mau, verso posizioni di riconciliazione e concordia nazionale.»

Era con questo incarico che Nguyen Huu Thai finì al «Palazzo dell'Indipendenza», con Minh, la mattina del 30 aprile.

«Hai mai pensato di entrare nel partito?» chiesi a Thai.

«In passato non mi ero mai posto il problema. Quello che contava era lottare, e lottare in maniera organizzata, sotto la direzione del Fronte. C'era molta gente come me che lavorava senza essere nel partito, senza essere un quadro.

«Oggi mi chiedo che cosa debbo fare, e sono incerto. Entrare nel partito è comunque difficilissimo. Si diventa quadri dopo una minuziosa ricerca sulla personalità e sulla base familiare del candidato. Dopo il reclutamento si è messi in una cellula per un periodo di prova, e di tanto in tanto si è mandati a corsi di due o tre settimane. Per parte mia, pur avendo partecipato alla guerriglia urbana, devo provare l'infondatezza di naturali sospetti che alcuni compagni hanno nel miei confronti; devo provare le ragioni di ogni mia azione nel passato.

«Nei primi giorni dopo la Liberazione ho avuto molti problemi a farmi accettare. Di ogni militante il partito ha una scheda ed io, per la mia, ho dovuto fare una lunghissima dichiarazione in cui ho specificato tutto, dalle mie origini familiari, alla mia educazione; dai nomi delle persone che conoscevo, alla gente con cui sono stato in contatto; dalle operazioni alle quali ho partecipato, al contributo che ho dato in ognuna, eccetera.

«Ora bisogna che garantisca per me, confermi l'autenticità delle mie dichiarazioni, il capo della rete clandestina di cui la mia cellula faceva parte. Ma lui era in prigione a Con Son, ed ora che è uscito lo hanno mandato alla rieducazione. Tocca a lui riprendere contatto con me. È così che funziona.

«Le mie attività studentesche sono conosciute. Ma quello che conta, specie per diventare un quadro comunista, è l'esperienza nella lotta armata. L'aver militato nella guerriglia urbana è molto apprezzato – fa anzianità – perché era rischiosissimo e dimostra la dedizione alla causa rivoluzionaria.

«Farsi accettare è duro», diceva Thai, come se più che a me lo dicesse a se stesso. «Non si fidano di nessuno. Se hanno il minimo dubbio ti lasciano fuori. Hanno ragione. Questa è la legge della clandestinità, questo è ciò che garantisce la sopravvivenza dell'organizzazione.

«Ma sul piano personale a volte è duro, durissimo accettarla. Persino i detenuti politici che tornano da Con Son sono scrutinati, sono selezionati, sono messi sotto inchiesta. Si indaga sul loro passato: perché ci sono compagni che si sono comportati scorrettamente in prigione, altri che hanno ceduto durante gli interrogatori o nelle celle di isolamento.

«Prendi il mio capo cellula. Nonostante il suo grande successo nel portare a termine l'operazione contro il professor Bong, poi, sotto tortura, non solo parlò facendo arrestare altri compagni, ma per evitare la condanna a morte accettò anche di apparire dinanzi alla televisione, per confessare di aver organizzato l'attentato. E questo invece era un fatto su cui bisognava mantenere il segreto più assoluto. Erano i tempi della lotta fra il clan dei militari e il clan dei civili all'interno del regime, ed era necessario che la gente continuasse a credere che l'eliminazione di Bong era stata opera dei militari, e non nostra. Lui commise un errore: se avesse avuto il coraggio di affrontare la morte, avrebbe avuto dal partito tutti gli onori; invece ora deve fare l'autocritica e confessarsi. Rimarrà certo un quadro, ma non di alto livello e non gli verrà più data responsabilità su altri uomini.

«È duro. È duro essere nell'organizzazione. Debbo diventare un quadro? Il mio problema, come quello di altri giovani della mia estrazione sociale, della mia formazione, è ora questo: debbo diventare un quadro e sacrificare tutto, la mia personalità, la mia vita familiare, per servire la causa, sapendo che un giorno, sotto un nuovo nome, potrei essere mandato da qualche parte del mondo a fare un lavoro anonimo; oppure debbo rimanere quello che sono, un architetto che lavora nella Rivoluzione?»

III

Personaggi e ombre

Era ancora notte fonda quando le delegazioni dei quartieri, delle fabbriche, delle scuole e di ogni attività professionale cominciarono a sfilare ordinate, in silenzio, per le vie della città, con bandiere, striscioni, slogan, per andare a prendere il posto loro assegnato sulla grande piazza dei tamarindi fra la cattedrale e Doc Lap.

Per la prima volta in vent'anni, il 7 maggio Saigon celebrava l'anniversario della vittoria di Dien Bien Phu ed il Comitato di gestione militare della città colse quella occasione per presentarsi al pubblico.

Tutto era previsto ed organizzato.

Doc Lap era stato trasformato: un grande ritratto pointillista dello zio Ho, sorridente, incorniciato da tubi azzurri di neon, era appeso nel mezzo della facciata, sopra la scritta «Niente è più prezioso dell'indipendenza e della libertà»; lunghe banderuole colorate e sventolanti scendevano fino a terra e tutto attorno ai contorni del palazzo, lungo la cancellata e stese fra gli alberi erano accese centinaia di lampadine rosse e blu. Nel giardino che era stato di Thieu i *bo-doi* avevano fatto delle latrine, scavando fosse e mettendoci attorno basse pareti di legno e frasche di palma.

Al contrario del 1° maggio, quando la festa dei lavoratori era stata improvvisata, spontanea, questa del 7 e tutte le altre che seguirono in un mese casualmente pieno di ricorrenze (dal 15 al 17 le celebrazioni per la Liberazione, il 19 l'anniversario della nascita di Ho Chi Minh, il 6 giugno il sesto anniversario della fondazione del GPR) furono feste di regime, organizzate, regolate secondo una liturgia comunista cui Saigon non era abituata.

Alle otto in punto del mattino, come previsto nel programma, il generale Tran Van Tra, affiancato dai membri del Comitato di gestione militare, lesse dal balcone del primo piano di Doc Lap, fasciato di rosso, il suo discorso. Le delegazioni, schierate dietro una siepe di soldati dell'Esercito di Liberazione sull'attenti, in presentat'arm, sventolavano ed applaudivano ad ogni pausa prevista. Dal balcone gli applauditi rispondevano con applausi. Alla fine un gruppo di ragazzini di scuola in camicia bianca e fazzoletto rosso al collo, dopo aver salutato militarmente, salì sul balcone a consegnare gran mazzi di fiori ed a farsi abbracciare e baciare dalle autorità.

Sulla scalinata del palazzo, dove la sera dell'investitura di Minh «il grosso» avevo visto quella che era stata per me l'ultima immagine del vecchio regime, coi senatori, i deputati incravattati ed in abito scuro a confabulare in attesa delle loro limousine, stavano ora in fila, con la faccia al sole, gli uomini del nuovo Vietnam: ufficiali e commissari politici, *bo-doi* nelle uniformi verdi, diseguali e grinzose, coi sandali di copertone, donne di media età in lunghi *ao-dai* bianchi e pantaloni neri.

La enorme folla, schierata oltre la piazza lungo il viale Thong Nhat, fino all'altezza della vecchia ambasciata americana, s'adeguò alle regole del nuovo cerimoniale; poi, in una improvvisa, spontanea vampata di entusiasmo ruppe le righe, superò gli sbarramenti dei soldati e corse verso il palazzo.

Ufficiali dell'Esercito di Liberazione furono afferrati dalle mani di decine di giovani, buttati per aria, ripresi in mezzo agli «hurrà, hurrà». Fu un momento di grande, irrefrenabile gioia; i *bo-doi* del servizio di sicurezza erano preoccupati, cercavano di frenare la folla, ma migliaia di semplici saigoniti entrarono nella hall di Doc Lap, pesticciarono sul grande tappeto giallo dai draghi blu, spalancarono le porte della sala dei ricevimenti e si servirono felici, entusiasti, tè e caffè dalle tazzine pronte per quello che avrebbe dovuto essere un piccolo ricevimento d'addio alle delegazioni polacca e ungherese della ICCS che lasciavano il Vietnam nel pomeriggio. Era commovente vedere d'un tratto Doc Lap, la vecchia, isolata, paurosa tana di Thieu invasa dal popolo.

Nei giorni che vennero successe la stessa cosa con altri luoghi legati alle memorie di un passato che divenne prestissimo lontano, remoto.

L'esclusivissimo Circle Sportif, ritrovo dei vecchi e nuovi colonialisti e mercato di scambio delle giovani cocotte d'alto bordo, divenne un centro per l'arte rivoluzionaria e s'aprì con una esposizione di quadri e disegni fatti dai *bo-doi* e dai guerriglieri sui campi di battaglia; il Circle Hippique, salotto di diplomatici e ricchi borghesi vietnamiti, riaprì dopo la Liberazione per accogliere un'associazione di detenuti politici che tennero la loro prima riunione in mezzo ai puledri che pascolavano, senza più cavalieri, sui prati verdissimi.

Il 7 maggio, dopo la celebrazione della vittoria di Dien Bien Phu, si riaprì la Posta centrale ed un nuovo francobollo con l'immagine di Ho Chi Minh, vestito col tipico *ao-baba* dei contadini che innaffia una pianta, venne messo in vendita. Per la prima volta dal 1954 la gente di Saigon poté imbucare lettere dirette ad Hanoi. Le comunicazioni con l'estero, interrotte al momento della Liberazione, vennero ristabilite per la stampa. Ai giornalisti stranieri rimasti in Vietnam fu permesso di inviare dei telegrammi. Andavano consegnati in duplice copia e redatti in francese o in inglese. Ovviamente s'era instaurata una forma di censura. Quali fossero i criteri o le regole da rispettare non venne precisato, tantomeno nella prima ed anche ultima conferenza stampa che Tran Van Tra dette l'indomani a Doc Lap.

La sala in cui ci ricevette era la stessa in cui Minh aveva tenuto il suo discorso di investitura. Solo la direzione delle poltrone era stata invertita. Minh aveva parlato sotto il pannello rappresentante Tran Hung Dao che sconfigge i cinesi; Tran Van Tra parlò alla parte opposta. «Siete stati testimoni di un momento storico che è il punto di arrivo di 117 anni di lotta per l'indipendenza del nostro popolo. D'ora innanzi avremo per sempre la libertà e la pace ed il Vietnam sarà un paese ricco e felice. Nei primi giorni abbiamo avuto delle difficoltà, ma non sono paragonabili a quelle degli ultimi 30 anni di guerra.»

Tra, piccolo, coi capelli grigi a spazzola e degli occhiali cerchiati di plastica, parlava in vietnamita con un costante sorriso sulle labbra. Un interprete di quelli che erano stati a Camp Davis traduceva in inglese.

Qualcuno chiese: «Ma il GPR esiste davvero? Se esiste dove si trova? Perché non è ancora qui?»

Il generale aspettò la traduzione della domanda poi, sempre sorridendo, rispose: «Il Governo Provvisorio Rivoluzionario fu stabilito in tempo di guerra, senza elezioni. Quando ci saranno state le elezioni non sarà più provvisorio. Quanto alla sua sede, al momento è in qualche parte del Sud-Vietnam. L'amministrazione militare di Saigon durerà per qualche tempo, finché non avremo ristabilito l'ordine e la sicurezza».

Alla destra di Tran Van Tra sedeva una bella donna sui quarantacinque anni, pantaloni neri, una camicia marrone, ed una lunga treccia di capelli che imbiancavano sulla schiena. Tra la presentò come «il maggiore Phuong Dung dell'Esercito di Liberazione».

Alla sinistra stava il colonnello Duong Dinh Thao, ex portavoce della delegazione GPR a Parigi, tornato a Saigon come portavoce del Comitato di gestione militare.

Alla fine della conferenza stampa qualcuno azzardò delle domande personali a Tran Van Tra.

« La sua famiglia è già a Saigon? Quanto tempo conta di rimanere qui? »

Il generale si schermiva, faceva finta di non capire, non rispondeva.

Nei tre mesi che passai a Saigon dopo la Liberazione ebbi varie occasioni di tornare a Doc Lap e di parlare anche a lungo con Tra, ma non riuscii mai a scalfire quel cortese, caloroso sorriso di difesa. Di quest'uomo dimesso, dall'aria d'un professore di liceo più che d'un guerrigliero, non riuscii a sapere molto di più di quanto, anni prima, in un libretto riservato ai diplomatici americani di stanza a Saigon aveva scritto la CIA o di quanto ero riuscito a raccogliere nell'affascinante, ma non aggiornato schedario che la polizia francese aveva tenuto sui capi vietminh negli anni '50 e che un addetto militare appassionato di storia aveva salvato dalla distruzione fra i documenti inutili dell'ambasciata di Francia a Saigon.

Nato il 15 gennaio 1918 da una famiglia contadina nel Vietnam centrale (la CIA dice nato a Quang Ngai), Tran Van Tra (conosciuto anche sotto i nomi di Sing Tich, Le Van Thang, « fratello Tu Chi »), dopo aver frequentato la scuola industriale di Hué aveva trovato un lavoro nelle ferrovie di Saigon. È qui, nella capitale del Sud che, stando alla scheda segnaletica compilata dalla polizia francese, avvenne il suo primo scontro con le autorità coloniali: « Arrestato nel 1939 per attività sovversive. Sei mesi di prigione ».

La sua libertà non durò a lungo: « Messo a residenza forzata nel febbraio 1944, il soggetto evade nello stesso anno. Arrestato di nuovo nel 1944, viene liberato nel corso della Rivoluzione d'Agosto ».

Dopo un breve periodo nel Tonchino (la regione settentrionale del Vietnam), Tran Van Tra tornò nel Sud come vice comandante di tutte le forze vietminh nel Nam Bo, la regione meridionale, alle dipendenze del fantomatico capo guerrigliero Nguyen Binh, poi morto in circostanze misteriose in Cambogia.

Il commissario politico della Resistenza era a quel tempo Le Duan, divenuto poi segretario generale del Partito dei Lavoratori, l'organizzazione dei comunisti vietnamiti. Il suo successore fu Le Duc Tho.

Secondo la polizia francese, « il soggetto è stato visto in Cina nel febbraio del '49 ed a Mosca nel dicembre dello stesso anno ».

Sempre secondo i francesi, che in quegli anni riuscirono a procurarsi una foto di Tran Van Tra giovane, magrissimo, in compagnia di una donna e di un compagno non identificato, il «soggetto» divenne fra il '50 ed il '52 comandante in capo della zona speciale 7 che comprendeva Saigon e Cholon, allora due città separate. Da un posto nella giungla vicino a Bien Hoa, dove ora sorge il quartiere di Ho Nai, Tran Van Tra avrebbe diretto in quegli anni tutte le operazioni di guerriglia contro le forze francesi nel Sud.

Le sue squadre di guerriglieri urbani portarono a termine con successo numerose esecuzioni di personaggi della amministrazione coloniale, condannati a morte dalla Resistenza. Fra questi il capo della polizia segreta francese. Il giornalista francese Lucien Bodard, parlando di queste «squadre di assassini che terrorizzano Saigon», scrisse che «il loro capo è un certo Tran Van Tra: un vero ministro della morte».

Una sera, alla fine di un ricevimento a Doc Lap chiesi a Tran Van Tra in francese che, dopo varie conversazioni attraverso un interprete, rivelò di parlare benissimo: «Generale, dove è nato?»

«Non mi ricordo!»

«La CIA dice a Quang Ngai.»

«Forse questa volta la CIA ha ragione.»

«È vero quello che scrive Bodard, che lei era capo delle squadre di assassini a Saigon negli anni '50?»

Mi guardò, mi prese sottobraccio e rise, rise: «Ah, ah, ah, Bodard, Bodard, Lucien Bodard!»

«Generale, è vero che durante l'offensiva del Tet lei entrò a Saigon per ispezionare gli obiettivi?»

«Ho sempre combattuto fuori e dentro Saigon.»

«Generale, la CIA scrive che lei ha sposato la più bella ragazza del Nam Bo, una donna di nome Le Thoa e che sua figlia è sempre rimasta a Saigon; che lei, generale, diresse l'offensiva del Tet dal villaggio di An Phu Dong vicino a Thu Duc, a pochi chilometri dalla capitale.»

Tran Van Tra rideva divertito ed imbarazzato di questo gioco.

«Mia moglie non era la più bella ragazza del Nam Bo, ma bella sì, bella era. Quanto al resto, è quasi tutto vero.»

Secondo le informazioni raccolte dagli americani che rilevarono, prima indirettamente, poi direttamente, la guerra coloniale dei francesi, Tran Van Tra andò al Nord nel 1954 e da lì seguì corsi militari nelle accademie di Mosca e di Pechino.

Nel 1958 era generale ad una stella, a capo della 300ª divisione nordvietnamita. Nel 1964 Tran Van Tra era tornato a combattere nel Sud, agli ordini di Nguyen Chi Thanh.

Quando questi, la grande stella militare in ascesa dopo Giap, morì improvvisamente nel 1967, non come dissero gli americani sotto un bombardamento di B-52, ma d'infarto ad Hanoi dove era andato per una riunione del Comitato centrale del partito, Tran Van Tra gli successe come comandante in capo di tutte le forze di Liberazione nel Sud.

La biografia di Tran Van Tra compilata dalla CIA scrive a questo punto che il generale assunse fra i suoi vari nomi anche quello di Tran Nani Trung, uno pseudonimo al quale, secondo gli americani, non corrispondeva una persona reale, ma che veniva attribuito a tutti i vari ministri della Difesa che si succedevano nel GPR.

Fu questo un rebus che si risolse facilmente quando alle celebrazioni della vittoria, il 16 maggio, Tran Nam Trung in carne ed ossa apparve accanto a Tran Van Tra, fra gli altri membri del Governo Provvisorio Rivoluzionario.

Un enigma che non si risolse fu quello di Vo Chi Cong nominato spesso dalla radio del Fronte come «presidente del Partito Rivoluzionario del Popolo» (la sezione sud del partito comunista), ma mai apparso in pubblico. Alcuni servizi di informazione occidentali sostenevano che Vo Chi Cong non esisteva, o al massimo era il secondo nome di Pham Hung. Anche dopo la Liberazione non lo si vide mai a Saigon, ma un alto ufficiale dell'Esercito di Liberazione mi disse: «Il fatto che sia invisibile non vuol dire che non esiste».

Una volta, durante un ricevimento a Doc Lap, chiesi a Huynh Tan Phat, primo ministro del GPR, perché ora che la guerra era finita continuavano a mantenere tanto mistero su certi personaggi: «Serve, serve sempre che i nostri nemici ci prendano per dei fantasmi», mi rispose. «Guardi gli americani. Più dicevano che non esistevamo, più avevano paura di noi.»

Dal 1964 la carriera di Tran Van Tra fu tutta nel Sud. Nel 1968 pianificò e diresse l'offensiva del Tet, durante la quale i suoi guerriglieri arrivarono ad occupare per una mezza giornata l'ambasciata americana.

Nel 1972 diresse la grande offensiva di primavera e comandò personalmente le truppe durante la sanguinosa battaglia per An Loc.

Nel 1973, dopo gli Accordi di Parigi, ormai generale a due

stelle, arrivò a Saigon a capo della delegazione GPR a Camp Davis. Dopo tre mesi venne ritirato e sostituito dal gruppo del generale Tung e di Vo Dong Giang. Gli americani dissero perché era caduto in disgrazia; in verità, perché la Resistenza si accorse che la soluzione diplomatica del conflitto articolata dagli Accordi di Parigi non avrebbe funzionato e Tran Van Tra era più necessario a preparare una nuova offensiva militare che a giocare con le parole e gli inutili scambi di promemoria al tavolo dei negoziati.

Quando il 30 maggio era rientrato a Saigon da vincitore con l'Esercito di Liberazione, Tran Van Tra era già un mito.

La gente sapeva di lui, raccontava aneddoti fantastici sulla sua vita, ma non aveva mai visto una sua foto. Anche dopo la Liberazione il *Saigon Giai Phong* parlò raramente di lui, la sua foto apparve un paio di volte, mai solo, ma in gruppo, assieme ad altri dirigenti. Anche fra i suoi collaboratori nessuno raccontò storie che lo riguardavano o precisò fatti della sua carriera e dei suoi ultimi giorni prima della Liberazione. Da uno dei suoi ufficiali riuscii solo a sapere che « è un appassionato di fotografia ed è l'unico a cui Pham Hung abbia permesso di scattargli un ritratto ».

Pham Hung, venuto dopo Le Duan e Le Duc Tho alla testa politica dell'Esercito di Liberazione nel Sud, aveva per anni rifiutato di farsi fotografare. Anche quando da vice primo ministro di Hanoi andava in viaggio all'estero si teneva lontano dalle cineprese. Uomo estremamente prudente, riservato, era una delle persone del Fronte che più di altre era riuscita a mantenere il segreto sulla sua identità.

« È un enigma anche per noi », mi dissero poi alcuni dei suoi più intimi collaboratori.

Pham Hung, una bella faccia larga, i capelli dritti, bianchi, divisi da una scriminatura sulla destra, tozzo, con spalle larghe, apparve per la prima volta in pubblico dinanzi a decine di giornalisti la mattina del 15 maggio.

Degli uomini che da Doc Lap dirigevano la Rivoluzione, Saigon finì per non sapere mai molto. Li conosceva di fama, i loro nomi entrarono nel linguaggio quotidiano, ma le loro facce, loro come persone rimasero sfuggenti. Un uomo come Tra avrebbe potuto passeggiare per il centro di Saigon senza essere riconosciuto, un lusso, questo, che si permise persino Giap; quando alla fine del mese arrivò nella capitale del Sud, dove la sua foto era raramente apparsa sui giornali, il vincitore di Dien Bien Phu, l'uomo che per trenta anni aveva diretto la guerra per l'indipendenza del Vietnam, fece un giro della città a piedi, accompagnato semplicemente da due *bo-doi*.

Questo defilarsi come singoli individui, questo evitare di apparire in prima persona, questo rinunciare, anche parlando, all'«io», era tipico di tutti i rivoluzionari, ma aumentava col crescere della loro posizione nella gerarchia.

Il potere dalle mani di politici e generali, prime donne del passato, era andato con la Rivoluzione nelle mani di un vago anonimato di uomini senza volto, tutti uguali nelle loro uniformi verdi, spesso difficili da identificare anche attraverso il loro nome.

Saigon era una città cresciuta nel fasto della burocrazia di importazione francese. Un foglio che non avesse un paio di firme, un timbro, non era un documento. Con la Rivoluzione, anche questo si rovesciò. Importantissimi documenti, lasciapassare, carte d'identità da cui poteva dipendere la vita di una persona erano fatti su semplici fogli di quaderno, rilasciati da apparentemente insignificanti personaggi che, senza titolo di direttore, segretario, generale o addetto a, si firmavano semplicemente coi loro nomi di battaglia: «fratello numero tre», «zio sette», «determinazione e successo», «l'uomo del Sud».

Una casa con due ingressi

Quando Tran Van Tra, la mattina del 15 maggio, apparve sul palco costruito sul viale Cong Ly per assistere alla parata della vittoria, in mezzo alla più grande collezione di personalità e figure leggendarie della Rivoluzione vietnamita che Saigon avesse mai visto, la goffa uniforme di gala che indossava, pura imitazione sovietica, grigia con le tre stelle sulle mostrine rosse e il berretto con la greca d'oro, era identica a quella di Van Tien Dung, generale capo di stato maggiore, numero due dopo Giap nella gerarchia militare di Hanoi.

Anche fra i soldati, che per due ore sfilarono sui carri armati ridipinti di fresco, sui mezzi anfibi, sui pezzi di artiglieria lucidissimi, a piedi, o ai posti di comando dei missili SAM di fabbricazione sovietica, trainati da camion di fabbricazione cinese (piccolo ma significativo esempio di equidistanza vietnamita nei confronti dei due alleati avversari), non c'era nessuna differenza. Avevano tutti le stesse uniformi, le stesse armi individuali, le stesse insegne.

La finzione diplomatica, mantenuta durante la guerra, di due eserciti distinti, uno sudista che combatteva contro Thieu, ed uno nordista confinato al di là del 17° parallelo, era finita. Era finita anche quella di due distinti partiti comunisti. Non a caso l'annuncio dei tre giorni di celebrazioni per la vittoria era stato dato ad Hanoi (il 5 maggio, dalla segreteria del Partito Vietnamita dei Lavoratori) e del cosiddetto Partito Rivoluzionario del Popolo, come fino allora era stata chiamata l'organizzazione politica che operava nel Sud, non si parlò più.

«Il Vietnam è un solo paese. Il popolo vietnamita è uno. I fiumi possono seccarsi, le montagne possono erodersi, ma niente può mutare questa verità», disse, citando una famosa frase di Ho Chi Minh, il presidente del Fronte di Liberazione Nazionale, Nguyen Huu Tho, nel suo discorso inaugurale dinanzi ad una folla di trecentomila persone.

L'unità di fondo del Vietnam era fatta e l'immagine dell'unità era lì, in quell'unico esercito che sfilava, in quel gruppo di dirigenti di un unico partito che dal palco delle autorità, come sul proscenio di un teatro con finti archi e tre porte sullo sfondo, sorrideva e rispondeva ai saluti di decine di migliaia di mani e bandiere rosse sventolanti.

C'era Ton Duc Thang, ottantaduenne, nato nel Delta, e successore di Ho Chi Minh alla presidenza della Repubblica Democratica; c'era Le Duc Tho, nato nel Sud da una famiglia nordista e che aveva dedicato gli ultimi trent'anni a dirigere la Rivoluzione nel Sud, anche al tempo in cui trattava con Kissinger a Parigi a nome di Hanoi. C'era Pham Hung, cresciuto nella guerriglia del Mekong, andato nel Nord come vice primo ministro, e poi rientrato come responsabile del partito nel Sud.

C'erano personaggi diventati mitici al tempo della prima Resistenza antifrancese, come il generale Chu Van Tan, «la tigre di Bac Son», e figure diventate leggendarie con la seconda Resistenza antiamericana, come Tran Van Tra o la guerrigliera Nguyen Thi Dinh, vice comandante dell'Esercito di Liberazione.

Naturalmente, in questa cornice di ritrovata unità di fondo, restavano le enormi differenze fra Nord e Sud, fra un paese in cui da vent'anni, pur con le difficoltà della guerra, si costruiva il socialismo, ed uno che usciva, appena da due settimane, da una situazione parassitaria in cui l'economia di tipo capitalista era stata esclusivamente tenuta in piedi dagli aiuti americani.

L'unificazione totale, istantanea, così non ci fu e, alle celebrazioni della vittoria, il governo del Nord e quello del Sud si presentarono come due distinte entità che rispecchiavano due diverse situazioni e dovevano affrontare due tipi completamente diversi di problemi.

Hanoi, ad esempio, aveva da alzare il livello di vita della sua popolazione costretta necessariamente, negli anni del comunismo di guerra, a minimi bassissimi; Saigon aveva invece da riconvertire tutta la struttura del Sud e da togliere a certe fette agiate della sua popolazione un benessere che non era mai stato in relazione con la realtà economica del paese.

Per un periodo di transizione, sulla cui durata nessuno voleva pronunciarsi, Nord e Sud avrebbero seguito strade che, alla distanza, dovevano convergere, ma che, specie all'inizio, sarebbero state naturalmente diverse.

L'esistenza di un solo partito per le due zone avrebbe garantito l'unitarietà della politica generale; i due governi separati, la sua diversa articolazione.

Fu così che il GPR, nato nella guerra da una coalizione di varie forze, mantenne, anche una volta arrivato a Saigon, la sua facciata di fronte unito. Lasciando immutata la sua composizione, il governo sudista, nel presentarsi pubblicamente dopo la vittoria, schierò sul palco delle autorità, accanto a vecchi rivoluzionari comunisti come il primo ministro Huynh Tan Phat, il ministro della Difesa Tram Nam Trung, il ministro alla presidenza Tran Buu Kiem, e l'ideologo Nguyen Van Hieu, conosciuto come il «Lenin del Fronte», anche i rappresentanti dei gruppi patriottici del Sud i cui legami col partito erano inesistenti o non confermati, come Truong Nhu Tan, ministro della Giustizia, Phung Van Cung, ministro degli Interni, la signora Nguyen Thi Binh, ministro degli Esteri, la dottoressa Duong Quynh Hoa, educata a Parigi e divenuta ministro della Sanità, e l'avvocato Trinh Dinh Thao, nato nel Nord, passato alla guerriglia solo nel 1968 per divenire vice presidente del Sud.

Ormai avevano vinto; tempo ne avevano quanto ne volevano; cautela e moderazione determinarono le azioni delle nuove autorità.

Nguyen Huu Tho, ufficialmente «presidente del consiglio dei saggi del Governo Provvisorio Rivoluzionario del Sud-Vietnam», e sostanzialmente capo dello Stato sudista, parlò, nel suo discorso alle celebrazioni, di costruire nel Sud «un nuovo sistema economico»; Le Duc Tho fece riferimento alla necessità di una «economia indipendente»; ma nessuno, nei discorsi pubblici di quei giorni e dei primi tre mesi dopo la Liberazione, usò mai una volta sola la parola «socialismo».

Gli uomini del GPR, coscienti del radicato anticomunismo fra la popolazione di Saigon, non volevano scioccare, anzi volevano guadagnare ogni fiducia possibile, allontanare ogni ultima paura.

La sera del 15 maggio, quando le porte di Doc Lap si aprirono per un grande, informale ricevimento, fra i vari dirigenti rivoluzionari in maniche di camicia e scarpe di plastica c'erano i rappresentanti di tutta l'opposizione non comunista a Thieu, dalla signora Ngo Ba Thanh ai preti cattolici e bonzi progressisti della Terza Forza.

«Vogliamo edificare nel Sud-Vietnam un regime democratico, progressista e non allineato in cui ogni vietnamita che ami la sua patria e desideri servirla, compresa la borghesia nazionale, possa avere il suo posto», mi disse Nguyen Huu Tho nel corso di una lunga intervista qualche settimana dopo.

«Voi parlate sempre di un solo Vietnam; ma in verità ne esistono ancora due. Quali sono giuridicamente i rapporti fra Nord e Sud?» gli chiesi.

«Certo non si tratta di rapporti fra due stati, perché Nord e Sud non sono due stati differenti... occorre trovare una nuova formula per definire questi rapporti», disse.

Cao Giao aveva risposto alla mia stessa domanda proponendo una sua formula: «Il Vietnam è una casa con due ingressi; su uno c'è scritto GPR, democrazia, non allineamento, eccetera; sull'altro c'è scritto Hanoi, socialismo, eccetera. Ci entri dentro e ci trovi la stessa gente». Credo che avesse ragione.

Tradotto in termini di politica estera il suo paragone voleva anche dire che dalla porta GPR sarebbero potuti passare, nel futuro, i rapporti coi paesi occidentali, sarebbe potuta uscire una politica rivolta ai paesi del Terzo Mondo; mentre dalla porta di Hanoi, ormai impegnata col campo socialista, sarebbero continuate le relazioni del passato.

Il Comitato di gestione militare rimase in carica a Saigon molto più a lungo di quanto ci si aspettasse nei giorni dopo la Liberazione; ma ciò non significò affatto che erano i militari a governare.

Non solo nel Comitato militare stesso c'erano, su undici membri, sette civili; ma il GPR si manifestò fin dalle prime settimane in ogni settore dell'amministrazione. La permanenza del Comitato militare al potere era legata a problemi d'ordine, di sicurezza, ed i suoi uomini, incaricati di questo aspetto, affiancarono per mesi e mesi i funzionari dell'amministrazione civile.

Nonostante questo venire alla luce del GPR, mi fu chiaro, specie dopo aver visitato Hanoi alla fine di luglio, che la sua funzione era a termine, era provvisoria come lo stesso nome diceva.

Il Sud sarebbe stato, per un certo periodo, una zona a regime speciale, Saigon la sua capitale provvisoria. Ma la politica generale, i piani a lunga scadenza, il futuro del paese erano pensati e decisi ad Hanoi. Quella era ormai la vera capitale del Vietnam.

I rapporti fra i due tronconi dello stesso paese erano simbolicamente illustrati dalle due bandiere che, secondo le istruzioni date alla popolazione in occasione dei tre giorni di festa, dovevano essere issate assieme fuori da ogni porta e su ogni edificio pubblico. Quella di Hanoi era tutta rossa con la stella gialla al centro. Quella del GPR aveva ugualmente la stella gialla al centro, ma solo la parte superiore della bandiera era rossa, quella in basso era azzurra. Il futuro era descritto da quei due simboli. Il Sud, ancora azzurro, doveva diventare rosso e fra le due bandiere non ci sarebbe stata più differenza.

Era una questione di tempo. A quale velocità questa riconversione sarebbe stata fatta era una incognita per tutti; che sarebbe avvenuta era ormai un fatto di cui nessuno più dubitava.

Questa fabbrica è nostra

A parte Doc Lap, dove le finestre restavano illuminate tutta la notte e dove camionette cariche di uomini del Fronte ed ufficiali *bo-doi* entravano ed uscivano in continuazione, uno dei luoghi più indaffarati della città divenne, dopo la Liberazione, l'edificio al numero 14 sulla via Le Van Duyet.

La vecchia sede del sindacato giallo di Tran Quoc Buu, uomo della CIA finanziato da varie organizzazioni della destra internazionale, era stata occupata da un gruppo di operai e studenti.

Guidati da un giovane sacerdote cattolico, Phan Khac Tu, più conosciuto come «il prete della spazzatura», dopo la manifestazione del 1° maggio gli operai con le loro bandiere rosse erano entrati nell'edificio abbandonato, avevano tirato giù la vecchia insegna, l'avevano sostituita con uno striscione con le parole «Comitato Rivoluzionario Popolare» ed avevano messo delle guardie armate al cancello.

Da allora era stato un continuo via vai di gente che veniva ad offrire il suo aiuto o a chiedere consiglio. Lì più che in ogni altra parte s'aveva l'impressione chiara che, con la Rivoluzione, era il popolo che aveva preso il potere.

Nella vastissima sala delle riunioni, che in passato era servita esclusivamente per le manifestazioni di appoggio al regime, si svolsero le prime libere assemblee operaie, si incontrarono le commissioni di fabbrica, furono eletti democraticamente i rappresentanti di categoria.

Il sindacato e tutte le vecchie organizzazioni approvate o tollerate dal regime, come il movimento terzaforzista «per la difesa dei diritti dei lavoratori», vennero sciolti e il «Comitato Rivoluzionario Popolare» di via Le Van Duyet divenne il centro unico di coordinamento per tutta l'azione operaia a Saigon.

Lavoratori delle varie aziende andarono a registrarsi, disoccupati andarono lì in cerca di un lavoro ed è lì che andarono a mettersi a disposizione i quadri operai usciti dalla clandestinità.

Nelle ore in cui rimasi al centro di Le Van Duyet assistetti ad alcuni commoventi incontri fra vecchi compagni che non si vedevano da anni, che si erano lasciati, spesso in condizioni drammatiche, senza aver poi saputo nulla gli uni degli altri. Era una scena che vidi ripetersi tantissime volte nelle prime settimane dopo la Liberazione, per strada, ai ricevimenti a Doc Lap o alle assemblee pubbliche. In mezzo alla folla due persone si guardavano, si riconoscevano, restavano per lunghi attimi a distanza, a braccia aperte a guardarsi, e poi si buttavano l'uno contro l'altro in grandissimi abbracci.

Il centro di via Le Van Duyet fremeva di attività. Nella sala centrale gruppi di giovani incollavano su dei grandi cartelloni distesi per terra foto di Ho Chi Minh, della battaglia di Dien Bien Phu e della Liberazione di Saigon; altri dipingevano in rosso su delle strisce bianche di lenzuola slogan rivoluzionari. Un gruppo di donne dei mercati generali teneva una riunione in cui ognuna raccontava le proprie esperienze sotto il vecchio regime, parlava dei soprusi subiti dalla polizia di Thieu. Da un'altra parte dei guidatori di ciclò discutevano i problemi degli affitti da pagare ai proprietari cinesi. Dovunque era un gran darsi da fare, correre, arrivare con nuovi problemi, ripartire con ordini, con pacchi di volantini, cartelli che annunciavano nuove assemblee.

Nella confusione dei primi giorni nessuno aveva pensato a togliere dalle pareti le foto del vecchio boss del sindacato, Tran

Quoc Buu, ritratto mentre stringeva la mano a Thieu, o mentre riceveva una onorificenza dall'ambasciatore americano Bunker. Buu era stato uno dei più accaniti difensori del vecchio regime ed anche dopo la partenza di Thieu aveva fatto di tutto per impedire a Minh di arrivare alla presidenza finché, carico di soldi, era partito per gli Stati Uniti.

Attorno a quella che era stata la sua scrivania lavorava Phan Khac Tu con un gruppo di studenti.

« Per il momento non siamo che un embrione di sindacato unico provvisorio. In ogni città liberata si sta facendo lo stesso lavoro. Tutti assieme costituiremo poi la Federazione sindacale della Liberazione che sarà uno dei bracci del potere popolare. Il compito del sindacato sarà di vegliare sulla vita dei lavoratori, di costruire un legame con tutti i livelli del governo », spiegò padre Tu.

Piccolissimo, magro, allampanato, le mani tutte ossa, le spalle come una gruccia, una faccia scavata, gli occhiali spessi da miope e due piccole bacchette di ferro messe in croce sulla camicia a segnare che era un prete, aveva lavorato per due anni come spazzino nella nettezza urbana di Saigon ed aveva organizzato in collaborazione con un altro prete, Truong Ba Can, capo del movimento Gioventù Operaia Cattolica, cellule di studio e di formazione politica che in vari modi avevano avuto contatti col Fronte. Molti militanti di questi gruppi erano stati incarcerati da Thieu.

Mentre parlavamo, il gruppo degli studenti con padre Tu stava facendo fotocopie di un vecchio esemplare dello statuto della Federazione sindacale in vigore nelle zone liberate del Sud-Vietnam dal 1965.

« Molti di noi non l'hanno neppure letto », disse padre Tu. « Il nostro compito è formare dei quadri, fare delle riunioni con gli operai, spiegare la politica del Governo Rivoluzionario. »

In quei primi giorni la situazione nelle fabbriche di Saigon era ancora confusa. Una dichiarazione delle nuove autorità aveva rassicurato i proprietari che « industriali e commercianti avranno i loro beni garantiti e potranno continuare a svolgere le loro attività profittevoli all'economia nazionale ed alla vita della popolazione »; ma in alcuni stabilimenti, gli operai avevano dichiarato l'occupazione ed in alcuni casi c'erano stati anche dei primi processi popolari contro i padroni.

Altre fabbriche, come quella che produceva le batterie Eagle e di cui era azionista la signora Thieu, erano state prese in mano dai Comitati Rivoluzionari di Gestione, costituiti da operai ed impiegati, una volta che i titolari erano fuggiti con gli americani.

Tecnicamente, secondo una formula approvata dalle autorità militari, si trattava di «presa in consegna fino al ritorno dei legittimi proprietari»; ma siccome questi non sarebbero mai tornati era una prima forma di nazionalizzazione.

Qualcosa di simile era successo anche in alcune piccole fabbriche a capitale misto cinese-vietnamita. Un industriale di Hong Kong mi raccontò che, andando in una tessitura di cui era comproprietario a Cholon, aveva trovato il cancello chiuso e coperto di manifesti. Una delegazione di operai gli aveva sbarrato il passo dicendogli: «Tu ci hai sfruttato abbastanza. Qui non è casa tua. Torna da dove vieni».

Anche nelle grandi aziende a capitale francese i cui proprietari erano rimasti a Saigon i rapporti fra direzione e maestranze erano radicalmente cambiati con la Liberazione.

Alla BGI (Brasserie Générale d'Indochine) che produce fra le altre bevande la diffusissima birra «33», la mattina del 30 aprile i 2100 operai avevano disarmato alcuni soldati dell'ARVN ed avevano presidiato lo stabilimento, difendendolo da ladri e sabotatori. Poi avevano eletto un Comitato Rivoluzionario composto da cinque dipendenti.

Andando a visitare la fabbrica nella prima settimana di maggio incontrai il presidente di questo comitato: Huyen Ngoc Thanh.

«Gli operai pensano giustamente che tutto quello che si trova in Vietnam è dei vietnamiti. Anche le fabbriche come questa. Per il momento però i francesi possono restare. Come primo passo chiederemo semplicemente una ripartizione dei profitti», disse.

Thanh, 50 anni, era un operaio saldatore. Nel 1958 era stato arrestato per attività sovversive ed aveva fatto 3 anni di prigione a Chi Hoa. Una volta uscito si era iscritto, con l'accordo della guerriglia, al sindacato ufficiale, poi controllato da Tran Quoc Buu, e mascherandosi da convertito era diventato il delegato di fabbrica. In verità aveva mantenuto i suoi contatti con l'organizzazione clandestina ed ogni due mesi partecipava a riunioni di aggiornamento che si tenevano segretamente in città. Utilizzando un compagno che lavorava nell'infermeria della fabbrica Thanh era anche riuscito a costituire un canale di rifornimento di medicinali per i combattenti. Non erano mai stati scoperti.

Con la Liberazione, il Comitato Rivoluzionario presieduto dall'operaio Thanh era diventato l'interlocutore politico della proprietà. Il direttore francese gestiva ormai «solo tecnicamente».

Questo problema del mantenimento, almeno per un certo periodo, della proprietà e dei tecnici stranieri nelle fabbriche era sentito dai quadri del centro sulla via Le Van Duyet, e nelle loro conversazioni con le commissioni operaie, che spesso presentavano punti di vista radicali e massimalisti, consigliavano prudenza, cautela.

«Innanzitutto è importante riprendere la produzione», ripetevano, e questa parola d'ordine veniva stampata a caratteri cubitali sul *Saigon Giai Phong*.

Il *can-bo*, il quadro politico più alto al centro di Le Van Duyet, era un uomo di 53 anni, originario di Saigon, che era appena rientrato dal *maquis*: Nguyen Nam Loc, membro del comitato esecutivo della Federazione sindacale della Liberazione. Era stato magazziniere alla centrale elettrica della capitale. Arrestato nel 1956, era stato in prigione fino al '61. Pochi giorni dopo il rilascio era andato alla macchia, era diventato membro del partito ed era tornato a Saigon con l'Esercito di Liberazione.

«Non ho ancora avuto il tempo di andare a vedere la mia casa», diceva.

Quando un operaio nel corso di una discussione chiese perché non si espropriavano subito i padroni, Loc rispose: «Non è il momento. Per ora si tratta di rieducare i proprietari, bisogna far loro capire che il loro profitto viene dagli operai e che va ripartito più equamente. Vogliamo incoraggiare, non scoraggiare le imprese. È importante in questo momento per consolidare il potere popolare».

Lo stesso problema veniva dibattuto sotto la guida di un altro *can-bo*, da un gruppo di guidatori di ciclò. Il loro era uno dei mestieri considerati a Saigon fra i più infimi. Pochissimi erano proprietari del mezzo con cui si guadagnavano da vivere. I padroni erano solitamente dei ricchi commercianti cinesi di Cholon che possedevano intere flotte di ciclò che affittavano a giornata: 500 piastre per dodici ore.

La riunione dei ciclopousse durò l'intero pomeriggio. Alcuni parlarono a lungo accusando il «traditore» Thieu che, sospettandoli di essere agenti vietcong, aveva nelle ultime tre settimane di potere proibito la circolazione dei ciclò nel centro della città. Altri ringraziavano la Rivoluzione che li aveva «liberati». Alla fine venne passata una risoluzione che delegava un comitato ristretto a rivedere coi proprietari le tariffe d'affitto.

In un'altra parte della grande sala le donne del mercato avevano finito la loro « sessione di liberazione » ed eleggevano la rappresentante che avrebbe mantenuto da allora i rapporti col centro di Le Van Duyet. La votazione avvenne per alzata di mano, fra risate, battute di spirito, in un'atmosfera distesa, divertita, quasi di gioco.

La Rivoluzione ereditava, specie a Saigon, una situazione economica disastrosa. La città era sempre sopravvissuta di servizi legati alla guerra ed il conto era stato pagato in dollari americani che non c'erano più.

L'industria che Thieu aveva vantato per attirare investimenti stranieri, all'indomani del fallito cessate il fuoco del '73, esisteva solo allo stato embrionale; ed anche là dove aveva cominciato a funzionare era esclusivamente di manifattura, di rielaborazione di materie prime o semilavorati importati dall'estero.

Con la presa di Saigon il Governo Provvisorio Rivoluzionario si trovò a risolvere il problema che, secondo certi osservatori occidentali, avrebbe causato la caduta di Thieu anche senza contare gli attacchi della guerriglia.

Il Sud-Vietnam nell'ultimo anno di Thieu era già un paese con la cinghia tirata; la gente moriva di fame, c'erano centinaia di migliaia di disoccupati. Le nuove autorità capirono benissimo il problema e si presero tempo per risolverlo.

La prima cosa che i *bo-doi* fecero in questo settore fu l'inventario. Verso l'ultima settimana di maggio, a tre a tre, con cartelle piene di fogli, cominciarono ad andare di fabbrica in fabbrica, di officina in officina a fare il censimento della gente, dei macchinari, degli stock. Ai proprietari fu chiesto di dichiarare ogni loro attività, di fare le loro liste di macchinari, materiali, materie prime e merci nei magazzini. Ebbero un avvertimento: quello che non dichiaravano o cercavano di nascondere, una volta scoperto, sarebbe stato considerato « proprietà del popolo ».

C'erano poi da riempire dei questionari; alcune domande erano: « È possibile importare i pezzi di ricambio per le vostre macchine e le materie prime di cui avete bisogno dai paesi socialisti? »

Ci sarebbero voluti dei mesi per elaborare tutte le risposte, tutte le analisi in un piano che convertisse il tutto in una economia sana e soprattutto « indipendente ».

« Questa è la nuova battaglia che dobbiamo combattere e vincere contro i resti dell'imperialismo », disse Loc, l'ex magazziniere diventato *can-bo*.

L'uomo nuovo

In quei giorni non si parlava d'altro. I *bo-doi* lo dicevano nelle loro conversazioni per la strada con la gente, i *can-bo* lo spiegavano nelle riunioni di quartiere, nelle fabbriche, nelle scuole, e radio e televisione, giornale, lo ripetevano continuamente: Saigon doveva cambiare. Le frasi più correnti erano: « abbandonare le vecchie abitudini », « fare la Rivoluzione », « cancellare il passato ». Cambiare. Ma come?

Un editoriale del *Saigon Giai Phong* lo spiegò così: « Ogni regime ha il suo modo di vivere. Il neocolonialismo americano ha fatto nascere, ha nutrito e si è lasciato dietro, nella zona occupata dai fantocci, un modo di vivere barbaro, all'americana. Questo modo di vivere è stato per diversi anni la legge nelle regioni controllate dagli americani e dai fantocci ed ha distrutto, particolarmente a Saigon, le belle tradizioni della nostra cultura. È questo un ostacolo gravissimo sulla via della rivoluzione popolare...

« Per fare la rivoluzione c'è bisogno innanzitutto dell'uomo rivoluzionario. Il rivoluzionario è un uomo nuovo; è colui che, oltre ad avere spirito rivoluzionario, vive una vita civile, sana, corretta e solidale col resto della comunità...

« La lotta per arrivare a questo è parte della lotta rivoluzionaria generale, una lotta lunga e penosa. Cambiare una piccola abitudine nella vita quotidiana è già penoso. Cambiare tutto un modo di vita al quale si è abituati da anni sarà ancora più duro ».

Saigon non aveva l'orecchio a questo linguaggio e stentava a capire.

Già leggere il giornale era diventato per molta gente una noia. Prima della Liberazione, nonostante la censura e le restrizioni sulla stampa imposte dal vecchio regime, i saigoniti avevano da scegliere fra una dozzina di quotidiani, alcuni dei quali pubblicavano regolarmente storie fantasiose ma succulente sulla corruzione dei generali, la vita privata di Thieu, gli intrighi della moglie, eccetera. Dopo la Liberazione non ci fu, per i primi tre mesi, che un solo quotidiano e questo offriva esclusivamente della prosa tipo quella dell'editoriale, o notizie relative alla produzione di fabbriche da poco riaperte.

Col passar del tempo, il *Saigon Giai Phong*, che non riusciva a vendere più di qualche migliaio di copie, pur mantenendo la sua linea di «informazione politica», dovette adattarsi un po' al gusto della città. A giugno cominciò a pubblicare una sezione di cronaca. A luglio apparvero a puntate interessanti feuilleton sul vecchio regime; il primo fu sul coinvolgimento di Thieu e dei suoi generali nel traffico della droga.

L'ascolto delle radio straniere, cui la gente di Saigon s'era abituata negli anni della guerra, perché sapeva che quello che leggeva sui giornali di Thieu era ben lontano dalla verità, non venne mai formalmente proibito, ma divenne una di quelle attività che i *bo-doi* «sconsigliavano».

A questo proposito, ad esempio, il 3 luglio il *Saigon Giai Phong* pubblicò semplicemente una lettera del lettore Le Huu T., abitante nel settimo distretto, che diceva: «Vicino al mercato Binh Dong c'è un barbiere. Ba Ket. Ogni giorno Ba Ket ascolta Radio Giai Phong e ripete quello che ha sentito a tutti i clienti che vanno a tagliarsi i capelli da lui.

«Questo mi sembra un ottimo esempio. Ci sono invece ancora molte famiglie delle vie Tran Hung Dao e Luong Van Can che ascoltano le emissioni nemiche, come *Voice of America*, la BBC, Radio Formosa e *Voice of Freedom*. Io propongo che:
- tutti quelli che posseggono radio obbediscano alle leggi rivoluzionarie;
- si debba essere vigilanti e convincere chi ascolta le radio nemiche a smettere;
- si debba denunciare alle autorità della Rivoluzione chi si ostina ad ascoltare e a far circolare le notizie diffuse dalle radio nemiche».

Un'illustrazione della vita rivoluzionaria che Saigon avrebbe dovuto imparare a vivere veniva data dai film che avevano cominciato a circolare.

Tutte le sale della città avevano chiuso con la Liberazione. I proprietari, senza disposizioni precise, ma fiutando semplicemente la nuova atmosfera, avevano tolto i vecchi cartelloni dei film americani e francesi, e di quelli cinesi di kung-fu che erano diventati di gran moda.

Quando, la prima settimana di maggio, i cinema riaprirono, dettero esclusivamente film fatti venire da Hanoi. Uno era sulla vita di Ho Chi Minh, uno sulla vita di Nguyen Van Troi, il giovane operaio fucilato nel 1964 dalla polizia di Saigon per aver minato un ponte sul quale avrebbe dovuto passare l'allora ministro della Difesa americano, McNamara. Un altro film era sui contadini del Nord che andavano nelle risaie coi fucili in spalla, pronti a sparare contro gli aerei americani; un altro, bellissimo, era girato sul «sentiero di Ho Chi Minh» e mostrava come soldati, contadini, giovani erano stati capaci, sotto le bombe americane, di mantenere aperta e funzionante questa importante via di comunicazione e di rifornimento del Sud.

Erano tutte storie di enormi sacrifici personali, di vite dedicate alla Rivoluzione, esempi di una società semplice, austera, puritana.

Nei quartieri popolari questi film ebbero un grande successo. Le sale furono per settimane affollatissime. Nel centro di Saigon invece, dopo i primi giorni di curiosità i cinema restarono letteralmente vuoti. Qui anche i film sovietici e della Cina Popolare che cominciarono ad essere messi nel circuito un mese dopo non attirarono molto pubblico.

Un esempio di vita rivoluzionaria io l'avevo ogni giorno dinanzi agli occhi all'Hotel Continental. I primi *bo-doi*, una decina, s'erano installati il 6 maggio. Un altro gruppo era arrivato il 27 da Hanoi e, mettendosi in quattro o cinque per camera, avevano occupato quasi tutto l'albergo.

Erano tutti sui quarantacinque, cinquant'anni. Alcuni erano invalidi di guerra, con un braccio più corto, una mano in meno, e larghe cicatrici. Tutti avevano l'uniforme verde senza gradi ed i sandali di copertone. Più che soldati, erano *can-bo*, commissari politici, esperti d'economia, medici, ingegneri.

Ogni mattina quando, svegliato come tutta Saigon dalla musica degli altoparlanti, spalancavo le mie imposte, li vedevo tutti in canottiera e mutande bianche che aprivano le braccia, respiravano a pieni polmoni, si piegavano, facevano le flessioni nei riquadri delle loro finestre sul giardino.

Dopo un quarto d'ora di ginnastica scendevano nel ristorante al piano terreno, mangiavano una ciotola di riso e verdura cotta, bevevano una tazza di tè ed andavano al lavoro con le loro cartelle di plastica piene di carte. La sera alle sette tornavano. Rimangiavano riso e verdura ed alle nove le luci di tutte le loro stanze erano già spente.

Per il cibo di ognuno di loro (il pranzo, anche a base di riso e verdura, veniva portato ai loro uffici), l'amministrazione militare passava all'albergo 300 piastre al giorno. Era il prezzo di una delle mie brioche.

Di *can-bo* come i miei ce n'erano a centinaia in città. Lavoravano dieci-dodici ore al giorno dietro gli sportelli delle banche chiuse, a studiare i conti, negli uffici dei ministeri, a consultare dossier, statistiche, regolamenti del vecchio regime, a prendere appunti. Altri erano andati negli ospedali, nelle varie facoltà universitarie, nelle fabbriche. Molti dormivano e vivevano sul posto di lavoro.

Là dove i *can-bo* arrivavano non è che diventassero i capi, che sostituissero la vecchia gerarchia. Le si affiancavano.

L'uomo che andò, a nome del GPR, ad installarsi all'ospedale di Bien Hoa, era un medico di cinquantatré anni, sudista, che era andato alla macchia nel 1965 e aveva da allora lavorato nelle zone liberate del Delta.

Quando arrivò nell'ospedale, qualche giorno dopo la Liberazione, convocò una riunione di tutto il personale, compresi medici, infermieri, sguatteri delle cucine; si presentò, disse in poche parole la sua storia, chiarì che non era venuto a sostituire il direttore, parlò del significato generale della Rivoluzione, disse che i nuovi valori dovevano essere applicati anche nel lavoro dell'ospedale e che lui era pronto a discutere qualsiasi proposta, a studiare con gli altri qualsiasi innovazione. Alla fine della sua chiacchierata propose che medici, infermieri e sguatteri si chiamassero non più coi loro titoli, ma semplicemente «fratello», «sorella».

Nei tre mesi in cui seguii le vicende dell'ospedale, il vecchio direttore rimase al suo posto, ma la sua autorità diminuì progressivamente. Tutte le sue disposizioni, gli ordini di servizio, dal giorno in cui era arrivato il *can-bo*, apparirono sui muri delle corsie con la seguente firma: «Dottor Cao Van Be, direttore fantoccio».

Due volte la settimana il personale dell'ospedale al completo si riuniva, presente il *can-bo*, per discutere problemi politici in generale e questioni interne.

Una delle prime cose che furono fatte, ad esempio, nel reparto di psichiatria, fu di rivedere tutte le cartelle cliniche dei pazienti. Dopo lunghe interviste furono riscritte tutte le anamnesi dei malati, perché si scoprì che, per paura che ciò che dicevano finisse nelle mani della polizia di Thieu, moltissimi avevano mentito nel raccontare le storie loro o della famiglia.

Molta gente, negli anni della guerra, per evitare rappresaglie o continui interrogatori da parte della polizia, aveva sostenuto che padri, fratelli, figli andati a combattere nel Fronte erano morti. In certi casi erano stati organizzati perfino dei falsi funerali.

Nei giorni che seguirono la Liberazione ci furono molti casi di questi «morti» che tornavano e fra gli annunci di «ricerche di parenti» che il *Saigon Giai Phong* pubblicava quotidianamente, si leggeva spesso di «X.Y., dato per morto il giorno... cerca la famiglia che abitava in via...»

Molti orfanotrofi ricevettero la visita di genitori «morti» che venivano a riprendersi i figli.

Al «SOS Kinderdorf» di Go Vap, uno dei pochi istituti che durante la guerra non aveva fatto la speculazione sui bambini da adottare e che non aveva partecipato all'operazione *baby-lift*, una coppia di Quang Tri, che era stata data per morta nel '68, andò a metà giugno a riprendersi una bambina che loro stessi avevano sette anni prima affidato come orfana.

Gli orfanotrofi, specie quelli finanziati da organizzazioni caritatevoli straniere, furono una di quelle istituzioni che le nuove autorità scoraggiarono, tranne pochissime eccezioni, con ogni mezzo.

A Ben Tre, nel Delta, dopo la Liberazione un gruppo di guerriglieri andò a visitare un orfanotrofio tenuto da suore cattoliche e dissero che i bambini potevano benissimo essere presi in cura da famiglie vietnamite. Il giorno seguente, nonostante l'opposizione delle suore, l'orfanotrofio si svuotò, con tante coppie di contadini che ci andarono a prendere dei bambini da aggiungere ai propri.

La fine della guerra, con la riunione di famiglie divise, il rilascio dei prigionieri politici, il ritorno a casa dei partigiani ed una generale tendenza ad andarsi a stabilire in campagna, risolse naturalmente il problema degli orfani. Tre mesi dopo la Liberazione si calcola che oltre la metà della popolazione di orfani del Sud-Vietnam aveva già trovato famiglia.

Nell'università erano stati eletti, per ogni facoltà, dei Comitati Rivoluzionari in cui erano rappresentati studenti, professori ed impiegati. In ogni comitato era presente un *can-bo*.

Quello che andò alla facoltà di Architettura era originario di Camau, la punta estrema del Sud-Vietnam, ed era stato a suo tempo uno studente di Saigon. Arrivò con la sua amaca e per i primi mesi dormì e visse con gli studenti. Anche lui non soppiantò il vecchio decano, che rimase al suo posto.

340

Dopo essersi presentato ed aver fatto quello che era ormai un discorso standard sulla Rivoluzione e sulla necessità di tradurre quello che era successo il 30 aprile nella vita quotidiana e nel settore in cui ognuno lavorava, il *can-bo* disse di essere presidente del «K-7», la sezione del Comitato di gestione militare incaricata dei lavori pubblici.

Al contrario di facoltà come Medicina, dove molti professori erano scappati con gli americani (metà dei dentisti non c'era più), ad Architettura uno solo dei docenti era andato via e le lezioni ripresero così tre settimane dopo la Liberazione.

Con la mediazione del *can-bo* fu deciso che «rieducazione» dei professori e revisione dei programmi procedessero di pari passo coi corsi. Il *can-bo* spiegò agli studenti che non c'era un programma di architettura rivoluzionaria da parte di Hanoi, o da qualche altra parte, e che toccava a loro modificare lentamente il vecchio, con le loro proposte e le loro sperimentazioni. Contemporaneamente ai corsi specialistici cominciarono le lezioni di riorientamento politico.

Lo stesso avvenne, ma con maggiore lentezza, nelle altre facoltà: tranne nella Scuola di scienze sociali che rimase chiusa per sempre.

Era stata fondata dagli americani con programmi e laureati delle università degli Stati Uniti. Gli studenti che avevano frequentato questa scuola furono considerati dalle nuove autorità «pericolosi» e mandati a lunghi corsi di rieducazione. Quelli che erano solo al primo o secondo anno vennero assorbiti da altre facoltà.

Alla fine di luglio, quando stavo per partire, incontrai per l'ultima volta alcuni studenti di architettura. Mi dissero che, vicino a Bien Hoa, avevano ottenuto dall'amministrazione militare un grande terreno appartenuto al capo provincia fuggito con gli americani e che stavano facendo progetti per andarci a costruire una piccola città dove fare nuovi tipi di esperienze, anche sociali, che avrebbero poi potuto essere utilizzate anche in altre parti del paese. Pensavano ad una grande comune. Mi dissero anche che un altro gruppo aveva fatto uno studio di Saigon e che le conclusioni erano state: riportare Saigon ad un milione e mezzo di abitanti, non costruire niente di nuovo, ma conservare quello che esisteva.

All'università Van Hanh i corsi ripresero a luglio dopo alcuni processi popolari in cui furono messi sotto accusa professori e studenti che avevano in passato collaborato con la polizia di

Thieu. Non successe loro niente ed i professori continuarono ad insegnare.

A parte una spiegabile «sordità» di classe che la borghesia di Saigon aveva a capire il significato di ciò che stava succedendo, c'era, specie nei primi tempi, anche una genuina confusione su ciò che la Rivoluzione voleva, sul significato ad esempio di «uomo nuovo», perfino fra chi aveva interesse e voleva capire.

Fra i giovani poi ci furono forme di conformismo rivoluzionario che furono riprese e condannate dalle nuove autorità. S'era per esempio diffusa fra giovani studenti e ragazze l'idea che nella Rivoluzione non bisognava vestire bene, che le donne non dovevano truccarsi e specie le ragazze non dovevano più indossare i bei *ao-dai* colorati.

Nessuno ovviamente aveva mai detto che doveva essere così; ma non bastò che la signora Phuong Dung, assistente di Tran Van Tra e maggiore dell'Esercito di Liberazione, si presentasse ad un ricevimento a Doc Lap con uno splendido *ao-dai* bianco. Gruppi di giovani ultrarivoluzionari continuarono a ridicolizzare per strada le ragazze ben vestite e arrivarono a tagliare con le forbici i pantaloni alla moda di alcune.

Un giorno, al mercato di Saigon, i *bo-doi* intervennero nel mezzo di una lite a questo proposito. Fecero parlare i giovani, poi la ragazza in questione, e decisero che i giovani dovevano fare una colletta per ricomprare il paio di pantaloni che era stato sforbiciato a pezzi.

Su questa questione venne poi, sotto forma di risposta alla lettera di una ragazza, il parere delle autorità. Sul primo numero del settimanale *Phu Nu* (La Donna Nuova) pubblicato il 19 maggio, la direttrice scrisse: «La donna deve essere bella. Il successo rivoluzionario è una condizione perché la donna sia più bella. Se al momento non possiamo mangiare bene, non possiamo vestirci bene, è perché il nostro paese è povero e perché dobbiamo economizzare per la ricostruzione.

«Ma quando questo periodo sarà finito, le donne non solo potranno vestirsi meglio: lo dovranno fare. Nei paesi socialisti europei ci sono organismi specializzati per lo studio della moda degli abiti, delle scarpe, al servizio della bellezza. Il problema da discutere è il nostro punto di vista sulla bellezza. Vestirsi bene, truccarsi senza esagerazione deve essere fatto per alzare il livello della donna, e non per semplice esibizione».

Il problema di che cosa volesse dire «fare la Rivoluzione»,

«diventare uomini nuovi» per molta gente rimase; ma rimase anche, sempre più presente, sempre più pungente, l'esempio di vita rivoluzionaria che i *can-bo*, che i *bo-doi* davano quotidianamente col loro semplice esserci.

I «bo-doi»

Era difficile, standoli a guardare quando arrivavano per mano, a coppie, a comprare la verdura al mercato, quando passavano in pattuglia lungo i marciapiedi in file indiane di dodici o quando, circondati da una decina di persone, tenevano banco agli angoli delle strade in conversazioni a volte provocatorie, era difficile immaginarsi dei soldati più disciplinati, più corretti, dei soldati in fondo così poco soldati.

C'era stato nella storia un altro caso come questo? Un esercito vittorioso entrato nella città dei vinti che non si comportava da padrone, che non vantava la sua guerra, che non inventava dei processi di Norimberga per impiccare i suoi nemici sconfitti?

«Non siamo noi, ma il popolo vietnamita che ha vinto. Tutto il popolo», ripetevano ad ogni occasione.

«Se avessimo noi preso Hanoi, come loro hanno preso Saigon, avremmo fatto un macello», mi disse in tutta sincerità Do Viet, il colonnello della «guerra psicologica» dell'ARVN.

In tre mesi a Saigon non ci fu un solo incidente grave in cui fosse coinvolto un *bo-doi*: non un assassinio, non un furto, non uno stupro.

In grandissima parte erano ragazzi fra i 17 ed i 20 anni. Appena usciti di scuola si erano arruolati volontari. Molti avevano fatto tre volte la domanda prima di essere accettati. La maggioranza veniva dal Nord-Vietnam, ma ce n'erano anche del Sud, perché spesso non erano state intere divisioni nordvietnamite ad infiltrarsi nel Sud. Di una divisione partiva soltanto qualche battaglione, uno o due reggimenti, e solo una volta nel Sud queste unità si ingrandivano fino a raggiungere gli effettivi di una vera e propria divisione (di solito circa mille uomini), con l'aggiunta di giovani reclutati sul posto. Ogni soldato, anche dell'esercito nordvietnamita, che passava il 17° parallelo, diventava automaticamente membro dell'Esercito di Liberazione.

I più erano ragazzi di campagna, ingenui, modesti, ma senza il complesso dei contadini che arrivano in città. D'esser diversi non si vergognavano. Una volta ne sentii uno che ad un gruppo di saigoniti curiosi di sapere le sue impressioni sulla metropoli rispose: «Quando arrivai credevo di essere cascato sulla luna. Tutte queste luci, le case grandissime e tutta questa gente che corre, corre in giro come dei matti».

Spesso i loro coetanei di Saigon chiedevano ai *bo-doi* di raccontare le loro avventure di guerra, le loro gesta, ma non avevano successo. La risposta più comune era: «La guerra è finita. Quel che abbiamo fatto non conta più».

Le risposte si ripetevano. Ne avevano una per ogni domanda.

Le unità che avevano preso Saigon il 30 aprile erano state ritirate dalla città due o tre giorni dopo e dei nuovi che rimasero non c'era *bo-doi* che non avesse seguito, prima di entrare in città, dei corsi su come comportarsi con la popolazione, quale atteggiamento avere nei confronti dei «fantocci», degli stranieri, su come rispondere alle provocazioni ed alle domande della gente.

Quello a cui nessun corso poteva averli preparati era la vita di Saigon con le sue truffe, le sue falsità, le sue migliaia e migliaia di persone che per vivere conoscevano solo un modo: arrangiarsi.

Un giorno, poco dopo la Liberazione, sulla via Hai Ba Trung vidi un *bo-doi* che stette per un paio d'ore ad aspettare il ritorno di un ragazzino lustrascarpe che gli aveva chiesto in prestito, «solo per un attimo», la sua bicicletta. Un gruppo di gente che aveva visto la scena gli spiegò che il ragazzino non sarebbe più tornato ed il *bo-doi* esterrefatto ripeteva: «Ma questo è furto, vero?»

Il più grande divertimento, anche per me devo dire, era andare a vedere i *bo-doi* in libera uscita sulla piazza fra Doc Lap e la cattedrale.

S'era installata là una sorta di fiera popolare permanente, con barroccini di zuppa, bibite e decine di venditori ambulanti, spesso ex soldati e poliziotti di Thieu, che truffavano nei modi più sconci i poveri *bo-doi*. Radio a transistor con pile scariche, orologi vecchi giusto rilucidati a nuovo venivano venduti a prezzi che neppure un GI ubriaco avrebbe pagato ai suoi tempi.

L'orologio era il grande desiderio dei *bo-doi*, il simbolo dell'essere stati a Saigon. L'Esercito ne dava uno d'ordinanza solo dal maggiore in su. Fra la truppa l'orologio era una vera rarità. Nella giungla era bastato il sole e fu giusto il sole che il *bo-doi* di guardia al ministero degli Esteri, in piena Saigon, mi indicò una volta per dirmi che era mezzogiorno e che gli uffici erano chiusi al pubblico.

Al tempo della guerra, i *bo-doi*, per dire che la loro zuppa era solo di riso e verdura e che non c'era carne, dicevano: «Mangiamo la zuppa senza pilota». Saigon riprese subito quest'espressione e coniò uno degli slogan pubblicitari più riusciti (almeno coi *bo-doi*): «L'orologio con dodici luci, due finestre e senza pilota». Voleva naturalmente dire: un orologio con dodici numeri, la data, il giorno, ed automatico.

Gli scaltri venditori, per mostrare che i loro orologi erano anche «waterproof», tenevano a portata di mano un bel bicchiere, una bottiglia d'acqua, ed era uno spasso vederli tuffare questi aggeggi multicolori con quadranti fosforescenti, cangianti come l'arcobaleno, dinanzi agli occhi esterrefatti dei *bo-doi*.

I *bo-doi* non avevano affatto molti soldi. Una volta nel Sud non ricevevano uno stipendio fisso, ma solo dei premi. Quello per la Liberazione era stato di pochi dong, ma per comprare orologi facevano delle collette. Ogni unità si tassava di una certa cifra per comprare l'orologio a chi si era distinto per qualche azione. L'orologio era suo ed il mese successivo lo si comprava a qualcun altro.

L'altra grande attrazione per i *bo-doi* erano le foto Instamatic. Si mettevano in gruppo dinanzi alla fontana sulla piazza Lam Son, sorridevano, e poi, dopo il *clic*, correvano ogni volta più increduli attorno al fotografo che, berretto da baseball sulle ventitré, come un prestigiatore sfilava lentamente la carta sotto la quale affioravano, a colori, le loro immagini.

Un rebus che i saigoniti non riuscirono mai a risolvere fu distinguere, fra i *bo-doi*, gli ufficiali dai semplici soldati. Non era facile. Le uniformi, i sandali, li avevano tutti uguali e Saigon s'accontentò di credere che più penne a sfera un *bo-doi* aveva nel taschino, più alto era il suo grado.

«A noi basta guardarci in faccia per capire chi è ufficiale», mi disse un giorno un *bo-doi*. «Se tu entri in una famiglia, non riconosci chi è il padre?»

Lo avevo incontrato a comprare Beethoven «in cassette» in un negozio di musica sul viale Le Loi, lo avevo sentito pronunciare dei titoli di sonate in perfetto tedesco e gli chiesi se lo parlava. Certo. Aveva studiato per tre anni chimica all'università di Lipsia.

Lo rividi spesso nei miei tre mesi a Saigon. Tran era il nome della sua famiglia: contadini nel delta del Fiume Rosso, non lontano da Hanoi, nati rivoluzionari. Il nonno aveva cominciato a lottare contro i francesi, una zio era morto a Poulo Condor ed il padre, Tran Huy Lieu, autodidatta, morto nel 1969, membro del Comitato centrale del partito, era stato uno dei grandi intellettuali guerriglieri della prima Resistenza antifrancese.

Una volta, invitato a diventare membro dell'Accademia delle Scienze di Berlino, qualcuno gli chiese dove si era laureato, e lui aveva risposto: «Nelle prigioni francesi».

Era stato, assieme a Truong Chin, uno dei leader vietminh che, catturato, aveva saputo resistere alle più terribili torture. Aveva una memoria di ferro ed in prigione funzionava da biblioteca ambulante. Quando qualcuno fra i carcerati per scrivere un documento aveva bisogno di una citazione dei classici marxisti, andava da Huy Lieu e lui recitava. Sapeva a memoria più o meno tutto *Il Capitale*.

Nel '44 Huy Lieu fu portato in un campo di prigionia a Ba Ven, nel Nord del Vietnam. Non aveva visto la moglie per qualche anno e dei compagni riuscirono a fargliela incontrare una volta, tagliando un varco nel reticolato ed organizzando un incontro in una piccola capanna di frasche in riva ad un fiume che si chiamava Cong. Fu in quell'incontro che il mio *bo-doi* venne concepito ed il padre gli dette per nome metà del suo e quello del fiume: Huy Cong.

Poco dopo la sua nascita scoppiò la Rivoluzione d'Agosto, il padre uscì di prigione, diventò ministro nel primo governo Ho Chi Minh ed il nome del mio *bo-doi* fu cambiato in Thanh Cong, «Successo».

Tornato da Lipsia, Thanh Cong aveva lavorato come chimico ad Hanoi, poi nel '71 s'era arruolato nell'Esercito di Liberazione e per quattro anni era stato guerrigliero-pittore. I suoi acquarelli erano esposti all'ex Circle Sportif.

Erano scene della vita nei bunker sotto i bombardamenti dei B-52, o ritratti di guerriglieri in bicicletta lungo il sentiero di Ho Chi Minh, con dei carri armati sullo sfondo.

«Questa combinazione del primitivo, del semplice, con ciò che c'è di più moderno, di più sofisticato al mondo è tutto il segreto della nostra guerra», diceva.

Per tre settimane di seguito, ad aprile, Thanh Cong era rimasto isolato, con un compagno, in una fossa di due metri per uno, sul bordo della strada numero 13, poco lontano da Lai Khe, a bloccare i rinforzi dell'ARVN che cercavano di raggiungere Xuan Loc.

346

«Non potevamo uscire dal bunker neppure per un minuto. Anche il mortaio lo si sparava rimanendo dentro. Per pisciare si usavano le ciotole del mangiare che si rovesciavano poi fuori sporgendo solo una mano. Avevamo abbastanza riso cotto, sale e acqua per resistere due mesi.

«Ricevevamo sulla testa mille colpi di cannone al giorno. Quando veniva la bordata ci si accucciava in fondo alla buca con gli orecchi tappati e la bocca aperta. Più che le cannonate, era diventato insopportabile il nostro stesso puzzo.»

Thanh Cong era arrivato a Saigon il giorno dopo la Liberazione.

«Mi successe una cosa buffissima. Non me la dimenticherò mai. Per anni mi ero dovuto scavare delle fosse, in cui dormire, in cui difendermi dai B-52. Basta una notte a scavare una fossa, ma ci vuole una pala adatta. La mia era buona, ma avevo sempre sognato una di quelle piccole, leggere, fatte dagli americani per i fantocci. L'avevo sempre cercata, ma non l'avevo mai trovata.

«Quando entrai a Saigon, ne vidi una, nuovissima, sul bordo della strada. Fermai la jeep e corsi a prenderla. Ero felicissimo. Solo un momento dopo mi accorsi che non ne avevo più bisogno, che la guerra era finita, che non avrei più dovuto scavarmi delle buche come una talpa per nascondermi.»

Non riuscii mai a sapere con esattezza cosa Thanh Cong facesse a Saigon, quale fosse la sua funzione, ma credo che lavorasse come *can-bo* nella sezione politica dell'esercito.

Una volta gli chiesi se era membro del partito e lui rispose: «È molto, molto difficile entrarci, ed è ancor più difficile rimanerci. Bisogna avere e mantenere una coscienza politica molto alta, bisogna saper trascinare gli altri, bisogna essere come una locomotiva che si tira dietro i vagoni, e per questo occorre avere grandi qualità. Bisogna combattere l'egoismo... È così facile essere egoisti, è un atteggiamento difficile da superare. È bello vestirsi bene, mangiare bene, avere della bella musica; ma bisogna vincersi.

«Sai, quando si vive nella giungla si ha solo un sacco in spalla, ma quando si entra in una città come Saigon, è spontaneo volere di più. Ma è solo vincendo questa battaglia interna contro noi stessi che abbiamo vinto quelle esterne contro i nostri nemici. Bisogna continuare. Dobbiamo dare l'esempio alla popolazione. Solo così ci seguirà.

«Per il Nord l'esempio dello zio Ho era questo. Ma il Sud, che esempi ha avuto? Thieu? Sì, la popolazione lo ha imitato nella sua corruzione, nella sua avarizia, ed ecco dove si sono trovati. Per costruire una nuova società non è il talento che conta, ma la virtù».

Più che di soldati, quello dei *bo-doi* era un esercito fatto di quadri politici. L'istruzione all'uso del fucile non a caso veniva dopo che il *bo-doi* era passato attraverso un lungo periodo di formazione politica.

«Non sono dei corsi, ma delle discussioni», mi spiegò poi, ad Hanoi, il colonnello Tran Cong Man, direttore del quotidiano delle Forze Armate. «Spesso accanto ai *bo-doi* partecipa la popolazione. I temi che ogni *bo-doi* deve affrontare e sui quali viene istruito sono: il patriottismo; l'amore per i lavoratori; l'internazionalismo e la solidarietà operaia; distinguere fra gli amici ed i nemici della Rivoluzione e del popolo vietnamita. Una volta al fronte, l'educazione politica continua perché la situazione cambia ed i *bo-doi* discutono coi loro quadri ogni nuovo sviluppo, sia interno sia internazionale. Tutte le unità che hanno preso parte all'attacco a Saigon hanno a lungo discusso i piani, ed anche i semplici soldati hanno potuto dire cosa ne pensavano. I *bo-doi* hanno il diritto di discutere gli ordini dei superiori. Il tema centrale dei corsi per i *bo-doi* che dovevano rimanere a Saigon era: 'Distinguere fra la bellezza della Rivoluzione ed i mali della vita corrotta'.»

Chiesi al colonnello Man come veniva punito il *bo-doi* che non rispettasse la disciplina rivoluzionaria.

«Il nostro è un esercito in cui non ci sono prigioni. Per il tradimento è prevista la fucilazione, ma è così solo in teoria, la sua applicazione viene a lungo discussa. Le punizioni, se le vuole chiamare così, sono: la critica in pubblico; l'avvertimento; la soppressione dei permessi. È la coscienza del gruppo che punisce, non una regola scritta.»

«Ci sono differenze di trattamento fra semplici *bo-doi* ed ufficiali?»

«No. Nel nostro esercito non c'è differenza. Ogni soldato deve essere in grado di andare in missione da solo, non deve aver bisogno di ufficiali che lo guidano. Questa è la grande differenza fra il nostro esercito e gli eserciti capitalisti. Nel nostro, un soldato è un rivoluzionario; negli altri, i soldati sono robot.

«Il nostro esercito è anche diverso da quello di altri paesi socialisti. Neppure quelli cinesi o sovietici sono così. Il nostro è l'esercito più democratico. Quadri, soldati ed ufficiali sono uniti come in una famiglia. Uno è uguale all'altro. L'applicazione di questa regola di democrazia è per noi fondamentale.»

I *bo-doi* che entrarono a Saigon sapevano che molta gente in mezzo alla quale sarebbero andati a vivere aveva materialmente molto più di quanto avevano loro, sapevano che a Saigon i più mangiavano «la zuppa col pilota»; ma durante i corsi di aggiornamento avevano anche imparato che loro avrebbero dovuto continuare a sacrificarsi per permettere alla popolazione della città di adeguarsi lentamente ad un livello di vita più basso.

L'esercito aveva un piano per restringere i consumi già minimi dei *bo-doi* e rifornire Saigon, specie di generi alimentari, che avrebbero permesso un passaggio più dolce attraverso il periodo di transizione.

L'esercito continuò così a mangiare zuppa senza carne e i *bo-doi* coi loro grossi cesti di bietole d'acqua appese a dei pali, che portavano in due sulle spalle al ritorno dal mercato, rimasero una scena quotidiana per le strade, e Saigon non poteva che essere impressionata, a volte quasi impaurita, da questa rigidità, da questa austerità.

IV

Proprietà del popolo

Andavano a giro in gruppi di tre. Due con gli AK-47 a tracolla si mettevano di guardia all'ingresso di una casa, di un negozio, di un'officina, ed uno, di solito più anziano, forse un ufficiale, con una cartella piena di fogli, bussava, chiedeva permesso, entrava, salutava cortesemente e cominciava a far domande.

Erano i *bo-doi* del censimento. Ce n'erano dappertutto in città e le domande erano sempre le stesse: «Di chi è questa casa? Quanti siete in famiglia? A chi appartiene la macchina nel garage? A chi questo televisore? E la motocicletta?...»

Il principio era semplice: tutto, tutto dagli edifici, le fabbriche, gli appartamenti, i mobili, fino alle forchette ed ai cucchiai, tutto ciò che era appartenuto ai vietnamiti «fantocci» che avevano lasciato il paese prima della Liberazione veniva automaticamente requisito e messo a disposizione dei *bo-doi*. Lo stesso valeva per le proprietà degli stranieri, specie degli americani che erano fuggiti.

Molta gente, scappando, aveva fatto in tempo a vendere le sue proprietà, a cederle a parenti che restavano e quei documenti venivano ora mostrati ai *bo-doi* come titoli per evitare la requisizione. Non c'era nulla da fare: ogni contratto stipulato dopo la presa di Ban Me Thuot da parte dell'Esercito di Liberazione venne dichiarato scaduto.

La città fu messa a soqquadro. Famiglie che vivevano in case affittate dai «fantocci», gente che s'era spostata dopo la Liberazione in appartamenti abbandonati, ebbero solo qualche giorno per cercarsi una nuova abitazione, e nelle strade si vide un gran via vai di carretti carichi di masserizie della gente che traslocava.

Alcuni non riuscirono a dimostrare che i mobili delle case «fantocce» in cui stavano erano loro e dovettero andarsene solo con un paio di valigie piene esclusivamente di vestiti.

In ogni locale che si vuotava entravano i *bo-doi*, installavano le loro zanzariere, accomodavano per terra i loro modesti possedimenti e piazzavano il pentolone di alluminio in cui ogni unità cuoceva il suo riso e bietole d'acqua. Sui muri comparivano dei piccoli manifesti rosa con su stampato il «decalogo del *bo-doi* e del suo alloggiamento»:

- attenzione agli avvelenamenti. Non mangiare cibi e non usare medicine lasciate dal nemico;
- attenzione al sistema d'acqua;
- non mangiare verdure crude;
- pulire a fondo ogni locale prima di installarsi;
- imparare l'uso dei bagni, gabinetti, eccetera;
- dove non esiste gabinetto scavare fosse biologiche;
- collaborare con la popolazione per svolgere servizi di pulizia;
- farsi vaccinare;
- fare uno studio del quartiere dal punto di vista igienico e sanitario;
- prendere misure contro le epidemie.

In quella che era stata l'ambasciata inglese si installò una intera compagnia di soldati. La sera con tutte le luci accese si vedevano i *bo-doi* stesi nelle amache a frescheggiare nei vani delle finestre.

Andando a visitare l'edificio in cui c'era l'ambasciata italiana, i *bo-doi* scoprirono, proprio sopra la cancelleria, un appartamento che la CIA aveva utilizzato per captare conversazioni telefoniche e le trasmissioni radio dei diplomatici italiani. Dall'appartamento presero le apparecchiature elettroniche che ci trovarono, armi e un archivio pieno di documenti; dall'ambasciata portarono via tutte le auto, ma non andarono a installarcisi.

Tutto ciò che non veniva immediatamente occupato, come i negozi abbandonati dai loro proprietari ancora pieni di merce e che dovevano essere visitati ed inventariati da uno speciale ufficiale economico dell'amministrazione militare, veniva sigillato con un semplice foglio incollato di traverso sulle saracinesche e sui lucchetti. Una scritta diceva: «Proprietà del popolo. Non danneggiare».

A Saigon, almeno nei primi tre mesi in cui fui testimone, non vennero toccate le proprietà della gente che era rimasta sul posto. Chi però aveva appartamenti, case o ville giudicate dai *bo-doi* più che sufficienti per una sola famiglia venne invitato a cedere un po' del proprio spazio.

«È un'esperienza interessantissima», diceva Cao Giao che, da un giorno all'altro, s'era ritrovato in casa, in mezzo ai suoi figli, undici giovani *bo-doi*. «Sono educatissimi, hanno una notevole preparazione politica e noi impariamo ogni giorno qualcosa di nuovo sulla vita dell'altro Vietnam che abbiamo ignorato per vent'anni.»

I *bo-doi* entrarono così nelle viscere della città. Non c'era blocco di appartamenti, cortile, stradina in cui non fossero andati ad installarsi ed ovviamente non tutti erano entusiasti come il mio amico di questa invadente, inquisitiva, a volte inquietante presenza.

«Sapevo che non mi avrebbero fatto del male; ma non mi aspettavo che arrivassero portandosi dietro polli e maiali», mi disse una signora di mezza età che sulla via Pasteur possedeva un edificio con venti appartamenti e che non era riuscita a partire, perché il 28 aprile, mentre stava andando al porto, due poliziotti con le pistole spianate le avevano portato via la valigia piena di dollari. I *bo-doi* non avevano requisito l'immobile, ma avevano chiesto di installarci un'unità incaricata dei rifornimenti alimentari ed a lei era stato difficile rifiutare.

Molte delle macchine che i *bo-doi* requisirono furono messe a disposizione dei comitati rivoluzionari o date ai vari uffici dell'amministrazione militare che, tolte le vecchie targhe, le contrassegnavano con «K-1», «K-2», «K-3», eccetera. Ad ogni sigla corrispondeva un servizio: igiene, sicurezza, economia, eccetera.

Motociclette, televisori, ventilatori, vennero ammassati nei magazzini di stato e molta gente sostenne di aver visto colonne di camion lasciare la città sulla autostrada numero 1, diretti ad Hanoi carichi di questo bottino.

Il costo della vita a Saigon diminuì. Dopo i primi giorni in cui tutti i prezzi, tranne quelli delle cose rubate agli americani, ebbero un'impennata, i costi, specie dei generi alimentari, si stabilizzarono e in molti casi calarono rispetto a quelli di prima della Liberazione. Con le strade aperte e tutti i collegamenti con le campagne non più dipendenti dalle vicende della guerra, i mercati erano pieni di verdure, riso, carne e pesce. Il problema era che la gente aveva sempre meno soldi da spendere.

Con tutti i funzionari ed impiegati statali rimasti senza stipendio e le banche chiuse, anche le famiglie della media e ricca borghesia furono costrette, per racimolare del liquido, a disfarsi lentamente di tutti i simboli del loro benessere passato.

All'ingresso di Tan Son Nhut, la grande piazza attorno all'incompiuto monumento americano ai «Caduti per la libertà», diventato dopo la Liberazione un immenso appestante immondezzaio, fu trasformata nel più gran mercato di cose usate che Saigon avesse mai avuto: letti, armadi, materassi, macchine per cucire, motorini, statuette, radio, Honda, lampade, piatti, biciclette, orologi si accatastarono in cerca di compratori.

Le famiglie che rinunciarono al problema di «salvare la faccia» finirono per esporre l'intero contenuto delle loro case sulla porta d'ingresso, lungo i marciapiedi della città. Signore un tempo chiaramente benestanti stavano ora ad aspettare che qualcuno si avvicinasse ai loro mucchi di cose messe in mostra, ognuna col suo cartellino del prezzo richiesto.

«Siamo sette in famiglia. Nessuno ha più un lavoro. Tutti i nostri risparmi sono in banca ed al Comitato Rivoluzionario, dove ho chiesto di poter usufruire delle distribuzioni di riso, mi hanno detto che, avendo ancora il televisore, il frigorifero ed una bicicletta, siamo più ricchi di molta gente che non ha niente e che per questo ha più bisogno di noi», mi disse una signora che cercava di vendere quel che le restava davanti alla sua casa sulla via Nguyen Du.

Chi comprava? Innanzitutto i contadini che in Vietnam, come in ogni paese, per diffidenza verso le banche avevano tenuto con sé i pochi soldi che avevano; poi i funzionari del nuovo regime che, pur ricevendo salari minimi, avevano pur sempre delle entrate fisse.

Bastava passeggiare per Saigon per avere l'impressione di questa rudimentale, automatica ridistribuzione della ricchezza e della eliminazione non fisica, ma economica di una intera classe.

Le mutate condizioni della città e i cambiamenti nella vita quotidiana avevano costretto moltissimi piccoli negozi a chiudere o a cambiare attività. Sartorie, calzolai, venditori di souvenir ed agenzie di viaggio che avevano fatto fortuna con gli americani erano rimasti assolutamente senza clienti. Alcuni avevano svuotato le loro botteghe ed avevano messo tavolini e sedie per servire delle semplici tazze di tè con biscotti. Nessuno, tranne i pochi stranieri rimasti, andava al ristorante e questi improvvisati caffè riuscivano a sopravvivere.

Il gioielliere «Bao Chu», al numero 165 della via Tu Do, si mise a vendere ciotole di zuppa a 150 piastre, invece dei costosissimi braccialetti ed orecchini di un tempo. Cao Giao ed io ci andavamo spesso perché ci piaceva, dopo la zuppa di vermicelli e insalata, bere il tè in bei bicchieri di cristallo col manico d'argento, con su inciso «Saigon», che il padrone aveva preferito mettere sui tavoli che lasciare invenduti nelle vetrine.

Se il regime di Thieu aveva avuto sui suoi libri paga un milione e mezzo fra soldati, poliziotti e funzionari, e contando che in media ognuno aveva due o tre persone a carico, c'erano dopo la Liberazione nel Sud-Vietnam dai tre ai quattro milioni e mezzo di persone che avevano perso ogni fonte di guadagno. Molti di questi erano concentrati a Saigon, dove era pressoché impossibile trovare un lavoro alternativo.

La soluzione più naturale di questo problema era lasciare la città. Una parola d'ordine che il *Saigon Giai Phong* stampò varie volte in rosso sulla testata di prima pagina diceva: «Produrre è vivere. Tornate alla campagna».

I primi a partire furono i rifugiati più recenti, arrivati a Saigon per sfuggire alle ultime battaglie precedenti la Liberazione. Poi, lentamente, col progressivo peggiorare delle condizioni economiche in città, si mossero gli altri.

Le autorità non costrinsero nessuno a partire, ma fecero attraverso la radio, i giornali e gli stessi *bo-doi* una intensa propaganda per incoraggiare il «ritorno al paese natale».

Chi voleva partire e non ne aveva i mezzi doveva presentarsi ai comitati di quartiere, farsi iscrivere su certe liste ed aspettare il proprio turno. Dal momento della registrazione all'arrivo a destinazione spesso passavano dei giorni durante i quali i *bo-doi* fornivano mezzo chilo di riso e duecento piastre a testa per giorno.

Alle tre principali stazioni di autobus, Petrus Ky, Nguyen Tri Phuong e Nguyen Thai Hoc, era un continuo strombettare di automezzi che partivano stracarichi fin sul tetto di gente, biciclette e ceste. Hué, Da Nang, Ca Mau, Pleiku... erano le destinazioni scritte in gesso bianco sui fianchi e sul parabrezza.

In tutto il Vietnam del Sud c'erano, secondo i calcoli fatti dall'amministrazione Thieu, circa tre milioni e mezzo di ettari di terra coltivabile. Le nuove autorità contavano di portare al più presto questa estensione fino a cinque milioni, semplicemente recuperando terreni che non erano stati in passato utilizzati a causa della guerra: zone contestate, campi minati, aree riservate ad uso militare, eccetera. Con un programma di disboscamento successivo contavano di aumentare ulteriormente il totale della terra coltivabile.

Ad Hanoi un alto funzionario, parlando di questo esodo dalle città e con un riferimento critico a quello che era successo in Cambogia, dove i khmer rossi avevano costretto la popolazione ad evacuare completamente Phnom Penh, mi disse: «Noi vogliamo che i contadini tornino alla campagna, ma non vogliamo svuotare le città, non vogliamo cacciare via gli operai di cui avremo bisogno per riavviare ed espandere la produzione industriale. Quello che ci interessa è mantenere un livello di popolazione sufficiente per ogni centro urbano».

Saigon era diventata, con la guerra, una città di oltre tre milioni e mezzo di abitanti. L'obiettivo della Rivoluzione era riportarla ad un milione e mezzo.

Alla fine dei primi tre mesi, circa trecentomila persone erano già partite.

Caccia agli ostinati

La registrazione dei «fantocci» procedeva senza grandi intoppi. Ci fu solo un po' di confusione coi membri del Dan Chu, il partito unico di Thieu, perché quando era stato costituito, gli uomini del presidente avevano gonfiato le liste coi nomi di tutti i funzionari del governo, i loro familiari, i loro parenti, e sui cinque milioni di «iscritti» moltissimi, non sapendo neppure di esserlo, non si presentarono per registrarsi.

Dei soldati e dei poliziotti del vecchio regime, alla metà di maggio se ne erano già registrati decine di migliaia; ma per i *bo-doi* era difficile fare i conti di quelli che ancora si nascondevano, che facevano i «sottomarini» in città, come si diceva. Pur avendo recuperato gli elenchi delle varie unità, pur conoscendo i nomi di tutti gli ufficiali dell'ARVN, era impossibile stabilire con certezza chi era scappato con gli americani, chi era morto nelle ultime battaglie, chi era scomparso in mare con gli elicotteri rimasti senza benzina o nelle barche sovraccariche rovesciate dai monsoni e chi, invece, era rimasto nel paese e si ostinava a non presentarsi alle nuove autorità.

«Ostinato» divenne un altro di quei nuovi termini che Saigon ebbe a imparare. «Ostinato» era chi non accettava la nuova realtà del paese, chi non si piegava alle nuove regole della società, chi persisteva sulla «via dell'errore». Se «fantoccio» era un attributo che si riferiva alle attività del passato e per questo era perdonabile, «ostinato» si riferiva alle azioni del presente, era frutto di una scelta volontaria fatta dopo la Liberazione e per questo era una colpa grave, a volte gravissima. Essere «ostinato» era essere criminale.

Una settimana prima della scadenza massima per la registrazione, gli «ostinati» ricevettero un ultimatum: «O presentarsi o subire le conseguenze». Un lungo editoriale sul quotidiano *Saigon Giai Phong* fece appello alla popolazione a denunciare tutti quelli che ancora si nascondevano e rivelò, per la prima volta, che alcuni «ostinati» avevano assassinato dei *bo-doi*.

Non s'era affatto creato, come una certa Saigon vociferava con soddisfazione, un esercito di guerriglieri anticomunisti decisi a dar battaglia alle nuove autorità; ma c'erano alcune centinaia o forse migliaia di ex soldati e poliziotti che ancora con le loro armi rifiutavano di costituirsi.

Alcuni si erano organizzati in bande di veri e propri rapinatori, altri avevano lasciato la città sperando di poter vivere alla macchia come avevano fatto, fino ad allora, i loro nemici vietcong. Un gruppo di questi era andato a nascondersi in una zona paludosa attorno a Nha Be ed ogni tanto tirava dei colpi di mortaio. Un altro girovagò attorno a Lai Thieu, finché degli studenti che andarono disarmati ad incontrarli non li convinsero ad arrendersi.

In alcune zone meno popolate del paese alcuni gruppi di «ostinati» resistettero molto più a lungo, ma siccome non costituivano alcun pericolo i *bo-doi* li lasciarono in pace. Fecero attorno alle loro zone dei cordoni di sicurezza ed aspettarono.

«Senza l'aiuto della popolazione non hanno modo di sopravvivere. Prima o poi dovranno uscire. Non vale la pena spendere uno solo dei nostri soldati per andarli a snidare», mi disse un ufficiale dell'Esercito di Liberazione.

Il problema degli «ostinati» era più serio in città perché lì avevano più possibilità di nascondersi e di trovare appoggi fra la popolazione. Così, dopo una settimana in cui il coprifuoco era stato abolito ed i *bo-doi* andavano ormai senza armi in ogni quartiere, il Comitato di gestione militare reimpose il bando a circolare per le strade fra le undici di sera e le cinque del mattino ed ordinò ai soldati dell'Esercito di Liberazione di non uscire disarmati.

Fra i «fantocci» che mancavano all'appello della registrazione c'erano i membri della polizia segreta di Thieu e molti soldati delle forze speciali. Paracadutisti e *rangers* avevano sulle braccia e sul petto i tatuaggi del loro giuramento anticomunista e temevano che semplicemente per questo sarebbero stati fucilati. «Un giorno non è completo se non ho ucciso un vietcong», avevano scritto alcuni. Altri s'erano tatuati una croce per ogni «VC» che avevano sgozzato.

Un altro gruppo che a buon diritto temeva la registrazione era quello dei *chieu hoi*, gli ex vietcong che avevano disertato e si erano messi al servizio degli americani e delle forze di Thieu.

Chieu hoi (letteralmente «braccia aperte») era il programma che il Comando americano della guerra psicologica aveva lanciato in parallelo col programma Phoenix. Il primo era inteso ad attirare, con la promessa di clemenza e di una nuova vita, i guerriglieri dalla parte governativa; il secondo era fatto per «eliminare» (nella maggior parte dei casi voleva dire «assassinare») il più alto numero di persone (almeno 2000 al mese era l'obiettivo) anche solo sospette di essere agenti o quadri politici del Fronte di Liberazione.

Migliaia di volantini che avevano da un lato la bandiera a tre strisce della Repubblica e dall'altro il testo di un salvacondotto venivano lanciati sulle zone controllate dai vietcong ed ogni guerrigliero che si arrendeva presentando uno di quei fogli, invece di essere passato per le armi o mandato in un campo di prigionieri di guerra, veniva, dopo un periodo di interrogatori e rieducazione, integrato nelle forze dell'ARVN.

Gli americani avevano costituito coi *chieu hoi* un corpo speciale, i Kit Carson Scout, che usavano come guide nei territori più insicuri del paese. I sudvietnamiti li usavano come esca per attirare altri guerriglieri o li mandavano in prima linea a provare combattendo contro i loro ex compagni che si erano veramente convertiti.

Uno dei più famosi ex guerriglieri che dopo aver disertato aveva fatto carriera nei ranghi di Saigon era il colonnello Nguyen Be. Su consiglio degli americani, Thieu lo aveva nominato direttore della scuola dei quadri «rivoluzionari» a Vung Tau. Be, sfruttando la sua lunga esperienza nella guerriglia, aveva tentato, imitando i vietcong nella terminologia, nell'addestramento e perfino nelle uniformi, di formare dei giovani che potessero vivere in mezzo ai contadini come i vietcong, ma lavorare per il regime.

Nel '74 il colonnello Be era stato sostituito alla scuola di Vung Tau e mandato, come uomo della CIA, al ministero degli Affari Sociali di Thieu ad occuparsi del coordinamento di tutti gli aiuti umanitari messi a disposizione da governi ed organizzazioni stranieri.

Era un posto importantissimo, perché si trattava di convogliare i milioni e milioni di dollari, spesso raccolti in Europa ed in America in nome delle vittime della guerra, in un piano inteso a creare coi profughi nuovi insediamenti strategici per difendere le zone controllate dal governo sudista.

Così come nel 1954 si era costituita, coi rifugiati cattolici del Nord, una fascia di sicurezza attorno a Saigon ed era nato ad esempio il sobborgo ferventemente anticomunista di Ho Nai, proprio là dove fino agli Accordi di Ginevra arrivava la foresta di Bien Hoa infestata di vietminh, il milione di profughi prodotto dall'offensiva del '72 venne utilizzato dopo gli Accordi di Parigi per isolare le sacche di territorio sotto l'amministrazione GPR e per proteggere le vie di comunicazione di Saigon. Intere popolazioni, cui venne impedito di tornare ai loro villaggi d'origine, vennero ricattate ed obbligate a insediarsi in zone contestate, in terreni aridi ed incoltivabili.

Le spese di questo programma vennero pagate con gli aiuti umanitari dei governi alleati e con le collette di organizzazioni private come Caritas, Mani Tese, Brot für die Welt e simili.

I tedeschi erano stati in questo campo fra i più generosi. La maggior parte degli aiuti privati veniva coordinata in Vietnam da un organismo chiamato COREV, affidato all'ex vescovo di Nha Trang, Nguyen Van Thuan, nipote di Diem e noto reazionario. Padre Forrest, un gesuita canadese della nunziatura apostolica, era anche coinvolto in questo programma.

L'uomo degli americani e di Thieu che controllava tutto questo giro era l'ex vietcong, colonnello Nguyen Be. Si sapeva che non era riuscito a scappare, ma dalla Liberazione nessuno lo aveva più visto ed il suo era uno dei tanti nomi di *chieu hoi* che mancavano all'appello dei *bo-doi*.

Certo è che, se uno come lui si fosse presentato alla registrazione, nonostante la politica di riconciliazione avrebbe avuto dei problemi.

Al contrario di tutti gli altri « fantocci » che dopo la registrazione venivano rimandati a casa con nuovi documenti di identità, i *chieu hoi* venivano rimandati alle unità dell'Esercito di Liberazione dalle quali avevano disertato; dinanzi ai loro ex compagni dovevano rifare la storia del loro tradimento, dovevano raccontare tutti i servizi che avevano reso al nemico per aver salva la vita e dovevano ascoltare le storie di tutti quelli che erano morti o avevano sofferto a causa loro. Questo almeno è quello che un ufficiale *bo-doi* mi disse succedeva ai *chieu hoi* dopo la registrazione. Se ci fosse anche dell'altro non lo seppi.

Il 24 maggio il primo gruppo di giornalisti stranieri che era rimasto in Vietnam dopo la Liberazione lasciò Saigon diretto a Vientiane a bordo di un Iliuscin delle linee aeree nordvietnamite. Un altro partì il 26. I più avevano chiesto da settimane di partire, alcuni erano stati espulsi.

Fra questi c'era il generale Vanuxem. Nei giorni delle celebrazioni per la vittoria era andato a protestare col maggiore Phuong Nam perché non aveva, come corrispondente del settimanale *Carrefour*, ricevuto l'invito per il ricevimento a Doc Lap. Phuong Nam l'aveva messo alla porta: « Lei ha ucciso centinaia di miei compatrioti, generale. Ringrazi il cielo se non l'arrestiamo ».

A metà aprile c'erano in Vietnam circa 400 fotografi, operatori e tecnici televisivi, corrispondenti. Con gli ultimi aerei di linea, prima che Tan Son Nhut fosse chiuso, ne erano partiti 150. Uno era morto, Michel Laurent, fotografo, ucciso dal fuoco incrociato sulla via di Xuan Loc. Un altro centinaio erano andati via in elicottero, con l'evacuazione americana.

All'alba del 30 aprile ce n'erano ancora 127.

I due voli dell'Iliuscin e qualche altro sporadico volo di un aereo affittato dalle Nazioni Unite portarono via quasi tutti.

Anche i giornalisti della stampa comunista e dei paesi socialisti, compresi cinesi e sovietici, che erano stati fatti arrivare a Saigon da Hanoi due settimane dopo la Liberazione, furon fatti ripartire dopo un breve soggiorno. Alla fine di luglio c'era ancora aperto a Saigon un ufficio della UPI americana ed uno della Agence France Press, ma il GPR non aveva ancora dato il permesso per l'apertura della Agenzia Nuova Cina o della Tass sovietica.

A tre mesi dalla Liberazione, nessuno dei paesi che avevano da tempo riconosciuto il GPR aveva una delegazione diplomatica residente a Saigon. Gli ambasciatori accreditati presso il GPR, ma residenti a Pechino, erano venuti per l'anniversario del Governo Provvisorio Rivoluzionario, il 6 giugno, ma erano subito dopo ripartiti.

Il Nuovo Vietnam stava per entrare in un periodo duro, più difficile per tutti, e dava l'impressione di volersi chiudere su se stesso, di volersi dare un certo ordine interno prima di aprire rapporti col mondo di fuori.

La mattina stessa del 23 maggio, quando i giornalisti furono portati a Tan Son Nhut per prendere un aereo che decollò solo il giorno dopo a causa del maltempo, la via Tu Do venne bloccata. I nuovi *bo-doi* della Sicurezza Militare, apparsi per la prima volta in città due giorni prima, con scarponi di cuoio, bracciale giallo-rosso e radio da campo, chiusero tutte le strade adiacenti e cominciarono, casa per casa, un minuzioso setacciamento. Nessuno per un paio d'ore poté entrare o uscire dall'area che avevano circondato ed ognuno dovette mostrare i propri documenti di identità. La stessa operazione avvenne contemporaneamente in varie altre parti della città.

La caccia agli « ostinati » era incominciata. Era un modo per convincere i « fantocci » titubanti a presentarsi alla registrazione nei dieci giorni che restavano; ma anche un modo per mostrare che la bonarietà delle prime tre settimane non era da fraintendere.

Ci furono i primi arresti. Il generale Do Ke Giai, comandante dei *rangers*, venne portato via da un gruppo armato del Comitato Rivoluzionario del quartiere che, durante una perquisizione, aveva trovato nella sua casa un milione di piastre. Il generale venne trattenuto per due giorni e gli fu richiesto di essere più preciso nella dichiarazione che aveva fatto al momento della registrazione.

Le dichiarazioni di ognuno fatte al momento della registrazione erano passate al vaglio dei servizi di sicurezza, confrontate con quelle di altri, controllate coi dossier recuperati nei vari comandi. Chi aveva in qualche modo mentito venne ricercato, dovette dare delle spiegazioni, fu «avvertito».

Alla fine del mese, una volta scaduti i termini delle registrazioni, i controlli si intensificarono. I *bo-doi* facevano improvvisi blocchi stradali nel mezzo della città o sulle strade che conducevano fuori da Saigon, arrestavano chi non aveva documenti e requisivano le motociclette di cui non era possibile dimostrare la proprietà e che erano apparentemente rubate.

Durante uno di questi controlli volanti per strada i *bo-doi* fermarono anche Jean-Claude Labbé, un giovane, vivacissimo fotografo francese che dal giorno della Liberazione circolava su una Honda regalatagli da un comitato rivoluzionario di quartiere coi colori del GPR al braccio ed un distintivo rosso con l'immagine di Ho Chi Minh al petto.

«Perché porta tutta questa roba?» chiese un *bo-doi*.

«Perché sono comunista», rispose quello, che parlava vietnamita.

«Carta del partito», ribatté duro il *bo-doi*.

Labbé tirò fuori dal portafoglio la sua tessera del PCF e gliela porse. Il *bo-doi* l'esaminò con attenzione, portò la mano destra all'elmetto, salutò militarmente, sorrise e disse: «Grazie, compagno!»

Ormai la città era pulita. Le masse di munizioni, armi, bombe a mano che erano sparse dovunque il giorno della Liberazione erano state spazzate via e tutte le armi in possesso dei privati avevano dovuto essere consegnate. Procurarsi anche una semplice pistola a Saigon era diventato difficile e venir trovato dai *bo-doi* con un'arma indosso era estremamente pericoloso.

L'espressione che Radio Giai Phong usò per descrivere la fine di alcuni «ostinati» che erano stati catturati con le armi fu: «abbattuti sul posto».

V

Falò di libri

L'impegno era scritto nel programma del Fronte di Liberazione Nazionale e in quello del GPR: «Eliminare la cultura schiavizzante, decadente, depravata, che distrugge le belle e vecchie tradizioni del popolo vietnamita».

Con le stesse parole quest'impegno era stato ribadito nei discorsi pubblici durante le celebrazioni per la vittoria, e la prima misura venne annunciata il 15 maggio in un breve comunicato del Servizio di informazione e cultura del Comitato di gestione militare: entro una settimana dovevano cessare la circolazione, la vendita, il prestito di tutte le pubblicazioni stampate durante l'occupazione americana e sotto il regime fantoccio.

Le case editrici svuotarono immediatamente i loro magazzini ed i marciapiedi di Saigon furono invasi da montagne di libri, di riviste, giornali illustrati, fotoromanzi, fumetti, biografie di Mussolini, Hitler, Eichmann e di tutta quella letteratura anticomunista che gli esperti americani e sudvietnamiti della guerra psicologica avevano prodotto durante gli anni della guerra.

Sul viale Le Loi, davanti al caffè Rex, la grande svendita a prezzi bassissimi era in mano ad un gruppo di ex soldati disoccupati dell'esercito di Thieu.

Uno di questi stava accucciato sull'asfalto, dietro la sua pila di libri, mettendo in mostra anche il suo tatuaggio di *ranger*. Sull'avambraccio sinistro aveva scritto: «La riconoscenza si paga. Il tradimento anche».

Di tanto in tanto una pattuglia di *bo-doi* della sicurezza passava, guardava in silenzio e se ne andava via senza interferire.

Il 20 maggio, due giorni prima della scadenza dell'ultimatum sulla distruzione delle pubblicazioni proibite, gli studenti di Saigon lanciarono la loro campagna contro la cultura decadente. Il manifesto, apparso prima nella sede del movimento studentesco di via Duy Tan e poi affisso per le strade, diceva:

«Saigon è completamente liberata. La città, centro culturale del Sud, risplende oggi di luce nuova. Noi, giovani e studenti, ci impegnamo a dare un esempio, ad essere all'avanguardia, a contribuire alla costruzione di un nuovo modo di vivere, di una nuova società, di un uomo nuovo.

«Siamo determinati ad eliminare tutto ciò che resta del vecchio regime, a sradicare le pericolose fonti di veleno.

«Giovani e studenti debbono immediatamente scendere nelle strade, andare nelle scuole, nei quartieri della città ed invitare la popolazione ad unirsi alla campagna per sradicare la cultura depravata e reazionaria.

«Giovani, studenti, ognuno di noi deve essere un combattente sul fronte culturale».

La risposta fu immediata. Cortei di giovani cominciarono a sfilare per le vie della città con cartelli e striscioni, fermandosi ad inveire contro i rivenditori che esponevano ancora opere messe all'indice. Ragazzi giovanissimi delle scuole medie e dei licei andarono, a gruppi di sette-otto, prima nelle proprie case e poi in quelle dei vicini a rovistare nelle biblioteche e a buttar fuori dalle finestre tutto ciò che risultava stampato dopo il 1954.

Agli angoli delle strade cominciarono i primi falò di libri. Ci furono i primi incidenti.

Sulla via Nguyen Kim un soldato fantoccio che vendeva delle vecchie copie di *Playboy* e *Penthouse*, quando fu avvicinato da un gruppo di studenti che volevano convincerlo a bruciare tutto, levò la sicura ad una bomba a mano che teneva in tasca ed uccise tre persone oltre che se stesso.

La distruzione di libri, di dischi, di spartiti di musica su cui queste bande di giovani mettevano le mani avveniva senza criteri o valutazioni precise e la popolazione cominciò a protestare. Alcuni studenti, pur presentandosi con bracciali rossi ed in nome delle nuove autorità, furono cacciati via delle case che intendevano «perquisire» in cerca di pubblicazioni proibite. I *bo-doi* non intervennero.

I giovani erano il gruppo sociale su cui più di ogni altro la Rivoluzione puntava. Erano i più permeabili alle nuove idee, i meno resistenti al mutamento e, per la loro età, non erano stati coinvolti con l'apparato di potere del vecchio regime. I giovani sarebbero stati una delle forze trascinanti della nuova società e certo non si voleva frenare sul nascere il loro zelo rivoluzionario.

Proprio in quei giorni cominciarono dei corsi accelerati di due settimane per l'addestramento di quadri a cui ragazzi e ragazze delle scuole superiori e delle università erano stati invitati a partecipare. Quelli che sarebbero stati selezionati avrebbero lavorato ai livelli più bassi dell'amministrazione cittadina.

La campagna contro la cultura decadente era oltre a tutto anche un modo per mettere molti giovani alla prova. I leader naturali sarebbero lentamente venuti fuori e gli studenti avrebbero imparato da soli e a proprie spese come correggere le loro azioni e come risolvere i loro conflitti con la popolazione.

Infatti, la discussione sul modo di portare avanti la lotta contro la cultura decadente senza cadere negli eccessi, che avevano un immediato effetto controrivoluzionario, cominciò prestissimo all'interno dei gruppi stessi che scorrazzavano per la città dando i libri alle fiamme.

Assistetti alla fine di maggio ad una di queste discussioni al centro studentesco sulla via Duy Tan.

Una ragazza del comitato direttivo aprì il dibattito spiegando quella che, a suo parere, avrebbe dovuto essere la linea politica da seguire: «In tutto quello che facciamo dobbiamo imparare a distinguere. Fra i libri, anche quelli pubblicati dopo il '54, ci sono quelli buoni e quelli cattivi, e non possiamo distruggerli tutti indiscriminatamente, solo perché furono stampati al tempo del regime fantoccio.

«La nostra lotta dev'essere diretta contro la produzione di quelle case editrici che hanno messo in circolazione milioni di volumi reazionari, contro i libri che glorificano la forza bruta, la lotta come il kung-fu, contro i romanzi che hanno per protagonisti eroi immaginari, personaggi intossicanti. È contro libri come *Love Story* e tutte le sue imitazioni vietnamite che dobbiamo lottare, contro i romanzi che raccontano ad esempio le avventure amorose fra un giovane studente e la sua professoressa. Questa roba piagnucolosa che non ha alcun rapporto con la vita reale non è importante e non serve a fare di noi dei buoni cittadini e dei patrioti».

Uno studente chiese che cosa bisognava fare coi libri di scrittori famosi. La risposta della ragazza fu: «Dipende. Bisogna abituarsi ad analizzare, a discutere caso per caso. Prendiamo Steinbeck. Va bene quello che ha scritto fino al 1965. Va bene leggere *Furore*, ma non quello che viene dopo. Dopo la sua visita in Vietnam, Steinbeck difese il ruolo americano nella guerra. Ebbene, di questo Steinbeck non abbiamo bisogno, così come non abbiamo bisogno di Solgenitsin e di quegli autori vietnamiti che hanno usato il loro talento per dividere il nostro popolo».

Gli studenti, in successive riunioni, fecero liste di libri che consideravano dannosi e da togliere dalla circolazione. A proposito di alcune opere di scrittori vietnamiti viventi decisero di invitare gli autori a discutere le loro opere una per una.

I libri messi all'indice – fu poi deciso – non dovevano essere distrutti, ma depositati in speciali centri di raccolta, dove sarebbero serviti per lo studio e la discussione sulla cultura decadente.

Nonostante i ripetuti inviti alla moderazione fatti dai vari Comitati Rivoluzionari degli Studenti, gli eccessi di alcune bande, specie di giovanissimi, continuarono, finché l'autorità militare non intervenne, condannando duramente «l'atteggiamento di quelli che si dicono rivoluzionari, ma in effetti con le loro azioni aiutano la controrivoluzione».

Cercando di mettere un po' d'ordine nella discussione sul tipo di pubblicazioni lecite ed illecite, il *Saigon Giai Phong*, usando la solita formula della risposta ad una, probabilmente inesistente, lettera di un lettore, pubblicò il 6 giugno alcuni criteri di massima per la distinzione fra libri proibiti e libri consentiti:

«Si possono conservare:
– i libri tecnici e scientifici;
– i romanzi e le opere di poesia usati per motivi di studio;
– i libri pubblicati prima del '54 da scrittori e poeti rivoluzionari come Tu Huu, The Lu, Huy Can...;
– le pubblicazioni straniere non controrivoluzionarie (francesi, americane, cinesi e giapponesi classiche e moderne), eccetto le pubblicazioni a carattere esistenzialista e depravante;
– i libri di storia del nostro paese che non contengono falsità sulla Rivoluzione;
– i dizionari stranieri;
– le traduzioni delle opere di romanzi mondiali, come *Guerra e pace* di Tolstoj».

Fra i libri che scomparvero dalla circolazione, questi senza troppe discussioni, ci furono quelli dei testi delle scuole elementari. Quelli usati durante il regime di Thieu erano troppo pieni di riferimenti e nozioni anticomuniste, troppo elogiativi del mondo occidentale perché potessero trovare, nel nuovo clima creatosi a Saigon, qualcuno disposto a difendere la loro validità.

All'inizio di luglio arrivarono da Hanoi camion carichi dei libri di testo usati nel Nord e il vecchio Centro stampa del governo di Thieu sulla via Tu Do divenne il deposito centrale dal quale i

libri furono distribuiti alle scuole della città che mano a mano riaprivano.

Un esempio di quello che le nuove autorità intendevano per «cultura legata alle belle e vecchie tradizioni del popolo vietnamita»
venne dato già nei giorni immediatamente seguenti la Liberazione, quando molti teatri riaprivano per ospitare le troupe, in gran
parte venute dal Nord, che cominciavano a dare concerti, rappre-
sentazioni teatrali, balletti e spettacoli di marionette.

Favole popolari venivano riadattate ad una tematica contemporanea con contenuto politico, vecchie danze venivano rappresentate con mostruosi americani al posto dei tradizionali personaggi raffiguranti il male.

Soprattutto venne riscoperta la musica popolare e reintrodotto
l'uso di quegli strumenti tradizionali vietnamiti che la musica
moderna di importazione americana e di imitazione locale aveva
messo da parte e che Thieu era arrivato a proibire perché erano
diventati uno dei simboli della Resistenza.

Una sera, con Cao Giao, in un teatro di Cholon, in mezzo ad
una folla di gente semplice, donne di quartiere coi bambini in collo, giovani, quadri locali, ascoltai per la prima volta un lungo pezzo intonato dalla languidissima, gorgheggiante voce del monocor-
de. La platea era ammutolita dalla commozione. Cao Giao piangeva: «È come riscoprire d'essere vietnamiti. Sono guarito per sempre della cultura dei night-club», diceva.

Ogni sera, fuori da ogni teatro dove si davano queste rappre-
sentazioni gratuite, c'erano masse di persone che facevano la ressa per entrare.

Dei cantanti pop diventati famosissimi e ricchi negli anni della
guerra non si sentì più la voce. Quasi tutti erano scappati con gli
americani.

Di Elvis Phuong si disse che era morto.

Thai Thanh, che era stata proprietaria del night-club Quoc Te
e che aveva dato innumerevoli concerti per le truppe americane e
sudiste, era stata vista il 28 aprile mentre con le sue dodici valigie
aspettava a Tan Son Nhut un aereo che la portasse via. Un mese
dopo la Liberazione due *bo-doi* si presentarono al suo indirizzo di
Saigon per consegnare una di quelle valigie che dissero di aver
trovato col suo nome intatto sulla pista; da allora corse voce
che era morta anche lei.

I suoi dischi, come quelli degli altri cantanti, scomparvero dalla circolazione, e pacchi di cassette, matasse di nastri magnetici andarono a riempire i bussolotti della spazzatura agli angoli delle strade, mentre i grandi apparecchi stereofonici, di cui ogni bar di Saigon era attrezzato, finirono invenduti al mercato dei ladri, dove pur venivano offerti per prezzi irrisori.

Saigon con la Rivoluzione non ascoltò più una nota di quella musica che un tempo era stata l'ossessivo sottofondo d'ambiente di ogni bar, di ogni ristorante, di ogni night-club.

Questo non volle dire affatto che la Rivoluzione rifiutava la cultura o, in particolare, la musica occidentale.

Quando il vecchio palazzo dell'Opera, costruito dai francesi nel centro di Saigon e trasformato poi in Assemblea Nazionale, fu riadibito alle sue originarie funzioni e, alla presenza di Nguyen Huu Tho, inaugurato con un concerto, i tre quarti delle musiche suonate erano di compositori europei.

Fu uno spettacolo straordinario. Gli uomini ai violini e ai tamburi erano in giacca nera e camicia bianca; le donne alle arpe in *ao-dai* di un azzurro pallido; e quando il direttore in frac abbassò la bacchetta, questa orchestra di vietcong vestiti nella più classica maniera occidentale intonò il più classico dei valzer di Strauss.

Un corpulento tenore vietcong poi cantò, in russo, dal *Rigoletto* l'aria *La donna è mobile* fra gli applausi di un pubblico fatto di quadri politici, artisti, intellettuali saigoniti e *bo-doi* in libera uscita che chiedevano il bis sventolando i loro elmetti tropicali.

I concerti si susseguivano l'uno dopo l'altro e la sera, per le strade silenziose del centro di Saigon, divenne solito sentire queste note di musica classica sopra il bisbiglio di centinaia di biciclette che strisciavano sull'asfalto.

« Hoc tap »

La gente, a volte con una punta d'ironia, se lo chiedeva incontrandosi, come avrebbe chiesto notizie della salute: «Hai fatto *hoc tap*?»

Hoc tap era la rieducazione, il bagno nella Rivoluzione, era cancellare la colpa di essere stato in qualche modo «fantoccio». Una intera società doveva imparare a vivere secondo nuovi criteri, nuovi valori, doveva imparare nuovi comportamenti, e *hoc tap* era il mezzo di questa riconversione. *Hoc tap* era la riforma del pensiero, era il riesame del proprio atteggiamento verso la vita, verso la comunità: un continuo processo di apprendimento che avveniva in vari modi e a vari livelli.

Nelle scuole, nelle università, *hoc tap* era parte dello studio; lo si faceva in classe, discutendo i programmi, partecipando alle sessioni di accusa dei maestri e professori che avevano collaborato col vecchio regime o anche ascoltando un poeta come Cu Huy Can parlare nel teatro del Centro studentesco sul ruolo dell'arte nella società rivoluzionaria.

Nelle fabbriche, gli operai facevano *hoc tap* discutendo nelle assemblee quasi quotidiane che si tenevano sul posto di lavoro, sui problemi di organizzazione, di gestione e di distribuzione dei profitti.

Per i soldati, gli ufficiali, i funzionari, i politici del vecchio regime, *hoc tap* fu un obbligo, una sorta di pena da scontare prima di essere reintegrati nella società; per il resto della popolazione una esperienza necessaria, ma che capitava di fare anche casualmente nel corso di ogni giornata. Nessuno comunque poteva sfuggirci.

Chi non faceva *hoc tap* nella fabbrica o nell'ufficio in cui lavorava finiva per farlo la sera nelle sempre più frequenti riunioni che i *can-bo* organizzavano nei quartieri.

I *bo-doi* passavano di strada in strada, convocando la gente con dei megafoni. Le riunioni si aprivano con l'inno nazionale del Fronte di Liberazione suonato da qualche vecchio giradischi; poi un quadro politico parlava per un'ora, prima di rispondere alle domande dei presenti. Andarci non era obbligatorio, ma divenne presto uno di quei doveri non scritti che ognuno imparò a fare per non incorrere nella riprovazione dei vicini e nelle critiche dei *bo-doi*.

Ognuna di queste conferenze di quartiere aveva un tema: il Vietnam sotto il colonialismo francese; la lotta per l'indipendenza; l'intervento americano; i delitti commessi dalle forze americane; il partito comunista, il futuro del paese, eccetera.

Erano gli stessi argomenti di cui scriveva il quotidiano *Saigon Giai Phong*, di cui si parlava alla televisione in un programma di domande e risposte iniziato un mese dopo la Liberazione e di cui discutevano, in maniera informale e più immediata, i *bo-doi* con gli abitanti delle case in cui s'erano installati e coi passanti agli angoli delle strade.

I *bo-doi*, profondamente indottrinati e con una coscienza politica altamente sviluppata, furono assieme ai *can-bo* gli operatori capillari di questo vasto processo di rieducazione attraverso il quale finì per passare tutta la popolazione. I loro interventi non erano autoritari e le loro «lezioni» non erano petulanti.

Una sera, all'uscita del cinema Anh Hue, sulla via di Cholon, dove ero andato a vedere un orribile polpettone sovietico, dei giovani che parlando fra loro dicevano quanto il film era stato insopportabile e noioso furono avvicinati da due *bo-doi* che li pregarono di tornare nella sala con loro a rivedere la pellicola. Se non avevano capito il significato della storia, il suo valore politico, loro li avrebbero aiutati, avrebbero discusso, avrebbero risposto alle loro obiezioni. Il gruppo rientrò.

In questa maniera gentile, senza forzature, senza costrizioni, ma con pungente insistenza, avvenne lentamente la rieducazione di una categoria di persone che più di ogni altra aveva caratterizzato la Saigon degli anni della guerra: le prostitute. Nei tre mesi dopo la Liberazione non ci fu mai una disposizione, un ordine contro il proseguimento della loro attività, ed alcune ragazze continuarono a farsi vedere nelle vie del centro coi loro pantaloni e le magliette attillate.

I *bo-doi* le lasciavano fare. Solo quando, all'ora del coprifuoco, quelle tornavano verso casa per le strade vuote, le seguivano e spiegavano loro come erano state vittime della guerra e degli «imperialisti americani», come ora la situazione era cambiata e come loro dovevano tornare alla campagna e vivere di un altro lavoro prima che fosse troppo tardi.

A Saigon non successe nel tempo che io ci rimasi, ma seppi che nelle province del Nord alcune ragazze che si erano «ostinate» a continuare in quel mestiere erano state mandate, dopo vari avvertimenti, a lavorare nelle risaie o alla costruzione di alcuni canali di irrigazione.

Oltre alla rieducazione generale, a cui tutta la popolazione venne esposta, ogni categoria professionale ebbe la sua specifica forma di *hoc tap*.

Avvocati e giudici, ad esempio, furono invitati ad una serie di incontri a cui intervennero il direttore della Accademia Giuridica ed il presidente della Corte Suprema di Hanoi, i quali parlarono del nuovo modo di concepire il diritto come strumento per la protezione della Rivoluzione.

Professori e maestri, prima che riaprissero le scuole, dovettero fare settimane di *hoc tap*, rivedendo tutti i programmi di studio del passato e discutendo quelli che avrebbero dovuto essere i nuovi criteri dell'educazione.

Lo stesso avvenne per varie altre categorie di persone, dai medici alle guide turistiche, ai camerieri degli alberghi che dovettero imparare un nuovo modo di comportarsi coi loro clienti.

Scrittori, artisti, giornalisti di Saigon vennero inizialmente trattati dai *can-bo* con un certo rispetto. Il quadro politico che si presentò ad un'assemblea di un migliaio di intellettuali disse: « Non sono venuto per farvi una lezione, ma per sottoporre alla vostra analisi e discussione un rapporto sulla situazione del paese ».

Ciò non tolse che nel corso di altri incontri gli intellettuali dovettero ugualmente ascoltare delle conferenze tenute da quadri più semplici, da veri contadini che venivano dalla guerriglia, e questo creò un certo malumore fra certuni che si sentivano diminuiti ed offesi di dover prendere lezioni da quelli che loro giudicavano « incolti ». Ma presto anche costoro si accorsero che non valeva la pena rifiutarsi di ascoltare « i contadini incolti ».

Chi non veniva considerato rieducato doveva partecipare nuovamente a *hoc tap*.

Negli uffici della vecchia amministrazione, nei ministeri, nei tribunali, nelle post(la rieducazione degli impiegati e dei funzionari di basso e medio livello avvenne sul posto di lavoro. Ecco come un'archivista del ministero dell'Agricoltura mi raccontò l'esperienza che aveva fatto.

« Eravamo un gruppo di trecento persone e fummo divisi in cellule di venti-venticinque. Ogni cellula venne affidata ad un *can-bo*. Il nostro era un ex laureato di Saigon, passato alla guerriglia nel '68.

« Il primo giorno ci rifece la storia del Vietnam, prima sotto il giogo del colonialismo francese, poi sotto quello dell'imperialismo americano, spiegandoci come quella della Repubblica sudista fosse stata una indipendenza immaginaria.

« Il secondo giorno ci furono dati dei fogli su cui dovemmo rispondere a queste domande: 1) Che cosa avete fatto sotto il governo fantoccio? Descrivete i vostri atteggiamenti e le vostre azioni. 2) Che cosa volete fare per aiutare la Rivoluzione? Specificate le vostre promesse. Una volta consegnati questi fogli ognuno dovette discutere le proprie risposte davanti al gruppo e rispondere alle domande. »

Dei trecento che con la ragazza avevano partecipato al corso, tutti furono giudicati dal *can-bo* « rieducati ».

Quando chiesi alla ragazza se lei si sentisse davvero rieducata, non riuscì a rispondere e sorrise imbarazzata. Certo è che il modo stesso con cui mi aveva raccontato la sua storia era un risultato di *hoc tap*. Il suo linguaggio era mutato, il suo modo di andare in ufficio da quel giorno non era più lo stesso ed anche il suo lavoro cambiò.

A parte questi corsi più o meno formali, per il pubblico in generale anche la visita ad una delle varie mostre d'arte e di documentazione che si aprirono in città e che furono sempre affollate di gente costituì una forma di *hoc tap*.

Giovani quadri politici erano sempre a disposizione per spiegare, per rispondere alle domande dei visitatori ed ogni conversazione acquistava immediatamente un aspetto politico, un contenuto didattico, sia che si svolgesse dinanzi agli acquarelli ed agli olii esposti al Circle Sportif, sia dinanzi alle fotografie ingiallite che illustravano la vita di Ho Chi Minh e la nascita della Rivoluzione esposte nelle sale della vecchia Biblioteca Nazionale, che con la Liberazione era divenuta accessibile anche alla gente più semplice di Saigon. Una delle mostre di maggiore successo fu quella archeologica, inaugurata l'8 giugno nel palazzo d'angolo fra le vie Tu Do e Nguyen Du.

Intere scolaresche e interminabili colonne di normalissimi cittadini riempirono per settimane la galleria in cui erano esposti, per la prima volta a Saigon, gli artefatti di una civiltà vietnamita vissuta nel paese centinaia di secoli fa.

La gente era curiosa, sorpresa, interessata, ed ogni giro si concludeva con la stessa scena che inevitabilmente faceva sorridere di soddisfazione i visitatori. Dopo aver mostrato monili, strumenti di cucina e coltelli della preistoria la guida, un *bo-doi* o un giovane quadro, indicando dei calchi in pietra usati per fondere primitive punte di frecce diceva: «Questi dimostrano come il popolo vietnamita fosse in grado già nei tempi antichissimi di fare da solo le proprie armi e come sia falsa la teoria di certuni secondo i quali questi strumenti furono importati da un paese vicino». Anche al più sprovveduto vietnamita non sfuggiva che il riferimento polemico era rivolto alla Cina.

Le nuove autorità erano così convinte che decenni di presenza straniera avessero inquinato e distrutto la coscienza della gente del Sud che non perdevano occasione per riaffermare la tradizione di autosufficienza e di indipendenza del popolo vietnamita.

Ciò non valeva soltanto nei confronti dei protettori francesi o americani del passato, ma anche nei confronti di quelli che la gente vedeva naturalmente come i nuovi protettori: i sovietici e i cinesi.

Ogni volta che un leader del GPR o un semplice *can-bo* parlava con riconoscenza, in pubblico o in privato, degli aiuti ricevuti dai «paesi socialisti», riaffermava con la stessa frase che il successo della Rivoluzione vietnamita era dovuto alla determinazione del popolo, alla sua forza ed alla sua linea politica.

La ricostituzione della coscienza nazionale vietnamita, la convinzione che ogni sudditanza del paese verso gli stranieri era finita furono i primi obiettivi di *hoc tap*. Il resto, l'educazione politica, veniva poi. Si era realizzata così anche l'evoluzione dei combattenti: all'origine c'era stato il patriottismo, la politicizzazione era venuta dopo. Il nazionalismo era stato la motivazione più profonda, il primo motore della Resistenza; allo stesso modo la riattivazione dello spirito nazionale fu uno dei pilastri del processo di rieducazione dei «fantocci». I guerriglieri vietminh e poi vietcong non si erano fatti ammazzare per nient'altro che quel senso di patria, di nazione che gran parte dei popoli europei provarono nel secolo scorso.

Uscendo da anni di galera, Mai Duc Tho, fratello di Le Duc Tho, aveva detto ad un amico: «Nei momenti più duri, quando si sta per crollare, non è al partito che si pensa, non a idee astratte come il socialismo; ma al popolo, al nostro popolo».

Certo il partito aveva svolto un ruolo importantissimo nella lotta. Nessuno lo negava: il partito aveva incanalato, aveva dato una disciplina, una ideologia a quella forza spontanea che è il sentimento nazionale di ogni popolo che non vuol essere schiavo o dipendente di altri. La frase di Ho Chi Minh, scritta su tutti i muri del Vietnam dopo la Liberazione, era capita da tutti: «Niente è più prezioso dell'indipendenza e della libertà».

Fu chiaro fin dai primi giorni dopo la Liberazione che le nuove autorità che governavano il paese avrebbero cercato di mantenere questa indipendenza anche nei confronti dei loro alleati sovietici e cinesi.

Saigon non fu invasa, come molti si aspettavano, da «consiglieri» di Mosca o di Pechino. Gli alleati che pure avevano fatto le spese materiali della guerra non ebbero per questo particolari privilegi.

I sovietici non si impossessarono affatto, come gran parte della stampa occidentale scrisse, dell'ex base navale americana di Cam Ran Bay per la loro flotta nel Pacifico.

«Non ce l'hanno neppure chiesto perché sapevano come avremmo risposto», mi disse ad Hanoi un alto funzionario del ministero degli Esteri.

Quello che i sovietici chiesero invece con insistenza fu di avere giornalisti e diplomatici accreditati e residenti a Saigon, ma anche questo fu loro gentilmente negato.

Quanto ai cinesi, quando i loro primi corrispondenti vennero al Sud per un breve soggiorno, dopo la visita alle cave di marmo di Da Nang si videro offrire, al pari di tutti gli altri, una bella statuetta di Confucio.

I vietnamiti erano terribilmente consapevoli che per mantenere la loro indipendenza dovevano tenersi fuori dalla disputa cino-sovietica e non permettere ad alcuno dei due di impiantarsi ed avere più influenza dell'altro nel paese.

Durante l'intervista che ebbi con Nguyen Huu Tho a Doc Lap alla fine di giugno, il presidente del Fronte di Liberazione Nazionale e tecnicamente il nuovo capo dello Stato provvisorio del Sud rivelò che nel 1965, in risposta al massiccio intervento americano in Vietnam, cinesi e sovietici proposero di inviare dei loro «volontari» e che i vietcong avevano «rifiutato, fermamente, energicamente rifiutato» l'offerta. I vietnamiti sapevano bene che al di là di una sincera solidarietà socialista, che imponeva loro di appoggiare la lotta di liberazione in Vietnam, Mosca e Pechino avevano necessariamente in vista anche loro propri interessi nazionali di superpotenze.

In alcune conversazioni informali, alti quadri del GPR a Saigon ed un membro del Comitato centrale del partito ad Hanoi non fecero mistero del fatto che certi «amici» vicini e lontani, per tema di mettere in pericolo i loro rapporti con gli Stati Uniti, avevano cercato di dissuadere i vietcong dal lanciare l'ultima offensiva che aveva poi condotto alla liberazione di Saigon ed alla fine della guerra.

Cina ed Unione Sovietica erano, come mi disse un importante membro del Partito dei Lavoratori ad Hanoi, «due nemici di cui vogliamo essere ugualmente amici».

«Non è una cosa facile, ma ora che abbiamo vinto la guerra siamo più forti ed indipendenti e ci sarà possibile», aggiunse.

Quando gli chiesi che cosa pensavano del Patto di sicurezza collettiva che i sovietici stanno da anni spiegando e tentando di vendere ai vari paesi asiatici, la risposta fu: «Non abbiamo ancora capito di che cosa si tratta».

Se i vietnamiti non entreranno nel patto sovietico, che chiaramente ha intenti anticinesi, non è perché i vietnamiti sono filocinesi.

Quando i cinesi di Cholon misero la bandiera della Cina Popolare a sventolare accanto a quella del Fronte e di Hanoi nei giorni delle celebrazioni per la vittoria, nel giro di poche ore gruppi di *bo-doi* e di *can-bo* andarono a fargliela togliere: «Siamo in Vietnam e si celebra una vittoria vietnamita, non una vittoria cinese», dicevano.

Niente di ciò che successe nei primi tre mesi dopo la Liberazione sembrò indicare che la determinazione con cui i vietnamiti avevano mantenuto la loro indipendenza ed equidistanza dai due alleati al tempo della guerra sarebbe diminuita con la pace e che il nuovo Vietnam avrebbe finito per entrare nell'orbita dell'uno o dell'altro.

C'erano, al contrario, abbastanza indicazioni per pensare che il nuovo Vietnam si sarebbe invece sviluppato in un terzo polo di attrazione nel mondo comunista.

«Abbiamo approfittato di tutte le esperienze rivoluzionarie degli altri paesi, ma abbiamo vinto grazie alla nostra indipendente linea politica», mi dissero in varie occasioni ad Hanoi. La stessa cosa veniva ripetuta ai «fantocci» che facevano *hoc tap*.

Non ci fu corso di rieducazione in cui i *can-bo* dicessero, anche solo in margine, frasi come: «In Cina si fa così», o «i sovietici ci insegnano che...»

Vietnamita, essere vietnamiti era la frase che veniva continuamente ripetuta, e l'orgoglio di appartenere a questo popolo che, come si diceva, aveva sconfitto la più grande potenza del mondo, era un diritto che spettava a tutti, anche ai «fantocci».

Ogni corso di *hoc tap* cominciava più o meno con le stesse parole: «Giai Phong è stata la vittoria di tutti. Non ci sono più fra i vietnamiti né vincitori né vinti. Gli unici ad essere stati sconfitti sono gli americani».

Fu un argomento questo che ebbe un notevole effetto psicologico, che favorì le «conversioni» e garantì il successo iniziale di *hoc tap*.

La prima cosa che la rieducazione trasmetteva era il concetto che l'essersi trovati da quella che ora risultava la parte sbagliata del fronte non era un peccato mortale. Non si veniva per questo emarginati, esclusi. I «colpevoli» in quanto vietnamiti venivano riaccettati, recuperati dalla società. Persino chi aveva preso le armi contro il popolo era perdonabile e la qualifica di «fantoccio» spariva col partecipare ad *hoc tap*.

Il giorno stesso in cui terminò il primo ciclo di rieducazione dei soldati semplici e dei sottufficiali del vecchio regime, il *Saigon Giai Phong* pubblicò una vignetta in tre scene che in quel momento riassumeva per molta gente tutto il significato di *hoc tap*.

Nella prima scena si vede un giovane sulla cui camicia è scritto «*nguy*» (fantoccio) e che va incontro sorridente ad un *bo-doi*; ma quello gli dice: «Mi dispiace, ma il popolo e la Rivoluzione non mi permettono di stringerti la mano».

Nella seconda vignetta il giovane, contrito, va ad un corso di *hoc tap*.

Nella terza vignetta lo stesso giovane, felice e senza più il marchio «*nguy*» sulla camicia, viene abbracciato dal *bo-doi* che lo chiama «fratello».

Lavoravo per gli americani

I corsi di *hoc tap* per i soldati del vecchio esercito cominciarono l'11 giugno.

Un comunicato del Comitato di gestione militare aveva dato una lista di indirizzi a cui uomini di truppa, sottufficiali ed ufficiali fino al grado di capitano dovevano recarsi, ed aveva lanciato un ultimo appello agli «ostinati» che non si erano ancora presentati per la registrazione e continuavano a fare i «sottomarini».

Lo slogan del giorno, a caratteri cubitali rossi sulla prima pagina del *Saigon Giai Phong*, diceva: «Una politica di clemenza umanitaria: presentarsi e confessare sarà considerato un'attenuante. Continuare a nascondersi sarà severamente punito».

Fin dalle prime ore del mattino lunghe file di uomini si formarono davanti alle scuole, alle vecchie caserme ed alle sedi di polizia.

L'atmosfera era tesa. La gente sapeva dal comunicato che *hoc tap* sarebbe durato tre giorni, ma non sapeva cosa aspettarsi da questi corsi di «studio e di trasformazione», e certo le orribili storie di «lavaggio del cervello» raccontate dalla propaganda anticomunista ai tempi della guerra erano nella mente di molti. Alcuni pensavano ancora che sarebbero stati arrestati e forse mandati nei campi di concentramento che si diceva erano stati preparati nelle regioni più remote del paese.

Bastarono poche ore per risolvere l'incertezza.

Ad ogni punto di raccolta in città coppie di *bo-doi* mantenevano l'ordine, controllavano i fogli di identità rilasciati al momento della registrazione e dividevano in classi di 60-70 i «fantocci» da rieducare.

Seduti per terra nei cortili, o ai banchi nelle aule, ognuno con un blocco per appunti ed un lapis, i soldati del vecchio regime passarono il primo giorno ad ascoltare quadri politici che parlavano loro della vita di Ho Chi Minh e delle varie fasi della guerra di indipendenza.

«Erano gentili, cortesi, e fin dal primo momento abbiamo capito che non eravamo lì per essere puniti. Era davvero come andare a scuola», mi raccontò Dinh, un sergente dell'ARVN che aveva lavorato nei servizi di informazione di Thieu e, allo stesso tempo, per un'agenzia di stampa europea.

Dinh era un classico prodotto della propaganda americana e sudista. L'avevo conosciuto per anni. Tutto quello che diceva sembrava uscire dai bollettini diffusi dalla «guerra psicologica»; la sua visione del mondo era quella del più ottuso anticomunismo. Era un «credente», non aveva mai avuto dubbi, non si era mai posto delle domande sui vietnamiti dell'altra parte. Anche con la Liberazione la sua posizione non era cambiata, semmai s'era indurita.

Il 30 aprile era arrivato per lui come una terribile sorpresa. A parte l'aver sentito la sconfitta, Dinh era uno di quelli che s'erano trovati divisi dalla famiglia. Aveva fatto partire con gli americani la moglie ed i tre figli ed aveva pensato di raggiungerli più tardi, dopo aver liquidato qualche ultimo affare e ritirato dalla banca gli otto milioni di piastre che aveva accumulato negli ultimi anni. Ma non aveva fatto in tempo.

Attraverso amici era riuscito ad avere l'indirizzo della famiglia negli Stati Uniti: «Arlington Camp, Block 52, tenda 27b». Da allora la sua idea fissa era trovare un mezzo per scappare, raggiungerli. Alla rieducazione c'era andato perché non voleva correre rischi con le nuove autorità.

Il secondo giorno di *hoc tap* fu dedicato alle confessioni. Dopo aver parlato dei delitti commessi dagli americani nel paese, i *canbo* invitarono i «fantocci» a raccontare quello che avevano fatto nella guerra, quali erano stati i loro crimini contro il popolo.

Nel gruppo di Dinh ci furono lunghissimi momenti di silenzio. La gente aveva paura a dire la verità. Paura dei *can-bo*. Paura di alcuni colleghi « ostinati » che all'inizio dei corsi avevano invitato gli altri alla durezza, e minacciato quelli che avrebbero collaborato.

Poi qualcuno cominciò a parlare di sé ed il ghiaccio si sciolse. Un soldato che era stato mitragliere sugli elicotteri raccontò come sorvolando le zone definite dal comando di « fuoco libero » avesse sparato anche su pacifici contadini. Un altro raccontò di aver preso parte agli interrogatori di alcuni sospetti; un *marine* di aver avuto una decorazione per avere ucciso alcune decine di vietcong.

« L'atmosfera era particolare, il *can-bo* chiedeva con persuasione ad ognuno di raccontare la sua storia; era come essere improvvisamente fra amici ed anch'io ho raccontato di me », disse poi Dinh. « Ho raccontato della corruzione in cui ero stato coinvolto, del modo in cui falsificavamo le notizie sulla guerra, di come ero stato uno strumento della propaganda americana. Era strano, più parlavo, più mi sentivo come alleggerire. »

Dopo Dinh un soldato raccontò come aveva eseguito l'ordine datogli dal suo comandante di « liquidare » alcuni prigionieri che la sua unità aveva catturato nel corso di un'operazione.

I *can-bo* non reagivano, non commentavano; di ogni storia prendevano appunti, chiedevano precisazioni sui nomi, sulle date.

Non mancarono neanche i momenti comici. Un *can-bo* insisteva a chiedere ad un soldato quali erano state le sue colpe; quello, quasi con imbarazzo, continuava a dire che non credeva di averne. Il *can-bo* insisteva; i compagni lo incoraggiavano a raccontare ed alla fine il soldato aveva detto: « Non so, ero trombettiere... l'unica colpa a cui posso pensare è d'aver suonato la carica invece che la ritirata ». C'era stata una grande risata generale.

Alla sera i « fantocci » rientravano a casa, raccontavano la loro esperienza di *hoc tap*, ed il timore di punizioni che parte della popolazione poteva ancora avere cominciò a scomparire.

Il terzo giorno il tema dei discorsi fatti dai *can-bo* fu: « La politica del GPR e la necessità di ricostruire il paese dalle rovine della guerra ».

Poi, in ogni gruppo ci fu una sessione di domande e risposte ed infine una breve cerimonia, come l'assoluzione, in cui vennero consegnati i documenti che certificavano la riuscita del corso.

In ogni gruppo ci fu qualcuno che dovette riassumere le impressioni generali di *hoc tap*, dire anche a nome degli altri che cosa pensava della politica delle nuove autorità.

Nel gruppo di Dinh tutti indicarono lui come portavoce. Era abituato a parlare in pubblico, aveva lavorato nel settore dell'informazione, nella stampa. Dinh s'era schermito, aveva detto che c'erano persone più anziane di lui nel gruppo cui spettava la parola, ed il *can-bo* aveva replicato: «D'accordo, questo principio dell'anzianità appartiene alla tradizione vietnamita e va rispettato: ma vale nella famiglia. Nella società è diverso: qui ciò che conta non è l'anzianità, ma le qualità personali, la disponibilità a sacrificarsi per il popolo».

Dinh s'era fatto convincere ed aveva detto: «Per anni ho lavorato per gli americani. Non mi rendevo conto che quello che facevo era contro il mio popolo. Di voi, dell'altro Vietnam, non sapevo nulla. Vi chiamavo VC, perché me lo avevano insegnato gli americani, e questo bastava.

«Ora so chi siete, conosco il programma del Fronte, lo capisco. So di essere stato uno strumento dei nemici del Vietnam. Ma ora mi sento un'altra persona. Sono un uomo nuovo».

Il gruppo aveva applaudito. I *bo-doi* e i *can-bo* anche. Lui era felice.

Dinh mi sorprese terribilmente. Dapprima credevo che fingesse; poi, col passare dei giorni, mi resi conto che davvero credeva alle cose che aveva detto. Forse era in parte diventato prigioniero di quelle parole, della parte che aveva fatto, degli applausi, del consenso che aveva ricevuto e voleva inconsciamente adeguare il suo comportamento alle sue dichiarazioni. Ma c'era qualcosa in lui che era autenticamente cambiato, qualcosa era scattato. Invece di scappare pensò da allora di far tornare la famiglia in Vietnam.

Molti, uscendo dai corsi, esprimevano questo cambiamento dicendo: «Non mi sento più il complesso di colpa».

Al contrario degli ufficiali superiori, degli alti funzionari del vecchio regime, gli uomini di truppa o i sottufficiali come Dinh avevano aderito al vecchio regime senza una radicata convinzione; la loro motivazione anticomunista era ottusa, superficiale, fragile.

La stragrande maggioranza dei soldati «fantocci» erano giovani nati, vissuti nel paese già in guerra; erano stati formati nelle scuole del regime, vaccinati contro tutto ciò che veniva dall'altra parte del fronte.

Improvvisamente *hoc tap* proponeva loro una maniera alternativa di vedere il mondo: i vietcong non erano più gli aggressori, ma i patrioti; gli americani non erano più i protettori, ma i nemici. Tutto veniva rovesciato, ma ogni cosa ritrovava un suo posto in uno schema nuovo.

Fu così che chi credeva di essere escluso, cacciato fuori da questo nuovo quadro, dalla nuova società, si accorse di avere attraverso *hoc tap* una occasione per reinserirsi, per essere nuovamente accettato. Lasciarsi sfuggire questa occasione sarebbe stato un inutile spreco.

Hoc tap dei soldati del vecchio esercito di Thieu non finiva con quei tre giorni. Quello era solo il primo passo; ma senza dubbio il più importante.

Nel gruppo di Dinh tutti furono classificati «rieducati»; in altri, almeno un 10 per cento venne invitato a restare per un altro corso.

Fra i bocciati ce n'erano molti che avevano talmente fatto a pappagallo la parte dei convertiti che i *can-bo* ebbero dubbi sulla loro sincerità, e li sospettarono di essere degli «ostinati» che cercavano di camuffarsi.

Un editoriale di *Saigon Giai Phong* mise in guardia contro l'atteggiamento di certuni, dicendo che «è coi fatti e non con le parole che si dà prova della propria trasformazione». Quello che avrebbero dovuto fare era tornare a lavorare al loro villaggio natale. Lo slogan del 16 giugno fu: «Tagliare i ponti col passato. Andare alla campagna. Produrre».

Lo sforzo organizzativo che le nuove autorità affrontarono per la rieducazione dei soldati e dei poliziotti della vecchia amministrazione fu enorme, e fu una nuova prova della notevole organizzazione e preparazione dei quadri. Nella sola Saigon dovettero occuparsi di qualche centinaio di migliaia di persone che si presentavano ai corsi di rieducazione.

Portatevi un maglione

Entrai a fare due chiacchiere con Georges, il francese proprietario del ristorante coreano sulla via Tu Do e ci trovai Do Viet, l'ex colonnello della guerra psicologica dell'ARVN. Il giorno dopo doveva partire per il suo *hoc tap* e stava facendo il giro degli amici da salutare.

La rieducazione non lo preoccupava, anzi in un certo modo ci andava incuriosito. La propaganda, l'indottrinamento erano stati parte del suo lavoro e voleva vedere come i *bo-doi* se la sarebbero cavata con uno come lui che, in fondo, era del mestiere.

Georges, un vecchio *indò*, come i francesi chiamano quelli che hanno speso gran parte della loro vita fra il Laos, la Cambogia e il Vietnam, non smetteva di dargli consigli, e con un macabro umorismo, di cui lui solo riusciva poi a ridere, gli ripeteva: «Ehi, fai attenzione! Se i vietcong ti mandano verso una doccia e ti accorgi che non ti danno il sapone, non c'entrare. Potrebbe essere una camera a gas!»

Il comunicato relativo alla rieducazione degli ufficiali superiori, alti funzionari e grossi politici del vecchio regime era stato pubblicato l'11 giugno.

Da parte delle autorità la scelta dei tempi non poteva essere migliore. La paura che *hoc tap* significasse una qualche forma di tortura psicologica, o che fosse una occasione per punizioni o rappresaglie era giusto svanita con le prime storie circolate in città sui corsi per i soldati semplici, e moltissimi ufficiali, ancora incerti se rimanere nascosti o addirittura darsi alla macchia, preferirono, incoraggiati da ciò che succedeva ai loro subalterni, andare a *hoc tap* invece di correre il rischio di fare i «sottomarini».

Nel clima di sollievo creatosi con l'apertura dei corsi per la truppa «fantoccio», Saigon finì per leggere il comunicato per la convocazione degli ufficiali superiori con molto più ottimismo di quanto il suo testo, stilato – come si capiva – con voluta ambiguità, avrebbe dovuto suggerire.

Il comunicato diceva:

«Educazione e riforma degli ufficiali dell'Esercito fantoccio, della polizia, dei servizi di spionaggio, dei quadri fantoccio e membri dei partiti politici reazionari che si sono già registrati.

«Luoghi di presentazione:
– Generali e colonnelli al numero 230 della via Minh Mang;
– Tenenti colonnelli al numero 12 della via Truong Minh Ky e Go Vap;
– Maggiori alle scuole Petrus Ky, Nguyen Ba Tong e Tabert.
– Ufficiali di polizia, da generale a maggiore, al numero 259 della via Tran Quoc Dung;
– Ufficiali e quadri alti e medi dello spionaggio americano alla scuola Chu Van An;

- Funzionari fantocci dei rami legislativo, giudiziario ed esecutivo, dal grado di supplente fino a presidente della Repubblica, dal grado di capufficio fino a ministro, senatore e deputato, alla scuola Gia Long;
- Membri dei partiti politici, dal grado di segretario di sezione fino a segretario generale, al liceo femminile Le Van Duyet.

«Attenzione: i fantocci debbono presentarsi con vestiti, zanzariere, coperte, oggetti di uso personale e cibo per un mese.

«Data di presentazione: dalle ore 8 alle ore 17 dei giorni 13, 14, 15 giugno.

«Firmato: generale Tran Van Tra».

In calce al comunicato c'era la seguente precisazione:

«Consiglio per gli ufficiali ed i funzionari che debbono partire per il campo di rieducazione:
- Cibo. Il cibo per la prima giornata deve essere portato pronto. Quanto a quello per il mese successivo, occorrono 21 chili di riso.
- Effetti personali. Portare una muta di vestiti, un maglione caldo, una zanzariera, una stuoia, uno spazzolino da denti, dentifricio, una ciotola, bastoncini per mangiare, carta per appunti, medicine, sigarette se fumatori, ed al massimo tre chili di cibo supplementare».

Una conclusione era ovvia: questi «fantocci» non sarebbero rimasti, come i loro colleghi di grado inferiore, a Saigon, non avrebbero fatto *hoc tap* nel loro quartiere di residenza e non sarebbero tornati a casa per cena.

Forse, diceva la gente, i *bo-doi* volevano dare agli ex nemici un saggio della vita nella giungla che loro avevano fatto per anni. Il consiglio di portarsi dietro un maglione ed una zanzariera fece pensare che la destinazione sarebbe stata negli Altipiani.

Per quanto tempo?

Leggendo il comunicato tutti credettero che sarebbe stato per un mese e le autorità non ebbero alcun interesse a smentire.

La partenza del maggior numero possibile di quadri superiori, sia civili che militari, della vecchia amministrazione avrebbe risolto anche un importante problema di sicurezza del nuovo regime: ogni tentativo di resistenza controrivoluzionaria organizzata sarebbe stato stroncato dall'improvviso sradicamento delle persone più importanti del passato dal loro ambiente sociale e dalla loro rete di amicizie e di fedeltà.

La mattina del 13, la scena dinanzi alla scuola Gia Long, dove si presentarono senatori e deputati, ministri e magistrati, era quasi grottesca.

Un giovane *bo-doi*, seduto ad un tavolo in mezzo al marciapiedi, smontava e ripuliva distrattamente una mitragliatrice leggera; un altro andava avanti e indietro cercando di mettere ordine in una massa crescente di anziani signori e distinti personaggi di mezz'età che si affannavano, si spingevano, si litigavano per essere i primi dinanzi ad un cancello che rimaneva inspiegabilmente chiuso.

Il senatore Tran Ngoc Qanh, rifugiato cattolico del Nord, ex ministro dei Lavori Pubblici, accompagnato dalla moglie che gli portava la valigia, urlava che a lui spettava passare avanti, perché era vecchio e malato. Gli altri rifiutavano. Il gruppo ondeggiò in gran confusione. Il *bo-doi* sparò in aria un colpo di pistola e si rimise a pulire la sua arma.

Dalla parte opposta della strada due ragazzine guerrigliere in *ao-baba*, sandali di copertone e dei verdi cappelli flosci, da cui uscivano lunghe trecce nerissime, facevano la guardia ad una villa forse occupata da qualche alto ufficiale del Fronte.

Il gruppo ingrossava. Ex parlamentari, diplomatici, giudici della Corte d'appello arrivavano alla spicciolata. Era gente abituata fino a poche settimane prima a spostarsi pomposamente in limousine nere guidate da autisti-guardie del corpo. Erano stati personaggi riveriti, ossequiati, corteggiati, potenti.

Ora arrivavano dimessi, a bordo della Honda di un parente o a piedi, accompagnati da qualche familiare, come ragazzini al loro primo giorno di scuola, ognuno col suo sacco di riso, un pacco di vestiti e lo sguardo di chi, pur non sapendo a cosa va incontro, deve far buon viso a cattiva sorte.

Alcuni arrivarono trascinando una valigia « Samsonite », come andassero all'aeroporto per un viaggio d'affari, altri con un sacco in spalla, come per un'escursione.

In giacca e cravatta non venne nessuno: alcuni, quasi volessero dare una prima indicazione della loro buona volontà, avevano persino lasciato a casa le scarpe di cuoio e s'erano messi dei sandali di plastica, come quelli usati dai *can-bo*. La sola differenza era che dai loro sbucavano dei piedi immacolati e scandalosamente bianchi.

Pochissimi avevano con sé i tre chili supplementari di cibo. Molti s'erano portati dei soldi, pensando che avrebbero potuto comprarsi quello di cui avevano bisogno.

Un gruppo di curiosi rimase tutta la mattina ad osservare questa patetica processione di potenti desautorati dalla Rivoluzione, disorientati da tutto il nuovo che accadeva attorno a loro.

Avendo letto il comunicato, molti si aspettavano di veder arrivare anche qualche presidente della vecchia Repubblica «fantoccio». Ma di quelli non venne nessuno. Thieu era al sicuro a Taiwan; Minh «il grosso» era stato esonerato, per aver già fatto *hoc tap* nei due giorni in cui era rimasto con Tran Van Tra a palazzo, dopo la Liberazione; e Huong, vecchio, semiparalitico, e mezzo cieco, aveva ottenuto una speciale dispensa per fare la rieducazione a domicilio nella sua villa.

A mezzogiorno c'erano già tre o quattrocento persone dinanzi alla scuola Gia Long, ma nessuno si occupava di loro. Rimasero lì, davanti al cancello chiuso, per ore, finché nel primo pomeriggio un *bo-doi* venne a fare le liste dei presenti e a dividerli in gruppi. Lo stesso era successo nei vari altri luoghi di raccolta.

Per tre giorni i «fantocci» di alto livello rimasero là dove si erano presentati, senza poter uscire, a sentire delle conferenze simili a quelle toccate ai soldati semplici: storia del Vietnam in chiave anticolonialista ed antimperialista; analisi dell'intervento americano e dei crimini americani.

Poi scomparvero. Ai familiari che vennero a chiedere notizie i *bo-doi* dissero che i «fantocci» erano partiti. Nessuno seppe mai esattamente per dove, ma presto corse a Saigon la voce che lunghe colonne di camion Molotova, carichi di gente in civile, erano state viste poco dopo Xuan Loc dirigersi verso nord-ovest.

Nel lungo mese di silenzio sulla sorte dei «fantocci» si raccontarono le storie più incredibili: in un campo di Tay Ninh i *bo-doi* avrebbero avvelenato un intero gruppo di ufficiali; altri sarebbero stati fucilati perché si rifiutavano di collaborare ai programmi.

Le autorità, adducendo «ragioni di sicurezza», non dissero mai dove e come si svolgevano questi corsi. Solo Thanh Cong, l'ufficiale *bo-doi* che avevo incontrato a comprare musiche di Beethoven, una volta mi disse: «Studiano e lavorano. È quello che noi abbiamo fatto durante tutta la guerra. Tu puoi chiamare tutto questo 'lavaggio del cervello': è questione di intendersi sulle parole. Per noi studiare è un privilegio, non una punizione.

« Quanto a lavorare, è qualcosa di cui il paese ha un enorme bisogno. Se ne parli coi fantocci, tutti ti dicono che vogliono partecipare alla ricostruzione del paese; ne discutono nei caffè. A parole ricostruiscono tutto. Ma se metti loro una pala in mano perché riempiano di terra i crateri fatti dalle loro bombe e da quelle degli americani, allora ti dicono che sono ai lavori forzati ».

Thanh Cong non aveva fatto un esempio a caso.

Earl Martin, un barbuto mannonita americano venuto a Saigon da Quang Ngai, dove *hoc tap* era cominciato prima perché la città era stata liberata già in marzo, raccontò che gli ufficiali superiori dell'ARVN erano stati messi a riempire i crateri delle bombe, mentre altri viaggiatori che avevano fatto dal Nord al Sud la strada numero 1, dissero d'avere visto vicino a Da Nang gruppi di ex ufficiali lavorare alla ricostruzione della vecchia ferrovia che fino al 1954 aveva collegato Hanoi con Saigon.

Al posto della famosa base militare di Khe San, che gli americani avevano difeso al costo di centinaia di vittime, i «fantocci» stavano costruendo una nuova città.

Il mese alla fine del quale i «fantocci» avrebbero dovuto tornare passò, ma nessuno di loro si fece vivo. Gli «ostinati» colsero l'occasione per montare una campagna di protesta contro il nuovo regime.

Alla scadenza dei trenta giorni si sparse a Saigon la voce che un convoglio che riportava a casa il primo gruppo di ufficiali superiori era caduto in un'imboscata dei partigiani controrivoluzionari, che molti «fantocci» – chi diceva venti, chi duecento – erano stati uccisi, e che il Comitato di gestione militare avrebbe appeso la lista dei morti fuori della scuola Tabert.

Fu un trucco abilissimo. Qualche centinaio di persone, soprattutto donne preoccupate per la sorte dei loro familiari «fantocci», si presentarono ai cancelli della scuola, in pieno centro della città, e quando scoprirono che lì non c'era alcuna lista andarono a Doc Lap a cercare qualcuno che spiegasse loro cosa era successo e perché ex ufficiali superiori, magistrati, politici e parlamentari non tornavano da *hoc tap*.

Fu la prima dimostrazione di forza contro il nuovo regime; ma contrariamente a quanto avevano sperato gli «ostinati», rimase limitata a qualche centinaio di persone che si dispersero quando un *bo-doi* con un megafono spiegò che non c'era stata alcuna imboscata, che i «fantocci» stavano bene e che non sarebbero tornati per qualche tempo ancora.

Saigon scoprì solo allora che *hoc tap* degli ufficiali superiori non aveva, come quello dei soldati semplici, una durata fissa. Il comunicato aveva parlato di «cibo per un mese»; non aveva detto che la rieducazione sarebbe durata tanto.

Neppure i «fantocci» andati alla rieducazione avevano capito questa sottigliezza. Quando Nguyen Van Y, che era stato fondatore della CIO e capo della polizia al tempo di Diem, e poi consigliere di Thieu, allo scadere del mese andò dal *can-bo* per chiedere di potersene andare, quello gli rispose: «Hai piantato il granturco, perché non vuoi veder spuntare le pannocchie?» Dovette restare.

Dopo altre settimane, da alcuni «fantocci» che ebbero il permesso di venire a Saigon, o per visitare le famiglie o perché erano stati considerati «rieducati», si cominciarono a sentire le prime storie sui campi di rieducazione.

Quasi tutti erano nelle giungle degli Altipiani, in zone remote, lontane dai centri abitati.

La vita nei campi era semplicissima e dura. Non c'erano né recinti né guardiani e le regole che ognuno doveva rispettare erano quelle che i «fantocci» stessi si erano imposte, visto che spettava a loro d'organizzarsi le giornate e la convivenza.

La rieducazione avveniva sotto la guida di quadri politici che abitavano nei campi stessi. Le ore di studio si alternavano a quelle di lavoro.

Quando i 21 chili di riso che ognuno si era portato finirono, i *bo-doi* ne fornirono altro; ma le verdure venivano già colte negli orti che i vari gruppi avevano seminato, diboscando e coltivando il terreno attorno.

Chi si rifiutava di lavorare, come fece Tran Van Thuyen, l'ex deputato della destra nazionalista, non veniva costretto; ma certo con questo atteggiamento non era considerato uno che aveva fatto *hoc tap* e che poteva sperare di tornare a casa presto.

Delle storie di esecuzioni e di avvelenamenti nessuna risultò vera.

VI

C'era una volta l'oro della banca

Gli studenti delle scuole medie erano stati incaricati di tenere in ordine e puliti i giardini di Saigon. Divisi per classi, guidati da un vecchio contadino che insegnava loro a maneggiare pala e rastrello, ragazzi e ragazze innaffiarono e riuscirono a far crescere un bel tappeto d'erba anche sulla grande piazza sterrata fra la cattedrale e Doc Lap.

Quello che non riuscirono ad impedire però fu che la gente andasse di nascosto a strappare dai grandi alberi di tamarindo la bella corteccia rossastra che usava invece del carbone per far da mangiare. Era un altro segno della povertà dei tempi.

Saigon soffriva ogni settimana di più. Di fame non moriva nessuno, le distribuzioni gratuite di riso servivano giusto a questo; ma sempre più gente aveva dovuto imparare a stringere la cinghia.

Nonostante che dal mese di giugno gli impiegati ed i funzionari della vecchia amministrazione con un posto di lavoro avessero ricevuto i primi stipendi «rivoluzionari» (14-18.000 e 23.000 piastre, a seconda della categoria), queste somme ammontavano a circa la metà di quelle pagate in passato, e per giunta erano l'unica fonte di guadagno, visto che tutti gli altri introiti, premi, rimborsi e «bustarelle», erano scomparsi per sempre.

Soldati e ufficiali che avevano fatto il periodo prescritto di *hoc tap*, pur tornando a casa «rieducati» continuarono ad essere disoccupati. Erano migliaia e migliaia; trecentonovemila, secondo il primo conto fatto a fine giugno dai *bo-doi*. Andando a giro per Saigon, Cao Giao continuava a riconoscere e indicarmi ex tenenti e capitani dell'ARVN che si erano messi a fare i posteggiatori abusivi di biciclette o a vendere sigarette dietro un banchetto.

Dei nuovi posti di lavoro si creavano, ma questi venivano distribuiti a chi era bisognoso ed aveva anche aiutato la Rivoluzione. Un ufficio speciale si occupava della classificazione delle famiglie che durante la guerra di resistenza avevano, a rischio della loro vita, ospitato quadri politici del Fronte, curato guerriglieri feriti o si erano prestate a nascondere armi e materiale di propaganda.

Per molta gente che non aveva da vantare benemerenze rivoluzionarie, la povertà era tanto più dura in quanto, pur avendo ancora dei soldi, sapeva di non poterli usare. Erano nelle banche, bloccati nei conti correnti che – a Saigon si pensò – non sarebbero mai più tornati a disposizione dei loro titolari.

Non fu esattamente così. Anche in questo settore le nuove autorità presero con molta calma – due mesi dopo la Liberazione – una interessante decisione: sbloccarono i libretti di risparmio della «classe operaia» i cui depositi non fossero stati superiori a centomila piastre. Per l'occasione, «operai, contadini, funzionari ed impiegati» vennero considerati come appartenenti a questa classe.

In base a questi criteri, chi credeva di aver diritto a ritirare i propri risparmi doveva fare una speciale domanda e spiegare come avrebbe utilizzato il danaro. Lunghe code di persone si formarono dinanzi agli sportelli delle banche il giorno in cui queste riaprirono all'unico scopo di raccogliere le domande.

Il 9 luglio, nel discorso di inaugurazione della «Banca Nazionale Saigon-Gia Dinh», il nuovo direttore Le Minh Chau disse che lo sblocco dei conti dei piccoli risparmiatori costituiva il primo passo di una nuova politica bancaria. Il problema dei «conti più importanti» sarebbe stato risolto in seguito.

Le Minh Chau spiegò che il fine della Banca non era di «fare del profitto, ma di stabilizzare e sviluppare l'economia, e di aiutare la produzione nazionale»; per questo anche le richieste di sbloccare i conti correnti da parte delle aziende sarebbero state prese in considerazione «nei casi di legittimo bisogno».

Le Minh Chau disse inoltre che la Banca avrebbe presto cominciato a fare dei prestiti, con priorità alla produzione agricola, la produzione industriale, la produzione di generi di prima necessità e la produzione per l'esportazione.

La sede della Banca Nazionale sul lungofiume Bach Dan fu il centro in cui decine di esperti di economia e di finanza, molti venuti da Hanoi, altri ereditati dalla vecchia amministrazione e rimasti senza problemi ai loro posti di lavoro, fecero le ricerche di base per la formulazione della politica economica del nuovo regime.

Quello che era successo nella Banca Nazionale il giorno della Liberazione e nei giorni immediatamente precedenti rimase un mistero sul quale nessuno volle fare luce.

La mattina del 30 aprile, quando i *bo-doi* arrivarono nella Banca, un enorme palazzaccio di pietra affacciato sul porto, ad un passo dal Senato, non solo ci trovarono il governatore Le Quang Uyen, il suo vice, parte del loro staff e un gruppo dei finanzieri più importanti del vecchio regime: recuperarono intatte anche le riserve auree della Repubblica del Sud.

Com'era stato possibile?

Thieu ha tentato di portar via l'oro, ma il popolo glielo ha impedito, rispondevano i funzionari del GPR quando poi si cercò di sapere com'era andata.

Che fosse stato proprio il popolo non era certo. È più probabile che Uyen stesso, o qualcuno dei suoi, avesse messo in salvo l'oro, per consegnarlo poi alle nuove autorità come prezzo del proprio riscatto politico.

Attorno all'oro della banca s'erano intessuti, nelle ultime settimane del regime di Thieu, incredibili intrighi. Thieu stesso aveva tentato, almeno due volte, di mettere le mani sul tesoro della Repubblica, ma non c'era riuscito.

Preparandosi a partire aveva contattato una compagnia svizzera, Balair, perché gli garantisse il trasporto di un quantitativo di lingotti in Europa.

La Balair, adducendo motivi tecnici e di sicurezza, si era rifiutata.

Poche ore prima di lasciare definitivamente Saigon, Thieu aveva mandato dei suoi uomini da Uyen per ritirare parte del tesoro; ma Uyen, almeno questa è una versione dei fatti, aveva detto loro che l'oro era già stato ritirato da altri emissari del presidente. Nella confusione della fuga questo contrattempo bastò a far sì che Thieu partisse senza i lingotti.

Sempre secondo questa versione, Uyen (secondo altri sarebbe stato il suo vice) fece portare di nascosto tutto l'oro nelle volte della Banque Française d'Asie.

Una più romanzata versione vuole. che l'oro fosse sepolto in una località segreta nei pressi di Tu Duc.

Il fatto certo è che l'oro rimase a Saigon e che Uyen fu trovato dai *bo-doi*, con la famiglia ed i suoi assistenti, barricato nella sede della Banca, dove aveva fatto aumentare la guardia speciale ed aveva installato un vero e proprio deposito di munizioni per difendere l'edificio da eventuali bande di rapinatori, in caso l'assedio della città fosse durato giorni e settimane.

Quando, subito dopo la Liberazione, Uyen, un giovane economista non ancora quarantenne, educato in Francia e venuto al potere con la banda di Hoang Due Nha, venne convocato a Doc Lap, disse che era rimasto volontariamente a Saigon.

Alcuni maligni insinuarono invece che Uyen fosse andato con

la famiglia ed il suo staff alla Banca perché era lì che gli americani avevano promesso di andarlo a prendere. Non era poi partito perché, essendo andato a riposarsi per un attimo nel suo ufficio dopo aver aspettato per ore sotto il sole, non sentì, a causa del ronzio dei condizionatori d'aria, l'elicottero che atterrava. Al suo posto erano partiti tutti i suoi bagagli, le sue donne di servizio e le guardie che si erano trovate al momento giusto sul tetto dell'edificio.

Qualunque fosse la versione alla quale i *bo-doi* credettero, Uyen fu trattato bene. Fu invitato, assieme al gruppo dei giovani finanzieri, a lavorare a Doc Lap. Poi, anche lui, come tutti gli altri funzionari «fantocci» andò a fare il suo lungo *hoc tap* negli Altipiani.

Quella che sarebbe stata la politica economica delle nuove autorità, fino a che punto le imprese private avrebbero potuto continuare a funzionare alla maniera di prima non venne per molto tempo chiarito. I *bo-doi* esperti dei vari settori industriali continuarono a studiare i problemi, a raccogliere informazioni; ma non dettarono legge.

Quanto alle tasse, nessuno a Saigon nei primi tre mesi le pagò. Circolò solo la voce che in altre regioni i *bo-doi* avevano cominciato a chiedere ai commercianti gli arretrati dal 1954, quando quelli avevano smesso di pagare imposte ai vietminh.

Per i primi tre mesi dopo la Liberazione, sul piano economico ognuno fece un po' come volle; bastava fare attenzione a non essere classificato uno speculatore, visto che presto venne lanciata contro questa categoria di persone una campagna di denuncia e di correzione.

Alcuni operatori economici, cercando di evitare errori, andarono a domandare ai *bo-doi* che cosa bisognava e non bisognava fare. Ma le risposte furono sempre evasive.

Un industriale tessile, che chiese alla sezione economica del Comitato di gestione militare Saigon-Gia Dinh a quale prezzo poteva vendere i suoi prodotti, si sentì rispondere: «Decida lei! Stia solo attento a non fare arrabbiare il popolo. Potrebbe passare dei guai».

Governo fantoccio, governo fantasma

Molta gente a Saigon aveva difficoltà a capire. I *bo-doi* avevano preso il potere già da alcune settimane, ma al contrario di tutti i governi precedenti, questo nuovo non sembrava sapere quello che voleva. Non dava ordini, non emanava nuove leggi, non emetteva nuove disposizioni. A chi non si fosse reso conto di quanto, con la Rivoluzione, era mutato il concetto di potere, le nuove autorità davvero davano l'impressione di distruggere più che di costruire, di disorganizzare invece di governare.

« Prima c'era ordine. Si sapeva come e a chi rivolgersi per risolvere un problema, per chiedere un permesso », dicevano i commercianti sulla via Tu Do. « Ora è il caos. Nessuno sa nulla, nessuna prende decisioni. »

Col vecchio regime, ogni volta che cambiava un governo o c'era un colpo di Stato che portava un nuovo generale alla presidenza, cambiavano i grossi papaveri; ma per il resto tutto continuava a funzionare come prima ed il poliziotto dell'angolo a cui bisognava pagare una tangente per gestire un banchetto di sigarette o fare il mercato nero dei dollari rimaneva sempre lo stesso.

Ora invece sui vecchi uffici erano state cambiate le insegne e molti erano addirittura stati chiusi. Quanto ai vecchi poliziotti, erano letteralmente scomparsi e dei nuovi, se mai ce ne fossero stati, non si vedeva traccia. Ogni tanto ai principali crocevia del centro comparivano, con bracciali rossi e palette di cartone con su scritto « stop », gruppi di quattro o cinque studenti, ognuno dei quali faceva segnali diversi per il traffico che certo non traeva un grande vantaggio dalla loro presenza.

« La circolazione ci perde, ma la coscienza di questi giovani ci guadagna », aveva risposto un *bo-doi* a qualcuno che era andato a lamentarsi.

I *bo-doi* erano i primi a non rispettare le normali convenzioni della strada. Come se fossero ancora sul sentiero di Ho Chi Minh nella giungla, guidavano i loro grossi camion carichi di verdure o di munizioni dalla parte sbagliata della strada ed imboccavano contromano tutti i sensi unici, incuranti dei sorrisi ironici e delle imprecazioni dei normali cittadini. I semafori continuarono per mesi a funzionare imperterriti, automatici, come avevano fatto anche nelle ore confuse della Liberazione; ma Saigon imparò prestissimo che si poteva tranquillamente passare col rosso. Non c'era, per questo, nessuna sanzione e nessuno era lì a incassare multe.

Abituata alle regole ed alla logica della vecchia amministrazione, la gente non riusciva a capire come quella nuova funzionasse. In passato il potere veniva gestito dall'alto verso il basso.

Il presidente nominava i capiprovincia, quelli nominavano i capidistretto, quelli i capisettore, quelli i capiquarticre e così via, giù giù fino al capo dell'unità interfamiliare che costituiva la base del controllo amministrativo e poliziesco di Thieu.

Il nuovo governo non nominava nessuno. Ma c'era poi un nuovo governo? Chi era il nuovo capo? Chi aveva preso il posto di Thieu? I nuovi dirigenti non si vedevano in televisione, le loro foto non apparivano sui giornali, e l'unica immagine che veniva distribuita dappertutto era quella del presidente Ho Chi Minh, ormai morto da sei anni.

La gente si poneva queste domande con onesta ingenuità e gli «ostinati», che non perdevano occasione per soffiare sul fuoco della confusione e dello scontento, usando il nuovo gergo facevano circolare la battuta: «Prima avevamo un governo fantoccio. Ora abbiamo un governo fantasma».

Dal giorno della Liberazione, a parte pochi e brevi comunicati come quello con cui era stata annunciata la chiusura dei bordelli, delle fumerie d'oppio e dei night-club, le nuove autorità non avevano emanato grandi editti, né dato grandi disposizioni. Attraverso i *bo-doi* che erano onnipresenti nelle strade, nelle case, negli edifici pubblici, nelle scuole, le nuove autorità sembravano dare consigli più che ordini, sembravano suggerire i comportamenti corretti, più che imporli per forza.

Un tipico, anche se marginale risultato di questo atteggiamento fu che per lungo tempo Saigon non seppe mai con esattezza che ora fosse. Ministeri e funzionari rivoluzionari lavoravano e davano appuntamenti secondo il fuso orario indocinese, che era anche usato ad Hanoi e dai vietcong durante la guerra nelle zone liberate; ma un annuncio ufficiale che abolisse l'ora del vecchio regime, avanti di 60 minuti, non veniva mai.

Fu così che fino alla metà di giugno, pur essendo scomparsi da Saigon tutti i simboli, le insegne, le scritte del vecchio regime, gli orologi di tutta la città, compresi quello sulla Posta centrale e quello sul frontone della cattedrale, continuarono a segnare quella che oramai tutti chiamavano «l'ora di Thieu».

I marciapiedi della città erano sempre stati ingombri di bancarelle, mendicanti, venditori, lebbrosi, bambini lustrascarpe. Ognuno aveva il suo spazio riservato, protetto dal racket polizia-malavita. Con la Liberazione questo sistema di piccolo potere saltò per aria.

I *bo-doi* non andavano certo a chiedere la licenza a chi si accovacciava dietro una cassetta di legno a vendere sigarette, liquori, giornali o semplicemente dei dolcini fatti in un sottoscala. Col peggiorare delle condizioni economiche, un sacco di gente dovette, per far qualche soldo, mettersi a vendere quello che poteva dove poteva e i marciapiedi del centro furono invasi dalle bancarelle.

All'inizio di luglio ci fu una fioritura di cosiddetti « caffè di marciapiede »: due o tre tavolinetti bassi, qualche sedia tolta dal salotto di casa ed un bricco di acqua nera, scaldata su un fornello portatile a carbone. Attorno ai giardini, dinanzi al vecchio Tribunale, questi caffè nacquero come i funghi. Sulla via Tu Do, dove l'iniziativa era in mano alle ragazze dei vecchi bar, diventò impossibile camminare sui marciapiedi a causa di tutte le seggiole, i panchetti ed i fili dei paracadute, svolazzanti, multicolori, stesi fra gli alberi e le case per riparare i clienti dall'acqua e dal sole. Sulla piazza, fra la Posta e la cattedrale, in un continuo competere per il posto più in vista, i vari venditori di francobolli, di zuppa, di benzina in bottiglie, che ogni giorno si moltiplicavano, avevano strabordato dal marciapiede ed invaso metà della strada rendendo sempre più complicato il traffico.

Le autorità non avevano avuto granché da ridire. Ogni tanto passava una pattuglia di *bo-doi* che con un megafono chiedeva a tutti di tirarsi indietro. Nessuno dava retta ed i *bo-doi*, conversando coi venditori, ripetevano: « È un problema vostro. Organizzatevi, formate un comitato che risolva la questione degli spazi. Decidete fra voi chi deve stare e dove ».

Questo atteggiamento era incomprensibile ai più. Una volta che stavo ad ascoltare una di queste chiacchierate fra *bo-doi* e popolazione, proprio alla Posta, sentii un uomo sulla cinquantina chiedere ad un giovane soldato: « Ma insomma, il governo che cosa vuole da noi? Cosa dobbiamo fare? » E quello serio serio rispondere: « Tocca a voi deciderlo ».

Questa impressione di un vuoto di potere che certa gente aveva era assolutamente superficiale e falsa. Le nuove autorità c'erano eccome, ma il loro modo di intervenire era discreto, indiretto; il caos in un certo senso era didattico. La gente doveva rendersi conto dei problemi da sola, doveva imparare ad occuparsene, a risolverli come non aveva mai fatto in passato.

Quanto al nuovo potere, ogni giorno, sotto l'ombrello della gestione militare di Saigon-Gia Dinh che garantiva la sicurezza della città e costituiva una catena di trasmissione e di comando con le più alte autorità del paese, esso andava riorganizzandosi in ogni settore della società. Era un processo che avveniva secondo nuovi principi e nuove procedure. Scuole, fabbriche, aziende private, università erano teatro di continue riunioni nelle quali venivano eletti i membri dei vari comitati di gestione, i delegati presso altre organizzazioni, eccetera. Il lavoro più capillare veniva fatto nei quartieri.

Mi capitò una sera di assistere alla prima riunione di una «cellula di solidarietà» in un settore popolare della città.

Nella cellula di solidarietà

Era buio e pioveva a dirotto. Per risparmiare energia, fin dal giorno della Liberazione l'illuminazione stradale era stata ridotta e la gente aveva difficoltà a saltare, correndo, fra le pozzanghere del vicolo sterrato che conduceva alla scuola dove la riunione era convocata per le otto.

«Con questo tempo non mi sarei mosso nemmeno per andare ad un banchetto. Ci voleva proprio la Rivoluzione per farmi uscire», disse qualcuno scherzando, e gli altri risero.

Il quartiere, situato grosso modo fra le vie Hai Ba Trung e Tran Quang Khai, era ormai a popolazione mista. Fino a qualche anno addietro era stata una zona residenziale per la classe media, quella che aveva paura della Rivoluzione, malediva i vietcong e si vantava di mandare i figli a studiare a Parigi o negli Stati Uniti. Ci abitavano famiglie di avvocati, di dentisti, di funzionari del governo, di ufficiali dell'esercito e di grossi importatori. Poi man mano che la guerra si avvicinava a Saigon, sul retro delle case in pietra e mattone dei ricchi, lungo i muri di cinta dei loro orti, s'erano venuti ad installare i poveri: contadini scappati dai campi, che si costruivano baracche in legno e bandone e campavano con piccoli traffici o pedalavano ciclò presi in affitto alla giornata. Vedendo arrivare la Liberazione questi ultimi erano tutti restati. Dei ricchi, una cinquantina di famiglie aveva preferito scappare con gli americani. Il quartiere era comunque rimasto con una forte componente di «ostinati».

Già alle otto meno dieci l'aula principale della scuola era piena di gente. A parte un paio di capifamiglia che fecero giustificare la loro assenza dai vicini, tutti gli altri erano presenti: un centinaio; c'erano inoltre dei giovani, molte donne ed alcuni quadri politici di altri quartieri, che però non presero mai la parola.

Due giovanissimi *bo-doi* stavano all'ingresso tenendo i loro AK-47 per la canna, col calcio appoggiato per terra. Rispondevano ai cenni di saluto della gente, ma non controllavano chi entrava. Ad una parete, il ritratto a colori di Ho Chi Minh e le due bandiere: una del Fronte, una di Hanoi. Sotto, un tavolo di legno ed un microfono. Davanti, tante file di sedie e di panche.

L'ordine del giorno era l'elezione del capo, vice capo e segretario di ognuna delle quattro cellule di solidarietà rappresentate nell'assemblea. Il lavoro preparatorio era già stato fatto.

Durante tutta la settimana precedente, gruppi di *bo-doi* (a due o a tre) avevano fatto visita, famiglia per famiglia, a tutto il quartiere, non solo per spiegare l'idea della cellula di solidarietà come raggruppamento di famiglie che vivono vicine, ma soprattutto per raccogliere minuziose informazioni sulle vicende personali di ognuno, sulle sue condizioni economiche, sui suoi legami col «governo fantoccio» ed il suo comportamento «durante l'occupazione americana».

Questa inchiesta non l'avevano fatta i *bo-doi* che, dal giorno della Liberazione, vivevano nel quartiere. Altri *bo-doi* erano venuti apposta da un'altra parte della città e quelli di qui erano andati a fare lo stesso lavoro in un altro quartiere, dove non conoscevano la gente.

Dopo i *bo-doi* erano venute in ogni famiglia anche le rappresentanti delle organizzazioni femminili della Liberazione che avevano parlato di figli e di scuole con le donne ed avevano raccolto altre informazioni sulla vita di ognuno nel rione.

Le relazioni fatte da questi due gruppi certamente erano state lette e studiate dal *bo-doi* che prese la parola per aprire la riunione. Aveva circa venticinque anni, una uniforme senza alcun grado, due penne nel taschino della camicia ed una voce calma, sicura, persuasiva. Mi disse poi che, prima di entrare nell'Esercito di Liberazione, era stato studente di ingegneria all'università di Hanoi.

«Fratelli, sorelle, compagni! Il potere oggi appartiene al popolo», esordì. «Sta ora a voi decidere il vostro destino. Prima voi eravate vittime del potere; il potere veniva gestito dall'alto e i vostri rappresentanti non erano scelti da voi, dal popolo. Ora questa scelta tocca a voi. La cellula di solidarietà è la base del potere popolare, perché è dalle cellule che verrà eletto il Comitato Rivoluzionario di quartiere, poi quello di settore e di distretto. Sarà un processo dal basso verso l'alto, e non alla rovescia.» Il *bo-doi* spiegò che non c'erano regole rigide, ma che grosso modo dodici-venti famiglie costituivano una cellula, che ventotto-trenta cellule facevano un settore, che dieci settori costituivano un quartiere, eccetera.

La gente seguiva senza grande entusiasmo. Alcuni muovevano il capo in segno d'assenso.

La cellula – spiegava il *bo-doi* – doveva occuparsi dei poveri del quartiere, doveva trovare lavoro ai disoccupati, doveva occuparsi dei giovani, il nucleo della nuova società. La cellula doveva controllare il lavoro dei quadri politici, doveva garantire la sicurezza nel quartiere e risolvere tutti i problemi del rione.

Così succedeva ormai nel resto del paese. Man mano che l'Esercito di Liberazione era avanzato verso Saigon, in ogni villaggio e città liberata la vecchia amministrazione era stata spazzata via e tutti i funzionari «fantocci», dai più alti ai più marginali ed insignificanti, erano stati rimossi ed esautorati. L'Esercito di Liberazione, coi suoi comitati di gestione locali, garantiva la ordinaria amministrazione del paese ed ufficiali e *can-bo* subentravano temporaneamente in alcune delle posizioni lasciate vacanti dai «fantocci».

Questa struttura di potere era naturalmente transitoria, intesa solo a durare fin quando una nuova struttura, eletta democraticamente, l'avrebbe prima affiancata e poi sostituita. «Democraticamente» era da intendersi nel senso che il giovane *bo-doi* stava giusto spiegando all'assemblea di Tran Quang Khai, come altri *bo-doi* e quadri lo spiegavano al resto del paese.

Questo processo di lievitazione del nuovo potere popolare era ovviamente lento e difficile. Un conto era, come avveniva in passato, nominare alluvionalmente, dall'alto, capiprovincia, capidistretto, capiquartiere e così via: poteva essere fatto in un giorno. Un conto, invece, era cominciare con le riunioni, le discussioni nelle cellule e poi risalire passo passo attraverso nuove riunioni, discussioni e critiche, al livello successivo fino al più alto livello del governo che non a caso continuava a chiamarsi «provvisorio».

A Saigon ci vollero quasi due mesi perché si arrivasse, attraverso tutta la trafila dei vari livelli, ad eleggere il primo Comitato Rivoluzionario di quartiere. Inoltre, una volta eletto un comitato, non era detto che questo fosse definitivo, perché c'erano le purghe, le critiche, le campagne per rimuovere i funzionari dell'amministrazione «fantoccio» che erano riusciti ad infiltrarsi nella struttura rivoluzionaria; c'erano le accuse di inefficienza e quindi erano necessarie nuove discussioni, nuove elezioni.

Il *bo-doi* disse che i capicellula da eleggere sarebbero stati in carica tre mesi. Un voto dell'assemblea li poteva destituire anche prima. Per evitare problemi spiegò che tipo di uomo avrebbe dovuto essere un capo cellula.

«Deve essere un uomo che non ha avuto alcuna relazione col sistema fantoccio. Deve essere una persona pulita, stimata, che goda la fiducia della popolazione e che abbia un atteggiamento corretto e non sciovinista verso le donne.»

Chiese all'assemblea di discutere i problemi di cui lui aveva parlato e di rispondere a due domande fondamentali: 1) che cosa significa potere del popolo? 2) quali sono i criteri con cui si scelgono i rappresentanti del popolo?

«Parlate liberamente. Dite tutto quello che pensate. Tocca a voi esprimere le vostre idee», ripeteva il *bo-doi*. Ma l'assemblea taceva. Poi un uomo sui cinquant'anni, quasi elegante, con una bella capigliatura bianca, si alzò: «Voi dite che siamo liberi, ma non è vero. La gente ha paura a dire quello che pensa. Continuate a parlare del popolo, del popolo, dei diritti del popolo; ma poi ci accusate di essere dei 'fantocci', dei criminali che hanno collaborato con gli americani...»

Attorno a lui molti annuivano. Una donna, incoraggiata da questo primo intervento, disse: «Perché volete instaurare un nuovo sistema? Perché fare la cellula di solidarietà? Qui abbiamo già un sistema, quello interfamiliare; nel nostro quartiere ha sempre funzionato bene e quelli che ci hanno lavorato non hanno commesso nessun crimine. Possono benissimo continuare a fare il loro lavoro come prima».

Ho saputo poi che era la moglie di un ufficiale dell'ARVN. Lui era stato catturato a Da Nang e non era ancora rientrato a Saigon; lei era perciò considerata capofamiglia. Il *bo-doi* ascoltava senza apparenti reazioni, poi rispose: «Dobbiamo distruggere il vecchio sistema in ogni sua espressione, in ogni suo aspetto; anche il più piccolo capo interfamiliare che non abbia commesso alcun crimine contro il popolo è stato pur sempre parte del sistema di controllo e di coercizione dei fantocci; va sradicato, va eliminato perché non si riproduca».

Si arrivò alle elezioni dopo un'altra ora di discussione. Il *bo-doi* chiese all'assemblea, che era stata divisa nelle quattro cellule, di presentare dei candidati, ma i nomi che venivano fuori erano sempre quelli di funzionari del vecchio regime e lui insisteva nel chiedere la presentazione di candidati nuovi. Alla fine il *bo-doi* disse: «Permettetemi allora di nominare un candidato», ed indicò un anziano professore, un cattolico che era scappato dal Nord nel '54, che non aveva mai fatto politica e che lì all'assemblea non aveva detto nulla.

La nomina era ovviamente il risultato delle inchieste fatte prima della riunione. Il professore non era considerato affatto un rivoluzionario, ma era onesto e rispettato dalla gente. Fu votato a stragrande maggioranza con un'elezione per alzata di mano. Come vice venne eletto un impiegato d'una società straniera, come segretario un ex sottufficiale dell'ARVN che era venuto in congedo cinque anni prima e che da allora faceva l'esportatore di prodotti artigianali.

Il *bo-doi* si alzò ad applaudire i risultati, l'assemblea fece lo stesso. Dopo l'elezione delle altre cellule ed un breve discorso di ogni eletto con promesse all'assemblea di lavorare correttamente, la riunione si chiuse. Era durata tre ore e mezzo.

Il lavoro delle cellule cominciò immediatamente il giorno dopo. Contemporaneamente cominciò anche una nuova inchiesta, più approfondita delle precedenti, sulla personalità e sul passato di ogni neoeletto.

Rimasi in contatto col professore e seguii la sua attività nella cellula. Ecco alcuni dei tipici problemi che si trovò ad affrontare nelle prime due settimane.

Caso dei poveri. – Nel rione c'erano quattro famiglie chiaramente indigenti. Attingendo ai fondi messi a disposizione dal comitato militare di quartiere, il professore fece avere loro del riso.

Più complesso era il caso di una famiglia un tempo ricca che abitava in una delle più belle case del quartiere. Quattro figli, un fratello e un genero erano alla rieducazione perché ufficiali ARVN; il vecchio, che era l'ex capo del gruppo interfamiliare del quartiere, da quando le banche erano chiuse era rimasto senza un soldo e doveva campare una ventina di persone fra nuore, nipoti e figlie. Il professore capì che non poteva andare da loro ad offrire del riso. Era una questione di faccia, di dignità. Ne parlò al comitato di quartiere. Dopo un giorno, con la scusa di un questionario da riempire, bussarono alla loro porta tre studentesse. Parlando proposero alla famiglia di andare a vendere, per loro conto, una macchina per cucire ed alcuni elettrodomestici; poi senza farsi vedere dai vicini, passando per la porta di dietro, depositarono in cucina 25 chili di riso.

Caso dell'ubriaco. – Sapendo che la cellula distribuiva riso, altre famiglie si fecero avanti, dicendo di averne bisogno. Vennero distribuiti altri sacchi, ma si scoprì che un vecchio rivendeva la sua parte per comprarsi dell'alcol. Alcuni protestarono. Il professore riunì i capifamiglia. Si discusse e si decise che, nel caso specifico, l'uomo era troppo vecchio per capire; aveva perduto due figli in guerra, e forse beveva per addormentarsi. Non venne presa alcuna misura contro di lui. Continuarono a dargli la sua parte.

Caso di sicurezza. – Il professore riceveva dal comitato militare la lista di tutti i «fantocci» che dovevano presentarsi al corso di rieducazione. Fra questi c'era un ufficiale che progettava di evitarlo andando a nascondersi da alcuni parenti nel Delta. Fu la moglie a dirlo al professore che lo andò a trovare, e gli spiegò la politica di riconciliazione del Governo Provvisorio Rivoluzionario. Gli disse che prima o poi sarebbe stato scoperto e che era meglio fare il corso ora, che essere catturato e mandato via dopo. Promise anche di aiutare materialmente la famiglia mèntre lui sarebbe stato via. L'ex ufficiale accettò.

«Gran parte del mio lavoro è distribuire dei tranquillanti», commentò il professore raccontandomi quest'episodio. «La gente vuole sentirsi dire che se la caverà, vuole ascoltare e riascoltare le ragioni di ogni azione dei *bo-doi*.»

Caso d'igiene. – I *bo-doi* spazzavano, ogni mattina alle sei, la strada dinanzi alle case in cui abitavano. Il capo cellula durante una riunione chiese ai capifamiglia se questo pareva loro giusto. Decisero allora che avrebbero fatto quel lavoro al posto dei *bo-doi*.

«Ora spazzano anche troppo. La gente mangia poco e ci sono pochi rifiuti. Basterebbe spazzare una volta la settimana, ma ormai tutti lo fanno una volta al giorno», disse il professore.

Caso del ritorno alla campagna. – Una delle famiglie povere voleva tornare al villaggio natale nel Vietnam del centro, ma non ne aveva i mezzi. La cellula procurò la somma necessaria per il viaggio, scrisse una lettera di presentazione al Comitato Rivoluzionario di destinazione e garantì aiuti di reinstallazione per i primi tre mesi. Questo caso venne discusso in un'assemblea di tutta la cellula. Intervenne un quadro politico del distretto che spiegò che la politica del Governo Provvisorio Rivoluzionario era di rimandare alla campagna più gente possibile. Chiese a tutti quelli che avevano origini contadine di considerare questa possibilità.

Dopo due settimane il professore era entusiasta del suo lavoro. La cellula non aveva una sede e lui ora costretto ad andare di casa in casa per occuparsi dei vari problemi. Così aveva conosciuto a fondo i vicini ed aveva con loro stabilito dei rapporti che prima erano impossibili. L'inchiesta sul suo conto si era conclusa bene. Parenti suoi interpellati in altre parti del paese, conoscenti in città avevano confermato le informazioni che aveva dato di sé ai *bo-doi* e la popolazione del rione s'era detta contenta di lui come capo cellula.

« Il più grosso problema è ancora la barriera che c'è fra uomo e uomo, fra famiglia e famiglia », mi disse commentando questa sua attività. « Ci siamo abituati a vivere ognuno per conto suo, ripiegati sui nostri problemi, a fare vita privata, ed ora è difficile convincere la gente ad aprirsi, a parlare delle proprie cose, ad ammettere i propri guai o i propri errori. Ci provo, ed è per me una esperienza nuovissima. Ho imparato ad esempio che si può cominciare a parlare del modo in cui una famiglia cucina il pesce, per arrivare alle cose che le stanno a cuore. Purtroppo, nel mio rione alcune famiglie vivono ancora tenendo chiuso il portone principale ed entrano ed escono di nascosto dalla porta di cucina. »

Degli altri rappresentanti di cellula che avevo visto eleggere nel quartiere Tran Quang Khai, alcuni ebbero dei problemi. Uno venne rimosso perché aveva approfittato della distribuzione della benzina di cui era incaricato per metterne qualche litro da parte per sé; un altro, quando fu lanciata, dura, la campagna per sradicare gli elementi del vecchio regime dalle organizzazioni rivoluzionarie che andavano formandosi, dovette confessare davanti a tutta la sua cellula che era stato un informatore della polizia. I *bo-doi*, nel corso delle loro ricerche, avevano trovato negli archivi della vecchia sicurezza nazionale un dossier a suo nome con l'annotazione dei soldi che aveva preso per ogni « soffiata » che aveva fatto.

Il 3 luglio, in un editoriale intitolato « Il compito principale immediato è la costruzione d'un potere forte alla base », il quotidiano *Saigon Giai Phong* fece il punto sulla costituzione delle organizzazioni rivoluzionarie ed accennò alle difficoltà di questo processo. Nel solito linguaggio ripetitivo, pesante, noioso, ma estremamente preciso e – mi resi conto poi – anche efficace, perché la gente lentamente lo imparava e se ne serviva sempre più a proposito, l'editoriale spiegò le priorità ed i problemi del momento, giustificò la permanenza dell'amministrazione militare e chiarì che, nonostante l'azione rivoluzionaria del popolo sia « primordiale » (o principale), le decisioni che vengono dal potere in alto sono « estremamente importanti ». Le nuove autorità che si erano installate a Doc Lap facevano molta attenzione a che certe azioni della base non si trasformassero in eccessi e più volte, come si è visto nel caso della campagna contro la cultura decadente, intervennero per frenare certi atteggiamenti ultrarivoluzionari. Ecco il testo dell'editoriale:

« La vittoria completa dell'offensiva e del sollevamento di primavera ha annientato la macchina oppressiva del nemico americano e dei suoi valletti. Il potere rivoluzionario si è installato e la sua efficacia si manifesta nell'amministrazione del paese recentemente liberato.

« Il nostro potere è il potere del popolo. Il regime dell'amministrazione militare è la prima forma di questo potere. La sua missione è di schiacciare ogni resistenza degli ultimi avanzi nemici, costruire il dispositivo del nuovo potere, ristabilire l'ordine e la sicurezza, normalizzare la vita della città in ogni suo settore.

« Il Comitato di gestione militare Saigon-Gia Dinh e la rete dei Comitati Rivoluzionari del popolo a tutti i livelli hanno svolto con successo questi compiti nei due mesi passati.

« La forza del potere popolare si manifesta principalmente alla base. Il quartiere, il sottoquartiere, la cellula di solidarietà sono il livello a cui il popolo esercita direttamente i suoi diritti di padrone del paese, il livello a cui il popolo detiene ed utilizza direttamente il potere per continuare la lotta rivoluzionaria in ogni sfera. Il quartiere, il sottoquartiere, la cellula sono attualmente i luoghi in cui si trasformano la dottrina e la politica di azione rivoluzionaria.

« Il potere del popolo ha giusto cominciato a stabilirsi alla base. Naturalmente, essendo agli inizi, questo potere non è abbastanza forte ed in alcuni posti ha ancora delle difficoltà. Ciò è inevitabile. È per questo che la costruzione d'un potere del popolo veramente forte alla base è oggi il lavoro più importante della Rivoluzione a Saigon. Un potere forte alla base assicura la risoluzione dei problemi più urgenti: il lavoro, il pane, la caccia ai reazionari ostinati, l'ordine e la sicurezza.

«Dopo avere abbattuto il potere nemico, la Rivoluzione è responsabile di tutte le attività della società. Questa direzione si realizza attraverso il potere del popolo. Ogni politica si trasforma in un ordine, in una decisione d'autorità e diviene il fondo di ogni azione rivoluzionaria della grande massa, soprattutto alla base.

«Attualmente la nostra formula di realizzazione rivoluzionaria è il coordinamento delle decisioni del potere dall'alto verso il basso con l'azione rivoluzionaria della massa dal basso verso l'alto. Nonostante l'azione rivoluzionaria del popolo sia primordiale, la decisione del potere è estremamente importante ed è l'appoggio dell'azione rivoluzionaria del popolo.

«La popolazione di Saigon sta con speditezza stabilendo il potere del popolo attraverso assemblee popolari. In moltissime località queste riunioni hanno ottenuto dei buoni risultati dal punto di vista della costruzione e del rafforzamento del potere popolare rivoluzionario. Il popolo si solleva per denunciare i crimini degli imperialisti americani e dei fantocci, per rieducare gli infelici vittimizzati dalla dominazione e dallo sfruttamento. Il popolo denuncia gli 'ostinati'. Tutto questo serve a dimostrare la nostra determinazione nel costruire e consolidare il nostro potere. Il popolo continua a sollevarsi per combattere e distruggere tutto ciò che resta degli imperialisti e dei fantocci. In alcune località il popolo ha eliminato i cattivi elementi ed i reazionari infiltratisi nella macchina del potere rivoluzionario ed ha scelto gli elementi più fedeli, più rivoluzionari della popolazione per gestire il potere di base.

«La sostanza della Rivoluzione è il potere. La popolazione lavoratrice e povera, quelli che erano più oppressi sotto il vecchio regime, sono permeati di questo principio più d'ogni altro. È così che per la popolazione lavoratrice che costituisce la maggioranza delle cellule di solidarietà e dei quartieri, avere un potere popolare forte alla base è avere tutto: l'ordine e la sicurezza, il pane, la gioia e la prosperità. Per costruire una nuova vita, una nuova società buona e bella, bisogna cominciare con la costruzione del potere del popolo veramente forte alla base».

Vietnamiti prima, cattolici poi

L'unico edificio di Saigon sul quale non sventolò mai la bandiera del Fronte o quella di Hanoi fu la cattedrale. Non ci fu neppure un semplice tentativo di andarcela a mettere. Da parte delle nuove autorità questa era una forma di rispetto.

La prima domenica dopo la Liberazione quando, come al solito, le varie chiese della città si riempirono di gente, in mezzo ai fedeli c'erano anche dei giovani *bo-doi* in uniforme, venuti con gli altri ad ascoltare la messa.

La Rivoluzione aveva promesso da tempo di lasciare alla popolazione la libertà di culto, ed una volta arrivata al potere mantenne questo impegno.

I cattolici nel Sud-Vietnam non s'erano certo distinti, negli anni della guerra, per il loro progressismo; al contrario, erano stati uno dei più solidi pilastri di tutti i regimi «fantoccio» del passato. Essi rappresentavano però anche il 10 per cento della popolazione, erano influenti, organizzati, determinanti nella società del Sud, e le nuove autorità preferirono cercare di guadagnarne le simpatie, invece di alienarseli ulteriormente con uno scontro diretto.

Cresciuti al tempo dei francesi, i cui missionari erano sbarcati al seguito delle truppe d'occupazione, i cattolici erano divenuti in Vietnam, grazie al loro rapporto fiduciario con la potenza coloniale, una classe privilegiata. Essere cattolici significava avere accesso alle migliori scuole, avere i migliori posti nella amministrazione statale e così, di generazione in generazione, cattolica aveva finito per essere la maggioranza dei medici, avvocati, magistrati, ufficiali.

Con gli Accordi di Ginevra e il raggruppamento a sud di tutti i filofrancesi, questa élite cattolica si era concentrata a Saigon ed aveva fin dal '54 dominato, da una posizione duramente anticomunista, la scena politica sudista.

Nelle settimane che precedettero la Liberazione, la rapida avanzata comunista fece nascere fra i cattolici il comprensibile timore che ci sarebbero state delle rappresaglie e che loro, più di ogni altro gruppo sociale, avrebbero sofferto sotto il nuovo regime. Non fu così.

Dopo il 30 aprile, nessun cattolico venne arrestato, perseguitato o discriminato in quanto tale. La Chiesa non venne considerata una organizzazione i cui membri dovevano registrarsi. Dovettero farlo solo i cappellani militari, ma in quanto ufficiali dell'ARVN, non come preti.

Tutto questo naturalmente non bastò a togliere dalla testa della gente l'idea, radicata da anni, che i comunisti erano nemici giurati della religione e che marxismo e cattolicesimo erano due cose contraddittorie.

«In una chiesa nella diocesi di Bac Tien una donna abbraccia un *bo-doi*, dicendogli: 'Meno male che siete venuti voi a liberarci in tempo, altrimenti saremmo caduti nelle mani dei comunisti ed avremmo fatto la fine dei martiri'. Il *bo-doi* la guarda sorpreso e risponde: 'Ma buona donna, io sono comunista e sono anche cattolico'.»

La storia, così pubblicata sul numero uno del settimanale cattolico *Cong Giao van dan Toc* (Cattolici e Popolo), uscito il 10 luglio, era forse apocrifa, ma descriveva bene il problema che un gruppo di cattolici progressisti, decisi a collaborare col nuovo regime, intendeva affrontare: convincere la massa dei fedeli a non rimanere fuori dal corso della storia vietnamita e ad entrare attivamente nella Rivoluzione.

Le nuove autorità videro con favore questa iniziativa e non a caso *Cong Giao van dan Toc* fu la prima pubblicazione di una organizzazione non governativa a ricevere dal Comitato di gestione militare l'autorizzazione ad uscire.

La dirigeva Nguyen Dinh Thi, un giovane prete che aveva per anni lavorato in esilio a Parigi e che, passando per Hanoi, era rientrato a Saigon il 31 maggio su un aereo speciale, assieme ad altri esponenti della Terza Forza, come l'avvocato Nguyen Long e lo scrittore Thieu Son.

«Dobbiamo impedire che la Chiesa si chiuda in un suo guscio, che nasca una Chiesa del silenzio, che si creino nel Vietnam socialista le basi per una resistenza cattolica», diceva padre Thi. «Non vogliamo affatto fare una Chiesa parallela a quella ufficiale, ma combattere la Chiesa delle papaline rosse, delle cinture violette, degli anelli: vogliamo rinnovarla. La Chiesa cattolica in questo paese è un fatto autentico, originale, ed è l'unico corpo sociale in cui la Rivoluzione non ha spazzato via il vecchio potere. I cattolici in Vietnam si sono per tradizione sempre contrapposti al popolo. La completa liberazione del paese è un'occasione perché i cattolici riscoprano di essere parte del popolo.»

A suo modo, anche questa era una forma di *hoc tap* e, come nella rieducazione dei «fantocci», lo sperato catalizzatore di questo processo era il nazionalismo.

«In passato non c'erano che dei cattolici vietnamiti», mi spiegò padre Thi, «ora ci dovranno essere soltanto dei vietnamiti cattolici.»

«Vietnamiti cattolici» fu anche il titolo dell'editoriale di presentazione del nuovo settimanale.

Da anni un piccolo gruppo di preti come Thi, emarginati dalla gerarchia, perseguitati dalla polizia di Thieu, che aveva intuito il loro gioco ma non osava toccarli in quanto cattolici, aveva lavorato ai limiti della clandestinità. Agivano in settori diversi. Si presentavano come esponenti della Terza Forza; ma in realtà erano parte di un piano di lavoro inteso a fiancheggiare la lotta del Fronte di Liberazione Nazionale:

Chan Tin, alla testa di un «Comitato per la riforma del sistema carcerario», si occupava dei prigionieri politici;

Truong Ba Can e Huynh Cong Minh, con la loro organizzazione «Gioventù cristiana operaia», si occupavano dei rapporti fra studenti e mondo del lavoro;

Phan Khac Tu, il «prete della spazzatura», si interessava degli operai;

Nguyen Dinh Thi e Tran Tam Tinh lavoravano come propagandisti anti-Thieu all'estero;

Nguyen Ngoc Lan teneva i contatti col Fronte.

«Il Vangelo ci avrebbe spinto direttamente verso la Rivoluzione, ma la teologia, che poi è la storia della Chiesa, ce ne teneva lontani», raccontò padre Chan Tin. «Fino al '68 siamo stati tutti più o meno su posizioni pacifiste e di non violenza. L'offensiva del Tet fu anche per noi una svolta. Ci rendemmo conto che in effetti dal 1930 in poi la forza innovatrice nella nostra storia nazionale era quella del partito comunista e che era impossibile rifiutarne l'esistenza.

«Oggi questo è un fatto ancora più chiaro: il partito è l'unico che può vantare i meriti della lotta d'indipendenza e della vittoria. Il partito ha il diritto di governare, perché è l'unica autentica organizzazione di massa con una base popolare.

«La paura che i cattolici hanno dei comunisti è ingiustificata. Certo che con loro non ci intendiamo ad esempio sul piano della fede, ma la fede è un problema dell'intimo, ed i comunisti non possono interferire. Quanto al resto, se siamo veri cristiani, dobbiamo condividere i fini sociali dei comunisti.

«Come si può servire il Cristo se non si vede l'uomo che si ha davanti? Senza saperlo, i comunisti ci indicano la via del Cristo ed i loro quadri, quelli che si sono battuti per anni nella giungla per l'uomo, per la sua dignità, cosa sono se non dei cristiani che non sanno di esserlo? »

Il gruppo dei giovani cattolici progressisti nacque informalmente nel '69, attorno a un mensile cattolico di cui Chan Tin fu il primo direttore e che significativamente si chiamò *Doi Dien* (Il dialogo). Il numero 1 era uscito a luglio. Gli agenti di Thieu gli furono subito alle calcagna, ma non volendo inimicarsi la Chiesa non toccarono i preti e la rivista. Si limitarono ad arrestarne regolarmente i lettori. Per ingannare i poliziotti, la rivista, pur mantenendo il suo titolo di due parole che cominciavano per «D», cambiò varie volte di nome. Si chiamò *Dong Dao* (Il campo dei campi) e *Dung Day* (Sollevati). Ultimamente, diretta da padre Lan, era ritornata al vecchio *Doi Dien*.

«Nel '68 ebbi i primi contatti col Fronte. Fu il professore Chau Tan Luan a portarmi a Ben Luc, in una zona liberata vicino a My Tho», raccontò padre Lan dopo la Liberazione. «Coi confratelli e gli amici laici del nostro gruppo avevamo deciso di collaborare coi marxisti ed eravamo disposti a prendere ordini dalla guerriglia.

«Ma non c'erano ordini per noi. Il quadro politico che incontrai mi disse che ero stato invitato solo per discutere e che toccava a noi stabilire la nostra linea d'azione.

«Il Fronte non sperava affatto che la Chiesa si schierasse dalla sua parte; voleva al massimo che la Chiesa si tenesse fuori dal conflitto. Il nostro compito divenne dunque questo.»

Padre Lan mi spiegò che una delle maggiori preoccupazioni del suo gruppo fu di impedire che la Terza Forza venisse manipolata.

«Dalla seconda guerra mondiale in poi la manovra degli Stati Uniti e della Francia è sempre stata la stessa: ogni volta che la prima forza veniva sconfitta, si scopriva e si gonfiava una nuova forza che contestava il legittimo potere dei comunisti.

«Era come nella favola della rana che vuol diventare un bue.

«La prima rana fu l'imperatore Bao Dai che si gonfiò, gonfiò fino a scoppiare a Dien Bien Phu; poi fu la volta dei cattolici venuti dal Nord e di Diem. Lo scoppio avvenne nel '63. La terza rana furono i buddisti di An Quang, che gli americani cercarono di vendere come la personificazione del patriottismo, della libertà e dello spirito nazionale. Anche loro scoppiati, nel '66. Poi fu la volta di Thieu, di Ky e dei resti delle precedenti 'esplosioni'. Questa rana è scoppiata il 30 aprile con la Liberazione. Un altro

404

tentativo, portato avanti dai francesi, ma certo con l'appoggio
americano, è stato quello di fare della Terza Forza una nuova rana; ma siamo riusciti ad impedirlo.»

I padri Lan, Thi, Chan Tin e gli altri non erano che una minoran-
za e la loro posizione non era certo quella del clero vietnamita e
della Chiesa ufficiale bigotta, ottusa e reazionaria, che aveva avuto il suo capofila nel nunzio apostolico, monsignor Lemaître.

Un aristocratico belga, Lemaître era stato a Saigon per anni ed
aveva calorosamente appoggiato il regime di Thieu e lo sforzo
bellico americano.

Lemaître avrebbe voluto partire con l'evacuazione, ma il Va-
ticano gli aveva imposto di restare. Assieme al suo numero due,
un prete polacco arrivato da poco a sostituire monsignor De Ca-
stro, un giovane reazionario portoghese, trasferito a Canberra,
Lemaître aveva issato la bandiera gialla e bianca del Papa e si
era barricato nella nunziatura sulla via Hai Ba Trung ad aspettare
l'arrivo dei vietcong.

Quando andai a cercare di parlargli, tre giorni dopo la Liberazione, era ancora chiuso nella sua residenza e nessuno dei suoi
aveva messo il naso fuori.

«Siamo rimasti tutto il tempo a pregare», mi disse padre Forrest. «Dei soldati vietcong sono venuti per installarsi nel nostro
giardino, ma siamo riusciti a convincerli che la loro presenza sarebbe stata di grave imbarazzo per noi.»

La guerra fra queste due correnti della Chiesa cominciò subito
dopo la Liberazione, ed il primo colpo fu Lemaître a spararlo.

Immediatamente dopo la Liberazione, il nunzio nominò come
coadiutore dell'arcivescovo di Saigon, e con diritto a succedergli,
monsignor Thuan, un tradizionalista conservatore, nipote di
Diem, ex vescovo di Nha Trang e presidente di COREV, l'organizzazione che aveva incanalato, al servizio del regime, le dona-
zioni umanitarie di tutto il mondo.

Era una provocazione; o almeno così la concepirono i cattolici
progressisti.

Proprio mentre i giovani preti, nel nuovo clima creatosi con la
Liberazione, chiedevano all'arcivescovo di Saigon, Nguyen Van
Binh, un rinnovamento della gerarchia, di mandare nelle parroc-
chie di campagna i vecchi consiglieri della Curia e di sostituirli
con dei giovani più aperti alle idee del nuovo Vietnam, Lemaître

metteva a fianco di Binh, e lo designava come suo successore, un simbolo del passato.

Gruppi di studenti cattolici cominciarono a picchettare la nunziatura apostolica. «Fuori Lemaître», dicevano gli slogan. Alla sera, i dimostranti passeggiavano in silenzio, con delle fiaccole davanti al cancello chiuso di Lemaître, «per illuminargli la coscienza».

I *bo-doi* non intervennero.

Poi, il 3 giugno, ci fu una controdimostrazione. Circa cinquecento persone, guidate da alcuni parroci della vecchia guardia, al grido: «Abbasso i cattolici dissidenti anti-Roma!» marciarono lungo la via Trung Minh Gian per andare a «liberare Lemaître», assediato dagli altri dimostranti. Arrivati all'incrocio con la via Truong Tan Buu, si trovarono dinanzi uno sbarramento di *bo-doi*. Ci furono degli spari, un paio di feriti, alcuni arresti, e la controdimostrazione si disperse.

Per le nuove autorità fu un'ottima occasione. Avevano già fatto capire che tutti i diplomatici accreditati col regime «fantoccio» avrebbero dovuto lasciare il paese. Nel caso di Lemaître aggiunsero che la sua presenza a Saigon creava disordini, ed il Monsignore fu pregato di andarsene.

Mentre i *bo-doi* della dogana controllavano meticolosamente il contenuto delle sue valigie, una équipe della televisione «Giai Phong», tenendolo costantemente sotto un fascio di luce, riprese la scena.

Partito Lemaître, i rapporti fra le nuove autorità e la Chiesa, anche quella ufficiale, migliorarono. L'arcivescovo di Saigon, Nguyen Van Binh, dette il suo appoggio al gruppo di padre Thi ed alla rivista *Cong Giao van dan Toc*, e partecipò, assieme ad altri 250 prelati, ad un incontro organizzato a Doc Lap, in cui membri del GPR spiegarono la loro politica e tranquillizzarono i cattolici.

Binh tentò di portare alla riunione anche monsignor Thuan, ma da palazzo gli dissero che la sua presenza non era necessaria. Quando lasciai Saigon circolava la voce che Thuan stava negoziando le sue dimissioni in cambio di un lasciapassare per uscire dal Vietnam.

Come prima concessione alle nuove autorità, la Chiesa accettò di partecipare ad una commissione mista che quietamente si mise a studiare la possibilità di cambiare il testo delle preghiere.

«Non vedo cosa ci sia da cambiare. Con quelle preghiere sono già andate in paradiso migliaia di vietnamiti», diceva acidamente padre Tran Huu Thanh.

Era rimasto a Saigon e non s'era messo alla testa di una banda armata di cattolici resistenti, né era stato imprigionato dai *bo-doi*, come dicevano alcune voci che circolarono in città dopo la Liberazione. Persino un uomo come lui, che era stato il simbolo delle posizioni più visceralmente anticomuniste dei cattolici vietnamiti, continuò indisturbato la sua vita nella chiesa redentorista sulla via Ky Dong.

Quando lo andai a trovare, una domenica di giugno, era appena uscito da dir messa. La sagrestia era piena di gente venuta a confessarsi o a chiedere consigli e davanti alla pacchiana Madonna in gesso c'era la solita folla di donne che pregavano e di mendicanti che tendevano la mano.

Fra i parroci venuti dal Nord nel '54 era stato uno dei più influenti. Ideologo e consigliere di Diem, era stato lui a disegnare la bandiera sudista «a tre bacchette» che sventolò su Saigon fino alla Liberazione.

«Le tre strisce rosse rappresentano le tre regioni del Vietnam: Tonchino, Annara e Cocincina; ma anche la Trinità», mi spiegò una volta.

Anche dopo la caduta di Diem era rimasto strettamente legato ai circoli del potere. Per sette anni aveva avuto quella che lui stesso chiamava «la cattedra di psicologia anticomunista» all'Accademia Militare di Dalat, dalla quale passavano tutti gli ufficiali superiori dell'ARVN.

Solo alla metà del '74, aveva preso le distanze da Thieu. Col suo «Movimento contro la corruzione» s'era messo a fare l'opposizione di destra al regime. Thanh voleva un governo più onesto, più sano, più efficiente, che potesse meglio combattere contro i comunisti.

Neppure quando i tre quarti del paese erano già persi ed i vietcong erano alle porte di Saigon, padre Thanh aveva rinunciato alla speranza di continuare la crociata anticomunista. Assieme al maresciallo Nguyen Cao Ky aveva fatto una lista di ufficiali disposti a battersi fino alla fine, aveva buttato giù un abbozzo di nuovo governo e preparato un pronunciamento di generali, un mini colpo di Stato, per rimuovere Thieu e sostituirlo con un Direttorio che avrebbe dichiarato guerra ad oltranza.

«Tutto era pronto», mi raccontò padre Thanh con la sua solita aria ingenua ed invasata. «Furono gli americani a bloccarci. Un giornalista americano del *New Yorker* venne a trovare me ed il maresciallo Ky, e a nome dell'ambasciatore Martin ci disse di aspettare. Ancora tre giorni e gli americani avrebbero rimosso Thieu e dato la presidenza a Ky. Quando ci accorgemmo dell'inganno era ormai troppo tardi.»

La Liberazione sorprese padre Thanh in vari modi. Poche ore dopo l'ingresso dei carri armati in città ricevette la visita di un gruppo di *chieu hoi* che pochi mesi prima aveva aiutato a trovare lavoro a Saigon e che ora si rivelarono guerriglieri infiltrati; poi lo sorprese d'essere invitato a Doc Lap, dove il vice presidente della Repubblica, Trinh Dinh Thao, capo della componente non comunista del Fronte, gli chiese di collaborare col regime. Avrebbe dovuto contribuire a tranquillizzare i cattolici e far acquistare loro fiducia nelle nuove autorità.

A suo modo padre Thanh lo fece. Usando il vecchio motto «Dio e patria» predicò ai suoi fedeli, come aveva sempre fatto, l'obbedienza al governo ed il rispetto delle leggi, come fossero la volontà di Dio. Era il linguaggio del passato, solo che il governo e le leggi erano cambiati.

«Sono rimasto anticomunista, ma ad un altro livello», ripeteva.

Per adeguarsi ai tempi aveva licenziato il suo cuoco e si lavava da solo la tonaca. Non era ancora riuscito a smettere di fumare una sigaretta dopo l'altra.

Nonostante l'aggiornamento di padre Thanh, non era certo su di lui ed i suoi simili che la Chiesa vietnamita poteva puntare per la sua sopravvivenza ed il suo rinnovamento nelle condizioni createsi nel paese dopo la Liberazione.

La strada era quella indicata dai giovani preti progressisti, che già facevano da ponte fra i cattolici ed il regime. Furono infatti loro ad avere a mano a mano più potere e più ascolto nella Curia e furono loro che le nuove autorità seguirono con maggiore attenzione.

Chan Tin, Truong Ba Can, Phan Khac Tu e Nguyen Ngoc Lan furono invitati a tutti i ricevimenti ufficiali a palazzo, a fianco dei rappresentanti del Fronte e delle altre forze non comuniste che avevano partecipato alla lotta di Liberazione.

Al ricevimento del 6 giugno per la celebrazione del sesto anniversario della fondazione del GPR, un altro notissimo personaggio cattolico fece la sua comparsa a Doc Lap, costantemente tenuto sottobraccio dal presidente Nguyen Huu Tho. Era Ngo Cong Duc, forse la pedina più importante nel gioco di riassestamento fra la borghesia cattolica ed i comunisti nel nuovo Vietnam.

L'ultima volta che l'avevo visto era in esilio a Bangkok, dove cercava di incontrare tutti quelli che venivano dal Vietnam e che avevano qualcosa da raccontargli sul paese che lui, costretto da Thieu, aveva dovuto lasciare. Era rientrato a Saigon un mese dopo la Liberazione, passando da Hanoi, dove aveva incontrato il primo ministro Phan Van Dong.

Duc, cugino dell'arcivescovo di Saigon, era nato nel 1936 da una famiglia agiata del Delta. Il padre, cattolico, grande proprietario terriero, era stato ucciso in una imboscata dai guerriglieri vietminh.

Per origini, formazione, ricchezza e relazioni, Duc era destinato a diventare un difensore della causa sudista, cattolica e anticomunista. Cominciò a fare carriera nel movimento giovanile pro-Diem; poi divenne deputato, proprietario e direttore del quotidiano *Tin Sang* (Le notizie del mattino). Era famoso, stimato, potente ed in ascesa, ma il massiccio intervento militare degli Stati Uniti in Vietnam gli fece prendere un'altra strada.

Duc si rese conto che la presenza americana non salvava il paese, ma lo imbastardiva, lo distruggeva. Un suo famoso editoriale, « *Yankee go home* », fece scandalo; parlava da nazionalista puro ed il suo argomento convinceva molti.

Da sostenitore del regime ne divenne un influente oppositore. Thieu vide il pericolo, ma Duc era legato alla Chiesa (nel 1970 fu ricevuto in udienza dal Papa), era parente dell'arcivescovo e non poté metterlo facilmente a tacere come altri. In due anni *Tin Sang* venne confiscato 282 volte. Poi, nel febbraio, venne chiuso. Duc era già stato « avvertito » da due attentati e lasciò il Vietnam.

Con un passaporto svedese viaggiò da un paese all'altro, facendo conferenze, scrivendo contro il regime, ma soprattutto tenendo le fila di una rete di amici e collaboratori che si era lasciato dietro a Saigon. Duc si presentava come esponente della Terza Forza, ma in effetti lavorava ormai per il Fronte, non dentro, ma a fianco. Nel luglio del '73, durante un viaggio nell'Europa Orientale, Duc ebbe un lungo colloquio con Phan Van Dong, primo ministro di Hanoi.

Fra gli uomini di Duc a Saigon c'erano Li Quy Chung, Ho Ngoc Nhuan e suo cognato Nguyen Van Binh. Lasciandoli, Duc aveva dato loro delle consegne precise: infiltrarsi in ogni movimento, in ogni gruppo d'opposizione al regime. L'obiettivo: rovesciare Thieu ed aiutare il Fronte a prendere il potere.

Binh, marito della sorella di Duc, presidente dell'Associazione della stampa, doveva occuparsi dell'opposizione di destra e dei moderati: divenne, tra le altre cose, consigliere di padre Thanh;

Li Quy Chung doveva entrare nelle forze della riconciliazione e seguire i buddisti: divenne ministro di Minh « il grosso »;

Nhuan doveva stare coi progressisti: fu per poche ore l'ultimo sindaco di Saigon.

« Non eravamo rivoluzionari, ma dal Fronte imparammo la tecnica dell'infiltrazione, del sabotaggio, e la applicammo sul piano politico », mi raccontò Duc quando lo andai a trovare in una modesta casa vicino al ponte di Thi Nghe, che era diventata il suo quartier generale.

Dall'estero Duc aveva tenuto i contatti col suo gruppo per lettera, per telefono e attraverso emissari insospettati dal regime che potevano entrare ed uscire dal Vietnam. Il lavoro aveva avuto successo ed il GPR aveva riconosciuto questo contributo di Duc: i suoi uomini furono fra le 29 persone che non dovettero andare, come tutti gli altri politici e funzionari del regime « fantoccio », alla rieducazione.

« Non sono comunista, ma chissà? Lo potrei diventare », mi disse Duc sorridendo. « Strada facendo si cambia, si imparano tante cose. Quando lasciai Saigon avevo una macchina con aria condizionata. Ora, tornando, mi sono portato dietro una bicicletta che ho comprato a Vientiane. »

Era lì, appoggiata al muro, accanto al divano sul quale sedevamo. Una bicicletta sì, ma da corsa, tutta cromata e gialla fiammante.

Politico finissimo, intelligente, caldo, carismatico, Duc non era un rivoluzionario come quelli del Fronte, non era un « santo » come i guerriglieri. Era un borghese con un'anima profondamente nazionalista, che sentiva il proprio paese mutare e voleva stargli dietro. Era un uomo autentico anche nelle sue contraddizioni. Gran parte della intellighenzia saigonita cattolica che non era scappata con gli americani e che lo aveva ascoltato, adorato, seguito quand'era l'avversario di Thieu, si identificava con lui, si sentiva rassicurata semplicemente dalla sua presenza. Il suo ritorno a Saigon calmò molta gente. Era come una garanzia. Duc capiva bene che proprio questo era il suo ruolo: « Voglio tornare a fare il giornalista. Voglio lavorare a convincere la gente che il paese appartiene a tutti e che anche quelli che hanno collaborato col vecchio regime hanno il diritto e il dovere di contribuire alla ricostruzione. Il futuro non è nella divisione, ma nella riconciliazione nazionale».

Prima di partire lo incontrai ancora una volta al Givral. Aveva appena ottenuto dal Comitato di gestione militare il permesso di ripubblicare il suo giornale, *Tin Sang*. Sarebbe stato il primo quotidiano privato, cattolico a riapparire dopo la Liberazione, il secondo giornale dopo il *Saigon Giai Phong*.

VII

Givral

Durante l'occupazione americana il proprietario era cambiato. La famiglia di meticci francesi si era ritirata nella pasticceria accanto e aveva ceduto il bar a dei cinesi di Cholon. Anche il nome era stato cambiato. A grandi lettere avevano scritto «Garden» sulle vetrate d'angolo, ma tutti continuavano a chiamarlo col vecchio nome francese, «Givral».

Fu per anni l'ombelico di una certa Saigon. Giusto sulla cantonata fra la via Tu Do e la via Le Loi, davanti all'Assemblea Nazionale, fra l'Hotel Continental e l'Hotel Caravelle, il Givral era diventato il punto abituale d'incontro di deputati, giornalisti, spie, corrispondenti stranieri, agenti della CIA, puttane e avvocati.

In trent'anni di guerra, complotti, manovre, assassini, Saigon era sempre stata una città piena di voci, di pettegolezzi, di indiscrezioni. Il Givral era il cuore di questo bisbiglio. Era il centro di raccolta e di diffusione di ogni tipo di notizia, vera o falsa che fosse. Al Givral si incontrava sempre qualcuno che ti raccontava una storia eccezionale, che non bisognava ripetere, e che si sarebbe verificata di lì a qualche giorno. Non ci fu colpo di Stato che non venne annunciato in anticipo da Radio Givral, tranne quelli che poi vennero fatti davvero. Anche di questi si dice che uno nacque più o meno al Givral; ma non c'è da crederci: gli avventori sono sempre stati delle mosche cocchiere, clienti di questa o quella cricca politica, agenti di informazione o provocatori di questo o quel servizio segreto più che uomini di vero potere.

Ci andava anche Hoang Duc Nha, mediocre e presuntuoso nipote della signora Thieu, quando era studente; quando poi divenne consigliere speciale a palazzo ed eminenza grigia del regime smise di frequentare il Givral e cominciò invece a mandarci qualcuno dei suoi accoliti.

Il Givral era comunque un posto in cui si riusciva facilmente a sentire il polso della città politica, del mondo degli affari, perché attorno ai tavoli di plastica gialla si incontravano ricchi borghesi, funzionari dei vari ministeri e tanti «vietnamiti per stranieri», come li chiamava Cao Giao, personaggi dimezzati fra la loro anima vietnamita e la loro cultura francese o inglese, la loro condizione di radicati nel paese ed i loro mestieri di traduttori, interpreti, guide per stranieri, i loro salari di impiegati di *Newsweek*, *Time Magazine* o dell'United States Information Service.

Quando il «potere» voleva sapere «che cosa si dice in città», mandava i suoi galoppini al Givral ed alcuni fra i più conosciuti giornalisti vietnamiti avevano in un angolo del Givral qualcosa come il loro ufficio distaccato, il loro permanente posto d'ascolto.

A volte le notizie che circolavano erano anche vere; spesso è qui che sono state architettate le più grosse provocazioni. Durante la grande offensiva comunista del 1972 fu da un vecchio informatore che frequentava il Givral, e che per anni lo aveva messo sulla pista di storie tutte autentiche, che il corrispondente di *Le Monde* ricevette l'indiscrezione di un duro combattimento che avrebbe avuto luogo nel Delta fra unità vietcong e nord-vietnamite. Il collega francese non ci credette, fin quando l'avvenimento non gli venne riferito in tutti i particolari e non gli venne data una registrazione su nastro di una riunione a cui avrebbe partecipato anche il presidente del Fronte di Liberazione, Nguyen Huu Tho, e che si sentiva interrotta da spari e da commenti su ciò che stava avvenendo. La registrazione, secondo l'informatore, sarebbe stata trovata in un bunker abbandonato dai vietcong dopo l'attacco nordvietnamita.

Era tutta una fabbricazione. Di chi non fu mai chiaro. Dei servizi di spionaggio di Thieu? Degli americani? O di qualche gruppo dissidente del Fronte, se mai esisteva?

Quello stesso informatore, nel marzo del '75, dette a Paul Leandri della Agence France Press la notizia che i montagnardi del FULRO avevano aperto ai vietcong le porte di Ban Me Thuot; e fu questa la notizia che portò Leandri a morire con una pallottola in testa al quartier generale della polizia di Saigon.

Il Givral era anche il covo di un gruppo di intellettuali moderati, oppositori per professione di qualsiasi regime. Ogni tanto qualcuno spariva in prigione per qualche mese o solo per un interrogatorio di qualche giorno.

Negli ultimi mesi del regime di Thieu, al tempo delle manifestazioni dei buddisti per la pace, dei cattolici contro la corruzione, dei giornalisti per la libertà di stampa, il Givral era diventato un ottimo punto di osservazione, perché le proteste individuali, la consegna di petizioni e la fine di ogni dimostrazione avvenivano lì sulla piazza, fra l'Assemblea Nazionale ed il mostruoso monumento ai caduti della libertà, quella di Thieu ovviamente. Di solito si riceveva un colpo di telefono anonimo: « Fra un'ora un ufficiale leggerà una dichiarazione contro il regime sui gradini dell'Assemblea ». E così, seduti al Givral, si stava ad aspettare, guardando fuori come attraverso il vetro di un grande acquario; senza farsi tanto notare dalla polizia di Thieu che in piazza ti fotografava, ti metteva del grasso sulla macchina fotografica, o veniva a pescarti nella folla per darti una lezione, come capitò a Haney Howell della CBS americana, colpito a freddo con due colpi di karate al petto da un agente in borghese, durante una manifestazione della Terza Forza.

La terrazza aperta del Continental, che era stata l'altro grande ritrovo di Saigon anche se, specie negli ultimi tempi, sempre più sciatto e sempre più ovviamente un mercato della carne, tante erano diventate le piccole prostitute che si venivano a parcheggiare ai suoi tavolini, la terrazza del Continental morì con la Liberazione. Credo che l'ultimo pieno sulle poltrone dai cuscini rossi, gialli e arancioni fu quando un gruppo di paracadutisti venne a stravaccarsi in un ultimo momento di spavalderia e di paura, coi fucili spianati contro la piazza vuota, subito dopo il discorso in cui il generale Minh annunciò la resa.

Il Givral invece sopravvisse; non più come in passato, quando era impossibile in certe ore di punta del pomeriggio trovare un posto, ma sopravvisse. Dopo un paio di giorni di esitazione la vecchia clientela riapparve con nuove storie, nuovi pettegolezzi e nuove voci. Dopo aver fatto il conto di quelli che erano scappati con l'evacuazione americana dell'ultima ora, la cricca degli intellettuali oppositori di professione continuò a trovarsi e a bisbigliare su una tazza di *café-filtre* o un gelato.

Coi giornali vietnamiti e gli uffici delle società straniere chiusi, gran parte dei corrispondenti partiti e tutti i rimasti più disoccupati di prima, il Givral divenne il centro degli « ostinati » di livello. Mentre fuori Saigon cambiava ogni giorno di più, al Givral si trovavano ancora signori di mezza età con belle camicie colorate, cinture e scarpe di cuoio alla moda, avvocati, medici ed anche molti ufficiali dell'esercito « fantoccio » che venivano lì a sentire cosa « si dice ».

Un giorno, all'inizio di giugno, mi capitò di sedermi accanto al generale Le Minh Dao, che aveva comandato la 18ª divisione durante la battaglia di Xuan Loc e che aveva fatto sganciare sui vietcong che lo assediavano le bombe asfissianti CBU. Le Minh Dao aveva giurato a Xuan Loc di combattere contro i comunisti fino all'ultima goccia del suo sangue. Non avendolo fatto, era venuto, ancora in completa libertà un mese dopo la Liberazione, a prendere un caffè con la moglie ed un attendente. Le nuove autorità gli avevano lasciato anche la sua macchina, gli avevano solo tolto l'autista.

Radio Givral continuò a trasmettere le sue insinuazioni, le sue voci più assurde e più inverosimili a proposito di scontri fra *bo-doi* ed ex soldati di Thieu che avevano preso il *maquis*, a proposito di aerei americani che, di notte, venivano a paracadutare armi e rifornimenti ai resistenti, eccetera. Si diceva che le sette Hoa Hao e Cao Dai si erano pronunciate contro le nuove autorità rivoluzionarie e che avevano dichiarato guerra ai vietcong; si diceva che il maresciallo Cao Ky era atterrato con un piccolo aereo a Tay Ninh per mettersi a capo della guerriglia anticomunista; che in città circolavano appelli firmati da vari generali dell'ex regime che invitavano i loro soldati a raggiungerli nella giungla. La gente giurava di aver visto questi manifesti, ma io non riuscii mai a farmene portare uno.

Una volta corse persino la voce che ogni sera nel cielo di Tan Son Nhut passava un disco volante che gli americani avrebbero usato come stazione radio per mantenere i contatti col *maquis* antivietcong. Fu fatta anche circolare la voce che la grande evacuazione americana, con cui all'ultima ora si erano fatti scappare dal Vietnam numerosi alti ufficiali di Thieu, era parte di un piano per riaddestrare un esercito fuori dal Vietnam che avrebbe poi tentato uno sbarco nel paese. Un giorno si parlò anche di sottomarini americani che sbarcavano sabotatori ed agenti lungo la costa del Sud. Un'altra volta, constatata l'assenza da Saigon della signora Binh, ministro degli Esteri del Governo Provvisorio Rivoluzionario, e per questo in viaggio per il mondo, si disse che era stata vittima di una purga ispirata da Hanoi e che si era messa a capo di un'ala dissidente del Fronte, pronta ad unirsi ai resti dell'esercito di Thieu per combattere contro la supremazia dei nordisti nel Sud. In questo clima alcuni ex ufficiali di Thieu raccontarono a Radio Givral che erano stati contattati da colleghi comunisti del Fronte per sentire se erano disposti a formare un esercito antinordista.

L'unico pizzico di verità in tutte queste storie, ed in molte altre di questo genere, era la reazione negativa di una parte della città e di una certa classe di saigoniti a ciò che era cambiato nel paese. In ogni voce c'era l'illusione di chi la fabbricava o di chi la diffondeva che qualcosa di simile fosse vero o almeno possibile. Nelle barzellette che si raccontavano al Givral sui *bo-doi* c'era il disprezzo della gente di città che si sente superiore e più raffinata dei contadini, dei campagnoli.

Una delle battute era: «Lo sai che i *bo-doi* hanno messo i sigilli anche agli ascensori della Banque Nationale de Paris?»

«Davvero? E perché?»

«Credevano che fossero le casseforti!»

Un paio di settimane dopo la Liberazione corse voce fra gli avventori del Givral che i *bo-doi* avevano preso di mira il bar, che lo consideravano un covo di controrivoluzionari, che ci mandavano dei loro informatori e che presto chi si faceva vedere lì avrebbe avuto dei guai.

Non era affatto vero; ma era tipico di quella gente credere che i *bo-doi* funzionassero come ogni altro precedente regime a Saigon, che anche i *bo-doi* avrebbero usato delle loro spie, dei loro agenti provocatori o meno per informare o disinformare attraverso il canale Givral.

I *bo-doi* non ci pensavano nemmeno o lasciavano che il problema Givral, se mai per loro fosse stato tale, si risolvesse, come molti altri, da solo. Il Givral fu uno dei pochi posti in cui, in tre mesi, non vidi mai un *bo-doi* soldato o ufficiale, un quadro politico o un guerrigliero.

Le file degli «ostinati» si assottigliarono da sole. Prima scomparvero gli ex ufficiali chiamati alla rieducazione, poi, con le banche chiuse, anche la borghesia trovò i gelati sempre un po' più costosi; nel complesso il Givral rimase però un piccolo rifugio della vecchia società che, con ogni sforzo e con qualche speranza, continuò a vivere tentando di mantenere le vecchie abitudini. Ma era ormai una società in svendita.

Davanti all'ingresso del Givral, in poche settimane s'ingigantì la bancarella di libri che negli anni della guerra aveva venduto qualche romanzo poliziesco, qualche vecchia copia di *Playboy* e l'eterno *Quiet American* di Graham Greene che era diventato d'obbligo per ogni straniero di passaggio, fosse esso giornalista, soldato o semplice turista. Attingendo alle biblioteche abbandonate dagli americani, dalle famiglie ricche di vietnamiti partiti all'ultimo momento con solo qualche valigia, la bancarella si estese lungo tutte le vetrate del Givral con intere magnifiche collezioni di classici francesi, le traduzioni delle più belle opere della letteratura vietnamita, i libri più importanti sulla guerra indocinese, sul comunismo in Asia... Molti portavano ancora il timbro dell'US AIR FORCE, US NAVY e *property of the US government* e venivano dall'ambasciata, dall'USIS, dalle biblioteche, dalle residenze dei vari «consiglieri». Occasioni d'oro, ma i compratori erano pochissimi.

Una domenica di metà luglio ci fu improvvisamente per le strade di Saigon come un'ultima fiammata della vecchia società. Dappertutto, come se si fossero date appuntamento, comparvero intere famiglie benestanti, le donne con gli *ao-dai* più belli, gli uomini con sfarzose camicie, alcuni persino in giacca e cravatta; ci fu per qualche ora un vero classico passeggio sulla via Tu Do; il Givral si riempì al punto che non si trovava più una seggiola; la gente sorrideva. Era la gente della Saigon benestante che tornava allo scoperto, come per compiacersi un'ultima volta dei suoi vecchi modi, come per illudersi che non era cambiato nulla, come se dinanzi al proprio mondo che scompariva volesse per un'ultima volta mostrare la bandiera.

C'erano state due o tre improvvise, inspiegabili vampate di questo tipo, nelle prime settimane dopo la Liberazione, un farsi coraggio a vicenda di persone di una classe che lentamente si sentiva perduta.

Al tavolo accanto al mio, col terzo bicchiere di gin tonic vuoto, c'era una bella donna che continuamente ridendo e parlando come se conversasse con qualcuno che non le stava davanti, che non c'era, si passava una mano nei capelli nerissimi, muovendo avanti e indietro la testa in un dialogo eccitato col vuoto. Curata, elegante, continuava a parlare a voce alta, sempre più alta, in mezzo a ragazzi di buona famiglia con le loro amichette, un ufficiale « fantoccio » che celebrava ubriacandosi la sua ultima sera prima della rieducazione, ed un gruppo di uomini d'affari cinesi di Hong Kong che aspettavano da due mesi, ed avrebbero ancora aspettato, un aereo che li portasse via da Saigon. Alle vetrate s'erano appiccicati i nasi d'una decina di mendicanti.

« Sei partito ormai. Tua moglie è negli Stati Uniti con te... Mi hai abbandonata perché ho ventitré anni e sono vecchia e brutta... Sarebbero bastati cinque milioni di piastre, solo cinque milioni, e sarei partita anch'io. Per avere questi soldi sono andata a letto coi giapponesi...

« Nove giapponesi, ma tu, tu avresti potuto farmi partire. Tu sei capo distretto, tu sei colonnello, tu potevi farmi partire, ma hai preferito tua moglie... Tu avresti potuto pagare i cinque milioni. Li avevi... Li avevi nella banca; ma ora i *bo-doi* sono venuti a liberare la città e le banche sono chiuse e i milioni sono lì, ma non sono più tuoi. Saigon è liberata e io non posso più partire. Io, la tua piccola Phung, ho ancora cinquantamila piastre, e poi? Ora non sono nemmeno più una cantante, anche questo è finito. Ma il Vietnam è liberato, Saigon è liberata... »

Nessuno attorno diceva più una parola. Il Givral era piombato in un imbarazzante silenzio.

« La promenade des français »

S'erano sentiti l'anima del Vietnam. Erano stati nel paese più di cent'anni. Vi avevano fatto strade, case, palazzi, chiese, insegnato la loro lingua, trasmesso la loro *civilisation*. Gli americani erano venuti e ripartiti; ma loro, i francesi, pur sconfitti vent'anni prima, erano rimasti, convinti dopotutto che a loro non poteva toccare la sorte degli altri. « Gli ultimi sonnambuli di Saigon », li chiamava Cao Giao.

Anche loro, lentamente, ogni giorno di più s'accorsero di perdere tutto quello che avevano.

Persero innanzitutto i loro luoghi di ritrovo: il Circle Sportif, il Circle Hippique, adibiti ad attività rivoluzionarie; il campo da golf a Go Vap, trasformato in parco pubblico coi bambini che correvano sui tappeti verdi e gli adulti che tagliavano gli alberi per farne legna.

Poi persero le vecchie abitudini: il caffè al mattino da Bo-da, il pranzo al Ramuncho o al Valinco, l'aperitivo sotto i grandi ventilatori sulla terrazza del Continental.

Tutto attorno il loro mondo cambiava e presto persero anche la speranza di restare in qualche modo in Vietnam.

La Rivoluzione non li mandava via. Impediva semplicemente loro di fare la vecchia vita di colonia.

Alla fine di giugno i piantatori degli Altipiani cominciarono a lasciare le grandi coltivazioni di gomma, caffè e tè per venire a Saigon. I quadri politici del Fronte avevano detto loro di restare sulle piantagioni, di continuare il lavoro; ma gli operai li accusavano di essere sfruttatori, chiedevano nuove indennità, non obbedivano più, volevano partecipare alla gestione delle aziende e si rifiutavano di chiamarli *patron*.

I beni francesi non vennero toccati dai *bo-doi* e nessuno parlò mai di confiscarli; ma presto divenne chiaro che i loro proprietari non potevano più disporne a piacere come in passato.

Il 10 luglio un importante comunicato del Comitato di gestione militare, pur riferendosi ai possedimenti degli stranieri in generale, era essenzialmente inteso per loro, i francesi. Dopo aver riaffermato il rispetto del GPR per i «diritti legittimi» degli stranieri, il comunicato stabiliva che:

«Ogni straniero autorizzato a lasciare la Repubblica del Sud-Vietnam deve obbedire alle leggi e alla politica del GPR se vuole portare via con sé cose di sua proprietà.

«Agli stranieri è proibito vendere, regalare o in qualsiasi modo trasferire beni mobili ed immobili di loro proprietà, se ciò disturba l'ordine e la sicurezza sociale.

«Al fine di proteggere i diritti legittimi dello Stato e del popolo, ogni cittadino vietnamita deve avere una speciale autorizzazione dell'autorità competente per ricevere, sotto forma di cessione, dono o anche semplicemente in gestione, le costruzioni, le terre ed ogni altra sorta di beni mobili ed immobili appartenenti a persone di nazionalità straniera».

In pratica, questo significava il congelamento dei beni francesi in Vietnam: significava che ogni vecchio residente che voleva partire avrebbe dovuto ottenere un improbabile permesso per esportare la sua collezione di antichità o i gioielli della sua signora.

I francesi rimasti in Vietnam al momento della Liberazione erano circa settemila, fra professori di liceo, tecnici dello sviluppo, giovani venuti per due anni a fare un servizio sostitutivo di quello militare, e residenti di lunga data, radicati da decenni nel paese alla testa di piccole e grandi aziende, titolari di enormi piantagioni o di piccoli ristoranti e caffè.

Erano tutti rimasti, non solo perché il presidente Giscard d'Estaing, non potendoli fra l'altro evacuare, aveva detto loro di restare, ma soprattutto perché erano sinceramente convinti di non essere stati parte della guerra che finiva e di non avere molto da temere da quelli che sarebbero venuti, dopo Thieu, a governare il paese. Essere francesi pareva loro un merito e senza alcun pudore, per dire che non erano americani, la mattina del 30 aprile inalberarono su ogni casa in cui abitavano e su ogni loro proprietà il tricolore di Francia.

Per i vecchi vietminh, che avevano lasciato Saigon nel '45, dopo la fallita Rivoluzione d'Agosto e la successiva repressione francese, dovette essere una strana vista lo sventolio di bandiere «nemiche» sulla loro capitale nella quale, dopo trent'anni, rientravano da vincitori.

Non furono lasciate sventolare a lungo. Pochi giorni dopo la Liberazione l'ambasciatore Merillon rimasto con grande spirito al suo posto, venne convocato dal ministero degli Esteri per sentirsi dire da un funzionario che non trovò neppure necessario presentarglisi, che le nuove autorità non apprezzavano tutto quel mettersi in mostra della Francia.

«Quelle bandiere sono un imbarazzo anche per me», aveva risposto Merillon.

Per l'ambasciatore, la cui posizione coi nuovi governanti divenne sempre più difficile (il 15 maggio ricevette un invito per le celebrazioni della vittoria, ma l'ora del ricevimento era sbagliata e quando arrivò trovò il palazzo vuoto), i francesi stessi erano diventati un crescente imbarazzo.

Ogni giorno decine di connazionali facevano la fila dinanzi agli uffici del consolato per chiedere cosa dovevano fare, protestare, pretendere che la Francia organizzasse una evacuazione, che mandasse degli aerei.

Di settimana in settimana il numero di quelli che volevano partire cresceva, ma lasciare Saigon era impossibile. Il GPR rifiutava di far atterrare a Tan Son Nhut aerei stranieri e non ne aveva di suoi da mettere a disposizione per risolvere un problema che non considerava prioritario.

Solo quando la Croce Rossa e l'UNICEF iniziarono dei voli da

Vientiane per portare aiuti umanitari e medicine a Saigon, le nuove autorità permisero ai francesi e ad altri stranieri di imbarcarsi. (Partirono così anche quei diplomatici sudcoreani e cambogiani che gli americani si erano lasciati dietro il giorno dell'evacuazione.)

Purtroppo quei voli furono rari e imprevedibili ed i loro arrivi e partenze divennero uno degli argomenti più discussi dalla comunità straniera a Saigon.

Ogni giorno alle cinque, in bicicletta, a piedi, in ciclò, decine di francesi andavano al ministero degli Esteri a controllare e ricontrollare una vecchia lista d'imbarco sulla quale i loro nomi si scancellavano lentamente al sole ed alla pioggia.

Passarono così delle settimane.

Quel risalire la via Tu Do, che loro si ostinavano a chiamare ancora rue Catinat, quel passare davanti alla cattedrale e ritrovarsi sul viale Alexandre de Rhodes davanti alla bacheca del ministero degli Esteri ogni giorno puntualmente alle cinque, quando uno sveglissimo, gobbo studente che lavorava per il GPR veniva a mettere un foglietto con su scritto «Il volo di oggi è annullato. Tornate domani»: questa divenne la nuova abitudine dei francesi; la loro nuova passeggiata.

Un giorno su una di quelle liste di «profughi», al numero 15, comparve: «Jean-Marie Merillon, nazionalità francese, nato nel 1926, passaporto numero 593».

Non era tecnicamente espulso. Le nuove autorità gli avevano semplicemente chiesto di partire.

Se ne andò il 5 giugno, in mezzo ad un gruppo di professori ed infermieri francesi. I suoi bagagli non vennero frugati, ma come per affermare il principio che il GPR non riconosceva l'immunità diplomatica ad un ambasciatore che era stato accreditato col «regime fantoccio», i *bo-doi* della dogana fecero aprire la borsa a mano che un aiutante gli portava.

Processi popolari

«Le Trinh, ti ricordi quando mi picchiasti per tutta una giornata? Ti ricordi?»

«Guarda qui, Le Trinh, guarda cosa mi hai fatto! Ti ricordi quando mi torturavi con l'elettricità? Io t'imploravo di smettere, di darmi almeno un attimo di respiro; ma tu continuavi, continuavi. Ti ricordi?»

Le Trinh, l'ex poliziotto della squadra speciale di Quang Ngai, col capo abbassato, le mani legate dietro la schiena, stava su un palco di legno montato in un angolo del campo di calcio. Dietro di lui un tavolo con tre giudici popolari, la bandiera del Fronte, quella di Hanoi e, in mezzo, il ritratto sorridente di Ho Chi Minh. Almeno un migliaio di persone lo guardava; molti erano stati sue vittime nella « sala interrogatori » del centro di polizia negli anni della guerra.

« Fu lui, fu lui! » urlò, rivolta alla folla, una giovane donna, salita sul palco. « Ti ricordi, Le Trinh, quando mi mettesti un serpente nella vagina, ti ricordi? »

Il processo era incominciato nel primo pomeriggio, e per tre ore, finché si fece buio, un testimone dopo l'altro raccontò alla folla, dall'alto del palco, quello che aveva sofferto.

Le Trinh piangeva, tremava, ed ogni volta che alzava gli occhi da terra riusciva a vedere sullo sfondo del campo di calcio, accanto al campanile della chiesa cattolica, la vecchia sede della polizia affacciata sulla via Phan Boi Chau, dove lui aveva per anni fatto il suo mestiere d'interrogare la gente che i suoi uomini arrestava, cercando di scoprire le fila della rete vietcong che operava in città.

Alla fine uno dei giudici popolari si alzò e chiese: « Le Trinh, hai niente da dire? » Non seppe neppure rispondere, continuava a tremare, terrorizzato.

« Secondo voi quest'uomo deve essere condannato a morte? » chiese il giudice alla folla. E cento, mille mani si alzarono fra le urla: « Sì! Sì! »

Due *bo-doi* presero Le Trinh per i gomiti e lo trascinarono via.

Il processo ebbe luogo a Quang Ngai, nel Vietnam centrale, il 17 aprile; quando mi fu raccontato a Saigon, alla fine di maggio, da un amico che vi aveva assistito, Le Trinh non era stato ancora giustiziato.

Mentre a Saigon i « fantocci » andavano ancora senza problemi a registrarsi e poi alla rieducazione, dalle altre parti del paese che erano state liberate prima arrivavano sempre più frequenti le notizie di processi popolari come quello contro Le Trinh, e la gente della capitale pensò che sarebbero presto avvenuti anche lì.

Così fu.

Il 19 giugno, nello stadio Le Van Duyet, l'ex capo quartiere del distretto 14 di Binh Hoa, Le Van Hoi, venne portato davanti ad una folla di almeno quattromila persone. Lo scenario fu lo stesso: un palco, un tavolo, tre giudici, le bandiere, e chiunque avesse qualcosa da dire su di lui si faceva avanti per testimoniare.

Cominciò una donna di 77 anni. Le Van Hoi le aveva ucciso il figlio a pugnalate, dinanzi agli occhi; poi le aveva imposto di gettare da sola il cadavere nel canale dinanzi a casa, altrimenti anche lei avrebbe fatto la stessa fine.

Vennero poi dei genitori a raccontare che per anni avevano dovuto pagare diecimila piastre al mese a Le Van Hoi perché non arrestasse i loro ragazzi e li mandasse al fronte.

Un uomo raccontò come Le Van Hoi, minacciando di arrestarlo come comunista, gli aveva estorto tutti i suoi risparmi e come alla fine, quando non ebbe più soldi, l'aveva torturato per un mese.

La folla chiese di mettere a morte Le Van Hoi; ma anche allora la sentenza non venne eseguita. Uno dei giudici spiegò che la politica del Governo Provvisorio Rivoluzionario era di perdono e che la regola da seguire era: «Prima la rieducazione, poi la punizione». Le Van Hoi sarebbe andato a fare un lungo periodo di *hoc tap*, e solo se non si fosse «trasformato» sarebbe stato punito.

Il 4 luglio a Tan Quy Dong, vicino a Nha Be, fu la volta di cinque «torturatori». Il principale imputato era un certo Tuy che era stato capo villaggio e poi responsabile del programma Phoenix nella zona. Nel '68 aveva ucciso con le sue mani undici combattenti del Fronte e aveva fatto esporre i cadaveri con le orecchie e il naso tagliato per terrorizzare la popolazione. Assieme agli altri dopo la Liberazione s'era dato alla macchia. La sentenza fu di nuovo «un lungo *hoc tap*».

Ad essere giudicate erano persone che nella definizione delle nuove autorità avevano «debiti di sangue col popolo». Molti, per paura di rappresaglie, non si erano presentati alla registrazione e per questo dovevano confessare i loro crimini nelle «assemblee popolari d'accusa», come il *Saigon Giai Phong* chiamava i processi.

Altri, pur essendosi registrati, erano stati riconosciuti dalla popolazione come «criminali», ed era stato chiesto che subissero un trattamento più duro del normale *hoc tap*.

A Saigon si diceva che questi casi speciali venivano rieducati in un campo vicino a Vung Tau, dove i *bo-doi* avevano anche internato ufficiali e soldati catturati mentre tentavano di lasciare il paese dopo la Liberazione.

Naturalmente non c'era una legge scritta, né un criterio preciso che stabiliva il grado dei crimini e la misura delle pene, ma in generale fu così che la politica di «riconciliazione e concordia nazionale», che comportava, attraverso la rieducazione, una forma generale di amnistia per le azioni commesse sotto il regime «fantoccio», venne rispettata e solo quelli che avevano «debiti di sangue col popolo» ed avevano inoltre commesso «atti controrivoluzionari» dopo il 30 aprile subirono le più gravi conseguenze.

Le autorità non facevano mistero di questi casi e certo anche per dissuadere altri «ostinati» il *Saigon Giai Phong* riportava regolarmente notizie come questa, apparsa il 12 luglio: «Il tribunale del Comitato di gestione militare di Chau Doc ha giudicato e condannato a morte Le Nhat Thanh, ex tenente fantoccio, che aveva commesso molti crimini contro il popolo, si era nascosto dopo la Liberazione ed aveva commesso atti di sabotaggio contro la Rivoluzione. Denunciato dalla popolazione ed arrestato dalle forze di sicurezza, è stato trovato in possesso di sei pistole. Il potere rivoluzionario ha cercato di rieducarlo, ma essendo rimasto ostinato, alla presenza di diecimila persone il tribunale l'ha condannato a morte ed ha confiscato i suoi beni».

In verità, il fine di questi processi non era tanto quello di fare giustizia, quanto di educare la popolazione. I processi, più che intesi a punire i «fantocci» colpevoli, erano fatti per curarne le vittime. Con le «assemblee popolari d'accusa» era incominciata per la popolazione la seconda fase di *hoc tap*.

Bisognava che la gente capisse che la Rivoluzione era un taglio netto col passato, che tornare indietro era impossibile. Bisognava che tutti si togliessero di dentro la paura, la rabbia, il rispetto per le persone, le cose, i riti del tempo «fantoccio».

Non bastava spiegarlo e farlo ripetere nelle riunioni di quartiere. Ognuno doveva da solo liberarsi di tutto ciò che il passato gli aveva messo nelle ossa, di ciò che gli si era incarnato.

I processi erano questa occasione. L'imputato non era un criminale astratto, anonimo, uno sconosciuto: era qualcuno con cui si era vissuto, del cui strapotere si era sofferto. Dinanzi all'ex capo quartiere, all'ex capo della polizia, all'informatore, la gente parlava, raccontava del passato, urlava, si scaricava, condannava. Dinanzi all'autorità che aveva ossequiato, temuto, odiato o ammirato, ognuno scopriva ora di avere un potere, anche di vita e di morte, che prima non aveva neppure immaginato.

Le occasioni per questi processi non mancarono.

Essendo scaduti i termini per la presentazione di tutti i «fantocci» ad *hoc tap*, c'era sempre, quasi in ogni quartiere, un «torturatore da smascherare», un ufficiale superiore da rimandare alla rieducazione, perché avendo finto di essere un soldato semplice aveva fatto solo tre giorni di *hoc tap*.

Poi, col passare del tempo, con l'indurirsi della Rivoluzione ed il lancio di varie campagne di denuncia, ci furono da processare i «fantocci» infiltratisi nelle organizzazioni rivoluzionarie, gli speculatori e quelli che non rispettavano le regole non scritte di una nuova moralità.

Un giorno, passando davanti al mercato di Cholon, dove s'era appena concluso uno di questi improvvisati processi, vidi in mezzo ad una folla una donna che si copriva la faccia e chiedeva scusa alla gente. Sul petto aveva un cartello con su scritto «*con di*» (puttana). Sul cartello dell'uomo che le stava accanto c'era scritto «*khach dam*» (cliente lubrico). Erano stati trovati insieme in un bordello che aveva continuato a funzionare nonostante il divieto.

A parte i processi contro i «criminali», ci furono «assemblee popolari d'accusa» nelle fabbriche, nelle officine, negli uffici in cui i padroni assenti o gli ex capi che ancora lavoravano venivano attaccati per aver sfruttato i loro dipendenti ed essersi arricchiti ingiustamente.

Spesso queste sedute si concludevano per gli «imputati» senza alcuna pena, tranne il fatto stesso di essere messi sotto accusa.

Per gli accusatori era l'occasione di sfogare vecchi rancori, rinfacciare ai superiori ingiustizie passate. Nel corso di queste assemblee, il vecchio rapporto gerarchico si distruggeva e nuove relazioni si stabilivano all'interno dei vari gruppi.

Un processo di questo tipo si svolse sotto i miei occhi. Accusatori ed imputato erano gente che conoscevo.

Il Continental

Quando Joseph, il vecchio cameriere del giardino, si alzò – piccolo, vestito come sempre con l'uniforme bianca sfilacciata con le iniziali CP (Continental Palace) ricamate in blu sul petto e le scarpe nere a punta troppo grandi, dategli da qualche cliente straniero, così come il nome Joseph, perché il suo nome vero era troppo difficile da pronunciare – gli impiegati dell'amministra-

424

zione, i cuochi, le due ragazze dei telefoni, i portieri ed i *boys* che lavoravano nel ristorante ed ai piani si zittirono.

Dal giorno della Liberazione, Joseph era stato uno dei più attivi nel gruppo di simpatizzanti vietcong che era venuto alla luce nell'albergo. Era stato lui a scrivere il primo striscione per la vittoria, ed era stato lui ad invitarmi per quello che certo fu l'unico avvenimento del genere nella storia del Continental: un ricevimento offerto ai clienti dal personale dell'albergo per celebrare l'anniversario della nascita di Ho Chi Minh.

« L'indennità la dobbiamo avere », disse Joseph, « ed a pagarla deve essere lui. Lui i soldi ce l'ha. Lui è ricco e noi siamo poveri. Guardatelo lì. Trent'anni fa era uno di noi; era il garzone dei gelati. E ora? Ora è grosso e grasso. È due volte me. Ed è ricco, ricchissimo. A casa ha l'aria condizionata in tutte le stanze; ha una macchina coi tappetini bianchi ed anche lì ha fatto mettere l'aria condizionata. I soldi li ha fatti alle nostre spalle. E per questo deve pagarci l'indennità. »

Dopo Joseph parlò Thuc, il *boy* del mio piano, quello che ogni giorno mi rifaceva la camera: « Sì, sì, ha ragione il compagno. Lui ha fatto i soldi prendendo le percentuali dei fornitori, risparmiando sui nostri stipendi. Per anni ci ha pagato otto-diecimila piastre al mese. Al mese cosa sono? È quello che paga un cliente per un pranzo. Noi riuscivamo a campare perché avevamo le mance; ma ora che le mance non ci sono più, che facciamo? Deve pagarci l'indennità. È vero, come ha detto il compagno, quando cominciammo a lavorare era uno di noi ed ora si dà tante arie: 'Signor direttore qui, signor direttore là'. Va bene, signor direttore, ora devi sputare i soldi ».

Lui, il signor direttore, monsieur Loi, come tutti lo chiamavamo, un uomo sulla sessantina, simpatico, abile, con una larga faccia da Budda sorridente, sempre impeccabile, vestito di bianco, ogni mattina con la pancia in fuori nella hall dell'albergo a stringere francesemente la mano ad ogni cliente ed a chiedergli: « *Bien dormi? Bien dormi monsieur?* », e poi tutto il giorno seduto in mezzo alle carte nel suo ufficio accanto alla portineria, sotto un grande ritratto del vecchio patron, Mathieu Franchini, stava lì in piedi, sempre più incredulo, sempre più arrossato ed arrabbiato, davanti ai suoi dipendenti che lo accusavano.

Effettivamente grasso, rubizzo, elegante, sembrava fatto apposta per fare la parte dell'imputato nella nuova situazione che si era creata.

L'assemblea si svolgeva al piano terreno dell'albergo, nel salone aperto sul giardino, quello in cui in passato si tenevano le feste da ballo, i ricevimenti diplomatici ed i pranzi nuziali.

Al tavolo, sotto il ritratto di Ho Chi Minh, le due solite bandiere e degli striscioni che inneggiavano alla Rivoluzione, stavano un *bo-doi*, una donna *can-bo* in rappresentanza dei sindacati, e Thao, il *boy* del secondo piano che era stato eletto presidente del Comitato Rivoluzionario dell'albergo. Davanti, seduti in file di dieci, tutti i dipendenti.

Come il resto di Saigon, anche il Continental cambiava. Nel centro della vecchia città, con la facciata bianchissima, le finestre a vetrate sulla piazza dell'Assemblea, le stanze coi soffitti alti, i *boys* che dormivano sdraiati nei corridoi, i grandi ventilatori, i mobili all'antica, i letti immensi e nel bagno la giara sempre piena d'acqua nel caso quella del rubinetto non venisse, il Continental era stato il simbolo dell'Indocina coloniale.

Dalle sue camere erano passate generazioni di corrispondenti di guerra, piantatori venuti a fare follie in città, avventurieri e strani personaggi che alloggiavano per mesi senza che nessuno capisse mai bene per chi lavoravano.

Sulla terrazza del «Conti» s'erano riposati i guerrieri di tutte le battaglie indocinesi: gli uomini della Legione straniera, i coscritti francesi, giapponesi, inglesi, ed infine i GI americani.

Per i vecchi «indò» il Continental era legato a tutti i ricordi del loro periodo eroico-romantico: le puttane-bambine, gli intrighi, l'oppio, i traffici di piastre, le avventure.

Morto Mathieu Franchini, l'albergo era passato al figlio Philippe; ma quello, vissuto in Francia e più interessato alla pittura che agli affari, aveva lasciato a monsieur Loi mano libera nella gestione del Continental.

Vedendo avvicinarsi la fine di Saigon, Philippe era venuto in Vietnam per vendere l'albergo, ed aveva promesso ai dipendenti che con parte del guadagno avrebbe pagato la liquidazione per tutti gli anni in cui avevano servito il padre e poi lui. Ma il pazzo che volesse investire dei soldi nel Vietnam del '75 Philippe non l'aveva trovato e lui era quietamente ripartito un mese prima della Liberazione senza risolvere nulla.

«L'albergo non è mio», diceva monsieur Loi, cercando di difendersi dalle accuse. «Io sono un impiegato come voi. L'indennità

426

non la posso pagare; ma se non mi volete più, bene, io me ne vado e l'albergo passa in gestione ai *bo-doi*.»

Era un motivo in più per accusarlo.

«Troppo comodo!» urlò Hoang, un altro cameriere del ristorante. «Loi non può scaricare così facilmente le sue responsabilità.»

Monsieur Loi non riusciva più a tener testa, s'impappinava e ad aiutarlo si alzò il genero che lavorava in albergo come capo contabile: «Voi che accusate Loi siete tutti degli infedeli, degli ingrati. Approfittate della situazione e proprio voi che parlate di più siete i peggiori dipendenti...» E cominciò ad elencare i difetti di ognuno.

Lo interruppe la donna *can-bo* che rappresentava i sindacati della Liberazione: «Basta così. Lei ha commesso un gravissimo errore. Lei ha offeso la classe operaia». Il genero dovette ritirare quello che aveva detto e scusarsi davanti a tutti.

Ai *boys* non bastò. Dissero che la nomina del genero a capo contabile era un altro esempio delle preferenze, delle manovre sporche che Loi aveva fatto nella gestione dell'albergo.

«Ha messo il genero a capo della contabilità perché così falsificavano i conti e rubavano assieme», disse il cameriere Ba.

L'assemblea votò che si facesse un'inchiesta sul genero e sul modo in cui erano stati tenuti i libri contabili.

La seduta si concluse con Loi condannato a restare gestore. In verità non gestì più. Dovette solo venire ogni giorno in ufficio e restare a disposizione.

«Loi non è contro la Rivoluzione», mi disse poi Thuc quando venne a mettere in ordine la mia stanza. «Non è contro di lui come persona che ce l'abbiamo, ma contro il suo ruolo sociale. Loi è un comprador, è stato il mediatore fra i colonialisti ed il popolo.»

Nel giro di qualche settimana, Loi era un uomo spezzato. Si ammalò, dimagrì, e l'ultima volta che lo vidi doveva appoggiarsi ad un bastone per camminare.

L'albergo passò ai *bo-doi*. Di stanza in stanza fecero il giro di tutto l'albergo, registrando ogni seggiola, ogni asciugamano e contando cucchiai e forchette.

Poi, un giorno a metà giugno, quand'ero rimasto, assieme a James Fenton, un giovane scrittore inglese, l'unico cliente a pagare il vecchio affitto (i nuovi clienti erano tutti *bo-doi*), un gentilissimo *can-bo* venne a dirmi che dovevo lasciare la mia camera. Feci un po' di resistenza, ma quello mi disse che l'albergo non era più un albergo.

Certo, non era più l'albergo che avevo conosciuto un tempo. Ogni volta che alle cinque del pomeriggio suonavo il campanello per avere un tè al limone, dopo un'ora, se ero fortunato, arrivava una limonata, ed al ristorante ero già stato avvelenato una volta con della carne pre-Liberazione.

I *boys* ormai passavano ore accucciati nei corridoi a tenere riunioni di gruppo, ad ascoltare uno che leggeva ad alta voce il *Saigon Giai Phong*, a preparare manifesti ed a discutere dell'indennità che certo non speravano di ottenere dal governo.

Quando con le mie valigie scesi le scale per andare a stare in una stanza puzzolente sulla via Tu Do, fra i *boys* che vennero a salutarmi nessuno tese la mano per avere la mancia.

VIII

Nel Delta

Il viaggio cominciò fra grandi risate.

Dopo settimane di attesa, finalmente avevo ottenuto, assieme all'amico Nayan Chanda, il primo permesso di lasciare Saigon per fare un giro nel delta del Mekong. La sezione stampa del ministero degli Esteri ci aveva messo a disposizione una macchina, un autista, una guida e, come chaperon, il maggiore Phuong Nam, il vietcong con la pancia.

Ma appena ci mettemmo in cammino, ci accorgemmo che toccava a noi stranieri dare indicazioni per uscire dai meandri di Cholon. Nessuno dei nostri accompagnatori conosceva la strada: l'autista di Hanoi, la guida di Quan Ngai, erano tutti e due per la prima volta a Saigon; e Phuong Nam, che pure era nato e cresciuto nel Delta, aveva negli ultimi trent'anni solo percorso i sentieri della giungla e l'imbocco della carrozzabile 4 non sapeva dove fosse.

Poi, quando questo problema fu risolto, ci accorgemmo che Phuong Nam, preoccupatissimo, si palpava il petto, sotto le ascelle, nelle tasche dei pantaloni, cercando qualcosa.

«*J'ai oublié mon pistolet*», disse con malcelato imbarazzo.

Non ce n'era assolutamente bisogno, non avremmo dovuto difenderci da nessuno, ma l'idea di viaggiare protetti da un vietcong che aveva lasciato a casa la pistola fu un gran divertimento per tutti. Alla fine anche per Phuong Nam.

Phuong Nam era la faccia bonaria della Rivoluzione. Burbero e paterno, era uno che sapeva godere della vita. Gli piaceva ad esempio, quand'era possibile, la buona cucina.

«La Rivoluzione», disse una volta, «è anche potersi sedere in pace a una bancarella per strada e mangiare una bella zuppa di riso e vermicelli.»

Dal '45, quando i francesi gli avevano fucilato il padre, Phuong Nam era stato con la guerriglia, prima nella terribile foresta di U Minh, nella punta più meridionale del Delta; poi a nord di Saigon. Tornando con noi per la prima volta da viaggiatore nella sua regione, alla vista delle quiete distese dei campi, con le piccole capanne di legno dei contadini, ombreggiate dai banani, disse: «Se un giorno la Rivoluzione non avrà più bisogno di me, mi piacerebbe venire qui, a coltivare un pezzetto di terra».

La Rivoluzione non l'avrebbe facilmente messo a riposo. Seppi in seguito ad Hanoi che Phuong Nam era un importante elemento dei servizi di informazione e di controspionaggio del Fronte.

Nel Delta, al tempo della guerra, c'ero stato decine di volte. Ma non fosse stato per il verde giada delle risaie e l'odore fresco del fango in cui si rotolavano i bufali, non mi sarei ritrovato, non avrei riconosciuto la regione, tanto il suo aspetto era cambiato in due mesi e mezzo dalla Liberazione.

I campi militari ai bordi della strada, le casematte in cemento all'imbocco dei ponti, i fortini in mezzo ai campi erano scomparsi, rasi al suolo, spazzati via, e tutto era tornato una ininterrotta risaia, brulicante di gente al lavoro.

Lungo gli ottanta chilometri da Saigon a My Tho, e poi oltre, non incontrammo un solo posto di blocco, non vedemmo un solo gruppo di soldati. C'era davvero da chiedersi se quello era il paese in cui era da poco finita una guerra di trent'anni.

A Saigon, dove alla nostra partenza la situazione era assolutamente calma, correva ancora voce che nel Delta si erano concentrati i resti dell'esercito di Thieu e che bande di «ostinati», aiutati dalla setta buddista Hoa Hao, assaltavano i convogli e ingaggiavano l'Esercito di Liberazione in sanguinose battaglie.

Nei tre giorni che passammo nel Delta, in macchina sulle strade, e poi a piedi di villaggio in villaggio, non sentimmo un solo colpo di fucile; e quando a varia gente chiedemmo se sapevano di imboscate o di scontri avvenuti nella regione, l'unica voce che riuscimmo a raccogliere fu quella di alcuni « gravi scontri » avvenuti a Saigon,

« La diffusione di false notizie è rimasta l'unica arma a disposizione degli ostinati », commentò Phan Van Thao, capo delle organizzazioni popolari a My Tho e commissario politico della città. « In questa regione ogni tentativo di resistenza è stato eliminato. Per gli ostinati, continuare a battersi è impossibile senza l'appoggio della popolazione. Gli elementi controrivoluzionari non hanno modo di nascondersi, di sopravvivere.

« Il nostro sistema di sicurezza è molto più efficace di quello di Thieu, perché non è fondato sul controllo poliziesco, ma su quello popolare. Per i contadini, la Liberazione significa la pace e i controrivoluzionari che vorrebbero far continuare la guerra sono immediatamente denunciati. »

Piccolo, con la faccia larga, gli zigomi forti, i capelli radi a spazzola ed un sorriso grande, bianchissimo, Thao era uno di quei personaggi straordinari che capitava di conoscere in Vietnam; uno di quei « santi » che mi suscitavano contrastanti reazioni. L'incontro con lui non fu casuale, era una delle « sorprese » che Phuong Nam aveva accuratamente preparato; ma ciò non ne diminuì il valore.

Quando lo andammo a trovare in una villetta scalcinata nel centro della città, ero sicuro di non averlo mai visto prima d'allora in vita mia; ma Thao sostenne di conoscermi, e cominciò a raccontare dettagli di cose che avevo fatto due anni prima quando, passate le linee del fronte, ero andato, assieme all'amico Jean-Claude Pomonti di *Le Monde*, a cercare i vietcong in una zona a pochi chilometri da My Tho.

Thao ci aveva allora seguito passo passo. Era lui che aveva deciso che fossimo trattati da ospiti e non da prigionieri; era stato lui a dare il permesso di portarci in vari villaggi e di farci parlare coi responsabili politici e militari. Nei giorni in cui rimanemmo nella zona liberata, Thao, come fosse uno dei tanti contadini nel paesaggio delle risaie, era stato la nostra ombra: in disparte, per non farsi riconoscere, non farsi fotografare.

La guerra allora, nel febbraio del '73, non era ancora finita e Thao avrebbe dovuto tornare a fare, sotto le spoglie di « commerciante », il suo lavoro clandestino nella città di My Tho, in mezzo alla gente e sotto il naso della polizia di Thieu.

Nato a My Tho nel 1927, Thao era stato compagno di scuola di Phuong Nam al liceo «Lemyre de Vilers», poi ribattezzato «Nguyen Dinh Chieu», come il grande poeta del Sud.

Nel '45 era andato alla macchia, ma al contrario di altri vietminh che si raggrupparono al Nord, Thao, su ordine del partito, tornò a vivere a My Tho con la moglie e tre figli giovanissimi, in una casa sulla via Phan Thanh Gian.

Nel '56, quando fu chiaro che le elezioni e la pacifica riunificazione del paese, prevista dagli Accordi di Ginevra, non avrebbero avuto luogo, il partito gli chiese di rimettersi a disposizione della Rivoluzione, e Phan Van Thao «morì». La famiglia finse di piangerlo, i vicini ed i conoscenti lo dimenticarono.

In verità Thao, dopo un breve periodo passato in una base arretrata della Resistenza nella Piana dei Giunchi, verso il confine cambogiano, era tornato a vivere a My Tho. S'era fatto crescere i baffi, portava degli occhiali, era diventato un'altra persona. Dai documenti e dalle carte d'identità, che grazie al solito sistema di corruzione gli era stato facile procurarsi, risultava che aveva combattuto contro i vietminh, a fianco delle forze francesi, e che era «commerciante di cereali».

Il suo primo lavoro clandestino fu la selezione e la formazione di quadri nella città.

«Tenevamo i corsi in una stanza ricavata dietro un finto muro, in un'officina», raccontò Thao. «La polizia non ci avrebbe mai scoperto. L'unico pericolo erano i traditori, ed a volte fummo costretti ad eliminarne alcuni. Il periodo più difficile fu durante la campagna Phoenix.»

Ogni tanto, uscendo per strada, capitava a Thao di vedere i suoi figli, ma quelli erano cresciuti e non lo riconoscevano. La moglie la incontrava a volte segretamente, perché anche lei, ostetrica nell'ospedale provinciale, era un quadro clandestino del Fronte.

Raccontata così, mentre bevevamo del tè verde, amarissimo, in una stanza tranquilla, con dei giovani guerriglieri che si aggiravano con incartamenti, con fogli che ogni tanto venivano a fargli firmare, la storia di Thao aveva dell'incredibile. Come era possibile nascondersi per tanto tempo? Com'era la casa in cui viveva?

Glielo chiesi, e così, nella notte, andammo sulla via Nguyen Tri Phuong, dove Thao era stato fino al giorno della Liberazione.

Poco lontano dall'imbocco della strada 4, un po' in disparte, sul retro di una scuola, al primo piano di una casa di legno di un professore suo amico, Thao aveva avuto una stanza. Nel sottoscala, dietro un rifugio fatto di sacchetti di sabbia, c'era un'intercapedine in cui Thao poteva rifugiarsi se la polizia circondava la casa. Da sotto una stuoia partiva, scavato nel pavimento in terra battuta, un tunnel che portava attraverso un canale di scolo in un orto di banani. Era la sua uscita di sicurezza.

Pensavo, cercando di immaginarmi come Thao aveva vissuto, a quale diversa misura doveva avere il tempo per una persona come lui. Vent'anni. Vent'anni di lotta; vent'anni a vivere clandestino nella propria città; vent'anni continuamente in pericolo di essere catturato.

«Sì, mi presero una volta nel 1970, vicino a Cai Be. Furono gli americani ad arrestarmi; ma attraverso un amico che pagava regolarmente il comandante americano del posto riuscii a farmi liberare.»

Non riuscivo a capire. Gli americani?

«Sì, sì, anch'io fui catturato dagli americani e mi salvai pagando un milione e ottocentomila piastre», disse l'uomo che, da quando avevamo incontrato Thao, gli era sempre stato accanto. «Mi arrestarono mentre passavo il ponte di Newport, nel '72; ma dopo 45 giorni, siccome per anni avevo comprato dagli americani del materiale rubato ed avevo così modo di ricattarli, riuscii a farmi liberare.»

L'uomo era il numero due di Thao: Le Thanh Hien, 37 anni, fino al giorno della Liberazione capitano «fantoccio» nel Genio, distaccato dall'Istituto geografico militare dell'ARVN, ma al tempo stesso dal 1960 quadro del Fronte. Entrato nell'Esercito per ordine del partito, era dal 1967 in contatto con Thao al quale aveva fornito copie di tutte le carte e le piante delle installazioni militari dell'ARVN e degli americani nella regione. Attraverso Thao le carte passavano poi al Comando militare vietcong della zona.

Nel corso della serata che passammo assieme, Thao raccontò poi di essere cugino dell'ex primo ministro di Thieu, Tran Thien Khiem, e di averlo visto pochi giorni prima della Liberazione. Mi rifiutavo di crederci.

«Voi stranieri non capite che cosa significano i rapporti familiari in Vietnam, e per questo non capite ora la politica di riconciliazione nazionale», disse Thao.

«Khiem era con Thieu, era un nemico; ma il legame familiare restava. Khiem sapeva che io ero col Fronte, ma non mi ha mai denunciato.

«La sera del 25 aprile ho preso la mia Honda e sono andato a trovarlo nella sua casa a Saigon. Stava per lasciare il paese, e volevo dirgli di rimanere. La Liberazione sarebbe arrivata presto e lui non aveva da temere per la sua vita. Ma non riuscii a convincerlo. Khiem mi disse che ormai era nella rete di Thieu e degli americani e temeva che se si fosse rifiutato di partire la CIA lo avrebbe eliminato.»

My Tho e la regione attorno erano state completamente liberate il 30 aprile, lo stesso giorno in cui era caduta Saigon.

Nonostante l'amministrazione della zona fosse stata da allora in mano ad un Comitato di gestione militare diverso da quello di Saigon-Gia Dinh, i problemi affrontati qui dalle nuove autorità erano stati gli stessi che a Saigon: registrazione dei «fantocci», campagna contro la cultura decadente, contro gli «ostinati», eccetera. Anche le scadenze erano state più o meno le stesse; ma in generale la Rivoluzione nelle campagne era stata più dura, era già andata più a fondo che a Saigon.

La capitale era stata trattata con cautela, con prudenza; tutti i mutamenti erano stati lenti, graduali, ed i *bo-doi*, che rappresentavano per la gente il contatto quotidiano col potere rivoluzionario, erano stati espressamente addestrati alla pazienza e a fare attenzione a non creare fratture con la popolazione.

Nel Delta era diverso. Innanzitutto, l'esercito regolare non esisteva. A parte poche unità di *bo-doi* che garantivano la sicurezza nella regione, erano i guerriglieri locali, i quadri politici come Phan Van Thao, vissuti per anni da clandestini in mezzo alla gente, che esercitavano il nuovo potere. Al contrario di Saigon, la guerriglia nelle campagne era sopravvissuta, i suoi effettivi erano numerosi, la sua amministrazione era già funzionante, quando ancora esisteva quella «fantoccio».

Nelle campagne tutti i problemi erano più semplici e le soluzioni più nette. Nei villaggi la gente si conosceva, ognuno sapeva meriti, difetti, responsabilità dell'altro e la vita era stata tradizionalmente comunitaria, così che anche la partecipazione popolare a tutto ciò che avveniva era più immediata, più vasta di quanto fosse all'inizio a Saigon.

Nel Delta la registrazione dei «fantocci», ad esempio, era avvenuta sulle piazze dei villaggi, non nelle stanze delle vecchie caserme o nel chiuso dei posti di polizia, come a Saigon. Le «confessioni» non venivano solo scritte su dei fogli, erano fatte davanti a tutti, e la rieducazione era una responsabilità collettiva del villaggio, e non dei singoli quadri incaricati delle varie classi.

A Nhi Quy, una piccola comunità contadina ad ovest di My Tho, dove passammo una giornata, i corsi di *hoc tap* si tenevano in un capannone, dove alla sera venivano rimessi gli attrezzi agricoli.

I «fantocci», contadini del posto in molti casi arruolati per forza nell'ARVN, sedevano per terra, in mezzo a balle di fieno e macchine per scorticare il riso. Davanti avevano un tavolo polveroso con cinque quadri politici, contadini come loro, che tenevano le lezioni, ma attorno c'era tutto il villaggio. Bambini coi fratelli minori in collo, vecchi, donne, stavano per ore a seguire quello che succedeva, ad ascoltare. Chi non trovava posto dentro il capannone restava a sbirciare dalle finestre e dalla porta. Il pubblico spesso interveniva nelle discussioni, e lo scambio di idee e di esperienze si svolgeva fra il pigolio dei pulcini chiusi in una grossa cesta ed il grugnire di grassi maiali che si aggiravano in mezzo alla gente.

Alla sera i «fantocci» rientravano nelle loro case.

Un settore in cui la Rivoluzione era andata più avanti nelle campagne che a Saigon era quello della proprietà.

A Saigon la regola era stata che solo i beni degli stranieri e dei «fantocci» che avevano lasciato il paese diventavano «proprietà del popolo».

Nelle campagne si andò presto oltre: tutto ciò che i «fantocci» avevano acquistato con mezzi illegittimi era considerato espropriabile.

In un villaggio, ad esempio, un informatore della polizia che aveva costretto un contadino a vendergli per un prezzo irrisorio un campo, minacciandolo che altrimenti lo avrebbe denunciato come comunista, venne portato davanti ad un tribunale popolare, trovato colpevole e costretto a restituire la terra.

A Quy Tan, un altro villaggio che visitammo nell'entroterra di Cai Be, il giorno della Liberazione la popolazione era entrata nella casa del capo villaggio, aveva confiscato tutti i soldi ed i gioielli che ci aveva trovato e li aveva dichiarati un «bene comune». Il capo villaggio, giudicato un «criminale, con debiti di sangue verso il popolo», era stato mandato alla rieducazione, lontano.

La sua casa, torreggiante nel villaggio, dove era l'unica in muratura ed a due piani, non era stata toccata; ma una grossa discussione era in corso da settimane fra i contadini, sull'opportunità di

434

confiscarla o meno. Chi sosteneva che anche quella doveva essere presa diceva che ogni mattone con cui era stata costruita apparteneva al popolo, perché per anni le famiglie del posto avevano
pagato al capo villaggio una quota per impedire che lui facesse
arruolare nell'ARVN e mandare al fronte i loro figli.

A Quy Tan, la fine della guerra aveva portato anche grossi
cambiamenti nella situazione dei campi.

Innanzitutto c'erano stati i contadini andati a rioccupare le terre
assegnate loro dalla riforma agraria fatta dai vietminh venticinque
anni prima, ed i cui titoli, nonostante le controriforme successive
di Diem e Thieu, erano gli unici validi per le nuove autorità.

Poi c'erano state le vere e proprie ridistribuzioni di terra a favore delle «famiglie degli eroi» e di quei contadini che, abbandonati i campi per andare con la guerriglia, erano tornati nei loro
villaggi dopo la Liberazione e non avevano di che vivere.

«Quella che abbiamo ridistribuito era la terra recuperata dallo
smantellamento delle basi militari fantoccio e la terra ceduta dai
contadini ricchi a cui abbiamo chiesto di contribuire alla Rivoluzione», spiegò Chi Nhanh, capo della sezione propaganda del
Comitato di gestione militare a My Tho.

La riconversione del terreno prima occupato dall'ARVN era in
corso ancora tre mesi dopo la Liberazione.

Sminamento dei campi, livellamento delle risaie erano lavori
affidati ai «fantocci» nel corso del loro *hoc tap*.

Quanto al modo in cui ai ricchi era stato chiesto di cedere parte delle loro risaie, il capo villaggio di Quy Tan, lui stesso un
contadino passato alla guerriglia nel '62, raccontò come questo
era avvenuto nella sua comunità: «Subito dopo la Rivoluzione
abbiamo convocato delle assemblee popolari, con la partecipazione di tutti gli abitanti, ed abbiamo spiegato che un ettaro e
mezzo, al massimo due ettari di risaia sono sufficienti a dar da
vivere ad una famiglia media di sette-otto persone. Poi abbiamo
fatto parlare ognuno dei suoi problemi. I contadini poveri hanno
descritto cosa significasse non avere abbastanza terra, doversi in-
debitare con gli affitti; e chi aveva più risaia del necessario ne ha
allora volontariamente ceduto una parte. Ogni volta che un contadino ricco annunciava il suo impegno con la Rivoluzione veniva applaudito calorosamente da tutto il villaggio».

A Quy Tan, secondo il racconto del capo villaggio, su un totale di 350 ettari coltivabili, 150 erano stati in questo modo ceduti
«spontaneamente» dai loro proprietari per essere ridistribuiti.

Credo davvero, come raccontava il capo villaggio, che non ci fossero state minacce, né imposizioni. Il clima creato dalla Liberazione e la crescente pressione sociale a comportarsi secondo nuove regole e principi bastava a spiegare queste decisioni «spontanee».

Dopo tutto, là dove non erano i proprietari a cedere, erano i contadini a prendere.

Nel villaggio di Quy Trinh, ci raccontarono, un uomo, un certo Bac Im, aveva 40 ettari di risaia. Nessuno della sua famiglia la lavorava da tempo: un figlio era poliziotto «fantoccio» a My Tho; un altro era nell'aviazione di Thieu a Bien Hoa. La terra era data in affitto.

Dopo la Liberazione i contadini si riunirono, decisero di continuare a coltivare ognuno il suo pezzo, ma di pagare a Bac Im solo un quinto del vecchio affitto. Bac Im non poté rifiutare: l'assemblea popolare del villaggio ratificò la «giusta» decisione dei fittavoli.

Ciò che nel Delta non era avvenuto, almeno nei villaggi che visitammo, era il trasferimento dei titoli legali di proprietà. Anche là dove i contadini avevano ottenuto un pezzo nuovo di risaia, ne avevano preso possesso; ma non c'era stato alcun documento legale delle nuove autorità che li dichiarasse, a tutti gli effetti, dei «proprietari».

Non era un caso.

I quadri del Fronte, specie quelli più alti, si rendevano benissimo conto che la ridistribuzione di terra era una politica transitoria, era una concessione necessaria da fare alle naturali e tradizionali aspirazioni dei contadini, ma che prima o poi la questione della proprietà agricola sarebbe stata affrontata in maniera completamente diversa e radicale.

Pur egualizzando la disponibilità della terra, le nuove autorità nel Delta lasciarono nel vago la questione di diritto, così da poter in seguito applicare misure più in linea con quella nuova società socialista di cui nel Sud non si parlava ancora chiaramente, ma che nessuno dubitava fosse il futuro del paese.

Ad Hanoi, dove chiesi in seguito quale sarebbe stata la politica del governo in questo settore, nessuno fece misteri: «Le tappe della nuova fase della Rivoluzione e della costruzione del socialismo nel Sud sono due: industrializzazione del paese e collettivizzazione dell'agricoltura», mi disse Hoang Tung, direttore del quotidiano del partito, *Nhan Dan*. Poi aggiunse: «Certo, collettivizzare il delta del Mekong sarà un problema. I contadini là sono abituati a standard diversi da quelli dei contadini nel delta del Fiume Rosso, qui al Nord. Dovremo tenere conto di queste differenze. Un semplice livellamento sarebbe arbitrario. La collettivizzazione sarà fatta di pari passo alla meccanizzazione agricola, ma sarà fatta».

I *can-bo* nel Delta non parlavano ancora di questa politica. La parola «collettivizzazione» non veniva ancora usata. I contadini non erano neppure obbligati ad organizzarsi in nuove cooperative. Solo quelle che già esistevano erano incoraggiate ad espandersi ed allargarsi.

Al contrario di Saigon, dove la guerra non era arrivata che indirettamente con l'eco delle cannonate e delle sue miserie, il Delta era stato uno dei grandi campi di battaglia del Vietnam. I due eserciti si erano affrontati qui, ed è qui che per trent'anni avevano fra i contadini reclutato i loro soldati.

Non c'era gruppo di gente che uno vedesse, anche solo passando per i campi, che non avesse un mutilato o uno storpio. Da una parte e dall'altra del fronte, le famiglie contadine avevano perso i loro figli e non c'era altare degli antenati in una qualsiasi capanna che non avesse fra i bastoncini d'incenso che bruciavano lentamente la foto di un figlio «sacrificato per la Rivoluzione», o di uno in uniforme dell'ARVN.

Ogni villaggio aveva le sue storie di massacri, di rappresaglie da raccontare, ed i contadini volevano mostrarci i loro tunnel sotterranei ed i nascondigli che avevano fatto dappertutto per i guerriglieri.

La Liberazione nelle campagne era stata la fine di tutto questo, la fine della guerra. La pace significava per i contadini poter andare nei campi all'alba, quando la terra si lavora meglio, senza dover aspettare la fine del coprifuoco, significava non dover mettere da parte un pollo o un maiale per le truppe «fantoccio» che passavano, minacciando di distruggere i raccolti se non ricevevano ospitalità.

Per alcuni significava potersi finalmente comprare un nuovo altare degli antenati, come aveva fatto Chau Van Dan, il contadino nella cui capanna avevo dormito due anni prima e dove Phuong Nam mi aveva fatto la sorpresa di riportarmi.

«La mia casa fu bruciata dai colonialisti francesi; la seconda fu distrutta dagli americani e quei buchi», disse Dan, indicando dei finissimi fili di sole che cadevano a picco dal tetto di bandone, «li ha fatti l'artiglieria di Thieu dopo il cessate il fuoco. Ora almeno sono sicuro che nessuno verrà a distruggermi nulla», e orgoglioso mostrava un solido altare di legno fresco ancora profumato.

Un vecchio contadino con un *ao-baba* nero, un lungo pizzo ed una crocchia di capelli bianchissimi sulla nuca, che riconoscendomi era venuto a salutarmi nella capanna di Dan, quando gli chiesi che cosa era cambiato nella sua vita dalla prima volta che c'eravamo visti, rispose: «Ora guardo un albero e non ho più paura. Non penso più che lì dietro c'è qualcuno che mi può sparare addosso. Un albero è di nuovo un albero. Anche questo è parte della Rivoluzione».

« Hoa Binh »: la pace

Lentamente il Vietnam ci si abituava.

Nel Sud, specie a Saigon, fra la gente che l'aveva temuta, la pace era un'avventura i cui piaceri restavano a volte velati di sorde incertezze e sottili inquietudini.

Ma al Nord, ad Hanoi, lì la pace era tutto. Era gioia, sollievo, orgoglio, speranza, esaltazione, fierezza. La pace era la vittoria. Vittoria di tutti – dicevano –, ma soprattutto la loro vittoria.

Era lì che s'era conservata l'anima del paese; era da lì che l'ultima resistenza era stata condotta; era lì che ora il paese pensava al futuro.

Sulla facciata dei Grandi magazzini di stato dalle vetrine semivuote e polverose, in riva al lago della Spada Ritrovata, ad Hanoi, c'era, alla fine di luglio, un enorme cartellone con su disegnata la sagoma del Vietnam: tutto il paese era colorato di rosso. Al posto di Saigon-Città Ho Chi Minh c'era un piccolo cerchio giallo; al posto di Hanoi una grande stella a cinque punte. Fra Nord e Sud nessuna differenza, nessun confine; il paese era già uno, la capitale di tutto era quella: Hanoi.

Ci ero arrivato a bordo di un DC-4 «fantoccio», ridipinto coi colori del Nord e carico di *bo-doi* che tornavano a casa in licenza, abbracciando, come fossero bambole, grossi ventilatori comprati a Saigon al mercato dei ladri.

L'impressione di essere nel cuore del nuovo Vietnam era immediata. La città, la gente, le cose, i comportamenti erano il modello di tutto ciò che avevo visto cambiare nel Sud. Nella gente per strada e nei dirigenti che si incontravano c'era la spregiudicatezza di chi è sicuro che ormai niente può mutare il corso della storia.

«Per la nostra indipendenza abbiamo pagato un prezzo altissimo. Abbiamo perso nella guerra due milioni di uomini e donne, abbiamo perso i migliori quadri, i giovani più preparati. Ne avremmo sacrificati altri, se fosse stato necessario.

«Fino al giorno della Liberazione di Saigon non abbiamo escluso la possibilità di un intervento americano. Ci eravamo preparati a resistere anche a quello.

«Ora non ci può più succedere nulla. I problemi che abbiamo da affrontare sono niente rispetto a quelli del passato. Abbiamo la nostra linea politica, e la seguiremo», mi disse, alla fine di una lunghissima conversazione notturna, un membro del Comitato centrale del partito, al lume di una unica lampadina che pendeva dal soffitto nel centro d'una grande villa cadente che doveva essere stata un tempo la lussuosa residenza di qualche francese.

Un alto funzionario del ministero degli Esteri, per illustrare la sorprendente situazione in cui si trovava il paese, citò una poesia del XV secolo che per la prima volta in Vietnam sembrava descrivere la realtà e non un sogno:

In mare non ci sono più pescecani,
sulla terra non ci sono più fiere,
il cielo è sereno.
Possiamo costruire una pace di diecimila anni.

Poi aggiunse: «Oggi la pace è un fatto vero. Fra di noi non ci batteremo più ed è difficile immaginare un'altra invasione straniera».

Sotto le sue finestre, sulla piazza Ba Dinh, alla fine del viale Dien Bien Phu, migliaia di operai stavano lavorando giorno e notte per finire il mausoleo di Ho Chi Minh, un enorme cubo di pietra grigia e marmo rossastro.

In tutta la città i cilindri di cemento, affossati lungo i marciapiedi per dare riparo ai passanti durante i bombardamenti, erano stati trasformati in grossi vasi da fiori; in alcuni ci avevano piantato piccoli alberi; i rifugi antiaerei, murati a ridosso delle case e delle fabbriche, venivano smantellati ed i mattoni, recuperati per qualche altro uso, venivano caricati su dei carri di legno tirati da buoi che circolavano nel centro della città, in mezzo a migliaia di biciclette.

Le scuole, disperse nelle campagne fino all'ultimo giorno di guerra per paura dei bombardamenti americani, tornavano nelle loro vecchie sedi. Le batterie contraeree venivano smontate. Gli altoparlanti, che avevano un tempo ululato improvvisi allarmi, servivano ormai solo a trasmettere la sveglia del mattino con musiche rivoluzionarie.

Si vedevano allora, contro il cielo vuoto, limpido dell'alba le sagome dei giovani della milizia popolare sgranchirsi le braccia sui tetti delle case, fra le chiome sfrangiate dei banani, mentre le strade si riempivano di gente che faceva ginnastica dinanzi alle proprie porte.

Cominciavano così le giornate, una uguale all'altra, di quella vita semplice, dura, modesta, austera, che piano piano veniva imposta anche a Saigon.

Anche la pace poneva i suoi problemi.

« Che tipo di uomo è diventato il vietnamita? Anni di guerra passati nella giungla, sofferenze, sacrifici, che cosa hanno fatto dei combattenti? Sono domande che ci poniamo, perché la riconversione è importante, è urgente », mi disse Nguyen Khac Vien, nel suo Istituto di Ricerche Storiche.

Durante la guerra, quest'uomo magrissimo, ricurvo, rimasto con solo mezzo polmone a causa di una vecchia tubercolosi, da un edificio con le finestre ad oblò che era stato la sede di una compagnia di navigazione francese e che lui aveva riempito di libri, aveva diretto la propaganda di Hanoi per il mondo occidentale.

Per un intero pomeriggio, davanti ad un bricco fiorito dal quale mi serviva continuamente del tè verde ed amaro, parlò del futuro: « Ora che la guerra è finita, dobbiamo fare una triplice Rivoluzione: Rivoluzione nei rapporti di produzione, per creare nuove strutture economiche più socialiste; Rivoluzione culturale ed ideologica, per convertire la mentalità di ognuno; Rivoluzione tecnica e scientifica, per recuperare il tempo che abbiamo perduto nella guerra ».

A vederli, pazienti, ordinati, al mattino, a fare la coda dinanzi ai ristoranti statali per la colazione, alla sera accovacciati attorno al lago a succhiare alternativamente due stecche di gelato, a passeggiare a coppie per il centro, le donne con le lunghe trecce nere sulla schiena, tutti vestiti con radicale semplicità, le camicie bianche, i pantaloni neri, i sandali di gomma o plastica, tutti con l'elmetto coloniale diventato, per uno scherzo della storia, il simbolo della Resistenza, questi vietnamiti mi parevano ormai capaci di ogni rivoluzione del mondo.

Hanoi era come un grosso villaggio contadino punteggiato di vecchie case, di ville francesi che ormai appartenevano a un passato lontanissimo. Le eleganti facciate, gli stucchi attorno alle finestre, le balaustre di ferro battuto dei balconi che si vedevano ancora nel centro di Hanoi, non avevano più nulla a che fare con la vita che si svolgeva sotto. Erano come in un teatro le quinte di una commedia che da tempo non si recitava più.

Mi aveva colpito, partendo, la stessa cosa a Saigon, quando, attirato dallo scalpiccio dei *bo-doi* che in maglietta passavano di corsa, all'alba, per le strade vuote della città, avevo per l'ultima volta guardato dalla mia finestra la via Tu Do. I palazzi, le case, gli alberghi costruiti dagli americani mi erano parsi immensi, sproporzionati rispetto a quello che la città diventava. Erano come ruderi intatti di un'altra civiltà.

Il nuovo Vietnam, a suo modo, avrebbe ora costruito la propria. I « santi » ne sarebbero stati gli ingegneri.

Nel cielo di Hanoi, andando verso casa, per la prima volta senza lasciarmi dietro un paese in guerra, pensavo a quelli che avevo conosciuto, ed alle altre migliaia e migliaia che lavoravano anonimi nelle risaie, nelle foreste, nei villaggi da cui non si alzavano più le colonne di fumo degli incendi e delle bombe.

Il Vietnam era loro, e ne avevano ogni diritto.

Cronologia

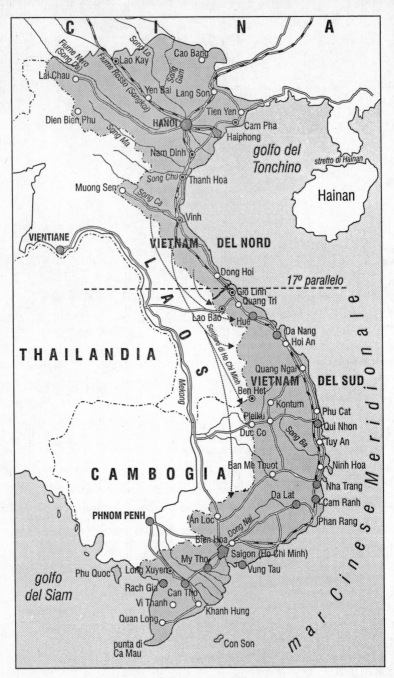

Il Vietnam al tempo della guerra

1857 Ha inizio l'occupazione francese dell'Indocina, compreso il Vietnam.

1940 *Giugno* Dopo la resa della Francia alla Germania, il Giappone s'impossessa dell'Indocina.

1945 *Agosto* Capitolazione del Giappone. La conferenza di Potsdam decide di creare due zone di occupazione, a nord e a sud del 16° parallelo.

Settembre Nel Nord, il leader comunista Ho Chi Minh, capo del Vietminh (Movimento di liberazione comunista da lui fondato nel 1941) proclama la Repubblica Democratica del Vietnam. La zona sud viene occupata da truppe britanniche.

1946 *Gennaio* La Gran Bretagna cede l'amministrazione del Sud alla Francia.

Marzo Ho Chi Minh accetta il ritorno delle truppe francesi nel Tonchino (Indocina settentrionale) dopo il riconoscimento della Repubblica Democratica nell'ambito dell'Unione francese.

Giugno La Francia viola gli accordi, creando un governo separato in Cocincina (la zona intorno a Saigon).

Dicembre Attacco delle forze vietminh contro i francesi ad Hanoi: ha inizio la prima guerra d'Indocina.

1950 *Gennaio* Cina e Unione Sovietica riconoscono la Repubblica Democratica del Vietnam nel Nord. Stati Uniti e Gran Bretagna riconoscono il governo di Bao Dai nel Sud.

Maggio Gli Stati Uniti avviano il loro coinvolgimento in Vietnam con un'assistenza militare allo sforzo francese nella regione.

1953 La guerra si rivela per i francesi più dura del previsto.

Aprile Il presidente americano Eisenhower respinge la richiesta francese di un intervento diretto in Vietnam.

1954 *Maggio* Capitolazione della fortezza francese di Dien Bien Phu.

Giugno Ngo Dinh Diem diventa primo ministro del Sud-Vietnam.

20 luglio La firma degli Accordi di Ginevra mette fine alla guerra francese in Indocina dopo la vittoria vietminh a Dien Bien Phu. Gli Accordi, che portano allo smembramento dell'Indocina francese e alla creazione degli Stati del Laos e della Cambogia, prevedono la cessazione delle ostilità in tutto il territorio vietnamita e fissano al 17° parallelo una linea di demarcazione provvisoria: al Nord debbono concentrarsi le forze comuniste, al Sud quelle che sono state alleate dei francesi. Le elezioni generali, che avrebbero dovuto aver luogo entro il 1956, non vennero mai fatte.

1955 *Febbraio* Militari americani rimpiazzano quelli francesi come consiglieri nell'esercito del Sud-Vietnam.

Luglio Unione Sovietica e Cina avviano l'assistenza militare al Nord-Vietnam.

1959 Il Nord-Vietnam comincia a infiltrare guerriglieri nel Sud attraverso il Sentiero di Ho Chi Minh.

1960 *Gennaio* Nasce ad Hanoi il Fronte di Liberazione Nazionale per il Sud-Vietnam: i suoi guerriglieri vengono conosciuti col nome di vietcong. Durante un attacco vietcong a Bien Hoa muoiono i primi due soldati americani.

Novembre John Fitzgerald Kennedy vince le elezioni presidenziali negli Stati Uniti.

1961 *Dicembre* Dopo diversi viaggi diplomatici nel Vietnam del Sud, il numero dei militari americani nella regione sale a 3200.

1962 Viene istituito il Comando di assistenza militare americano: il numero dei soldati USA in Vietnam sale a 12.000.

1963 I vietcong infliggono una dura sconfitta all'esercito sud-vietnamita (ARVN) nella battaglia di Ap Bac.

Novembre Con la tacita approvazione degli Stati Uniti, un colpo di stato militare rovescia il presidente sudista Diem, che viene assassinato. Il 22 dello stesso mese Kennedy muore in un attentato a Dallas. Gli succede Lyndon B. Johnson.

Alla fine dell'anno gli americani presenti in Vietnam sono 16.000.

1964   *Aprile* Il generale William Westmoreland è nominato comandante in capo delle forze USA in Vietnam.

2-4 agosto Alcune imbarcazioni nordvietnamite attaccano in acque internazionali due cacciatorpediniere americani nel golfo del Tonchino.

7 agosto Il Congresso approva una risoluzione in base alla quale il presidente Johnson è autorizzato a «prendere tutte le misure necessarie per reagire a qualsiasi attacco armato contro le forze americane e a prevenire ulteriori aggressioni».

Gli Stati Uniti respingono una proposta di de Gaulle di neutralizzazione del Vietnam del Sud.

I vietcong attaccano la base aerea di Bien Hoa.

Il numero dei soldati americani sale a 23.000.

1965   *Febbraio* Cominciano i massicci bombardamenti aerei contro il Nord.

Dicembre La presenza americana sale a 184.000 uomini.

1966   Il contingente americano sale a 385.000 uomini.

1967   *Gennaio* Il Nord-Vietnam è disposto a negoziare a condizione che venga fermata la campagna aerea.

A fine anno, gli americani sono 485.000.

1968   *Gennaio* I vietcong lanciano l'offensiva del Tet (il Capodanno vietnamita): in poche ore i guerriglieri attaccano centinaia di obiettivi in tutto il Sud; alcune unità riescono persino a penetrare nell'ambasciata americana a Saigon. L'offensiva viene alla fine respinta e numerose zone temporaneamente occupate dai comunisti vengono riconquistate. Dal punto di vista militare, il Tet è una sconfitta per i comunisti, ma finirà per diventare una vittoria politica e psicologica. Inoltre, segna il punto di svolta dell'opinione pubblica americana contro la guerra. Prime dimostrazioni negli Stati Uniti.

Il generale Westmoreland richiede l'invio di altri 206.000 uomini.

Marzo Massacro di My Lai: truppe americane distruggono completamente il villaggio ed uccidono 347 civili inermi, fra cui donne e bambini.

Prime trattative fra USA e Vietnam del Nord.

Johnson annuncia che non si ripresenterà alle elezioni presidenziali.

Ottobre Vengono sospesi i bombardamenti americani sul Nord.

Novembre Richard Nixon presidente degli Stati Uniti.

Il numero degli americani sale a 536.000.

1969   *Gennaio* Colloqui a Parigi sul Vietnam.

Aprile Nixon autorizza bombardamenti illegali in Cambogia.

3 settembre Ho Chi Minh muore ad Hanoi.

Gli americani raggiungono l'apice della loro presenza militare in Vietnam: 543.000 uomini. Poco dopo cominciano i primi ritiri di truppe USA.

1970   Negli USA, massicce dimostrazioni studentesche contro i bombardamenti in Cambogia: quattro morti alla Ken State University.

Restano in Vietnam 334.000 uomini.

1971   *Febbraio* I sudvietnamiti invadono il Laos.

A Washington, 400.000 persone protestano contro la guerra.

William Calley, responsabile del massacro di My Lai, viene condannato.

Il ritiro delle truppe USA continua.

1972   *30 marzo* Inizio dell'«offensiva di primavera». Truppe nordvietnamite con artiglieria pesante e carri armati passano la zona demilitarizzata ed entrano nel Sud-Vietnam. Forze del Fronte di Liberazione Nazionale attaccano l'esercito sudista in varie parti del Paese.

15 aprile Gli americani riprendono dopo quattro anni di de-escalation i bombardamenti del Nord-Vietnam. I B-52 colpiscono obiettivi vicini ad Hanoi e Haiphong.

25 aprile Washington annuncia la ripresa dei negoziati di pace di Parigi e l'ulteriore ritiro di truppe americane dal Vietnam (70.000 uomini).

1° maggio La capitale provinciale Quang Tri cade. Le truppe di Hanoi e del Fronte di Liberazione Nazionale hanno il controllo dell'intera provincia settentrionale del Sud-Vietnam. Hué è minacciata.

4 maggio Stati Uniti e Nord-Vietnam aggiornano indefinitamente gli incontri di Parigi.

8 maggio Il presidente Nixon annuncia d'aver ordinato il blocco di Haiphong e di altri sei porti nordvietnamiti.

10 maggio Hanoi denuncia il minamento di sei suoi porti

come un atto criminale che viola la legge internazionale. Il presidente sudvietnamita Thieu dichiara la legge marziale.

31 maggio Washington rifiuta gli inviti di Hanoi e del Fronte a riprendere i negoziati di Parigi.

Giugno Gli Stati Uniti vengono accusati di bombardare sistematicamente il sistema delle dighe nel Nord-Vietnam. Lo stesso segretario delle Nazioni Unite, Kurt Waldheim, manifesta le sue preoccupazioni per questi bombardamenti.

1° agosto Henry Kissinger si incontra segretamente con l'emissario di Hanoi, Le Duc Tho.

6 ottobre Nixon dichiara che le trattative segrete sono in uno stadio decisivo.

17 ottobre Kissinger si incontra a Parigi con Xuan Thuy, capo della delegazione nordvietnamita alle trattative.

18 ottobre Kissinger arriva a Saigon e si incontra con Thieu.

26 ottobre Radio Hanoi annuncia che un accordo per il cessate il fuoco è stato stilato, ma che gli Stati Uniti si stanno rifiutando di firmarlo, come invece era stato convenuto alla fine del mese. Nel corso di una conferenza stampa a Washington, Kissinger dichiara: «La pace è a portata di mano».

27 ottobre Thieu dichiara che il Sud-Vietnam non accetterà alcun accordo che non abbia la sua firma. Chiede il completo ritiro delle truppe nordiste dal Sud.

20 novembre Kissinger e Le Duc Tho riprendono i negoziati segreti a Parigi.

Nixon viene rieletto.

25 novembre Le trattative vengono nuovamente interrotte.

6 dicembre Kissinger e Le Duc Tho si incontrano nuovamente e il 13 le trattative vengono aggiornate indefinitamente senza spiegazioni. Kissinger dice che l'accordo è fatto al 99 per cento.

17 dicembre Gli Stati Uniti bombardano pesantemente Hanoi e Haiphong.

30 dicembre Nixon interrompe i bombardamenti a nord del 20° parallelo.

Restano in Vietnam 24.200 americani.

1973   *8 gennaio* Riprendono le trattative di Parigi.

23 gennaio Nixon, Thieu e Hanoi annunciano che l'accordo per il cessate il fuoco è fatto. La firma avviene il 27.

28 gennaio Entra in vigore il cessate il fuoco in seguito agli Accordi di Parigi. Firmati il 28 gennaio 1973 dai rappresentanti dei governi della Repubblica Democratica del Vietnam (Hanoi), della Repubblica del Vietnam (Saigon), degli Stati Uniti e del Governo Provvisorio Rivoluzionario (Vietcong), misero fine all'intervento americano in Vietnam. Le ostilità avrebbero dovuto cessare in tutto il Sud. Una volta ritiratesi le truppe americane, il Governo Provvisorio Rivoluzionario e quello di Saigon avrebbero dovuto formare, nello spirito di riconciliazione e concordia nazionale, un governo di coalizione a tre in cui fossero rappresentati: i vietcong, i vietnamiti di Thieu e l'opposizione non comunista a Thieu, detta Terza Forza.

Nell'articolo 1 degli Accordi venne riconosciuto il principio per il quale i guerriglieri vietnamiti si erano battuti per decenni: «Gli Stati Uniti e tutti gli altri paesi rispettano l'indipendenza, la sovranità, l'unità e l'integrità territoriale del Vietnam». Sottoscrivendo questo principio gli Stati Uniti rinunciavano a quella che era stata la giustificazione del loro intervento militare nel paese, vale a dire la difesa del Sud aggredito dal Nord. Dall'accettazione del principio dell'unità vietnamita derivava anche un'altra conseguenza. Se Nord e Sud erano uno stesso paese, le truppe nordiste del Sud non potevano essere considerate come «straniere» e il loro ritiro non poteva essere messo alla stessa stregua del ritiro delle truppe americane. Contrariamente a quello che avrebbe voluto Thieu, gli Stati Uniti accettarono che negli Accordi di Parigi non si parlasse del ritiro delle divisioni nordiste. La loro presenza era diventata un fatto scontato.

29 marzo L'ultimo soldato americano combattente lascia il Vietnam. Restano poco più di 250 uomini del personale amministrativo.

1974   *Agosto* Dopo le dimissioni di Nixon in seguito al Watergate, Gerald Ford diviene presidente degli Stati Uniti.

La guerra tra Nord e Sud riprende senza l'intervento americano.

I comunisti occupano il Delta del Mekong.

1975   *17 aprile* In Cambogia, Phnom Penh viene conquistata dai ribelli comunisti, i khmer rossi di Pol Pot.

30 aprile Saigon cade. Il personale dell'ambasciata americana viene evacuato. Le truppe comuniste occupano la capitale.

1976   *2 luglio* Riunificazione formale e proclamazione della Repubblica Socialista del Vietnam.

Glossario

Air America Compagnia aerea, formalmente privata, ma sostanzialmente fondata con capitali della CIA che assieme al Dipartimento di Stato ne aveva affittato in Vietnam i servizi. Dopo gli Accordi di Parigi, elicotteri dell'Air America furono usati su contratto per garantire i servizi aerei della ICCS e delle commissioni quadripartite e bipartite instaurate dagli Accordi.

Ao-baba Il classico abito dei contadini; come un pigiama, di solito nero.

Ao-dai Il tradizionale abito delle donne vietnamite. Larghi pantaloni ed una tunica fino a terra con due grandi spacchi laterali fino alla vita.

Armi e mezzi militari

A-37 Aereo a reazione di fabbricazione americana usato come cacciabombardiere dall'aviazione di Saigon.

AK-47 Fucile di fabbricazione cinese; arma standard dei guerriglieri vietcong e dei *bo-doi*.

B-52 Superbombardieri americani.

C-141 Aereo da trasporto dell'aviazione americana. Uno dei più grandi allora al mondo.

Molotova Camion per trasporto truppe di modello sovietico, ma costruito anche in Cina; in dotazione all'Esercito di Liberazione.

Cannoni da 130 mm L'artiglieria a più larga portata in dotazione all'Esercito di Liberazione.

Cobra Piccoli elicotteri americani armati di razzi, in dotazione all'ARVN e alle forze armate USA.

DC-3 Aereo ad elica di fabbricazione americana, usato come cargo e trasporto passeggeri.

F-5 Aereo a reazione di fabbricazione americana, molto più veloce e sofisticato dell'A-37 ed usato come cacciabombardiere anche nella versione F-5E dell'aviazione di Saigon.

Iliuscin Jet da trasporto passeggeri di fabbricazione sovietica.

Jolly Green Giants « Giocondi giganti verdi », i più grandi elicotteri da trasporto truppe e materiale in dotazione alle forze armate USA.

L-119 Piccolo aereo di fabbricazione americana impiegato dall'aviazione di Saigon come ricognitore.

M-16 Fucile di fabbricazione americana; arma standard dell'ARVN. Può sparare a raffica o singoli colpi.

M-41 Carro armato leggero di fabbricazione americana in dotazione all'ARVN.

M-113 Mezzo blindato per trasporto truppe di fabbricazione americana in dotazione all'ARVN.

Mig Caccia a reazione di fabbricazione sovietica in dotazione all'aviazione di Hanoi.

Missile « Strella » o SA-7 Missile terra-aria di fabbricazione sovietica, in dotazione alle truppe comuniste, con una testata a ricerca automatica di calore. Fece per la prima volta la sua apparizione in Vietnam durante l'offensiva del '72 e si dimostrò efficacissimo contro gli elicotteri e gli aerei che volavano a bassa quota.

Razzi B-40 Con la nuova variante B-41 era il razzo anticarro standard delle truppe nordvietnamite e dei guerriglieri vietcong. Trasportato a mano da una sola persona, veniva sparato da un lanciarazzo poco più grande di un normale fucile.

T-54 Carro armato pesante di fabbricazione sovietica in dotazione all'Esercito di Liberazione.

ARVN Armed Forces Vietnam. L'esercito sudvietnamita, l'esercito di Saigon.

Baby-lift L'operazione lanciata poche settimane prima della Liberazione per portare via dal Vietnam bambini orfani o abbandonati.

Bao-chi Stampa. L'espressione vietnamita più corrente per descrivere i giornalisti.

Bo-doi Nel testo questo termine è usato, come lo si usava allora in Vietnam, per significare « i soldati dell'Esercito di Liberazione.» Spesso contrapposto a vietcong, nel senso che il primo era il soldato regolare in uniforme, mentre il vietcong era il guerrigliero, il partigiano inquadrato in una formazione armata irregolare.

Cach mang Rivoluzione.

Can-bo Quadro politico dell'FLN.

Camp Davis Un campo all'interno di Tan Son Nhut, usato in passato dagli americani e diventato dopo gli Accordi di Parigi la sede della delegazione GPR a Saigon.

Cholon Città un tempo separata da Saigon ed abitata quasi esclusivamente da cinesi. Oggi è il quartiere cinese di Saigon.

CIA Central Intelligence Agency. Il servizio di spionaggio americano.

CIO Central Intelligence Organization. Servizio di spionaggio sudvietnamita equivalente alla CIA.

DAO e USDAO United States Defense Attaché Office. L'ufficio dell'addetto militare dell'ambasciata americana distaccato a Tan Son Nhut, nei locali che erano stati del MACV.

Doc Lap Indipendenza. Palazzo Doc Lap, dopo essere stato la residenza del presidente Thieu, divenne la sede del Comitato di gestione militare Saigon-Gia Dinh.

Dong La moneta del Nord-Vietnam. Il cambio ufficiale nel 1975 variava da due a quattro dong per un dollaro USA.

FLN Fronte di Liberazione Nazionale. L'organizzazione politica della guerriglia sudista nella quale confluivano, oltre il Partito comunista, varie altre formazioni democratiche.

Freedom Birds Venivano chiamati così dai soldati americani gli aerei che li riportavano negli USA dopo il periodo di ferma in Vietnam.

GI Govermnent Issue. Significa soldato americano.

Giai Phong Liberazione.

GPR Governo Provvisorio Rivoluzionario. Costituito il 6 giugno 1969, era il governo del Fronte di Liberazione Nazionale, il governo della guerriglia, della resistenza antiamericana.

Hoa binh Pace.

Honda Fabbrica giapponese di motociclette diventata in Vietnam sinonimo di motocicletta.

Hoc tap Rieducazione.

ICCS International Commission of Control and Supervision. La Commissione internazionale di controllo e supervisione instaurata dagli Accordi di Parigi. I membri erano: Canada, Indonesia, Polonia e Ungheria. Dopo alcuni mesi la delegazione canadese si ritirò e il suo posto fu preso dall'Iran.

MACV Military Assistance Command Vietnam. Chiamato anche il Pentagono dell'Est. Era il quartier generale del corpo di spedizione americano in Vietnam. Dopo gli Accordi di Parigi divenne la sede dei consiglieri americani rimasti nel paese e fu ribattezzato DAO.

Plastra La moneta del Sud-Vietnam. Il cambio ufficiale prima della Liberazione era di 755 piastre per un dollaro USA.

PX L'emporio per soli cittadini americani dove la merce veniva venduta senza tasse.

Rangers Corpo speciale di commandos dell'ARVN.

Terza Forza Espressione generica usata per indicare, specie dopo gli Accordi di Parigi, tutte le varie organizzazioni di opposizione non comunista al regime di Thieu.

Tan Son Nhut L'aeroporto civile e militare di Saigon.

Tu Do Libertà. La via Tu Do è la strada principale di Saigon. Al tempo dei francesi si chiamava rue Catinat.

US marines Fucilieri di marina, corpo speciale dell'esercito americano. I suoi componenti vengono in gergo chiamati *leathernecks*, « colli di cuoio ».

Vietcong Guerriglieri vietnamiti al tempo della resistenza antiamericana. Il termine, nato a significare semplicemente « comunisti vietnamiti », divenne nell'uso americano, specie nella sua abbreviazione « VC », dispregiativo. Nel libro questa parola è usata, fino al giorno della Liberazione, come equivalente di partigiani, guerriglieri, combattenti della libertà.

Vietminh Guerriglieri vietnamiti al tempo della resistenza antifrancese.

Indice

TIZIANO TERZANI
LA FINE
È IL MIO INIZIO

Tiziano Terzani, sapendo di essere arrivato alla fine
del suo percorso, parla al figlio Folco di cos'è stata la
sua vita e di cos'è la vita: « Se hai capito qualcosa la
vuoi lasciare lì in un pacchetto », dice. Così,
all'Orsigna, sotto un albero a due passi dalla gompa,
la sua casetta in stile tibetano, in uno stato d'animo
meraviglioso, racconta di tutta una vita trascorsa
a viaggiare per il mondo alla ricerca della verità.
E cercando il senso delle tante cose che ha fatto
e delle tante persone che è stato, delinea un affresco
delle grandi passioni del proprio tempo. Ai giovani
in particolare ricorda l'importanza della fantasia,
della curiosità per il diverso e il coraggio di una vita
libera, vera, in cui riconoscersi. Questo libro
è un testo unico che racchiude tutti i suoi libri
precedenti, ma anche li precede e li supera. « Se mi
chiedi alla fine cosa lascio, lascio un libro che forse
potrà aiutare qualcuno a vedere il mondo in modo
migliore, a godere di più della propria vita, a vederla
in un contesto più grande, come quello che io sento
così forte. » Un testo che è il suo ultimo regalo:
il nuovo libro di Tiziano Terzani.

LONGANESI

TIZIANO TERZANI
UN ALTRO GIRO DI GIOSTRA

Viaggiare è sempre stato per Tiziano Terzani
un modo di vivere e così, quando gli viene
annunciato che la sua salute e la sua stessa vita sono
in pericolo, mettersi in viaggio alla ricerca di una
soluzione è la sua risposta istintiva. Solo che questo
è un viaggio diverso da tutti gli altri, e anche il più
difficile perché ogni passo, ogni scelta – a volte fra
ragione e follia, fra scienza e magia – ha a che fare
con la sua sopravvivenza. Strada facendo prende
appunti: così nasce *Un altro giro di giostra*.
Un libro sull'America, un libro sull'India, un libro
sulla medicina classica e quella alternativa,
un libro sulla ricerca della propria identità.
Tanti libri in uno: un libro leggero e sorridente,
su quel che non va nelle nostre vite di donne
e uomini moderni e su quel che è ancora
splendido nell'universo fuori e dentro tutti noi.

LONGANESI

AVVENTURE

Storie vere di viaggi, luoghi e libertà

ANGELA TERZANI STAUDE
GIORNI GIAPPONESI

«Al Giappone non avevamo mai pensato perché in qualche modo era come fuori dell'Asia che c'interessava, ma, per poter prendere una decisione basata su dati concreti, andammo a passare due settimane a Tokyo. Tornammo scioccati... Pochi giorni ci erano bastati per capire che il Giappone non era certo un paese in cui uno sogna di vivere. Ci rendevamo però conto che il Giappone è anche un paese in cui sarebbe opportuno vivere perché quanto vi accade determinerà in qualche modo il nostro futuro e quello dei nostri figli.»

Frutto di cinque anni intensi di vita, lavoro ed esperienze, il diario giapponese di Angela Terzani Staude ci offre la straordinaria opportunità di osservare «dall'interno» i complessi meccanismi della società nipponica contemporanea, di tentare di scoprire cosa si nasconde sotto un'apparenza tanto affascinante quanto impenetrabile. I piccoli e grandi problemi della vita quotidiana si alternano ai momenti «ufficiali», i viaggi nei luoghi della natura e della storia alle frequentazioni di quelli del potere, in una sorta di avvincente vagabondaggio nello spazio e nel tempo, tra continue scoperte, incontri, visite, letture, felici intuizioni e riflessioni profonde.

AVVENTURE

STORIE VERE DI VIAGGI,
LUOGHI E LIBERTÀ

ANGELA TERZANI STAUDE
GIORNI CINESI

«Le purpuree mura [della Città Proibita] inquadrano un segreto che forse non sarà mai svelato: il segreto di quel che è vero di quel che è reale in Cina. Intorno a quello i cinesi, quelli dell'Impero come quelli del Partito comunista, continuano ad affaccendarsi per cercare di camuffarlo, di travestirlo, di rivestirlo, per dargli una faccia e poi un'altra, e un'altra ancora... Oggi, come allora, noi contempliamo le macchine o le portantine, i messaggi o i giornali e ci chiediamo: come? perché? a quale scopo? affascinati per sempre dal diverso rapporto dei cinesi con la realtà.»

Così Angela Terzani Staude chiude il diario di una eccezionale esperienza: tre anni vissuti in Cina, dal 1980 al 1983, insieme con il marito Tiziano – allora corrispondente del settimanale tedesco *Der Spiegel* – e con i figli Folco e Saskia. Tre anni vissuti appassionatamente e con curiosità, esplorando a fondo Pechino e percorrendo in treno, corriera e bicicletta l'immenso Paese, dalle città costiere ai villaggi più remoti; ascoltando centinaia di storie e incontrando uomini e donne dai destini più diversi; registrando lucidamente gli esiti dolorosi della Rivoluzione culturale e affrontando sia i più comuni problemi della vita quotidiana che i nodi più antichi di una civiltà millenaria.

Finito di stampare
nel mese di novembre 2007
per conto della TEA S.p.A.
dal Nuovo Istituto Italiano d'Arti Grafiche - Bergamo
Printed in Italy